Hitlers beulen

Guido Knopp

Hitlers beulen

in samenwerking met
Peter Adler, Christian Deick, Peter Hartl,
Rudolf Gültner, Jörg Müllner

Documentatie:
Bettina Dreier, Klaus Sondermann

de
Prom

ISBN 90 6801 718 7
NUGI 648

Oorspronkelijke titel: *Hitlers Helfer*
Oorspronkelijke uitgever: C. Bertelsmann Verlag
Vertaald uit het Duits door Ronald Heesakkers

Omslagontwerp: Wil Immink
Typografie: v3-services, Baarn

Inhoud

Doodgewone Duitsers?

Zonder Hitler was het Derde Rijk ondenkbaar. Zonder hem, het middelpunt van alle kwaad, ging het op in rook. Het moorddadige bestaan ervan hing alleen van hem af. Zonder hem was het een spookschip.

De dictator was echter wel op beulen aangewezen die zich geheel aan hem onderwierpen. Zij, de paladijnen, droegen en garandeerden zijn macht: Hitlers gewillige beulen. Zij voerden uit wat de tiran beval, en soms nog meer.

Hitlers rijk was geen zwakke dictatuur met een werkschuwe zwerver aan het hoofd die alles op zijn beloop liet en zich door de stroom liet meevoeren, die slechts af en toe in de structuur van de nazi-heerschappij ingreep en tot zijn wandaden gedwongen móest worden. Hitler wist heel goed dat geen van zijn beulen ooit iets zou durven doen wat niet met zijn doelen strookte.

Goebbels, Göring, Himmler, Heß, Speer, Dönitz – zes carrières waarvan de functies in het web van de dictatuur zeer verschillend waren. De psychogrammen van al deze mannen helpen echter bij het antwoord op de vraag hoe het 'zover' kon komen. Zijn zij een zeer speciaal soort misdadigers? In het bezit van dezelfde criminele energie waarvan hun leider vervuld was? Of 'doodgewone' Duitsers die door bijzondere omstandigheden en toevalligheden bijzondere carrières konden maken die hen in staat stelden om zeer bijzondere misdaden te plegen?

Goebbels was de fanatiekste beul van Hitler. Vervuld van een diep geloof in de afgod, die hij als eerste tot cultfiguur verhief, was hij de brandstichter van het Derde Rijk, degene die de bruine burgermannetjes opstookte tot het verbranden van boeken, synagogen en ten slotte mensen. Hij moordde met woorden. Als Hitlers macht kan worden gezien als een mengsel van verleiding en geweld, dan was de kleine doctor voor 'verleiding' verantwoordelijk. Op zijn tijdgenoten maakte hij een even afstotende als fascinerende indruk. Met zijn van een meesterlijke taalbeheersing getuigende retoriek, zijn wrange cynisme en zijn talent om geloof, haat en hartstocht voor zijn doelen op te wekken, stak de verleider ver boven de grijze middelmaat van de nazi-heerschappij uit.

Hij was een man van uitersten: huilerigheid ging bij hem gepaard met hardheid, zelfmedelijden met het stellen van overdreven hoge eisen aan zichzelf, een strijdlustig temperament met hopeloze lethargie, een minderwaardigheidsgevoel met een overtrokken zelfbewustzijn, een vurig verlangen naar verlossing met een drang om te vernietigen. De diepe vroomheid van zijn ouders lag ten grondslag aan zijn tomeloze drang om te geloven; zijn bescheiden afkomst was de drijfkracht van zijn mateloze ambitie; de verminking van zijn voet de reden voor zijn meedogenloze mensenhaat. Het lukte hem echter nooit om zich van het stigma van een met wantrouwen bekeken buitenstaander te ontdoen – ook niet, vooral niet, in de nationaal-socialistische beweging. Zelfs zijn relatie met Hitler bleek emotioneel eenrichtingsverkeer te zijn. Zonder enige reserve was de gelovige knecht verslaafd aan zijn meester; tot zelfopoffering toe onderwierp hij zijn hele leven aan zijn band met de heerser. Deze waardeerde Goebbels' trouw, zijn scherpe verstand en dito retoriek, maar hield hem in de persoonlijke omgang, evenals bij de belangrijke beslissingen, het liefst op afstand.

Zo afhankelijk de vereerder van de gunstbewijzen van zijn idool was (zoals de alcoholist van de fles), zo innig vormde hij de publieke afgod Hitler. Hij maakte van hem de Messias die het volk verlossing kwam brengen. De door hem geschapen Führermythe (waarvan, naast Goebbels, Hitler zelf de vurigste discipel was) culmineerde in het dogma: 'De Führer heeft altijd gelijk.'

De propagandachef van het Derde Rijk wilde het voelen, denken en willen van iedereen te allen tijde beheersen. Wat gelijkschakeling en monotone gelijkmatigheid was, werd in zijn propaganda een toegewijde volksgemeenschap.

Zijn wapens om de steun van het volk te winnen waren steeds dezelfde: simpele boodschappen en pakkende formuleringen. Hij was slim genoeg om in te zien dat niet de openlijke leugen het effectiefst het bewustzijn benevelt, maar de halve waarheid.

Maar hoe dichterbij het verdiende einde kwam, des te meer hielp alleen nog de bedekte leugen om het volk op koers te houden. Toen leuzen om tot het laatste moment vol te houden niet langer werkten, kwam hij in plaats daarvan met schitterende beloften van 'wonderwapens', joeg hij kindsoldaten een wisse dood in en sleurde hij zijn eigen kinderen mee het graf in: 'Het meest totale is nauwelijks totaal genoeg!'

Van alle jodenhaters onder Hitlers paladijnen was hij de fanatiekste. Zijn antisemitisme was geen uitvloeisel van een zonderlinge rassentheorie, maar een gevolg van de haat jegens zichzelf. In geval van twijfel was hij de opstoker van het stel. Himmler noemde hem de eigenlijke initiator van de Endlösung.

Joseph Goebbels gaf de waanzin een stem. En omdat de brandstichter het criminele van het regime zelf al vroeg inzag en als een 'hogere noodzakelijkheid' verdedigde, is hij een zeer speciaal soort zware misdadiger.

Half oorlogshitser, half komediant – als geen andere beul van Hitler belichaamt *Hermann Göring* het joviale dubbele gezicht van het regime: een populistische houwdegen en een gewetenloze machtswellusteling. Als een van Hitlers strijdmakkers van het eerste uur had Göring hem maatschappelijk en politiek acceptabel gemaakt; hij had meegeholpen om de demagoog in een positie van onbeperkte macht te krijgen. De veelvuldig onderscheiden held van de Eerste Wereldoorlog was degene die Hitler in het zadel had geholpen en gold tot kort voor het einde van de oorlog als tweede man na de Führer. Hoewel hij allang in diskrediet was geraakt omdat zijn Luftwaffe gefaald had, zou het een nekslag voor Hitlers regime zijn geweest om de 'corrupte morfinist' te ontslaan. Zo weerspiegelde de opkomst en ondergang van Hermann Göring de politieke toestand van het Derde Rijk. Hij was geen paladijn uit overgave, zoals Goebbels, maar had een tomeloze begeerte naar macht. Verbeten vocht hij om ambten, titels en bezit, zaken waarvan hij er meer had dan wie ook. Hij was arrogant, hebzuchtig en ijdel en toch populairder dan elke andere vazal. De mensen mochten de amicale rijksmaarschalk omdat hij niet het cynisme van iemand als Goebbels had en omdat hij niet de extatische onbereikbaarheid van Hitler bezat. Hij leek geen gehavende persoonlijkheidsstructuur te hebben zoals sommige andere beulen van de nationaal-socialistische partij.

'Hermann wordt óf een groot man óf een crimineel,' orakelde zijn moeder over het vroeg ontwikkelde egocentrische karakter van haar zoon. Göring moest niets hebben van de 'bierzuipers en rugzakdragers' binnen de NSDAP. 'Ik sloot mij bij de Partij aan omdat ik een revolutionair was en beslist niet vanwege al die ideologische onzin.' Zijn 'Partij' heette Hitler.

Hij was geen schoolmeester zoals Himmler, geen voetknecht zoals Röhm, geen desperado zoals Goebbels. Hij kon bogen op iets wat de rabauwen van de beweging misten: een goede afkomst, verfijnde manieren en het talent om mensen voor zich in te nemen. Maar bovenal was hij op beslissende momenten ijskoud. Achter zijn pronkzucht, zijn ijdelheid, ging een geweldenaar schuil die als het ware voor staatsmisdadiger geboren was. De moorden na de geënsceneerde Röhm-affaire in 1934 waren zijn werk, net als de staatsterreur tegen de Pruisische tegenstanders van het regime en net als de eerste concentratiekampen. Hij was medeverantwoordelijk voor de deportatie van buitenlandse dwangarbeiders en voor de moord op de joden. Hij gaf openlijk toe gewetenloos te zijn: 'Ik heb geen geweten. Mijn geweten heet Adolf Hitler.'

Toch was de tweede man geen gokker. Hij onderkende de gevaren van de militaire expansie van het Hitler-rijk en geloofde in het voortzetten van de chantage aan de Europese conferentietafels – à la Oostenrijk en Sudetenland. Göring: 'We gaan toch niet vabanque spelen?' Hitler: 'Ik heb in mijn leven altijd va-banque gespeeld.' Het was geen vredelievendheid die de tweede man met de gedachte deed spelen om verraad te plegen, maar de terechte vrees dat de agressieve expansie uiteindelijk ook het Derde Rijk zou doen ineenstorten: 'Het is vreselijk. Hitler is gek geworden.' Maar Göring zat in de val van zijn loyaliteit. Openlijke rebellie was absoluut ondenkbaar. En zo gedroeg hij zich na de zondeval als de ijverigste en agressiefste paladijn van allemaal; hij bleek inderdaad de opgeblazen marionet te zijn die de Zweedse artsen al halverwege de jaren twintig gediagnosticeerd hadden.

Maar toen zijn levenswerk, de Luftwaffe, faalde, was het afgelopen met hem. De geparfumeerde Nero, de absolute belichaming van machtsmisbruik en corruptie, zonk weg in zijn verslaving en zijn passies. Als hij de moed had gehad om Hitler in 1938 een halt toe te roepen, als bovendien een putsch van de generaals in 1938, vóór de conferentie van München, geslaagd was, als Göring vervolgens in Hitlers plaats aan het bewind was gekomen en 'de jodenvervolging', zoals later tegenover Roosevelt beloofd, 'gestaakt' had – misschien was het dan noch tot de Tweede Wereldoorlog noch tot de Holocaust gekomen. Misschien zou een nationaal-socialistische staat onder Göring zich hebben ontwikkeld, zoals het Spanje van Franco of het Italië van Mussolini. Maar dan had Göring niet Göring moeten zijn.

En zo vond hij ten slotte de dood als *nazi number one*, wat hij allang niet meer was – gevangen in de illusie dat de wereld van na

1945 hem recht zou doen: 'Ooit zullen jullie onze beenderen in marmeren doodkisten leggen.' De beenderen zijn verbrand, de marmeren doodkisten zijn er nooit gekomen.

Rudolf Heß was de eerste 'discipel van Hitler', en bleef dat tot aan zijn dood in 1987.

Tot aan zijn einde geloofde hij hardnekkig in de 'goede kanten' van het regime. Hij was de Führer-cultus toegedaan zoals verder alleen Goebbels; zijn werkelijke betekenis in de pikorde van de beulen bleef echter gering. Hij was het prototype van de totalitaire onderdaan. Rudolf Heß *wilde* geleid worden.

Streng opgevoed door een dominante vader, verloor hij nooit de schroom van zijn jeugd. Discipline en plichtsbetrachting, trouw en gehoorzaamheid waren de hoekstenen die Fritz Heß zijn zoon meegaf – idealen van een tijdperk waarvan Hitler profiteerde. Zijn hele leven had de plaatsvervanger twee gezichten: de zedenprediker van de Partij, die opkwam tegen corruptie en ambtsmisbruik, gedroeg zich meteen daarop als een felle stoker die de invoering van stokslagen in het bezette Polen eiste. De dappere en vastberaden officier uit de Eerste Wereldoorlog ontwikkelde ten opzichte van Hitler ('mijn Heßje') een slaafse trouw. De politiek uitgeschakelde plaatsvervanger, die vanwege zijn wereldvreemdheid door de andere paladijnen meewarig glimlachend werd bekeken, was in 1941 tot ieders verrassing zo besluitvaardig en stoutmoedig om midden in de oorlog naar de vijand te vliegen.

Heß was nooit een denker van de NSDAP – maar hij gaf de partij vanaf het allereerste begin wel een gezicht: fanatiek, gelovig, op een fatale manier betrouwbaar. De titel Führer had Heß bedacht. Zijn eigen, dikwijls verkeerd begrepen titel 'plaatsvervanger van de Führer', die alleen binnen de NSDAP gold, had geen machtsbetekenis. Hitler had geen behoefte aan een manager met eigen ideeën, hij had een secretaris nodig die het vervelende partijwerk voor hem opknapte. Zo werd Heß de eerste dienaar van de dictator.

De terreur van het regime propageerde hij niet alleen met woorden, maar ook uit volle overtuiging. De Neurenberger rassenwetten van 1935 werden op Heß' kantoor geschreven. Het beroepsverbod voor joodse advocaten en dokters draagt zijn handtekening. Al voordat Heß Hitler had leren kennen, was hij naar eigen zeggen een fanatieke antisemiet geweest die in de 'joodse samenzwering tegen de wereld' geloofde.

Wat betreft zijn legendarische vliegtocht naar Engeland heeft het grote aantal legenden het gebeuren vrijwel in nevelen gehuld. Dit staat vast: Hitler was niet van de krankzinnige onderneming van zijn plaatsvervanger op de hoogte. Heß wist echter van de voorbereidingen van Hitlers invasie van de Sovjet-Unie. Om het gevaar van een tweefrontenoorlog te voorkomen, wilde de gevleugelde Parsifal met Engeland tot een vergelijk komen, daarbij de Britse houding volslagen verkeerd beoordelend. Hij droomde ervan de vrede met Engeland als teken van zijn trouw voor Hitler op tafel te leggen. Heß was er vast van overtuigd dat Hitler zijn daad achteraf zou goedkeuren.

In plaats daarvan verklaarde deze hem gek, en Heß verzonk in een agonie van uitzichtloosheid, die tot zijn dood voortduurde. In 1987 beroofde de 'duurste gevangene van de wereld' zich in de gevangenis van Spandau van het leven. Nadat hij al in 1941 in Britse gevangenschap vijf keer geprobeerd had zichzelf te doden, hing de oude man zich op met een elektriciteitssnoer. Het was inderdaad zelfmoord. Dit boek zal het bewijzen.

Heinrich Himmlers devies luidde: 'Mehr sein als scheinen' [Meer zijn dan lijken – vert.]. Niemand had ooit kunnen bevroeden dat juist deze kleurloze man de machtigste paladijn van Hitler zou worden. Effectief en genadeloos verzorgde hij 'Hitlers vuilafvoer' (Schwerin von Krosigk, minister van Financiën in Hitlers regering). Mechanisch, systematisch en grondig voerde hij Hitlers Holocaust uit. Zo onbeschrijfelijk de misdaden zijn, zo banaal was de misdadiger. Er was niets imposants of ook maar opvallends aan zijn persoon. Door tijdgenoten werd Heinrich Himmler al omschreven als een 'volslagen onbeduidend iemand' (Albert Speer), als een 'man zonder speciale eigenschappen' (generaal Walter Dornberger), als een 'echte schoolfrik' (SS-functionaris Oswald Pohl).

In andere tijden zou hij als leraar zijn talenten hebben kunnen ontplooien. Zou dat gebeurd zijn, dan had hij zijn leerlingen secundaire deugden bijgebracht als discipline en gehoorzaamheid, zuinigheid en vlijt. Hij had ook ambtenaar kunnen worden en was dan zeker een waardevol lid van de Duitse financiële bureaucratie geworden: pijnlijk nauwgezet, onomkoopbaar en trouw aan de wet.

Zoals een belastingambtenaar honderden aangiftebiljetten aftekent, zo werkte Himmler zijn taak af: volkerenmoord als een organisatorisch probleem. Op het laatst maakte hij zich geen zorgen over het leed van de slachtoffers, maar wel over de zielenpijn van de daders. Geen enkele nationaal-socialistische biografie zet de Duitse humanistische beschaving zo op losse schroeven als de zijne.

Himmler kwam niet uit de proletarische onderwereld of uit Braunau. Hij stamde uit een keurig milieu: katholiek en koningsgezind, welgemanierd en ontwikkeld, autochtoon en Beiers. Op het Humanistische Gymnasium in Landshut was zijn vader conrector geweest. De schrijver Ludwig Thoma zat er in de schoolbanken, de dichter Hans Carossa stampte er, net als de latere bondspresident Roman Herzog, Latijnse werkwoorden in het hoofd. Zijn algemene ontwikkeling heeft Himmler niet kunnen beschermen tegen de psychische afgronden waarin hij zichzelf zou storten.

Zijn ideale mens was een nuchtere en opofferingsgezinde geweldenaar, zijn doel was dit ideaal zo dicht mogelijk te benaderen. Hij onderwees zijn mannen zuiverheid en zedelijkheid, en tegelijkertijd beval hij hun geweld te gebruiken en massamoorden te plegen.

Hij was geen intellectueel, in wezen onhandig, bangelijk en besluiteloos. Zijn autoriteit ontleende hij niet aan overtuigingskracht, maar aan doelgerichte honger naar macht. Himmler wilde geen ambten, maar de heerschappij. Himmler wilde de Staat niet controleren, zijn machtige apparaat moest de Staat zelf zijn.

Nuchterheid en koele rationaliteit vormden de ene kant van zijn tweeslachtige karakter. Tegelijk ging hij zich te buiten aan een absurd brouwsel van rassentheorie, natuurgeneeskunde en volks occultisme. Hij celebreerde obscure plechtigheden, arrangeerde cultische ceremoniën en creëerde gewijde plaatsen voor zijn mystieke rituelen, iets waar de andere paladijnen om glimlachten.

Dat is vergeten. Wat van Heinrich Himmler blijft, is zijn verantwoordelijkheid voor de moord op miljoenen mensen. Natuurlijk was ook hij een ondergeschikte, iets wat hijzelf graag benadrukte ('Het was de wens van de Führer...'). Maar Hitler had zich geen betere *apparatsjik* kunnen wensen (behalve Heydrich kwam daar trouwens niemand anders voor in aanmerking). Koud en gevoelloos gaf Himmler vorm aan het geweld van de Endlösung. Ook op de plaatsen waar de waanzin in praktijk werd gebracht bleef de dader ongevoelig voor het lijden van de slachtoffers. Voor Himmler gold het motto van de SS: wie hard was voor zichzelf, mocht hard zijn jegens anderen.

Juist deze gewillige beul, de 'trouwe Heinrich', voerde in de laatste maanden van de oorlog een dubieuze wanhoopspolitiek. Enerzijds richtte hij de *Volkssturm* en *Werwolf* op [deze laatste was een door Himmler in 1944 gevormde paramilitaire guerrillagroep van jonge fanatieke Duitsers met als enige wapenfeit het vermoorden van de burgemeester van Aken in 1945 – vert.], anderzijds bood hij het Westen in geheime besprekingen de capitulatie aan – zonder te beseffen dat zijn naam allang synoniem was met massamoord in de zuiverste vorm. Zo verried hij ten slotte zijn Führer, precies zoals hij elf jaar eerder zijn beide eerste beschermers, Ernst Röhm en Gregor Strasser, zonder enige morele bezwaren verraden had.

'Uw eer heet trouw': wat de door Himmler gepropageerde SS-leuze op het laatst waard was, heeft hij zelf bewezen.

Zijn hele leven ontkende *Albert Speer* van de Holocaust geweten te hebben. Hitlers lievelingsarchitect en minister van Bewapening erkende weliswaar in Neurenberg als enige de 'gezamenlijke verantwoordelijkheid van de leidinggevenden' voor de misdaden van het regime, maar verklaarde persoonlijk 'niet schuldig' te zijn. Medeverantwoordelijk als hij was voor het in slavernij brengen en op grote schaal doden van dwangarbeiders alsook voor het massaal verjagen van grote aantallen joden uit hun woningen, zou hij tot op het laatst niets van de jodenvernietiging gemerkt hebben – zelfbedrog als levensbeginsel.

De uit een goed nest afkomstige Speer was als NSDAP-lid iemand met een late roeping en hoefde zich niet naar boven te werken. De fijngevoelige architect wilde voor Hitler bouwwerken scheppen die nog millennia later van zijn heerschappij zouden getuigen.

Speer gaf de bruine ideologie haar stenen vorm, en de als bouwmeester mislukte mentor was enthousiast over het werk van zijn pleegzoon. Als Hitler een vriend zou hebben gehad, schreef Speer decennia later, dan was hij dat geweest. Een stadion voor 400.000 mensen, een nieuwe rijkskanselarij, het centrum van de wereldhoofdstad Germania – uitingen van een onverwoestbare geldingsdrang, slechts vergelijkbaar met de bouwwerken van Babylon.

Speer en Hitler waren een liefdespaar, verbonden door de passie voor het bouwen. Speer was van dit paar de vrouw, die moest uitdragen waarmee Hitler haar bevruchtte. 'Naar ideeën van de Führer' stond er op Speers ontwerpen.

Zijn innigste gevoelens wijdde hij niet aan zijn eigen gezin – zijn genegenheid gold Hitler. 'Voor een groot bouwwerk zou ik evenals Faust mijn ziel hebben verkocht,' herinnert Speer zich decennia later. 'Op dat ogenblik had ik mijn Mefisto gevonden.'

Aan deze ongewone relatie had de geliefde architect zijn benoeming tot rijksminister van Bewapening en Munitie te danken. De energieke Speer beloofde een bewapeningswonder. Dat bereikte hij ten koste van honderdduizenden dwangarbeiders en concentratiekampgevangenen. Zijn voortdurende gevecht voor effectiviteit en een hogere productie verlengde de oorlog met maanden, zo niet met een heel jaar.

Toch beschouwde hij zichzelf nooit als een dader met overtuiging. Hij zag zichzelf graag als een kunstenaar die het uiteindelijk niets kon schelen welk doel hij diende. Voor de pacifisten was hij een technocraat pur sang, maar hij raakte verslaafd aan macht. Het ongelimiteerd gebruik kunnen maken van mensen en hulpbronnen fascineerde hem. Het verheven doel heiligde de middelen. Het was voldoende om zedelijkheid voor zichzelf en zijn idealen op te eisen.

'Het respect voor zedelijkheid en fatsoen zat diep bij ons,' beweerde Speer zelfs nog na de val van het regime. Maar op zijn laatst vanaf oktober 1943 moet hij van de massamoord op de joden geweten hebben, net zoals hij van het doden van geestelijk gehandicapten en van de 'vernietiging door arbeid' op de hoogte moet zijn geweest. Hoewel hij geen actieve antisemiet was, sloot hij, net als vele anderen, in grove onverschilligheid de ogen voor de gruwelijke waarheid.

Onverschilligheid ten opzichte van de slachtoffers, goedkeuring door weg te kijken: Speers gedrag weerspiegelt op een exemplarische wijze het Duitse trauma van de 'moreel uitgedoofde mens'. Verder leven is alleen mogelijk met oogkleppen voor, door een onverdraaglijke waarheid te verdringen. Desinteresse, ja zelfs ronduit verloochening, moet de verantwoordelijkheid wegnemen en het individu behoeden voor een ernstig innerlijk conflict. Wie, zoals Speer, niet direct deelnam aan de misdaden, vindt alleen al de schuldvraag ontoelaatbaar. Temeer omdat hij zich naar eigen zeggen verzet heeft.

Toen Speer in de winter van 1944-1945 duidelijk inzag dat de oorlog spoedig voorbij zou zijn, kreeg zijn eigen overlevingsdrang de overhand: hij was nog geen veertig, het mocht wat hem betreft allemaal niet bij het Duizendjarig Rijk blijven. Zo probeerde hij de uitvoering van Hitlers krankzinnige order van de verschroeide aarde te verhinderen, zogenaamd 'om de toestand van de bevolking niet verder te verslechteren'. In werkelijkheid had hij intacte industriecomplexen en bedrijven nodig als teken van zijn goede wil naar de westelijke overwinnaars toe. Stiekem zag hij zichzelf al als een soort 'minister van wederopbouw' in het naoorlogse Duitsland.

Speer nam daarmee openlijk stelling tegen Hitler. Toch keerde hij nog één keer naar de rijkskanselarij terug om voor het laatst bij zijn beschermer in de bunker zijn opwachting te maken. Hij deed dat niet om in een opwelling van romantische gevoelens afscheid van zijn mecenas te nemen; veeleer werd hij gedreven door de vrees tot opvolger benoemd te worden of voor te komen op de lijst met namen van ministers in een post-Hitleriaanse regering, waardoor hij voor de geallieerden in diskrediet gebracht zou zijn.

De roekeloze vliegtocht naar het belegerde Berlijn had de moeite geloond: na een gesprek onder vier ogen werd Dönitz in Hitlers testament tot opvolger benoemd; Speer kwam er niet in voor. De twintig jaar Spandau bleven hem hiermee weliswaar niet bespaard, maar gezien de feiten die in Neurenberg niet bekend waren en die wij nu kennen, had het voor Speer veel slechter kunnen aflopen.

Waarom, als militair in ons sextet van paladijnen, juist hij: *Karl Dönitz*? Hij was het symbool van de politieke soldaat die met de compromisloze leus om tot de laatste man vol te houden tot het bittere einde medeschuldig was aan de dood van honderdduizenden in de late fase van de oorlog. Toch zag juist Dönitz zichzelf als het prototype van de apolitieke soldaat, die zijn plicht deed en meer niet. Velen wilden dat graag van hem aannemen: voor hen was hij vooral de redder van miljoenen vluchtelingen. Maar de overwinnaars zagen in hem alleen de oorlogsmisdadiger. Later noemden zij hem heel beeldend 'admiraal van de duivel'. Niets past zo goed bij de koele afmaker Dönitz als dit etiket.

Hitlers opvolger was nooit lid van de NSDAP, maar wel altijd een overtuigd nationaal-socialist. In zijn vurige verlangen naar de 'sterke man' beschouwde Dönitz Hitler als het prototype van de redder, die onvoorwaardelijk gevolgd moest worden: 'In vergelijking met de Führer zijn wij maar armzalige nullen.'

Als bevelhebber van de U-bootvloot was de admiraal voor zijn vijanden niettemin de 'Rommel van de zeeoorlog'. 'Het enige wat ik voortdurend vreesde, waren de Dönitz-boten,' zei Churchill na de oorlog. Maar toen de geallieerden nieuwe mogelijkheden voor radarplaatsbepaling hadden ontwikkeld en de Britten het gecodeerde radioverkeer van de Duitsers konden decoderen, sloegen de vroegere triomfen om in de verschrikkelijkste verliezen van alle legeronderdelen: drie van de vier U-boten keerden niet terug.

Het bracht de admiraal niet van zijn stuk. 'Vechten betekent offers brengen,' bralde hij in een propagandafilm, en bracht dit devies keihard in praktijk. Hij verbood het redden van schipbreukelingen, was genadeloos in zijn uitoefening van de militaire rechtspraak en joeg jonge, onvoldoende opgeleide matrozen als laatste reservisten met zinloze bevelen de dood in.

Waar eindigt de verstrikking? Waar begint de schuld? Wie verantwoordt het handelen van een Staat als zijn leider dat niet doet? Deze vragen stelde Karl Dönitz zich nooit. Tot op het laatst ging hij het verwerken van het eigen verleden op een behendige manier uit de weg. Hij zweeg over de misdaden van het regime en klaagde alleen over zijn 'oneerlijke' eigen veroordeling in het Neurenberger proces.

Dönitz wist van de moord op de joden, toch wilde hij er niets van weten. Het verzoek om iets tegen de misdaden te ondernemen weerde hij af: 'Ik ga mijn relatie met Hitler toch niet kapotmaken.' Het behoud van zijn positie in de machtsstructuur van de nationaal-socialistische Staat vond hij belangrijker.

Als er een didactisch toneelstuk bestaat over het morele falen van een officier in een dictatuur, dan zou het wel eens over het leven van Karl Dönitz kunnen gaan.

Goebbels, Göring, Himmler, Heß, Speer, Dönitz: zes beulen van Hitler, zes uitvoerders van zijn macht. Zonder hen en vele anderen had Hitler zijn heerschappij niet in stand kunnen houden.

Pas nu wordt echter duidelijk dat het eigenlijke mene-tekel van zijn dictatuur, de eigenlijke zondeval van de twintigste eeuw, niet de oorlog met zijn zichtbare verschrikkingen was, maar de in de oorlog verborgen misdaad: Auschwitz, synoniem met massamoord volgens een systeem. Hoe vreselijk de oorlog voor de mensen toen ook was, in het nuchtere historische onderzoek wordt hij steeds minder belangrijk, en na meer dan vijftig jaar fungeert hij alleen nog als een mantel waaronder de Holocaust kon schuilgaan en zich kon voltrekken.

De voltrekkers van de Holocaust waren natuurlijk niet alleen Hitlers beulen, maar ook de knechten van de beulen: zeker een half miljoen Duitsers hebben zich er direct aan schuldig gemaakt.

Volgens een Amerikaans socioloog is zelfs dat aantal nog te laag: Daniel Goldhagen is van mening dat alle Duitsers Hitlers beulen waren. Zijn provocerende stelling luidt dat niet Hitler alleen, niet zijn paladijnen en al helemaal niet een onheilspellende groep sadistische nazi's de gewillige beulen van de Endlösung waren. De moordenaars waren 'doodgewone Duitsers', honderdduizenden vriendelijke huisvaders.

Gedreven door een 'virulente haat', een 'hallucinerende waarneming van de jood als verpersoonlijking van het kwaad', zouden 'de Duitsers' tot de overtuiging zijn gekomen dat 'de joden' de dood verdienden. Zij hadden niet gemoord omdat zij daartoe gedwongen waren, niet uit blinde gehoorzaamheid of uit angst voor bestraffing, nee, zij zouden vrijwillig, wreed, ja zelfs met plezier gemoord hebben. De Duitsers zouden volgens de Amerikaan minstens 150 jaar lang de liquidatie van het jodendom wenselijk of noodzakelijk hebben geacht. Het gunstige klimaat voor het vernietigingsprogramma was toen Hitler aan de macht kwam allang geschapen. Het totalitaire regime zou de nationale bloeddorst slechts gelegitimeerd hebben. 'Aan het zelfbesef van de Duitsers heeft het geenszins gelegen dat zij de krankzinnige plannen van een criminele gek uitvoerden. Veeleer zagen zij de noodzaak van een dergelijk radicaal handelen in; om het voortbestaan van hun volk te garanderen leek de vernietiging van de joden hen een noodzakelijk nationaal project.'

Collectieve schuld maar weer eens?

Los van het feit dat het virulente antisemitisme geen oer-Duitse specialiteit was, maar zijn wortels eerder had in het Oostenrijk-Hongarije, Rusland en Roemenië van vóór de Eerste Wereldoorlog; los van het feit dat de stelling van Goldhagen voorbijgaat aan de verregaande assimilatie van het Duitse jodendom vóór 1933; los van het feit dat het antisemitisme in Duitsland (zoals onder meer uit een andere Amerikaanse studie is gebleken) aan het einde van de Weimar-republiek reeds aan het afnemen was; los van het feit dat Hitler in de verkiezingsstrijd van 1932 zijn antisemitische propaganda bijna had ingetrokken omdat er geen nieuwe stemmen mee gewonnen konden worden, los van dit alles hebben ook tienduizenden niet-Duitsers – Luxemburgers, Polen, Letten, Litouwers, Roemenen – aan Himmlers moordcommando's deelgenomen. En als jodenhaat de drijfveer van de Duitse moordzucht was, waarom werden er dan Sinti en Roma, gehandicapten en geestelijken, communisten en Jehova's getuigen gedood?

Waren alle Duitsers schuldig? Of alleen de daders? Als de Duitsers de Holocaust zo enthousiast ondersteund zouden hebben, dan hadden zij er ook allemaal van moeten weten. Hebben zij dit? Als wij ons afvragen, hoeveel de Duitsers wisten, dan moeten wij om te beginnen precies bepalen *wat* zij *wanneer* geweten moeten hebben.

Dat de nazi's antisemieten waren, wist iedereen. Dat de joden na 1933 in Duitsland vervolgd werden, was bekend. Het stigmatiseren van de joden met de gele ster in september 1941 was in de straten te zien. De deportaties vanaf oktober 1941 konden niet onopgemerkt blijven.

Dit waren echter reeds *geheime Reichssachen* en op het openbaar maken ervan stond de doodstraf. Dit gold vooral voor de massa-executies achter de linie van het oostfront en voor de 'eigenlijke Holocaust' in de vernietigingskampen Auschwitz, Belzec, Chelmno, Majdanek, Sobibor en Treblinka. Deze 'mensenabattoirs' werden heel bewust niet op Duitse bodem gebouwd. Waarom eigenlijk niet, als alle Duitsers, zoals Goldhagen meent, ernaar snakten om de joden te doden?

In 1943 ging er een directief van Bormann uit aan de gouwleiders: bij het onderwerp joden moest 'elke bespreking van een toekomstige alomvattende oplossing achterwege blijven'. Himmler maakte pas in 1943 officieel aan de gouwleiders bekend dat de Führer besloten had om de joden uit te roeien, en voegde eraan toe: 'Misschien dat we er ooit eens, in een verre toekomst, over na kunnen denken of we het Duitse volk er wat meer over vertellen.'

Het volk moest geloven dat de gedeporteerde joden nog in leven waren, ergens in het oosten. Maar vermoedden, zagen, wisten honderdduizenden Duitsers aan het front en in het vaderland niet genoeg? Veel lekte toch wel uit, alleen al over het moorden van de *Einsatzgruppen*. Drie miljoen soldaten waren voortdurend actief aan het oostfront. Sommigen hebben massa-executies gezien en niemand verbood hen daarover te praten. In hun brieven hebben de soldaten er nauwelijks over geschreven, want die werden gecensureerd. Maar als zij met verlof waren in het vaderland, dan spraken zij erover, uiteraard in het geheim, met hun echtgenotes, hun ouders, hun broers en zussen.

Wie in het Duitsland van Hitler wat wanneer wist, is nu niet meer heel precies te achterhalen. Het Derde Rijk kende geen opiniepeilingen. Meer dan vijftig jaar na de oorlog is er in de zomer van 1996 alsnog een representatieve enquête gehouden onder de bevolking. Deze enquête werd gehouden door de onderzoeksgroep *Wahlen* in opdracht van de ZDF-redactie 'contemporaine geschiedenis' en leverde (met alle voorzichtigheid vanwege het 'naderhandse' van het opinieonderzoek) een sensationeel resultaat op. Zes procent van de geïnterviewden van ouder dan 65 jaar gaf toe zelf getuige te zijn geweest van massa-executies van joden na de invasie van de Sovjet-Unie; 15% verklaarde er toen reeds over gehoord te hebben. Als alleen het resultaat van deze enquête naar de gehele Duitse bevolking van toen vertaald wordt, dan heeft 21% van de Duitsers, dus ongeveer 17 miljoen mensen, van de moordpartijen geweten of erover gehoord. Toch verklaart 76% van de ondervraagden pas na de oorlog over de massa-executies vernomen te hebben.

Helemaal verrassend zijn de percentages bij het antwoord op de vraag wie iets geweten heeft over de jodenvernietiging in de concentratiekampen. Je zou denken dat de vernietigingskampen beter afgeschermd waren en dat berichten over de gruwelijkheden nauwelijks de buitenwereld bereikten. Maar meer dan acht procent van de ondervraagden van boven de 65 jaar gaf aan zelf getuige te zijn geweest van de vernietiging. Acht procent! Dat zijn zo'n zes miljoen Duitsers! Negentien procent van de geïnterviewden verklaarde destijds over de jodenvernietiging en over de concentratiekampen gehoord te hebben. Zeventig procent van de ondervraagden wist er pas na 1945 van. Als ook deze cijfers naar de totale Duitse bevolking vertaald worden, dan is het resultaat schrikbarend: 22 miljoen Duitsers hebben van de jodenvernietiging in de concentratiekampen geweten of erover gehoord. Met andere woorden: de Duitsers, het volk van daders, zwijgen en verdringen tegenwoordig niet meer. Deze cijfers zijn, met alle voorbehoud, ook van politiek belang.

Maar weten betekent nog niet meteen ook willen. Daniel Goldhagen meent dat er bijna geen Duitser last had van gewetenswroeging. Maar hoe moeten wij dan heel andere berichten uit die tijd verklaren, zoals de dagboeknotities van de Duits-joodse romanist Victor Klemperer tijdens de invoering van de 'jodenster' in september 1941? Klemperer schrijft dat opgeruide jongeren hem lastigvielen. Maar vaker ontmoette hij uitingen van vriendelijkheid, evenals van schaamte. Sommige Dresdeners gaven hem te kennen het niet eens te zijn met de wijze waarop met hem en andere joden werd omgegaan. Tevens zeiden zij bang te zijn zelf gebrandmerkt te worden als zij menselijke solidariteit toonden. Is dit de reactie van een volk dat bezeten is van een 'eliminerend antisemitisme'? Zelfs Goebbels gaf tegenover minister van Bewapening Speer toe dat de invoering van de jodenster niet het gewenste effect had: 'Overal geven mensen blijk van sympathie voor de joden. Deze natie is er gewoon nog niet klaar voor, ze zit vol dwaze sentimentaliteit.'

Het nationaal-socialistische regime was zeer geïnteresseerd in de mening van de bevolking. Talrijke instanties – de *Sicherheitsdienst* SD, de politie, de overheid en justitie – stelden wekelijks rapporten op over de stemming onder het volk, rapporten die eerst op lokaal en vervolgens op regionaal niveau verzameld werden, waarna de essentie ervan ten slotte in de *Reichsberichte* van de SD terechtkwam. Deze Reichsberichte zijn openbaar gemaakt, de vele voorafgaande, lokale en regionale rapporten echter niet. In het kader van een onderzoeksproject van de universiteiten van Stuttgart en Jeruzalem (onder leiding van Eberhard Jäckel en Otto Dov-Kulka) zullen ze binnenkort worden samengevoegd: duizenden losse rapporten – de enige wetenschappelijk betrouwbare primaire bron om te beoordelen wat en hoeveel de Duitsers geweten hebben en hoe zij geoordeeld hebben. In dit boek kunnen wij uit deze bronnen citeren.

Ten eerste blijkt eruit dat de Neurenberger wetten door de bevolking in hoge mate geaccepteerd werden. Wat de Duitsers afkeurden, waren wilde pogroms. Uit honderden rapporten over de *Kristallnacht* in 1938 blijkt dat de Duitsers de gewelddadigheden afkeurden. Zo schrijft bijvoorbeeld het hoofd van de Westfaalse regering vanuit Minden: 'Over de door de Partij bevolen actie zwijgt men bedremmeld, maar zelden komt men openlijk voor zijn mening uit, men schaamt zich.'

Elders staat: 'De stemming onder de bevolking en in brede kringen van de partij is bedrukt.' In een rapport uit Stuttgart over de november-pogrom staat geschreven: 'De actie tegen de joden gaf zeer veel aanleiding tot kritiek. Men benadrukte dat de verwoesting van de joodse winkels en ook van de synagogen op geen enkele manier strookte met de intentie van het vierjarenplan.' Hier werden geen morele, maar economische argumenten aangevoerd. In individuele gevallen werd ook melding gemaakt van bewuste uitingen van sympathie: zo is er sprake van een 81-jarige kolonel, lid van de NSDAP, die een jood na de negende november 1938 een bos bloemen had gestuurd om hem zijn innerlijke solidariteit te betonen.

Dit was niet overal zo, en het gold zeker niet voor alle Duitsers. Toch heerste er bij velen een gevoel van schaamte.

Hoe reageerde de bevolking op de deportaties van hun joodse medeburgers vanaf oktober 1941?

Uit de rapporten blijkt dat alleen al het brandmerken van de joden met de gele ster een maand eerder vaak kritisch bekeken werd: 'Het merken van de joden wordt afgekeurd.' En vervolgens leidt een opeenstapeling van kritische opmerkingen tot acties waarover in de kranten al niets meer te lezen was. In een rapport uit Westfalen staat: 'Het verhaal doet de ronde dat in Rusland joden tewerk worden gesteld in voormalige sovjetfabrieken, terwijl oude en zieke joden worden doodgeschoten. Het wordt onbegrijpelijk gevonden dat men in staat is om op zo'n wrede wijze met mensen om te gaan, of het nu om joden of ariërs gaat, het zijn immers allemaal door God geschapen mensen.' In een ander rapport is te lezen: 'Het was duidelijk dat een groot deel van de oudere landgenoten het wegvoeren van de joden uit Duitsland negatief beoordeelde. In kerkelijke kringen werd de vurige hoop uitgesproken dat het het Duitse volk bespaard zou blijven om op een dag met de straf van God geconfronteerd te worden.'

Hoeveel gruwelijke details de Duitsers in het vaderland bereikt hebben, blijkt uit een rapport van de SD uit Erfurt: 'Over de acties van de Sicherheitspolizei in de bezette gebieden in het oosten worden de wildste geruchten verspreid. Zo is bij de bevolking het gerucht in omloop gebracht dat de Sicherheitspolizei tot taak heeft de joden in de bezette gebieden uit te roeien. Met duizenden tegelijk zouden de joden bijeengedreven en doodgeschoten worden, na eerst hun eigen graven gedolven te hebben. De executies van de joden zouden bij tijd en wijle een zodanige omvang aannemen dat zelfs de leden van de executiepelotons er zenuwinzinkingen van kregen.' Dit is een tamelijk nauwkeurige beschrijving van de feiten. Nochtans weerleggen de angsten en zorgen van de Duitsers alle stellingen dat 'de Duitsers' onverschillig of afgestompt zouden zijn geweest – om maar te zwijgen van de veronderstelling dat de Holocaust enthousiast zou zijn toegejuicht. 'Er wordt onderling veel over gesproken dat alle Duitsers in Amerika ter herkenning op de linkerborst een hakenkruis moeten dragen, naar het voorbeeld van hoe hier in Duitsland de joden gemerkt zijn. De Duitsers in Amerika zouden er zwaar voor moeten boeten dat de joden in Duitsland zo slecht behandeld worden,' staat er in een rapport uit Minden.

Toen in 1943 bij Katyn een door de Sovjetrussische Geheime Dienst aangelegd massagraf met Poolse officieren ontdekt werd en de nazi's deze vondst aangrepen om lastercampagnes tegen de Sovjet-Unie te gaan voeren, schreef de Gestapo 'dat een groot deel van de bevolking deze propaganda merkwaardig of huichelachtig vond, omdat de Duitsers op veel grotere schaal Polen en joden uit de weg geruimd hadden'. Is dit de reactie van een volk dat de Endlösung als een nationaal project beschouwt?

Het eindresultaat van het onderzoek van de ongepubliceerde rapporten en het eindresultaat van de opiniepeiling stemmen overeen: veel Duitsers wisten een heleboel, zij hebben het verdrongen en ook geduld, maar voor een belangrijk deel niet gewild. Deze mening is overigens ook het merendeel van de 1.285 respondenten toegedaan.

In 1996 is 30% van de Duitsers ervan overtuigd dat hun landgenoten destijds van de moord op de joden geweten hebben; 62% vindt het tegenovergestelde. Amper anderhalf procent verklaart het waarschijnlijk te achten dat de Holocaust door de meeste Duitsers is goedgekeurd. Ongeveer 22% denkt dat deze 'waarschijnlijk geduld' is. En maar 6% van de Duitsers in 1996 vindt dat de moord op de joden door de meesten 'waarschijnlijk veroordeeld' is. Het volk is vaak slimmer dan historici denken.

Was er nu maar meer 'veroordeeld'! Toen de kardinalen Faulhaber en Galen vanaf hun kansels de officieel met 'euthanasie' verbloemde moordactie T4 publiekelijk als moord aan de kaak stelden, liet Hitler hen het zwijgen opleggen. Begin 1943, toen in Berlijn niet-joodse echtgenoten van joden die op transport gesteld werden naar de vernietigingskampen, voor de verzamelplaats openlijk hiertegen protesteerden (het zogenoemde 'Rosenstraße-incident'), werden veel geregistreerden weer vrijgelaten. Zeker in Duitsland wilde het regime elke publieke ophef vermijden. Alles moest rustig en ordelijk verlopen – tot in de gaskamer. Zouden soortgelijke protesten in geconcentreerde vorm in binnen- en buitenland ook de Holocaust hebben kunnen verhinderen of eerder hebben kunnen stoppen? Het is nooit uitgeprobeerd.

Wie draagt de verantwoordelijkheid voor de misdaad van de eeuw, de moord op de Europese joden? Ook deze vraag legden wij in 1996 aan de Duitsers voor. Bijna 70% van de ondervraagden antwoordde: Hitler – gevolgd door zijn paladijnen (37%) en de SS (32%). Aan 'alle Duitsers samen' gaf slechts 20% de schuld van de moord op de joden. Hierbij is het echter opvallend dat jonge mensen onder de 30 eerder geneigd zijn om een deel van de verantwoordelijkheid bij 'alle Duitsers' te leggen (35%) dan Duitsers ouder dan 65 jaar (slechts 5%).

Hoe schuldig 'de Duitsers' zich als geheel ook gemaakt hebben, zonder Hitler is het Hitler-rijk niet denkbaar. Dit betekent niet dat de schuld op één persoon wordt afgeschoven. Maar het was wel vooral *zijn* criminele energie die de criminele energie van anderen losmaakte. Hitler had zijn beulen stevig in zijn macht. Zij deden wat hij wilde of wat naar hun mening in de geest van de Führer was. De moord op de joden was geen gevolg van chaotische structurele processen in de dictatuur, maar van een door Hitler bewust georganiseerde staatsmisdaad. Hitler heeft het moorden niet alleen op gang gebracht, maar ook gestuurd, en wel via zijn paladijn Himmler. Zonder Hitler had er geen inval in de Sovjet-Unie plaatsgevonden, zonder Hitler was er geen Holocaust geweest.

Dit betekent geen vrijspraak voor de beulen en beulsknechten, want Hitlers Holocaust is uitgevoerd door de vele kleine gewillige beulen die zich later hebben beroepen op de noodzaak om (moreel onverantwoorde) bevelen op te volgen – geen psychopaten, maar doodgewone Duitsers.

Maar dit moorden was net zo min een voorbeschikt logisch product van de Duitse contemporaine geschiedenis als Hitler zelf. Van Leuten [1757: slag bij Leuten: Pruisen versloeg o.l.v. Frederik de Grote Oostenrijk – vert.] via Langemark [in 1914 werden bij de Slag bij Langemark duizenden onervaren Duitse 'kindsoldaten' door ervaren Britse militairen afgeslacht – vert.] leidt er geen weg direct naar Auschwitz. Van Luther via Bismarck loopt er geen weg rechtstreeks naar Hitler. Want niets is historisch gezien onvermijdelijk. Dit gold al voor Hitlers zogenaamde machtsovername, want in werkelijkheid heeft hij de macht niet overgenomen, maar langs slinkse wegen weten te verkrijgen. Hoewel het altijd mogelijk was dat het zo *kon* uitpakken, heeft het niet zo *moeten* uitpakken.

De schande blijft: miljoenen Duitsers hebben toegezien en weggekeken. Miljoenen hebben ook genoeg geweten om heel precies te weten dat zij niet meer wilden weten. Honderdduizenden Duitsers waren Hitlers gewillige beulen.

Maar wat hen dreef was niet alleen en zeker niet in de eerste plaats een moorddadig antisemitisme. Het was de gelegenheid, hen geboden door een satanisch regime, om hun laagste, gemeenste driften te botvieren en dat niet alleen tegen joden.

Dat was in Duitsland mogelijk. En als het daar mogelijk is, dan is het overal mogelijk. De geschiedenis heeft bewezen dat de volkerenmoord in de twintigste eeuw niet typisch Duits was: ook in Stalins goelag, in Turkije, in China en Cambodja kwam het tot massamoorden met miljoenen slachtoffers. Wat de Holocaust zo uniek maakt, is de fabrieksmatig geplande uitvoering ervan.

Wij, die na de oorlog geboren zijn, kunnen niet voor Auschwitz verantwoordelijk gesteld worden. Maar wij zijn wel verantwoordelijk voor de herinnering, tegen het vergeten en verdringen. Dit betekent geen collectieve schuld, maar collectieve verantwoordelijkheid.

Wij moeten ons afvragen hoe 'doodgewone mensen' onder zeer bijzondere omstandigheden in misdadigers kunnen veranderen als een criminele Staat dit aanmoedigt. Wat maakt een mens onmenselijk? Daarover nadenken betekent ook voorkomen dat de ene mens voor altijd voor de ander een wolf is. Bosnië en Rwanda – het is nog maar kort geleden.

Alle leringen uit de Holocaust van de Duitsers, alle beelden en verhalen vermochten de menselijke natuur niet te veranderen. Maar ze kunnen wel voorkomen dat zoiets in ons land voor de tweede keer gebeurt. Ik denk dat dat al moeilijk genoeg is.

De brandstichter

Berusten heb ik inmiddels geleerd. En de schoft die mens heet mateloos verachten.

Op mij en de vrouwen rust een vloek.

Er is er één die de weg weet.
Hem wil ik waardig zijn.

Hitler praat op een heel vriendelijke en vertrouwelijke manier met mij.
Zoals hij mij persoonlijk ook liefheeft.

Het zal altijd wel een van de beste grappen van de democratie blijven dat zij haar doodsvijanden zelf de middelen verschafte waarmee zij vernietigd werd.

Je kunt van de bolsjewieken, vooral
op het gebied van propaganda, veel leren.

Het was heel goed en nuttig
dat althans een deel van de joden dacht:
Ach, zo'n vaart zal het niet lopen.

Die jodenpest moet worden uitgeroeid. Geheel en al.
Er mag niets van overblijven.

Nu dan, volk sta op en storm breek los.

Wij zullen als de grootste staatslieden van alle tijden
de geschiedenis ingaan. Of als haar grootste misdadigers.

Goebbels

Je weet dat ik op dat overdreven antisemitisme niet erg dol ben. Ik kan ook weer niet zeggen dat de joden mijn beste vrienden zijn, maar ik geloof niet dat je ze door schelden en polemiseren of zelfs door pogroms uit de wereld helpt, en als het al op deze manier zou kunnen, dat zou dat zeer laag en mensonwaardig zijn.

Goebbels aan zijn jeugdliefde Anka Stalherm, 1919

Hij heeft ons weer geleerd om op oude Duitse wijze trouw te zijn, en zó zullen wij hem trouw blijven tot aan de overwinning, of tot aan de ondergang. Laten wij het lot danken dat het ons deze man schonk, de stuurman in de nood, de apostel van de waarheid, de gids naar de vrijheid, de belijder, de ijveraar van de liefde, de roeper in de strijd, de held van de trouw, het symbool van het Duitse geweten.

Goebbels over Hitler, 1924

Duitsland smacht naar die ene, naar die man, zoals de aarde in de zomer naar regen. Heer, toon het Duitse volk een wonder! Een wonder!! Een man!!!

Goebbels, 1924

Binnenkort zal hij alleen nog naar zijn generaals luisteren, en voor mij zal het heel zwaar worden.

Goebbels, 1938

Waarom kunnen vrouwen niet voor honderd procent met ons meedoen? Zijn zij op te voeden? Of zijn zij eigenlijk minderwaardig? Vrouwen kunnen slechts in uitzonderingsgevallen heldinnen zijn!

Goebbels, 1925

Mij is het type dr. Goebbels altijd vreemd geweest, maar ik heb mijn mening zoveel mogelijk voor me gehouden. Tegenwoordig is hij echter de meest gehate man in Duitsland. Vroeger scholden wij op de joodse directeurs-generaal die hun personeel tot seksuele handelingen dwongen. Nu doet dr. Goebbels dat.

Himmler, 1939

Leven kunnen wij Duitsers misschien niet, maar sterven, dat kunnen wij als de besten!

Goebbels, 1932

Als ik tegen de mensen had gezegd: Spring van de derde verdieping dan hadden zij het gedaan ook!

Goebbels na zijn rede in het Sportpaleis over de 'Totale Oorlog', 1943

Dit is het geheim van propaganda: degene die door de propaganda gepakt moet worden, geheel doordrenken met de ideeën van de propaganda, zonder dat hij ook maar merkt dat hij ermee doordrenkt wordt. Natuurlijk heeft propaganda een oogmerk, maar dit oogmerk moet zo slim en zo virtuoos verhuld zijn, dat hij die met dit oogmerk vervuld moet worden, dit in het geheel niet bemerkt.

Goebbels voor intendanten en directeuren van de radio-omroepbedrijven, 1933

Het redenaars- en organisatietalent waarover die man beschikte was uniek. Er was niets waartegen hij zich niet opgewassen toonde. De partijgenoten waren hartstochtelijk aan hem gehecht. De SA ging voor hem door het vuur. Goebbels, dat was gewoonweg ónze Goebbels.

Horst Wessel, 1926

Weg met deze helse chef Propaganda met zijn gigantisch grote bek, genaamd Goebbels, die, als geestelijk en lichamelijk verminkte, bewust en met onmenselijke snoodheid de leugen tot god, tot alleenheerser van de wereld tracht te verheffen!

Thomas Mann, 1933

De pers is tegenwoordig niet meer de vijand, maar de medewerker van de regering. Pers en regering trekken tegenwoordig eigenlijk één lijn.

Goebbels, 1934

Hij was zonder twijfel de intelligentste van dat hele stel. Hij was een academicus, wat je duidelijk merkte aan zijn vocabulaire en aan zijn manier van praten. In tegenstelling tot Göring, Himmler en Bormann was hij in staat om ten opzichte van het dagelijkse gebeuren een zekere afstand te bewaren. Hij was niet egocentrisch, en hij was geen lafaard. Hij zei tegen Hitler wat hij dacht, ook toen de oorlog volgens hem voorbij was, en Hitler luisterde altijd naar hem. Voor mij was Goebbels een propagandagenie en ik geloof dat je evengoed kunt zeggen dat hij Hitler gemaakt heeft als Hitler hem. Hij was een zeer complexe persoon, volmaakt koud. Toen het nationaal-socialisme op z'n ergst was – in z'n maatregelen tegen de joden in Duitsland – was hij de stuwende kracht.

Speer, 1979

Een groots onthaal voor de kleine doctor: als de negenentwintigjarige gepromoveerde filoloog Paul Joseph Goebbels op 8 april 1926 het centraal station van München verlaat en het voorplein op loopt, staat daar reeds een van het chroom blinkende Mercedes met chauffeur op hem te wachten. Dankzij de reusachtige aanplakbiljetten in de straten, waarop voor het optreden van 'dr. Goebbels' de volgende dag in de *Bürgerbräukeller* reclame wordt gemaakt, wordt de rit naar het hotel voor de zojuist aangekomene een ware triomftocht.

'Wat een vorstelijke ontvangst!' schrijft hij enthousiast in zijn dagboek. Als dan 's avonds bovendien de vaderlijke gastheer in hoogsteigen persoon verschijnt om bij zijn bezoeker zijn opwachting te maken, heeft Goebbels definitief de staat van gelukzaligheid bereikt: 'Hitler heeft gebeld. Wil ons verwelkomen,' jubelt hij in zijn dagboek. 'Over een kwartier is hij er. Groots, gezond, vitaal. Ik hou van hem. Hij is beschamend goed voor ons.'

Grootmoedig stelt de gastheer de gastspreker zijn limousine ter beschikking voor een uitstapje naar de Starnberger See, alvorens de volgende avond in de *Bürgerbräukeller* de vuurdoop begint: 'Ik geef alles. Men raast en men tiert. Op het eind omarmt Hitler mij. De tranen staan hem in de ogen. Ik ben zoiets als gelukkig.' Een golf van gelukzaligheid doorstroomt Goebbels dagboek: 'Ik onderwerp me aan hem die groter is, aan het politieke genie!' Verderop voegt hij nog een strofe aan zijn lofzang toe: 'Hij is een genie. Het vanzelfsprekend scheppende instrument van een goddelijk noodlot. Diep ontroerd sta ik voor hem. Zo is hij: als een kind, lief, goed, barmhartig. Listig, slim en behendig als een kat, brullend, groot en gigantisch als een leeuw. Een kerel, een man.'

Voor de jonge vereerder was Hitler meer dan een vaderfiguur of voorbeeld. Vol vuur verhief Goebbels de achterkamerdemagoog tot de Messias en Verlosser in mensengedaante. In Hitler had zijn doelloos rondzwervende geloofsdrang een icoon gevonden. 'Waarin je gelooft is om het even,' had hij de held van zijn bombastische romanprobeersel, Michael Voormann, in de mond gelegd, 'belangrijk is *dat* je gelooft.' Na zich te hebben afgekeerd van katholieke vroomheid en links-revolutionaire onmatigheid, vereerde hij nu, met een vurig geloof dat het leidmotief van zijn leven zou worden en dat aan zijn mislukte bestaan nieuwe inhoud gaf, een aardse lichtende gestalte.

'Ik neem graag afscheid van dit leven, dat voor mij alleen nog een hel was,' had Goebbels nog als tweeëntwintigjarige in een testament de wereld toegeschreeuwd. Maar het theatrale exit werd uitgesteld tot later en noodgedwongen moest hij zijn kommervolle studentenbestaan blijven rekken. Met een kleine beurs van de katholieke Albertus Magnus-Vereniging, met incidentele bijlessen, met voortdurende leningen van vrienden, met de opbrengst van verpande goederen en vooral met de bijdragen die zijn vader aan diens karige salaris onttrok kon de student germanistiek nauwelijks het hoofd boven water houden. Desnoods werd er een paar dagen maar niet gegeten. Waarheen zijn studie-odyssee hem ook dreef – Bonn, Würzburg, Freiburg, München en Heidelberg – voortdurend vergezelde hem het lot van de hongerlijder.

De materiële nood in Duitsland na de Eerste Wereldoorlog completeerde zijn persoonlijke misère tot een wereldbeeld waarin de getalenteerde werd geïdealiseerd als slachtoffer van duistere praktijken. 'Het is toch waanzin,' schreef hij in 1920 gefrustreerd aan zijn jeugdliefde Anka Stalherm, 'dat mensen met de grootste intellectuele gaven verpauperen en te gronde gaan, terwijl anderen het geld dat deze mensen van nut zou kunnen zijn, verbrassen, verkwisten en verspillen?'

Daarmee had Goebbels zijn zelfportret getekend: hij voelde zich tot het hogere geroepen, was overtuigd van een roemrijke toekomst als schrijver, idealist, wereldverbeteraar. Inderdaad had de vastberadenheid van zijn eerste stappen op de maatschappelijke ladder hem hogerop doen belanden. Reeds met het bezoeken van de gemeentelijke *Oberrealschule* [vergelijkbaar met de hbs – vert.] overschreed de begaafde jongen, die op 29 oktober 1897 in het Beneden-Rijnstadje Rheydt was geboren als derde zoon van een boekhouder die zich verbeten had opgewerkt van dagloner tot 'witteboordenproletariër', de in die tijd zeer vaste scheidingslijnen tussen de klassen. Hij kende de voorrechten van pianolessen en een humanistische vorming. Als beste van zijn jaar stonden de poorten van de universiteit voor hem open. Voor de telg uit een kleinburgerlijke familie was het succes genoegdoening en tevens compensatie. Want niet alleen vanwege zijn afkomst kleefde het stigma van een buitenstaander aan hem. 'Waarom had God hem zo gemaakt dat de mensen hem uitlachten en bespotten?' liet hij zijn romanfiguur Michael Voormann klagen. 'Waarom mocht hij niet zoals de anderen van zichzelf en het leven houden?' Het was deze van zelfhaat en zelfmedelijden doortrokken jammerkreet die tot aan zijn dood bleef nagalmen. Tot de wereld van de zorgelozen en ongeschondenen was Joseph Goebbels van kindsbeen af de toegang ontzegd. Op de leeftijd van vier jaar kreeg de tengere jongen een beenmergontsteking in zijn rechteronderbeen. Ondanks alle inspanningen van de artsen bleef het been in de groei achter. Zijn onontwikkelde voet moest hij zijn hele leven in een onooglijke prothese achter zich aan slepen. Anderen speelden, dansten of deden aan sport; de slecht ter been zijnde jongen bleef steeds een randfiguur. Toen hij in 1914, aangestoken door de algemene oorlogseuforie, voor de keuring verscheen, maakte de arts slechts een vermoeid, wegwuivend gebaar. 'Als hij zag hoe de anderen liepen en ravotten en sprongen,' bekende Goebbels in *Michael*, 'dan morde hij tegen zijn God, die hem [...] dit aangedaan had, dan haatte hij de anderen dat zij niet ook waren als hij, dan lachte hij om zijn moeder dat zij nog van zo'n verminkte hield.'

In de afzondering van zijn zolderkamertje leerde hij met hartstocht haten: zichzelf in heel zijn onooglijkheid, de anderen, die hem niet serieus namen, bespotten of in medelijden dompelden, en ten slotte de mensheid in het algemeen. 'Berusten heb ik inmiddels geleerd,' luchtte hij in zijn dagboek zijn hart. 'En de schoft die mens heet mateloos verachten!'

De boosaardigheid waarmee hij later de zwakheden van anderen ontleedde, de wraakzucht waarmee hij vertrouwelingen en tegenstanders vervolgde, het wantrouwen dat hem overal verraad en arglist deed vermoeden, en het onvermogen tot mededogen kiemden in deze vroege momenten van vernedering. Tevens leerde de ervaring hem om zijn lichamelijke gebreken met een zeer krachtdadig optreden weg te werken. Het was niet toevallig dat hij vanaf het spreekgestoelte een diepe indruk maakte. Met krachtige leuzen en weidse gebaren wist hij de mensen te biologeren. Met slagvaardigheid en scherpzinnigheid leidde hij de aandacht van zijn uiterlijke verschijning af. Het succes dat hem op het sportveld en op het slagveld onthouden bleef, dwong hij in de schoolbanken of aan de schrijftafel met verbeten energie voor zichzelf af. In november 1921 werd Goebbels' eerzuchtige carrièredrang bekroond:

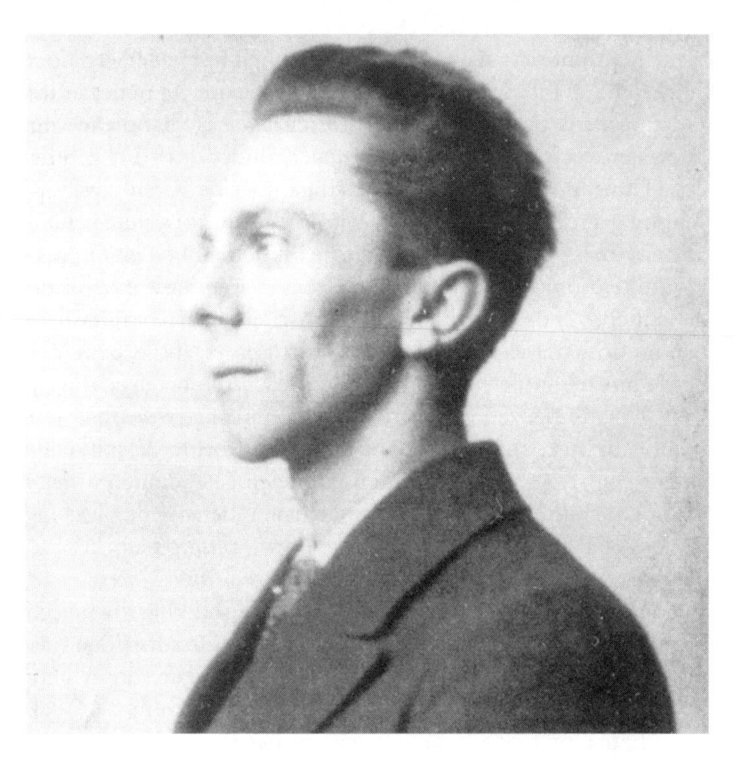

'Een grote nul...' De werkloze dr. Goebbels (1923).

Hij was nooit opgewonden. Hij was berekenend en koel. IJskoud en diabolisch.

Otto Jacobs, stenograaf

In wezen is propaganda echter, ik zou bijna willen zeggen: een kunst. En de propagandist is in de waarste zin van het woord een kunstenaar van de massapsychologie. Zijn belangrijkste taak ligt daarin dat hij voortdurend zijn vinger aan de pols van het volk houdt en luistert hoe het klopt, en zijn maatregelen baseert op het ritme van deze hartslag.

Goebbels, 1935

De minister van Propaganda ondertekent altijd met 'Dr. Goebbels'. Hij is de intellectueel in de regering, dat wil zeggen, de intellectuele dreumes onder de analfabeten. Merkwaardig is de heersende mening over zijn geestelijke vermogens; men noemt hem vaak het brein van de regering. Wat een bescheidenheid qua pretenties.

Victor Klemperer [Duits-joods romanist en schrijver – vert.] (dagboek), 1934 met zijn promotie aan de filosofische faculteit in Heidelberg klom de student op tot Herr Doktor. Urenlang oefende hij in het zetten van zijn thans academisch gedecoreerde, zwierige handtekening. Voortaan zou hij zijn naam nooit meer zonder deze titel gebruiken. Thuis in Rheydt werd hij op straat door de buren met hoge achting gegroet. De succesvolle voltooiing van zijn studie beloofde de vierentwintigjarige maatschappelijke erkenning en een persoonlijke triomf. Maar ondertussen zat hij werkloos op zijn zolderkamertje in de ouderlijk woning! De titel alleen bevrijdde hem niet uit de materiële nood. Dat ook 'doctoren' een beroep om den brode moeten uitoefenen en sollicitatiebrieven moeten schrijven, werd de ambitieuze jongeman zich de komende tweeënhalf jaar pijnlijk bewust. In zijn schrijfkamer produceerde de miskende auteur een stroom van gedichten, artikelen en traktaten – maar dat kon de buitenwereld bar weinig schelen. Behalve de plaatsing van zes artikelen in de *Westdeutsche Landeszeitung* nam het publiek geen enkele nota van zijn schrijfsels.

Daarom zag hij het als een persoonlijke mislukking dat hij een baan moest nemen bij een Keuls filiaal van de Dresdner Bank. In plaats van voor een voornaam gehoor weerklonk zijn sonore stem nu bij het bekendmaken van de aandelenkoersen in de beurshal. De gehate betrekking in de 'tempel van het materialisme' sterkte hem in zijn afschuw van de 'woeste dans om het gouden kalf'. 'Jullie hebben het over geldbelegging,' wond Goebbels zich in zijn dagboek op over de speculaties in het inflatiejaar 1923, 'maar achter dit mooie woord gaat slechts een beestachtige honger naar meer schuil. Ik zeg beestachtig: dat is beledigend voor dieren, want dieren vreten slechts tot ze verzadigd zijn.' Uit deze antikapitalistische voedingsbodem ontsproten de eerste antisemitische neigingen. Latent aanwezige vooroordelen, die bij katholieke lage burgerij niet tot de bon ton behoorden, verdichtten zich tot een sinistere samenzweringstheorie. In het internationale financiële jodendom ontdekte Goebbels de geschikte zondebok voor de economische malaise van zijn tijd en voor zijn persoonlijke ellende. Als joods maaksel gold voor hem niet alleen het westerse materialisme – het 'uitbraaksel van het kwaad' bij uitstek – maar ook het internationale marxisme. Voor degenen die in Duitsland zowel als in Rusland aan de touwtjes trokken zou het het streven zijn om samen elk nationaal bewind volledig omver te werpen. Gevoed door de desbetreffende literatuur van zijn tijd, destilleerde Goebbels uit dit troebele gedachtebrouwsel de onverbiddelijke logica dat slechts de 'strijd om het bestaan' tegen 'het internationale jodendom' de weg naar een betere wereld zou openen.

Het feit dat hij werkelijk bestaande medeburgers van joodse afkomst kende, was nog niet in tegenspraak met deze getuigenis. De door Goebbels hooggeachte Heidelbergse literatuurhistoricus Friedrich Gundolf was een jood, evenals zijn promotor, professor Max von Waldberg, en een met de familie nauw bevriende advocaat die de jeugdige dichter literaire bijles gaf. De onverwachte mededeling van zijn verloofde, de lerares Else Janke, dat haar moeder een jodin was, bevreemdde hem, maar scheidde de twee niet – nog niet. Toen Goebbels later tot afgevaardigde van de Partij opklom, zette hij zijn verloofde als een hinderlijk overblijfsel uit zijn jeugd de deur uit.

Eerst echter belandde hijzelf op straat. Na driekwart jaar was de loopbaan als bankemployé voorbij. Om de schande voor zijn familie te verbergen, reisde de werkloze nog wekenlang voor de schijn naar Keulen, tot de materiële nood hem dwong de waarheid te vertellen.

'Als gevolg van tamelijk onschuldige zenuwstoornissen, die ik door overmatige arbeid en een ongeval had opgelopen, was ik genoodzaakt mijn werk in Keulen op te geven.' Zo beschreef hij zijn mislukking in een fraaie brief waarmee hij bij de Berlijnse uitgeverij Mosse een betrekking als redacteur probeerde te krijgen. Alle eufemisme was tevergeefs. De sollicitant kreeg er de kous op de kop, net als bij de traditierijke *Vossische Zeitung* en bij het liberale *Berliner Tageblatt*. De afwijzing uit de hoofdstad paste precies in zijn wereldbeeld; de eigenaars en belangrijkste journalisten van deze uitgeverijen waren immers van joodse afkomst. 'Verjoodst' kwam hem de wereld voor, die hem de toegang en een broodwinning ontzegde.

'Ik leef in een voortdurende nerveuze onrust,' klaagde Goebbels in zijn dagboek. 'Die ellende van het parasiteren. Ik breek me het hoofd over hoe ik aan deze onwaardige situatie een eind kan maken. Niets wil,ja niets kán lukken. Je moet eerst alles afleggen wat men een eigen mening, zedelijke moed, persoonlijkheid en karakter noemt, om in deze wereld van protectie en carrière mee te tellen. Dit doe ik nog niet. Ik ben een grote nul.' Dat was de rondtrekkende politieke prediker in München allerminst. Het nieuws over Hitlers mislukte putsch rukte de mislukte schrijftafelheld uit zijn lethargie. Met groeiend enthousiasme volgde Goebbels het theatrale optreden van de hoofdrolspeler in het in

München gevoerde proces wegens hoogverraad. 'Wat u daar zei,' deelde hij zijn nieuwe profeet later ootmoedig mee, 'is in de wanhoop van een ineenstortende, goddeloze wereld de catechismus van een nieuw politiek geloof. U verstomde niet. God liet u zeggen hoe wij lijden. U vatte onze smart in bevrijdende woorden, vormde zinnen van vertrouwen in het komende wonder.'

Aangestoken door het wondergeloof vergezelde Goebbels nu af en toe een oude schoolkameraad naar de discussiebijeenkomsten en vergaderingen van het *Völkisch-sozialer Block* in zijn Westfaalse geboortestreek. Door het onduidelijke 'mengsel van lafheid, laagheid, grootdoenerij en eerzucht' dat hij daar registreerde, drong een heldere lichtstraal in zijn donkere bestaan: hij mocht publiceren! De *Völkische Freiheit*, het in Elberfeld verschijnende strijdblaadje van de splinterpartij, was bereid om de polemische artikelen van 'Dr. G.' af te drukken, zij het voorlopig nog onbetaald. Algauw was bijna de gehele inhoud van de krant van Goebbels' hand, en even later nam hij de redactie op zich – 'met idealisme en ondank' als salaris en desondanks grote voldoening. 'Ik ben een heel klein beetje gelukkig. Het eerste zichtbare succes van mijn streven,' noteerde de redacteur in zijn dagboek. 'Nu ben ik er weer bovenop.'

De partijactiviteiten bezorgden het nieuwe lid ook op het spreekgestoelte succesgevoelens. Na het eerste gelach om de uiterlijke verschijning van de kleine, magere spreker met het naar verhouding grote hoofd – een gelach dat hij met stalen zenuwen doorstond – wist hij zijn gehoor te betoveren. De opmerkelijk fascinerende klank van zijn stem, die door het grootste tumult heendrong, de precieze en scherpe formuleringen, die voor de domste partijgenoot toch nog begrijpelijk bleven, de ongeremde vechtlust en de vlijmscherpe esprit dwongen de toehoorders een eerbiedig zwijgen af. Met de geloofwaardige schijn van innerlijke hartstocht lukte het hem om het publiek mee te slepen. Hijzelf bleef ijskoud, terwijl hij elke reactie aandachtig bestudeerde. Met een feilloos instinct vond hij de zinswendingen die op het juiste moment de harten van de toehoorders raakten. Nu eens vleiend, dan weer scherp, nu eens stralend, dan weer bedroefd, sloeg hij telkens die tonen aan die het beste bij de stemming in de zaal pasten. De grootste bijval oogstte hij als hij met een snijdend sarcasme zijn tegenstanders over de hekel haalde; hij kon rekenen op succes als hij verwijten en interrupties omzette in scherpe tegenaanvallen. Elke toespraak was voor hem bijzonder zware arbeid: schor, uitge-

'Een goede partij...' Goebbels bruiloft met Magda Quandt (1931).

Trouwen zou een kwelling voor mij zijn. De eros spreekt luid in mij!

Goebbels, 1926

Goebbels heeft steeds weer benadrukt dat de massa eigenlijk van het vrouwelijk geslacht is. Hij bedoelde daarmee dat de meeste mensen eerder een moederinstinct tegenover lichamelijk zwakke mensen dan tegenover blonde, blauwogige reuzen ontwikkelen.

Wilfred von Oven, persoonlijk adviseur van Goebbels

Naar de 'stem van het volk', dat wil bijvoorbeeld zeggen naar mijn wat praatzieke kapper te oordelen, daalt de stemming bij ons in een razend tempo. Er zou ook door hoge partijfunctionarissen op een toon en met een achteloosheid worden gescholden die ongehoord zijn. Ik vroeg: 'Waarop dan eigenlijk?' Antwoord: 'Op alles!' Vooral 'Joseph' (Goebbels) zou de steen des aanstoots zijn. Maar vooral het naast en tegen elkaar van Partij en Staat zou zo niet verder kunnen. En dan het optreden van de bonzen, met ook weer Goebbels voorop.

Ulrich von Hassell [diplomaat en verzetsstrijder – vert.] (dagboek), 1939 put en druipend van het zweet wankelde hij na afloop van het spreekgestoelte. Elk gebaar was nauwkeurig ingestudeerd, elke vingerheffing zorgvuldig getimed. Het manuscript beschreef tot in de details het verhaal, de inhoud was aan de schrijftafel bedacht. Zijn mikpunt was zeker niet de waarheid, rechtschapenheid of ratio van de massa, maar wel het verstand. Hij gokte op het effect van woordspelingen, grappen en ontwapenende argumenten. Daarmee kon hij zijn toehoorders opruien, meesleuren, verbluffen. In extase bracht hij ze niet. Terwijl Hitlers optredens zijn aanhangers in een wellustige roes der zinnen deden geraken, verleidde Goebbels hen door hen op een zeer behendige en psychologisch uitgekiende wijze te overreden. 'Ik word een demagoog van de ergste soort,' presenteerde hij zichzelf trots.

In de met briljante retoren niet bepaald rijk gezegende politieke bende deed de begenadigde redenaar alras van zich spreken. De plaatselijke afdelingen vochten om zijn optredens, en algauw trok Goebbels, intussen opgeklommen tot gouwleider, elke avond door het gehele Rijk: van partijbijeenkomst naar partijbijeenkomst en van vergaderlokaal naar vergaderlokaal. De aantrekkingskracht van de kleine doctor bleef ook voor de vrijgelaten gevangene Hitler niet lang verborgen. Nadat hij door Goebbels mentor, NSDAP-organisatieleider Gregor Strasser, op de talentvolle agitator attent was gemaakt, richtte Hitler met welgevallen zijn blik op de net negen jaar jongere volgeling: 'Daar staat hij voor ons. Drukt mij de hand. Als een oude vriend. En dan die grote blauwe ogen. Als sterren. Hij is blij mij te zien,' kon Goebbels eind 1925 ontroerd in zijn dagboek noteren. Wie daar voor hem stond, leed voor hem geen twijfel: de toekomstige dictator. Aan de ongelijke mannenvriendschap deed het ook geen afbreuk dat Goebbels gold als een exponent van de linkse, socialistisch georiënteerde vleugel van de Partij.

Toen in 1926 in Bamberg het interne partijconflict over de Noord-Zuidverhoudingen beslecht moest worden, was alle hoop van de revolutionaire fractie gericht op de weledelzeergeleerde meester van het woord. Maar die liet zich intimideren door een urenlange monoloog van Hitler en zweeg 'als lamgeslagen'. Het Führer-principe maakte elke discussie overbodig. Alle bedenkingen tegen de 'zwijnenboel' in de partijcentrale in München werden door de uitstraling van zijn nieuwe idool in de schaduw gesteld: 'Adolf Hitler, ik hou van u, omdat u groot en tevens eenvoudig bent.'

Maar het was niet Hitlers eenvoud die de doorslag gaf. Veeleer werd de onbemiddelde zoon van kleine burgermensen gevleid en behaagd door de uiterlijke pracht en praal waarmee zijn vaderlijke begunstiger hem in München placht te paaien.

En dat deed deze niet zonder bijbedoeling, want hij had grootse plannen met de creatieve jonge agitator: als nieuwe gouwleider van Berlijn-Brandenburg moest Goebbels de voor de NSDAP uiterst lastige 'rode' hoofdstad van het Rijk veroveren. De uitverkorene aarzelde en koketteerde aanvankelijk weliswaar, maar in werkelijkheid had hij al snel door dat dit de kans van zijn leven was: een positie met toekomst en een taak die bij zijn strijdlust paste. Op 7 november 1926 verliet hij Elberfeld richting Berlijn. Het werd een enkele reis.

In de miljoenenstad leidde de nieuwe gouwleider een gebrekkige, driehonderd leden tellende sekte, die weliswaar over geen enkel politiek mandaat beschikte, maar des te meer over een uitgesproken lust om zichzelf te verscheuren. Met Hitlers volmacht en een ijzeren vuist scheidde Goebbels de kemphanen en liet hij met succes zijn aanspraken op het leiderschap gelden. Hij richtte een *Opfergemeinschaft* op om geld in te zamelen, en een redenaarsschool voor de opleiding van jonge partijgenoten. De buitenwereld nam hier echter geen nota van.

Bijgevolg liet Goebbels niets na wat vette krantenkoppen beloofde: als schouwtoneel voor optochten en bijeenkomsten koos hij bewust de communistische buurten in de arbeiderswijken en gokte hij op het effect van de daardoor uitgelokte veldslagen in de straten en zalen. Hiertoe rekruteerde hij een eigen mobiele knokploeg. Deze had tot taak zoveel mogelijk rellen te schoppen: 'Bij ongeregeldheden treedt bij meer dan vierhonderd mark aan materiële schade de *Tumultschädengesetz* in werking. Dit is natuurlijk slechts een terloopse opmerking van mij,' instrueerde de raddraaier op zelfgenoegzame wijze zijn medestrijders.

Toen de demagoog eens met een racistische tirade aanleiding gaf tot de interruptie 'Maar u ziet er ook niet bepaald als een Germaanse jongeling uit!', gaf hij schuimbekkend van woede zijn vechtjassen een teken om de ordeverstoorder duchtig de les te lezen. Het was pech voor de aanstichter dat de afgeranselde man achteraf een dominee bleek te zijn. Voor de Berlijnse hoofdcommissaris van politie was dit incident een welkome aanleiding om Goebbels Bruine Garde te ontbinden.

Die maakte echter van het verbod een deugd. De SA-troep veranderde in onschuldig lijkende groepjes als de kegelclub *Alle Neun*', de zwemvereniging *Hohe Welle* of de wandelvereniging *Alt-Berlin* en de betogingen van de Partij werden verplaatst naar vóór de poorten van Berlijn. Zijn stem, die door het verbod moest zwijgen, verving de redenaar door een nieuw orgaan: een strijdschrift met de programmatische naam *Der Angriff.* De aanvallen waren steeds opnieuw op één man gericht: de Berlijnse plaatsvervangend politiechef Bernhard Weiß. De wetshandhaver stond niet alleen als een vastberaden verdediger van het democratische systeem helemaal bovenaan op Goebbels lijstje met namen van te liquideren personen. De bruine ophitsers tot racisme riepen Bernhard Weiß uit tot het prototype van hun vijandbeeld. Onder de smadelijke naam *Isodor* werd hij het mikpunt van een infame lastercampagne die gevoed werd met in omloop gebrachte anti-joodse vooroordelen. De Berlijners lachten om de meest fantastische hatelijkheden en om de al te overdreven karikaturen. Met *Isodor* werd ook Goebbels bekend. Wat konden de initiator langdurige en moeilijke processen wegens smaad dan nog schelen, hij kreeg er alleen maar meer aandacht door.

Bij de verkiezingen had deze bekendheid echter geen effect. Nadat de Partij op 27 februari 1925 weer was toegelaten, haalde de NSDAP in 1928 in Berlijn amper 2,6% van de stemmen. En toch betekenden de verkiezingen voor Goebbels een grote sprong voorwaarts: voor het eerst mocht de armoedzaaier van weleer de trappen van de Duitse Rijksdag opstrompelen. Het democratische mandaat verschafte Goebbels een uit publicitair oogpunt doeltreffende arena voor aanvallen op de democratie. 'Ik ben geen lid van de Rijksdag,' hoonde hij in *Der Angriff.* 'Ik ben een BvI. Een BvV. Een Bezitter van Immuniteit, een Bezitter van een Vrijbiljet. De Rijksdag is onze zorg niet. [...] Wij zijn tegen de Rijksdag gekozen, en wij zullen ook ons mandaat in de geest van onze kiezers uitoefenen. [...] Wij gaan de Rijksdag in om ons in de wapenkamer van de democratie te voorzien van haar eigen wapens. [...] Wij komen niet als vrienden, niet als neutralen. Wij komen als vijanden! Zoals de wolf een schaapskudde binnendringt, zo komen wij.'

De pas verworven immuniteit beschermde de antiparlementaire parlementariër tegen justitiële vervolging. Het spreekgestoelte gebruikte hij voor tirades tegen de Republiek, de presentiegelden spekten de gouwkas. De politieke strijd vond echter ook in de straten plaats. Hoe sterker de economische crisis het leger van werklozen en ontwortelden deed groeien, des te meer escaleerden de ruzies tussen de politiek met elkaar overhoopliggende gevechtsgroepen.

De bloedige vechtpartijen zorgden niet alleen voortdurend voor krantenkoppen, maar leverden ook continu nieuwe munitie voor de propaganda. Zo placht Goebbels de eerste rij stoelen vóór zijn spreekgestoelte bij voorkeur te vullen met SA-vechtjassen met effectvol omzwachtelde hoofden. Publicitair nog doeltreffender leken hem echte martelaars uit het eigen kamp. Elke overleden SA-man omhing Goebbels, ongeacht de feitelijke omstandigheden waarin deze het leven had gelaten, met een pathetische heldenkrans. Elke begrafenis ensceneerde hij als een propagandistische massabijeenkomst. De dodencultus bereikte z'n hoogtepunt toen de drieëntwintigjarige SA-man Horst Wessel bij een schietpartij in het souteneursmilieu om het leven kwam. Voor Goebbels was met de dood van de jonge medestrijder een heldenmythe geboren. 'Iemand moet een voorbeeld worden en zichzelf opofferen,' declameerde hij aan het open graf. 'Nu dan, ik ben bereid!' Vlug liet hij van een door Horst Wessel bij elkaar gerijmd pamflet een gloedvolle hymne maken, die later tot de vaste rituele boedel van het Derde Rijk zou gaan behoren.

Het strijdlied werd ook ingezet toen Goebbels zijn communistische tegenstander Walter Ulbricht voor een onderling debat op het podium trof. Eerst knalden het Horst Wessel-Lied en de Internationale in disharmonie op elkaar, toen de vuisten. Een veldslag in de zaal met meer dan honderd gewonden smoorde het debat.

Als het de gouwleider van pas kwam, schrok hij er echter ook niet voor terug om met het 'rode gespuis' gemene zaak tegen de Republiek te maken. Veel van zijn middelen, zoals spreekkoren, muziekkapellen, massademonstraties, opzichtige aanplakbiljetten, partijcellen in de bedrijven en wervingsacties aan de deuren, had hij toch al van de politieke tegenstander overgenomen.

Met zijn zwarte leren jas en trillende stem wierp de magere volkstribuun zich in de vergaderlokalen van de arbeiders op als pleitbezorger van de 'kleine man'. De nood van de massa gebruikte hij als springstof voor vlammende toespraken. De economische crisis werd door hem gebrandmerkt als het failliet van het systeem en zijn *Erfüllungspolitik* [politiek van de Weimar-republiek om zoveel mogelijk aan de eisen van de geallieerden te voldoen –

vert.]. Volgens een simpel, telkens terugkerend patroon beschuldigde hij kapitalisten en joden ervan de 'eerlijke Duitsers' in de wurggreep te houden. Als een prediker sterkte hij zijn gemeente in het geloof in de nationale opstanding en in Hitler als haar verlosser, terwijl de politieke profeet voor de discipelen die zijn woorden volgden niets dan kille verachting voelde: 'De massa blijft wat ze altijd al is geweest: dom, vraatzuchtig en vergeetachtig.'

In de omgang met de eigen partijgenoten was hij al snel vertrouwd met het instrumentarium van macht en intriges. De opportunist, die ideologieën imiteerde, maar nooit internaliseerde, verstond de kunst om altijd op tijd aan de kant van de meerderheid te gaan staan. Toen de hem toegewijde Berlijnse SA onder aanvoering van Walter Stennes openlijk in opstand kwam tegen de centrale leiding in München, ging hij na aanvankelijke welwillendheid op Hitlers bevel over tot de tegenaanval. 'Ik donder de verraders er zonder pardon uit,' sprak hij zichzelf in zijn dagboek moed in, en zuiverde de Partij vervolgens op rigoureuze wijze van de opposanten. Weer had zijn angst voor het verlies van Hitlers protectie het gewonnen van loyale banden. Even compromisloos ging hij te werk toen de broers Gregor en Otto Strasser, zijn strijdmakkers van weleer, uitgeschakeld moesten worden. Hitler zelf had hem de vrijbrief gegeven voor het 'met niets en niemand ontziende hardheid zuiveren' van de Partij van die 'ontwortelde letterkundigen of chaotische salonbolsjewieken'.

Als dank voor zijn strikte, trouwe volgzaamheid en agitatorische meesterschap bevorderde de leermeester zijn vazal tot rijkspropagandaleider van de NSDAP. De permanent felle verkiezingsstrijd in de capitulatiefase van de Weimar-republiek bood Goebbels voldoende gelegenheid om zijn organisatorische, propagandistische en retorische vaardigheden te doen gelden. Met onvermoeide inspanning overdonderde de regisseur van de verkiezingsstrijd het gehele Rijk met een campagne waarin Hitler, in een vliegtuig boven Duitsland zwevend, werd gestileerd als de alomtegenwoordige Heilbrenger, die zichzelf geen enkele rustpauze toestond.

'Je komt nauwelijks tot bezinning,' noteerde Goebbels uitgeput in zijn dagboek. 'Je wordt met de trein, de auto en met het vliegtuig kriskras door Duitsland vervoerd. Een halfuur vóór aanvang kom je in een stad aan, soms ook later, vervolgens be-

'Wij komen als vijanden...' Gouwleider Goebbels verovert het rode Berlijn.

Wat een volk! In zelfverscheuring doodt het nog het laatste restje volkse overblijfselen. Bij een ander volk zou de massa opstaan voor een protest met de vuist. Arm Duitsland! Tuig! Gespuis! De jood schat ons wel goed in!

Goebbels over de veem-moordprocessen, 1928

Het is ons doel om de joden te vernietigen. Of wij de oorlog nu winnen of verliezen, dit doel moeten en zullen wij bereiken. Mocht het Duitse leger tot de terugtocht gedwongen worden, dan zal het op deze tocht de laatste nog op aarde verblijvende jood vernietigen.

Goebbels, vóór 1944

Hij verstond de kunst om mensen in een trance van enthousiasme te brengen. Hij was een meester van de leugen, een cynicus, en van alle nazi-kopstukken beslist de intelligentste en welbespraaktste.

Bert Naegele, oorlogsverslaggever

klim je het spreekgestoelte en spreekt. [...] Als de toespraak voorbij is, voel je je alsof je met al je kleren aan zojuist uit een warm bad bent gestapt. Dan stap je in de auto en rijd je opnieuw twee uur.'

Ondanks alle inspanning en ondanks de krappe financiële ruimte bezorgde dit heilloze gejacht de propagandist een van de gelukkigste periodes van zijn leven. In een partij waarvan het programma propaganda was, gold hij op dat moment als dé man. Op het spreekgestoelte had hij de mogelijkheid om zijn hartstocht voor zelfpresentatie te botvieren. Met aanplakbiljetten, spandoeken, vlugschriften, grammofoonplaten, geluidsfilms, campagnes in de kranten, met demonstraties, optochten en massabijeenkomsten kon hij alle registers van de moderne massamanipulatie opentrekken. En bovenal mocht hij zich als begeleider en adviseur nu steeds in de directe nabijheid van zijn meester ophouden. Hij werd gebruikt, hij werd bekend, en hij werd beloond met eclatante verkiezingsresultaten en bemoedigende loftuitingen van de Führer.

Maar ook zijn successen brachten hem niet onder de vleugels van de bruine club. In een partij die niet vlugheid van geest, maar spierkracht, een rechte gestalte en blond haar als handelsmerk had gekozen, ging hij als gedrochtelijke intellectueel gebukt onder een dubbele handicap. Beide, geest en gebrek, stempelden hem voor zijn gehele leven tot een met argusogen bekeken zonderling. 'Ik heb weinig vrienden in de Partij: nagenoeg alleen Hitler,' vertrouwde hij zijn dagboek toe. 'Hij geeft mij in alles gelijk. Hij wil helemaal achter mij staan.'

Dat deed de Chef ook toen Goebbels eind 1931 met de reeds in verwachting zijnde Magda Quandt (haar meisjesnaam was Ritschel) voor het altaar verscheen. Hitler zegende door zijn optreden als getuige een echtverbintenis in die niet alleen nationaal-socialistisch correct was, maar ook in elk opzicht prestigewinst voor de parvenu betekende. De bruidegom kon pronken met een echtgenote die van zeer goeden huize was, tot aan haar scheiding met een van de rijkste Duitse industriëlen getrouwd was geweest en die zich met haar welgeschapen lichaam en vrome ziel aan Hitlers partij had overgegeven. De promotie werd onderstreept door een verhuizing: het deftige residentiehuis van Quandt aan de Reichskanzlerplatz werd de ontmoetingsplaats van het bruine gezelschap en een tweede thuis voor Hitler, die hier een surrogaatfamilie vond.

'Een buiten-gewoon mens...' Goebbels, uitvinder van een mythe waaraan hij zelf verslaafd raakt.

Hitler is er. Hij drukt mij de hand. Hij is nog volkomen uitgeput door zijn lange rede. Vervolgens spreekt hij hier nog een halfuur. Met esprit, ironie, humor, sarcasme, met ernst, met vuur, met hartstocht. Deze man heeft alles in zich om een koning te zijn. De geboren volkstribuun. De toekomstige dictator.

Goebbels, 1925

De relatie tussen Goebbels en Hitler is niet altijd hetzelfde gebleven. Bij de Tsjechische crisis bijvoorbeeld speelde Goebbels in het geheel geen rol. Toen al was duidelijk dat hij een grote militaire confrontatie zou afkeuren. Begin 1939 had hij mij voor het eten uitgenodigd. Toen hij over Polen begon, werd hij plots zeer stil en zei tegen mij: 'Ik vrees dat dit verkeerd afloopt. Moge God ons dan genadig zijn.'

Heinrich Hunke, hoofd van de buitenlandafdeling van het ministerie van Propaganda

In het nabijgelegen hotel Kaiserhof, het verkiezingshoofdkwartier van zijn partij, beleefde Goebbels op 30 januari 1933 de triomf van zijn rusteloze activiteit: de verduitste Oostenrijker Adolf Hitler werd tot rijkskanselier benoemd, de Republiek verdween door de achterdeur, en Goebbels jubelde: 'Het is onbeschrijfelijk wat er in onze harten gebeurt. Je zou willen huilen en je zou willen lachen.'

In werkelijkheid was hij meer voor het eerste in de stemming, want terwijl zijn bruine heerscharen met een luisterrijke fakkeloptocht de 'machtsovername' vierden, werd de propagandist bevangen door diepe depressies. Er bleek immers, in strijd met Hitlers plechtige belofte, in de regering van 'nationale concentratie' geen plaats voor de rabiate agitator. Zo moest hij er genoegen mee nemen dat hij voor het laatst ten verkiezingsstrijde trok en dat hij de staatsradio voor zijn karretje spande. Als geen andere politicus uit die tijd zag Goebbels in welke mogelijkheden dit medium bood om invloed uit te oefenen. Hij liet Hitler alleen nog optreden in steden die zendinstallaties hadden. En steeds werden Hitlers toespraken op de radio voorafgegaan door vlammende, stemming makende bijdragen van radioreporter Goebbels. In de vaste overtuiging tot een missie te zijn uitverkoren, verkondigde hij in het hele land de opwekkingsboodschap op zo'n manier dat deze wel gehoord móést worden. Openlijke geweldpleging en door de overheid vergoelijkte terreur, vooral na de brand in de Rijksdag, deden de rest om Hitlers alleenheerschappij te consolideren. Nadat de nieuwe machthebbers zich van hun conservatieve coalitiepartners hadden ontdaan, kwam nu ook de trommelaar aan bod. De kleine man uit Rheydt had het doel van zijn etappe bereikt: op 14 maart 1933 legde Goebbels zijn ambtseed af als 'minister van Volksvoorlichting en Propaganda'.

Persoonlijk had hij zichzelf echter iets anders gezworen dan het onheil van het Duitse volk afwenden. 'Op een dag zal het zwaard van onze toorn neersuizen op de misdadigers en hen in hun onbeschaamde hoogmoed tegen de grond slaan,' voorspelde hij onheilspellend in zijn dagboek. Voor de notoire mensenhater was aan de voltrekking van de 'nationale revolutie' steeds meer verbonden geweest dan alleen het vervangen van ambtsdragers. Het uur van de overwinning moest voor hem ook het uur van de afrekening zijn.

Voorlopig echter bepaalden andere calculaties zijn agenda. Volgens plannen die reeds geheel uitgewerkt in zijn la lagen, stampte Goebbels in een paar dagen een ministerie uit de grond dat in de Duitse geschiedenis uniek was. Nooit eerder was er zo'n zware frontale aanval op het bewustzijn van de mensen ondernomen. In een deftig, door de beroemde architect Schinkel gebouwd paleis aan de Wilhelmplatz, waaraan hij later een strengfunctioneel modern gebouw liet aanbouwen, verzamelde de minister een vaste kern van jonge partijgenoten met een hoog opleidingsniveau, maar zonder bestuurlijke ervaring om zich heen. Systematisch gesorteerd in afdelingen voor propaganda, film, radio, theater, kunst, muziek en pers, overrompelden zij vanuit dit ministerie het land met een weergaloze propagandacampagne. Het doel van de propagandachef luidde: 'We zullen de mensen net zo lang bewerken tot zij aan ons verslaafd zijn.'

Na de verovering van de staatsmacht moest nu de macht over de mening van de mensen worden veroverd. De boodschappen waren simpel en gemakkelijk te onthouden: 'Jij bent niets, jouw volk is alles.' 'Eén volk, één rijk, één Führer.' 'De joden zijn ons ongeluk.' De destructieve geest van deze boodschappen wees terug naar donkere tijden, moderne middelen waren bevorderlijk voor de verspreiding ervan. Het witte doek in de bioscoop werd het projectievlak van hoop en heerlijke gevoelens. Luidsprekers op openbare plaatsen en goede, niet dure radio's van het merk *Volksempfänger* – in de volksmond *Goebbels-Schnauze* geheten – verschaften de nieuwe machthebbers van het land een aura van mediamieke alomtegenwoordigheid. De geometrie van de mensenmenigte bij massabijeenkomsten, de mystieke magie van de vlammen, kleuren en vlaggen, de cultusagenda van een volkse surrogaatreligie lieten de 'volksgenoten' nauwelijks meer tot bezinning komen.

Wie nog op zijn verstand vertrouwde had moeite om uit de stroom van onjuiste berichten, eufemismen en halve waarheden een beeld van de werkelijkheid te filteren. Goebbels was slim genoeg om in te zien dat de openlijke leugen niet het effectiefst het bewustzijn benevelt, maar de gemanipuleerde waarheid. En hij was ervan overtuigd dat de massa naar zijn wil gevormd kon worden: 'Dit is het geheim van propaganda,' leerde hij zijn partijgenoten. 'Degene die door de propaganda gepakt moet worden, geheel doordrenken met de ideeën van de propaganda, zonder dat hij ook maar merkt dat hij ermee doordrenkt wordt. Natuurlijk heeft propaganda een doel, maar dit doel moet zo slim en zo virtuoos verhuld zijn, dat hij die met dit doel vervuld moet worden, dit in het geheel niet bemerkt.'

En daar had de opiniemaker assistenten voor nodig. Anders dan film, radio en persagentschappen, die van het begin af aan aan het onbeperkte misbruik waren overgeleverd, moest de pers nog volgens de ideeën van het regime worden gezuiverd en gelijkgeschakeld. Slechts op vijf procent van de kranten prijkte het hakenkruis. De verhulde onteigening van de overige bladen zou tot aan het einde van de oorlog voortduren. Dus verzekerde de nieuwe perscontroleur zich van een succesvol ingrijpen door een aanmerkelijk efficiëntere methode toe te passen: hij maakte de journalisten tot staatseigendom. Langs wettelijke weg werd ervoor gezorgd dat de 'redacteuren' bepaalde door de Staat opgelegde plichten vervulden. Zij hadden een vergunning nodig en waren onderworpen aan de richtlijnen van de autoriteiten. In plaats van een openlijke censuur maakten gedetailleerde instructies aangaande de weergave van feiten én bij voorbaat betoonde gehoorzaamheid dat de persberichten werden gemoduleerd tot ze de beoogde toon hadden. Ofschoon Goebbels de pers graag vergeleek met een orkest dat met verschillende instrumenten en via allerlei variaties in geluidssterkte dezelfde melodie moest spelen, weerklonken vanuit het door een grote verscheidenheid van richtingen gekenmerkte perswereldje algauw uiterst doffe en monotone geluiden. De plaatsen van de solisten die de hoofdstedelijke pers ooit op virtuoze wijze hadden aangevuurd, waren sowieso leeg. 'Ook hier moet duchtig worden huisgehouden,' had de dirigent beschikt zodra hij het stokje in handen had. 'Velen van hen die hier zitten om de publieke opinie te vormen, zijn daar totaal ongeschikt voor. Ik zal ze gauw uitroeien.'

Door middel van het *Berufsverbot* voor alle joodse scheppers van cultuur, dat de intellectuele elite van het land in de exodus dreef, bevredigde de mislukte letterkundige zijn zucht naar vergelding voor zijn jarenlange achterstelling. Met een vlammende rede vol pathetiek wijdde hij de verbranding in van literaire werken waarvan hij het niveau op geen stukken na ooit zelf had kunnen halen. Door het aanzetten tot een woeste gewelddadige actie wilde de armoedzaaier van weleer joodse zakenlieden betaald zetten wat hem aan materieel succes ontzegd was. 'Ik ben de radicaalste,' verkondigde de would-be Robespierre. 'Van het nieuwe type. De mens als revolutionair.' Maar na een dag hief het regime de boycot weer op. Het buitensluiten van de joden geschiedde nadien langs een pseudo-legale officiële weg.Met een diabolisch fijne neus maakte de agitator zich de cynische misleidingsstrategie eigen: 'Als ik in de propaganda uitdruk: "De joden hebben hoegenaamd niets meer te verliezen!" – ja, dan zal het u waarschijnlijk niet verbazen dat ze vechten,' leerde hij in 1935 zijn volgelingen. 'Nee, je moet dat altijd openlaten. Zoals de Führer dat gisteren op een meesterlijke wijze in zijn toespraak deed: "We hopen dat... eh..., dat het met deze jodenwetten nu mogelijk is om een draaglijke verstandhouding tussen de Duitsers en het joodse volk te bewerkstelligen." Dat noem ik behendigheid! Dat is knap! Als hij er echter meteen achteraan had gezegd: "Dit zijn de jodenwetten *van dit moment*; jullie moeten nu niet denken dat dit alles is, volgende maand [...] komen de volgende, en wel zo, dat jullie uiteindelijk straatarm weer in het getto zitten," ja, dan mag u er niet vreemd van opkijken als de joden de hele wereld tegen ons mobiliseren. Als u hen echter wat ruimte laat, een *kleine* levenskans biedt, dan zeggen de joden tegen elkaar: [...] "Kom, mensen, hou je nu eens gedeisd, *misschien* dat het toch nog goed komt!"' De propagandahoofden reageerden hilarisch op de uiteenzettingen van hun chef.

In het openbaar werden de schaduwen van de rassenpolitiek op behendige wijze door een vuurwerk van lichtpunten aan het oog onttrokken. De bioscoop, de radio, de ansichtkaarten lieten de Duitser zien hoe de bejaarde veldmaarschalk Von Hindenburg in Potsdam – namens de conservatieve elites – de korporaal uit Oostenrijk de hand reikte. Ze maakten mee hoe miljoenen arbeiders op 'hun' nieuwe feestdag door alle klassen heen de illusie van de 'nationale verzoening' vierden. Ze zagen hoe de werklozen van weleer, de spade geschouderd, voor de arbeid ten strijde trokken om het gehele land te doorsnijden met eindeloze stroken asfalt. Ze vernamen met een religieuze ontroering dat de eenzame man die boven gelijkvormige blokken mensen troonde, niet langer Hitler was, niet langer kanselier, maar Führer: een stralende verschijning, niet langer van deze wereld. De heerserscultus was Goebbels' indrukwekkendste propagandaproduct; een koud kunstje voor de discipel die net zo verslaafd was geraakt aan de zelfgeschapen mythe als zijn meester.

De ceremoniemeester mocht wat de hoeveelheid werk betrof niet klagen. In september 1933 mocht hij als afgevaardigde bij een bijeenkomst van de Volkenbond in Genève ook in het buitenland zijn propagandatalent tentoonspreiden. Maar wat graag had hij Hitlers politiek niet alleen verheerlijkt, maar ook als adviseur en

'De hele familie...' Het echtaar Goebbels en de zes kinderen (1942). Helemaal bovenaan Goebbels' stiefzoon Harald Quandt.

Een lang gesprek met Magda. Ze is heel lief en goed voor mij. Ik hou ook zeer van haar. Het is zo goed om iemand te hebben die helemaal van jou is.

Goebbels, kort vóór de affaire met de actrice Lida Baarova, 1938

's Avonds nog een lang gesprek met Magda, dat voor mij één grote vernedering was. Dit zal ik haar nooit vergeven. Zij is zo hard en wreed.

Goebbels, tijdens de affaire met Lida Baarova, 1938

Hij had iets waardoor alle vrouwen op hem afvlogen. Dat kun je nauwelijks beschrijven.

Barbara von Kalkreuth, beeldhouwster, vriendin van de familie Goebbels

Heb een in krankzinnigengestichten gemaakte film gekeurd, die ter onderbouwing van de sterilisatiewet dient. Huiveringwekkend materiaal. Alleen al bij het zien ervan stolt het bloed je in de aderen. Dan is het onvruchtbaar maken alleen maar een zegen.

Goebbels, 1936

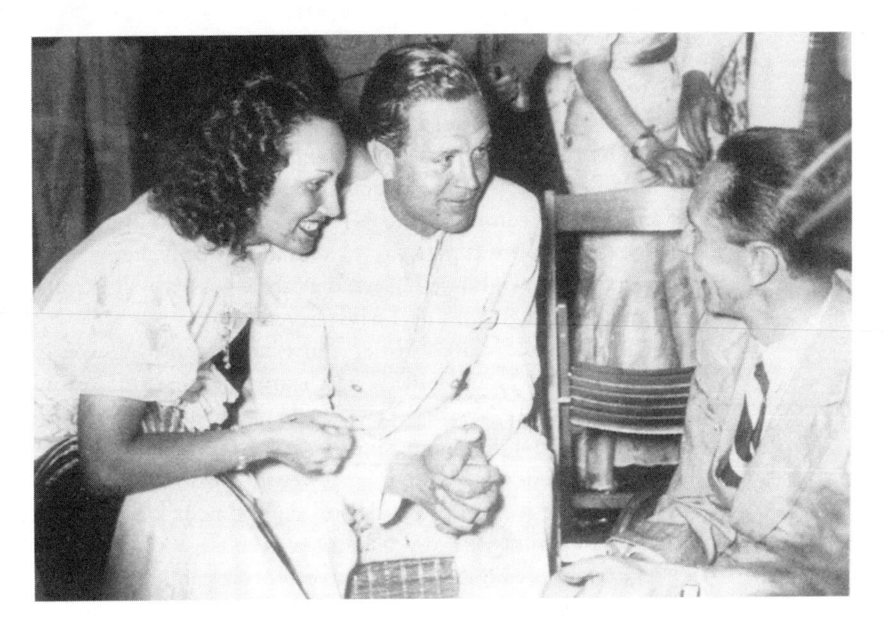

'Wij zijn open renaissance-mensen...' Goebbels in gesprek met Lida Baarova en toneelspeler Gustav Fröhlich (1936).

De verstandhouding tussen Hitler en Goebbels werd veel minder door persoonlijke gevoelens beïnvloed dan die tussen bijvoorbeeld Hitler en Speer. Hitler heeft Goebbels zeer bewonderd, hij heeft hem gewaardeerd. Maar er zat geen zweem van vriendschap bij. Hitler kende Goebbels' zwakheid: dat hij zijn positie vaak zonder scrupules gebruikte om actrices te versieren. En dat strookte op geen enkele manier met Hitlers aard.

Traudl Junge, Hitlers secretaresse

Mijn film *Die Stimme aus dem Äther* was een ongelooflijk succes. Ik werd op het ministerie van Propaganda ontboden. Goebbels was alleraardigst en charmant. We hebben een beetje gepraat, en ten slotte nodigde hij mij uit voor een ritje. Nou, en toen heeft hij avances gemaakt. Ik vond dat niet kunnen en heb mij zo hysterisch gedragen dat hij opgaf. Voor ik naar huis gereden werd, zei hij nog: 'Zo zult u nooit carrière maken.' Korte tijd later werden de opnames tijdelijk stopgezet.

Anneliese Uhlig, actrice

minister van Buitenlandse Zaken meebepaald. De meester luisterde weliswaar naar de goed bedachte adviezen van zijn knecht, maar de koers bepaalde hij zelf. Zo moest de minister van Propaganda zich schikken in een voortdurende guerrilla tegen het ministerie van Buitenlandse Zaken en andere departementen als het ging om koers en competenties. Als een van de rivalen in de Partij de kleine doctor op zijn plaats zette, dan hielp slechts het verontwaardigd aankloppen bij de Führer, die echter het liefst alle kemphanen in gelijke mate hun deel wilde geven.

Goebbels wist dat alleen Hitlers gunst zijn eigen overleven in de roedel wolven garandeerde. Zo schaarde hij zich op 30 juni 1934 vliegensvlug en geschrokken aan de zijde van zijn meester, toen hij opving dat de SA-top rond Ernst Röhm en bij deze gelegenheid ook tientallen andere ongewenste personen verraden werden. De reactie hierop was dat hij de opdracht kreeg om de met willekeur gepleegde moorden op ongeveer tweehonderd politieke tegenstanders van het regime op een propagandistisch effectieve manier met leugens te verdraaien tot een actie die nodig was om een dreigende staatsgreep neer te slaan.

Toch bleken Röhms handlangers of de 'joodse gruwelpers' uit het buitenland voor de gepassioneerde 'aanvaller' maar weinig aantrekkelijke objecten te zijn. De 'tijd van strijd' was voor Goebbels een bijzonder feestelijke tijd. Nu de politieke tegenstanders monddood waren gemaakt, de Heil-groet elk van weerspannigheid getuigend geluid overstemde, vielen geleidelijk aan ook zijn verbale aanvallen stil. De strijd tussen kerk en Staat bleef er een die minder belangrijk was. Verbeten richtte de misdienaar van weleer zijn agressies op de clerus die zich aan de volledige toe-eigening door de surrogaatkerk van de Staat onttrok. Zoals altijd met Hitlers zegen bedacht hij gruwelverhalen over zedelijk verval in kerkelijke instellingen en lanceerde hij een serie rechtszaken tegen kloosterlingen en andere geestelijken. Echter, populariteit kon hij daarmee niet verwerven. De stemming onder de bevolking, voor de propagandist de onontbeerlijke seismograaf van zijn campagnes, bleef afwijzend. De weerzinwekkende veldtocht moest worden gestaakt.

Met de jaren veranderde de aanvalslustige agitator in de directeur van een gigantische droomfabriek voor de productie van schone schijn. Uit de referenda bleek dat men voor nagenoeg honderd procent met het regime instemde. De trommelaar trad naar de achtergrond.

De sluipende afname van zijn betekenis in de leiding compenseerde de privé-persoon Goebbels door op een geforceerde wijze statussymbolen te verzamelen. In 1936 verhuisde hij met zijn gezin naar een deftige bakstenen villa – die ooit joods bezit was geweest – op het schilderachtige, in de Wannsee gelegen schiereiland Schwanenwerder. De koopsom van ongeveer 350.000 rijksmark had hij met Hitlers hulp van de directeur van de NS-uitgeverij Max Amann weten los te krijgen – als 'voorschot' voor de postume uitgave van zijn dagboeken twintig jaar na zijn dood. Later dwong de gouwleider de joodse eigenaar van het naastgelegen perceel om ook dit stuk grond ter vergroting van zijn eigen bezit voor een prikje aan hem af te staan. Ter completering van de kostbare uitstalling van een succesvolle carrièremaker breidde Goebbels zijn wagenpark uit met een Mercedes-sportcoupé en gunde hij zich naast zijn motorboot Baldur een groot zeiljacht, waarvan de koopprijs, zoals hijzelf toegaf, 'wat hoog' uitviel.

Een zekere uiterlijke status leek de in zijn plichtsbetrachting uiterst nauwgezette Goebbels alleszins redelijk, gezien het door vele ontberingen gekenmerkte bestaan dat hij als leidinggevende persoon vanwege zijn succes bij de grote massa moest lijden. 'Als ik u zou voorrekenen,' rechtvaardigde hij zich tegenover zijn partijvrienden, 'waarvan ik in het leven allemaal moet afzien omdat ik nu eenmaal ben wat ik ben, dan zou de uitkomst zijn dat ik tachtig procent van dat wat ieder ander kan doen, zelf niet kan doen. Ik kan niet naar een restaurant gaan, ik kan niet naar een hotel gaan, ik kan niet naar een bar gaan, ik kan niet naar een variété gaan, ik kan niet als ik daar zin in heb in de auto stappen en zomaar een stukje gaan rijden, ik kan niet op straat gaan wandelen, en ik kan mij niet met mijn gezin bezighouden, en als ik een nieuw pak koop, moet ik eerst nagaan of het al dan niet een joodse zaak is.'

Wat dit laatste betreft hoefde Goebbels zich ondertussen geen zorgen meer te maken. De voornamelijk witte garderobe van mijnheer de minister werd op maat gemaakt, en zijn kleermaker was uiteraard lid van de Partij. Zijn handen waren steeds zorgvuldig gemanicuurd, en door zijn tot de adel behorende adjudant liet hij zich in de etiquette onderrichten. Aldus toegerust nodigde de stadhouder van Berlijn ter gelegenheid van de Olympische Spelen van 1936 meer dan drieduizend gasten uit de hele wereld uit op het van alle pracht en praal voorziene eiland Pfaueninsel in de rivier de Havel. Het schitterende feest van superlatieven moest iets van de glans van het sportspektakel doen afstralen op de toonaangevende medeorganisator ervan. Maar dankzij de eveneens uitgenodigde houwdegens uit de 'tijd van strijd' ontaardde het bal in een stevige zuippartij en andere grove buitensporigheden en uiteindelijk in een societyschandaal.

Onverdroten werkte de parvenu verder aan zijn zelfportret van een 'man van de wereld'. In het broederland van de Italiaanse *duce* Mussolini, zijn bewonderde voorbeeld, placht hij zich bij filmfestivals als de afgezant van zijn Rijk voor te doen. Thuis liet hij zich door de Berlijnse burgemeester een ten noorden van de hoofdstad aan de Bogensee gelegen blokhuis cadeau doen, dat de minister echter algauw 'te klein en onpraktisch' vond. Dus werd het uitgebreid tot een kleine nederzetting bestaande uit vijf ruime gebouwen in landhuisstijl. Alleen al het woonhuis bevatte 21 kamers – filmzaal, airconditioning, heteluchtverwarming, vijf badkamers, een wandtapijt ter waarde van 25.000 rijksmark, elektrische ramen en huisbar inbegrepen. Aan het bouwverbod in het beschermde natuurgebied werd door buurman Göring in zijn hoedanigheid als rijkshoutvester op genereuze wijze voorbijgegaan. Alleen aan de 2,26 miljoen rijksmark die de verbouwing verslond kon helaas niet worden voorbijgegaan. In de praktijk echter fungeerde de bouwheer tevens als baas van de ondertussen genationaliseerde filmindustrie. En zo droeg de Ufa op coulante wijze de kosten.

De financiering van het derde onderkomen van het gezin liet Goebbels rustig aan de Staat over. Het dienstpaleis van de minister in de wijk met de regeringsgebouwen diende tenslotte, zoals hij de bezwaren opperende raden van financiën voorhield, voor de 'in gestaag toenemende mate op mij rustende representatieve verplichtingen' en voor dat nobele doel leek het totaalbedrag van 3,2 miljoen rijksmark hem niet te hoog geraamd. Alleen al voor de inrichting van de benedenverdieping en de privé-vertrekken was immers een half miljoen rijksmark nodig! Bij de eerste inspectie was de heer des huizes echter geenszins tevreden met het resultaat, zoals duidelijk werd uit zijn vijf pagina's omvattende klachtenlijst. Maar dankzij een kleine verschuiving in de begroting van zijn ministerie ten laste van het fonds voor Kunst en Theater kon ook met de wensen van de minister ten aanzien van veranderingen rekening gehouden worden.

De representatieve landgoederen vormden ook het passende kader voor het publiekelijk demonstreren van de idylle van het voorbeeldige gezin. Echtgenote Magda voldeed op een aan de nationaal-socialistische doctrine aangaande de volksaard getrouwe wijze aan de geboortenorm en 'schonk de Führer' zes kinderen: Helga (geboren in 1932), Hilde (1934), Helmut (1935), Holde (1937), Hedda (1938) en Heide (1940) waren zo gehoorzaam, blond en gelovig als de hoogste propagandachef zich maar wensen kon. In witte jurkjes waren zij de figuranten bij 'oom Führers' lievelingsoptreden als kindervriend, gasten ontvingen zij, opgesteld in de vorm van een erehaag, met brave Heil-groeten, en door de pers werden zij samen met de minister en zijn gemalin op sierlijke wijze gepresenteerd als voorbeeldgezin van het Derde Rijk.

De gelegenheden voor harmonische groepsfoto's waren echter dun gezaaid. De rusteloze propagandachef bewaakte zijn ministerszetel doorgaans van 's ochtends vroeg tot 's avonds laat, niet zelden ook in het weekend. Filmvertoningen, ontvangsten, studiobezoeken en reizen vulden zijn agenda. En als daartussen tijd overbleef, dan besteedde hij die minder aan zijn echtelijke plichten dan aan zijn bijna dwangmatige hartstocht voor andere vrouwen. 'Elke vrouw windt mij op tot het uiterste,' had hij reeds in 1926 zijn dagboek toevertrouwd. 'Als een hongerige wolf raas ik rond. En dat terwijl ik verlegen ben als een kind.'

Later werd de rokkenjager van deze verlegenheid verlost door het feit dat de dames die hij op het oog had, meestal van hem afhankelijk waren. Als het om de verdeling van rollen in films ging, had Goebbels het laatste woord; hij besliste over carrières. Het zou echter verkeerd zijn om zijn liefdesaffaires alleen aan de 'eros van de macht' toe te schrijven. De geestrijke minnaar verstond in alle opzichten de kunst om met snedigheid, esprit en complimentjes te verleiden.

Belangrijker dan succesvolle veroveringen was voor hem zijn reputatie als veroveraar. 'Berlijn was toen de stad van de praatjes,' herinnert Stéphane Roussel zich, destijds correspondente in Berlijn voor de Franse krant *Le Matin*. 'Ons werk was niet altijd gemakkelijk. Informatie verzamelen en deze doorsturen: het was allebei gevaarlijk. Er was echter altijd iets waar we wel gemakkelijk aan konden komen, want Goebbels hechtte er waarde aan dat men erover sprak: Goebbels, de vrouwenheld. De grootste en kleinste details over zijn affaires met actrices, ja voornamelijk met filmsterren, mochten in de openbaarheid. Men moest weten dat deze en gene vrouw ooit eens een nacht met de grote kleine Goebbels had doorgebracht.'

Los van de vraag of bijvoorbeeld een uitnodiging voor een kopje thee in zijn landhuis zich enkel tot een vriendelijke conversatie beperkte, of dat er daadwerkelijk nog iets op volgde, er was de verleider zeer veel aan gelegen om in het geruchtencircuit voor Casanova door te gaan. Een fluistercampagne voor zichzelf. Hoeveel liever wilde hij als 'geile bok' bekend staan dan als een mefisto met een klompvoet! Als Don Juan kon hij zijn complexen verdoezelen en zichzelf heel onbescheiden een plaats toekennen in de portretgalerij van de wereldgeschiedenis. 'Lodewijk XIV van Frankrijk, Karel van Engeland en ook de zegerijke Napoleon,' verkondigde hij boud, 'namen zoveel vrouwen als zij wilden, en toch heeft het volk hen verafgood.' Ook liefdesaffaires waren voor hem statussymbolen, de vrouwen zelf daarbij slechts decor. In zijn arrogante minachting voor hen deed hij niet onder voor zijn meester: 'De vrouw heeft tot taak mooi te zijn en kinderen te baren,' schreef de romanschrijver Goebbels. 'Dat is helemaal niet zo barbaars en ouderwets als het klinkt. De wijfjesvogel wast zich voor het mannetje en broedt voor hem de eieren uit. Als tegenprestatie zorgt het mannetje voor voedsel. Verder houdt hij de wacht en verjaagt hij de vijand.'

Maar zelfs de weerbare Papageno was niet immuun voor gevoelens. In één geval ontwikkelde zich uit een slippertje een fatale liefdesaffaire. *Stunde der Versuchung* heette heel toepasselijk de film waardoor Goebbels in contact kwam met de Tsjechische actrice Lida Baarova. Vervolgens begon het gebruikelijke spel: bloemen, uitnodigingen, rollen en mooie woorden. De tweeëntwintigjarige, die toen nog verloofd was met de acteur Gustav Fröhlich, begon de machtige minister die haar het hof maakte na aanvankelijke aarzeling leuk te vinden. En Goebbels beleefde zijn tweede jeugd. Als het even kon nam hij de jongedame mee naar zijn landgoed aan de Bogensee, waar de twee niet gestoord werden. Hij beproefde zonder succes zijn kunsten als amateur-kok, speelde voor haar piano en verstrikte zich in een schooljongensachtige romance. De filmbaas ging zelfs zover dat hij een speelfilm met Lida Baarova in de hoofdrol lanceerde, waarin tamelijk onverholen zijn eigen liefdesgeschiedenis werd nagespeeld, een rolprent die vervolgens onmiddellijk op de index belandde. Ongegeneerd begon het liefdespaar zich bij filmpremières te vertonen, tot de affaire in stad en land het onderwerp van gesprek was. Toen zijn echtgenote, die van haar kant huwelijkstrouw niet altijd als hoogste goed beschouwde, onvermijdelijk de lucht kreeg van het doen en laten van de twee, probeerde men aanvankelijk tot een voor alle partijen bevredigende oplossing te komen in de vorm van een *ménage à trois*. Het gedrieën samenleven kon echter niet lang goed gaan. Goebbels' beloften van trouw bleken bedrieglijke manoeuvres te zijn, en zijn psychisch uitgeputte echtgenote speelde ten slotte met de gedachte zich van hem te laten scheiden.

Maar zulke beslissingen waren in het Derde Rijk een zaak van de leider. De rivalen van de minister in Hitlers hofhouding hadden toch al geen gelegenheid onbenut gelaten om de hoofdscheidsrechter alle details van de pikante affaires over te brieven. De lichtzinnige levenswandel van zijn volgeling placht de meester genadig door de vingers te zien. Maar een echtscheidingsschandaal, net nu het huwelijk van defensieminister Werner von Blomberg met een voormalige prostituee zoveel opzien had gebaard? Een amoureuze verhouding met een Tsjechische op het moment dat de dictator de bezetting van haar vaderland voorbereidde? Een minister van Propaganda die bereid was om af te treden en met plannen rondliep om het land te verlaten, terwijl het er toch om ging het buitenland de kracht van het Rijk te demonstreren? Voor Hitler kon er geen sprake van zijn. Hij sprak een machtswoord uit dat de oren van de gepassioneerde echtbreker deed suizen. Hij gelastte de echtelieden zich weer te verenigen, en vaardigde voor Goebbels een strikt verbod uit om nog met Lida Baarova contact te hebben. De filmcarrière van de jonge diva was abrupt ten einde. Gestapo-mannen en afluisterapparatuur registreerden voortaan al haar bewegingen. De van elkaar gescheiden minnaars liepen beiden met zelfmoordgedachten rond en Goebbels' dagboek zoog zich vol met larmoyant zelfmedelijden: 'Ik leef bijna als in een droom. Het leven is zo hard en wreed.'

Niet alleen dat men hem zijn liefdesgeluk misgunde, hij liep nu bovendien het risico bij de Almachtige uit de gratie te raken – en dat tot onverholen vreugde van zijn tegenstanders. De catastrofe was daar. In het machtscentrum zag Goebbels zich op een zijspoor gezet. Ontvangsten en besprekingen vonden in deze tijd zonder hem plaats.

De kleine doctor was geschrokken én onder de indruk van het ijskoude bevel van zijn meester. Maar dat hij zich aan de uitspraak moest onderwerpen, dat stond voor hem buiten kijf. Hitlers gunst was voor hem belangrijker dan welke emotie ook. 'Ik blijf hard,' beval hij zichzelf in zijn dagboek, 'ook al dreigt mijn hart te breken. En thans begint een nieuw leven. Een hard, wreed, slechts aan de plicht onderworpen leven. Mijn jeugd is nu voorbij.'

Na enig uitstel werd Lida Baarova met Goebbels' instemming uitgewezen naar Praag, waar, ongelukkig genoeg voor haar, even later alweer Duitse troepen binnenmarcheerden. De twee uit elkaar gedreven echtelieden sloten onder Hitlers toezicht op de Berghof een nieuw huwelijkscontract. De affaire was uit de wereld geholpen. Goebbels' renommee bleef op het dieptepunt.

Anderen moesten hiervoor boeten. De gelegenheid om zich opnieuw als een ijverige en fanatieke handlanger te profileren deed zich voor bij de jaarlijkse bijeenkomst ter gedachtenis van Hitlers amateuristische poging in 1923 om een opstand te ontketenen. Vanuit Parijs bereikte op 9 november 1938 de 'oud-strijders' in München het officiële bericht dat de Duitse ambassadesecretaris was bezweken aan de verwondingen die waren veroorzaakt door de pistoolschoten van een jonge jood. (Deze had hiermee tegen de uitwijzing van zijn ouders willen protesteren.) Dit was de geschikte brandstof voor de politieke brandstichter, dé gelegenheid om zijn haat tegen het 'joodse misdadigerstuig' te botvieren en om net als vroeger op de voorgrond te treden als de radicaalste oproerling. Geënsceneerde chaos, gecamoufleerd als een spontane uitbarsting van volkswoede, daar had hij het patent op vanaf het moment dat zijn knechten in Berlijn langgeleden 'joods uitziende' passanten hadden aangevallen of de vertoning van de film *Im Westen nichts Neues* met witte muizen en stinkbommen onmogelijk hadden gemaakt.

Deze keer had de opruiing dodelijke gevolgen: 'Ik geef meteen passende orders aan politie en Partij. Vervolgens houd ik betreffende de aangelegenheid een korte redevoering voor de partijleiding,' zoals Goebbels zijn filippica laconiek in zijn dagboek omschreef. 'Stormachtig applaus.' De bruine overvalcommando's wisten wat er van ze werd verwacht. SA-mannen in burger staken overal in het Rijk synagogen in brand, vernielden en plunderden joodse winkels, mishandelden en doodden leden van de vogelvrij verklaarde minderheid. Meer dan twintigduizend mensen werden als vee in vrachtwagens geladen en naar concentratiekampen vervoerd. 'De aanwezige partijleiders hebben – door de mondelinge orders van de rijkspropagandaleider – begrepen dat de Partij er officieel niets mee te maken had. Maar natuurlijk heeft zij de acties gecoördineerd en laten plaatsvinden,' stond later in een intern partijrapport.

'Een zekere afstand...' Goebbels met zijn stiefzoon Harald Quandt.

Het was onmogelijk om in Goebbels' hart te kijken. Hij had altijd een pokerface. Wij werden van hem niets wijzer. Ik denk dat hij echt in zijn eigen frases heeft geloofd – en in de mogelijkheid van de overwinning. Hij is het slachtoffer geworden van zijn eigen, opruiende leugens.

Dietrich Evers, beeldcontroleur bij de legerpropaganda

Ons werd door de propaganda ingestampt dat de Russen primitieve mensen waren, die smerig waren en geen cultuur hadden hebben. Toen ik ten oorlog trok, waren de Russen voor mij beesten die je moest ombrengen voor ze jou ombrachten.

Karl-Heinz Bialdiga

Wat mij het eerst aan Goebbels opviel, was dat hij iets marionetachtigs had. Niet in zijn bewegingen – zijn bewegingen waren die van een volkstribuun. Maar als hij zijn mond opentrok, en dat was zijn specialiteit, dan deed dat een beetje aan een marionet denken.

Stéphane Roussel, Franse buitenlandcorrespondente

De aan de touwtjes trekkende Goebbels was zeer ingenomen met de verwoestende gevolgen van zijn orders. 'Ik wil naar het hotel, van daaruit zie je dat de hemel bloedrood gekleurd is. De synagoge brandt,' noteerde hij huiverend-trots in zijn dagboek. 'We laten alleen maar blussen als het nodig is voor de omliggende gebouwen. Voor de rest laten branden. De stoottroep verricht vreselijk werk. [...] Als ik naar het hotel rijd, rinkelen de ruiten. Bravo, bravo. Als oude grote hoogovens branden de synagogen. Duits bezit loopt geen gevaar.'

De reputatie van het regime was echter wel in gevaar. Zo oogstte de brandstichter geen lof, maar scherpe kritiek voor zijn vurige ijver en voor de oncontroleerbare gewelddadigheden. Himmler en Heydrich voelden zich in hun competentie gepasseerd, Göring betreurde de economische schade, en Hitler vreesde voor het aanzien van het Rijk in het buitenland. De verwijdering van de joden uit het openbare leven moest 'geruisloos', langs bureaucratische weg en bij verordening geschieden. En zo gebeurde het vervolgens ook.

Omdat de wereldwijde protesten snel wegebden, kwam Goebbels weer in een gunstige positie te verkeren. Hitler hield zijn beul weliswaar weg van de politieke zaken, maar had hem wel nodig om de bevolking mentaal op de komende oorlog voor te bereiden.

Op zijn vijftigste verjaardag presenteerden Goebbels' propagandisten de staatschef als de tot de strijd besloten opperste bevelhebber, die op de pas aangelegde oost-westas in Berlijn de grootste militaire parade uit de Duitse geschiedenis afnam. De martiale wapenschouw kwam over als een oorlogsverklaring. De trommelaar nam de signalen met bewust tentoongespreid optimisme waar: 'In het felle zonlicht schittert de godin der overwinning. Een fantastisch voorteken.'

In werkelijkheid voelde Goebbels zich allerminst behaaglijk bij de gedachte dat een oorlog tegen het Westen het geschapen systeem aan het wankelen zou kunnen brengen. Hij verdacht de minister van Buitenlandse Zaken, Joachim von Ribbentrop, ervan Hitler tot oorlog aan te zetten. Verbouwereerd zag hij hoe zijn tegenstander in Moskou het pact tussen de aartsvijanden Hitler en Stalin smeedde. Hoewel hij vast geloofde in het 'genie van de Führer' en plechtig verklaarde dat het verdrag een 'geniale propagandazet' was, kwam het verbond met 'aartsvijand nr. 1' hem toch 'wat eng' voor.

Hetzelfde gold voor Hitlers vastbeslotenheid om ten oorlog te trekken. De minister van Propaganda legde – weliswaar volgens de orders – met gruwelijke berichten uit Polen de grondslag voor de onderwerping van de oosterbuur, aan wie hij ooit persoonlijk Hitlers vredeswil had overgebracht, maar hij hoopte heimelijk dat de westelijke mogendheden terughoudend zouden zijn en de overval niet als een oorlogssituatie zouden beschouwen. En daarmee hoopte de spichtige burger tevens dat hij achter al die epauletten op de militaire uniformen niet definitief uit Hitlers gezichtsveld zou verdwijnen. Dit zelfbedrog ging niet op. Londen en Parijs verklaarden het Rijk de oorlog, en Goebbels, 'terneergeslagen en in zichzelf gekeerd', zoals een waarnemer opmerkte, begon voor even te twijfelen aan de onfeilbaarheid van zijn Führer.

Niet alleen de bliksemoverwinningen en de passiviteit van zowel de Britten als de Fransen namen spoedig zijn bedenkingen weg, maar ook een reeds negen maanden eerder tot ontploffing gebrachte bom. Deze was door de moedige Zwabische kunstenaar-meubelmaker Georg Elser in zijn eentje gemaakt en ontplofte op de avond van 8 november 1939 in de *Bürgerbräukeller*, slechts een paar minuten nadat Hitler de zaal voortijdig had verlaten. Diens aan wonderen gelovende begeleider zag in het toeval een teken van goddelijke voorzienigheid: 'Hij staat tóch onder de bescherming van de Almachtige,' peinsde Goebbels in zijn dagboek. 'Hij zal pas sterven als zijn missie volbracht is.'

De 'missie' van de opperste bevelhebber behelsde de liquidatie van de Poolse elite, het tot slavernij brengen van Poolse arbeidskrachten en het lozen van de joodse bevolking in getto's. Weer wilde Goebbels erbij zijn en zocht tijdens een inspectiereis in het bezette Polen naar voer voor zijn rassenhaat. De ellende die de Duitse tirannie in Lódz had aangericht, beschreef hij in zijn dagboek cynisch als een bezoek aan de dierentuin, er steeds op bedacht zijn vijandbeeld bevestigd te zien: 'Rit door het getto. We stappen uit en bekijken alles nauwkeurig. Het is onbeschrijflijk. Dit zijn geen mensen meer, dit zijn beesten. Het is daarom ook geen humanitaire, maar een chirurgische taak. Er moet hier worden ingegrepen, en wel heel radicaal.'

En daarom wist hij de volgende dag dan ook niet hoe gauw hij zijn Führer eens te meer zijn diensten moest aanbieden als overijverige antisemiet: 'Bij de Führer. Ik doe verslag van mijn Polenreis, die hem zeer interesseert. Vooral mijn uiteenzetting van het jodenvraagstuk vindt zijn volledige instemming. De jood is een afvalproduct. Meer een klinische dan een sociale aangelegenheid.' Daarvan hoefde hij zijn leermeester niet te overtuigen. De omzetting van zijn oorlogsverklaring aan de joden in administratief beleid was een terrein waarop de volgeling punten meende te kunnen scoren in een tijd waarin militairen de toon aangaven. Bovendien kwam de extreme wraakzucht van de bureaumisdadiger deze militairen van pas. 'Ik protesteer bij de Führer tegen het feit dat de joden bij de levensmiddelendistributie dezelfde behandeling krijgen als de Duitsers. Wordt meteen afgeschaft,' tekende hij voor het nageslacht op. 'Ik vertel de Führer over onze jodenfilm. Hij doet een paar suggesties. In alle opzichten is de film op het moment een zeer waardevol propagandamiddel voor ons.'

De rolprent heette *Der Ewige Jude* en was het kwalijkste maaksel uit de gifkeuken van het propaganda-apparaat. Mensen werden gelijkgesteld aan ratten. De fysieke vernietiging werd voorafgegaan door de vernietiging met woorden en beelden. 'Een antisemitische film zoals wij die ons alleen maar kunnen wensen,' noteerde de dirigent van het tot dan vooral als amusementsfabriek opererende filmconcern verheugd.

Ook maakte Goebbels propagandistische filmmuziek voor Hitlers veldtochten. Elke aanval ging gepaard met publicitair trommelvuur. De minister van Propaganda wekte haatgevoelens op tegen Britse plutocraten en Franse oorlogshitsers, deed al naargelang de behoefte aan morele mobilisering of leidde de aandacht af van plannen om een land of landen binnen te vallen. De opiniemakers richtten hun vizier niet alleen op de eigen bevolking. Knap gemaakte strooibiljetten, radio-uitzendingen in vreemde talen en geheime zenders in het land van de vijand waren erop gericht het oorlogsmoreel van de tegenstander te ondermijnen. Zeer hardnekkig woedde de verbale slag om Engeland. De Britse premier Winston Churchill verscheen in de lachspiegel als een corrupte whiskydrinker in de vaste greep van de 'joodse plurocratenkliek'.

Goebbels was in zijn element. Nu had hij weer een tegenstander. Nu kon hij aanvallen en op aanvallen antwoorden zoals vroeger. Nu kon hij overwinningen aankondigen.

Toen de opperste bevelhebber in Berlijn terugkeerde van de ondertekening van de wapenstilstand met Frankrijk in Compiègne, dezelfde plaats waar in 1918 het Duitse leger had gecapituleerd, bereidde zijn schildknaap hem een weergaloze ontvangst. Over een bloemenzee en door een erehaag van juichende mensen zweefde een veldheer die door velen als een bovenaards lichtend

'Het joodse volk moet vernietigd worden...' Twee antisemieten hebben elkaar gevonden: Joseph Goebbels en Robert Ley, leider van het Duitse Arbeidersfront.

In de laatste maanden werd het Goebbels duidelijk dat er niet meer op een overwinning gerekend kon worden. Toch hebben hij en Hitler altijd gedacht dat de alliantie tussen de westelijke mogendheden en de Sovjet-Unie op den duur wel uiteen moest vallen. Ze geloofden weliswaar niet meer in een overwinning, maar toch zeker in een aanvaardbare vrede.

Wilfred von Oven, persoonlijk adviseur van Goebbels

Hitlers verjaardag! Vroeg me bij de toespraak van Goebbels, waar ik voor het eerst vrijwillig naar luisterde, af of dit waanzin of geraffineerdheid was, of hij koelbloedig een dubbelrol speelde. Partijbonzen begaan zelfmoord, Duitsland is grotendeels bezet, het oostfront rukt onstuitbaar op... en Goebbels praat alsof we kort voor de overwinning staan.

Ursula von Kardorff [onafhankelijk journaliste – vert.] (dagboek), 20 april 1945 wezen werd gezien. De vernederende capitulatie in de Eerste Wereldoorlog leek op triomfantelijke wijze te zijn goedgemaakt. 'De smaad is thans uitgewist. Men voelt zich als herboren,' jubelde Goebbels in zijn dagboek. Uitgewist waren ook de angsten en zorgen die hem aan het begin van deze oorlog hadden gekweld. 'Dit godsoordeel wordt hier in opdracht van een hoger historisch lot door ons voltrokken. De Führer is zeer menselijk, heel ontroerend en hartelijk. Hij is het grootste genie in de geschiedenis dat wij ooit gekend hebben. Een eer om hem te mogen dienen.'

De eer om in diens plannen ingewijd te worden werd hem ondertussen nog altijd onthouden. Terwijl Hitler allang plannen smeedde om de Sovjet-Unie aan te vallen, treurde Goebbels om het pact met de bolsjewistische *Untermenschen*. Toen de Russische minister van Buitenlandse Zaken Vjatsjeslav Molotov eind 1940 Berlijn bezocht, maakte de met velerlei complexen behepte *Herrenmensch* zich met afschuw vrolijk over het uiterlijk van de gasten uit Moskou: 'Geen enkele kop van formaat. Alsof zij onze theoretische opvattingen over het wezen van de bolsjewistische massa-ideologie koste wat kost willen bevestigen.' In de kranten liet hij elke zinswending verwijderen die ook maar enigszins waardering uitdrukte voor de Russische cultuur of leefwijze, en zijn persbewakers prentte hij in om 'niets van bolsjewistische tendens en gezindheid in Duitsland toe te laten'. Ook in zijn vervloeking van het oosten was hij een orthodoxe volgeling van zijn Führer. Net als hij wachtte Goebbels vol ongeduld op de eigenlijke kruistocht van de ideologie: 'Ooit moeten wij toch nog met Rusland afrekenen. Wanneer, dat weet ik niet, maar dát wij dat moeten, dat weet ik wel.'

In maart 1941 werd Goebbels door Hitler op de hoogte gebracht. In de voorbereiding van de grootste troepenopmars aller tijden was de opperste bevelhebber meer dan ooit op propagandistische ondersteuning en tactische afleidingsmanoeuvres aangewezen. 'De grote operatie komt dan later: tegen R.,' noteerde de ingewijde vol ondernemingslust en trots. 'Ze wordt zorgvuldig gemaskeerd, slechts heel weinigen weten ervan. Ze begint met omvangrijke troepentransporten naar het westen. We zorgen dat aan alle kanten verdenkingen rijzen, behalve in het oosten. Er wordt een schijnaanval op Engeland voorbereid, en daarna keren we ons bliksemsnel om en gaan we zonder aarzelen recht op ons doel af.'

De minister van Propaganda viel in dit spel van misleiding een speciale rol toe. Voor de NSDAP-krant *Völkischer Beobachter* schreef hij een met veel toespelingen gevuld artikel over de bezetting van Kreta, waarin tussen de regels door een landingsmanoeuvre in Groot-Brittannië in het vooruitzicht werd gesteld, en liet de krant vóór distributie met veel tamtam meteen weer in beslag nemen. Buitenlandse waarnemers moesten hieruit concluderen dat de auteur de Duitse oorlogsplannen niet voor zich had kunnen houden. Ondersteund door de schijnenscenering van een aanstaande invasie en een vloed van tegenstrijdige, onjuiste berichten leek de propagandacoup succesvol. Zelfs in Moskou was de verrassing compleet, toen op 22 juni 1941 bij het krieken van de dag de invasie in de Sovjet-Unie begon.

'De adem van de geschiedenis is hoorbaar,' dichtte Goebbels in zijn dagboek. 'Grootse, heerlijke tijd waarin een nieuw Rijk wordt geboren. Pijnlijk weliswaar, maar het stijgt op naar het licht.' De verloskundige had grondig voorwerk verricht. Franz Liszts fanfareklanken uit *Les Préludes* misbruikend, had hij een muzikaal leidmotief voor de extra berichten over de 'operatie Barbarossa' laten componeren. In het diepste geheim liet hij Hitlers oproep tot de nog nietsvermoedende volksgenoten in 800.000-voud kopiëren. En deze keer was het aan hem om de oorlog voor de Duitsers acceptabel te maken. 'Psychologisch levert de hele zaak wat problemen op. Vgl. Napoleon, etc.,' had hij reeds tevoren geredeneerd, en terecht gezien de riskante uitbreiding van de oorlog tot een reusachtig tweede front tegen de verdragspartner die de Sovjet-Unie toen nog was. 'Maar met antibolsjewisme komen we dat wel te boven.'

Op dat terrein was hij geschoold. Aan de sceptische bevolking werd de overval door zijn propaganda verkocht als een 'Europese kruistocht tegen het bolsjewisme'. Met een 'daad van wereldhistorische betekenis' zou de Führer de 'allesvernietigende mongolenstorm' maar net hebben verhinderd. De legende van Hitlers preventieve aanval verdoezelde op effectieve wijze het ware karakter van de wereldbeschouwelijke vernietigingsoorlog. In zijn dagboek was Goebbels opener: 'Waartegen wij ons hele leven gevochten hebben, dat vernietigen we nu ook.' Zijn twijfels verdrong hij met bewust aangekweekt optimisme: 'Het bolsjewisme zal instorten als een kaartenhuis. Wij staan voor een zegetocht zonder weerga,' maakte hij zichzelf wijs. 'Ik schat de gevechtskracht van de Russen zeer laag in, nog lager dan de Führer doet. Als er één operatie zeker was en is, dan deze wel.'

Zeker was dat deze prognose al na een paar zegerijke weken zelfbedrog bleek te zijn. Reeds een maand na het begin van de aanval gaf de ontnuchterde veldheer tegenover zijn getrouwen toe een inschattingsfout gemaakt te hebben: 'De Führer geeft mij een uitvoerige uiteenzetting over de militaire toestand. In de afgelopen weken is deze soms zeer kritiek geweest. Wij hebben de Russische stootkracht en vooral de uitrusting van het sovjetleger duidelijk totaal onderschat. Evenmin hadden wij ook maar enigszins een duidelijk beeld van wat de bolsjewieken ter beschikking stond.' Deze onthulling wierp de eerste schaduwen over de nimbus van onfeilbaarheid die van de 'grootste veldheer aller tijden' afstraalde: 'De Führer is zeer kwaad op zichzelf dat hij zich wat betreft het potentieel van de bolsjewieken zo door de berichten uit de Sovjet-Unie heeft laten misleiden. [...] Hij heeft daar zeer onder geleden. Het ging om een zware crisis,' schreef de propagandachef, terwijl zijn bioscoopjournaals de Duitsers triomfantelijk onder zegetijdingen bedolven. De veldtocht zonk weg in de modder en kwam in het ijs tot stilstand. Vóór Moskou streden de Duitse soldaten in de winter tegen goedbewapende Siberische eenheden voor een verloren zaak. In haar mateloze arrogantie had de Duitse leiding hen een deugdelijke winteruitrusting onthouden.

De crisis was hoogconjunctuur voor de kleine doctor. Als would-be veldheer in een veel te groot uniform leek de voor militaire dienst ongeschikt verklaarde burger op een stripfiguur. Maar als veldprediker van de natie kon hij lauweren oogsten. Wat de militairen op het slagveld mislukte, geloofde hij door retorische mobilisatie weer goed te kunnen maken. Eindelijk was het uur aangebroken om de onverschillige samenleving om te vormen tot een gelijkgeschakelde, door het lot verbonden gemeenschap. In een grootscheepse campagne liet hij met tonnen tegelijk wol en winterkleding inzamelen als 'kerstgeschenk van het vaderland voor het front'. In plaats van een overwinningsroes verlangde hij offervaardigheid, analoog aan het 'bloed, zweet en tranen'-devies van zijn heimelijk bewonderde tegenstander Churchill. Wie niet met wapens aan het front vocht, moest in het vaderland onvermoeid werken voor bewapening en ravitaillering, verlangde hij.

Dit gold vooral voor de joodse burgers van zijn gouw: 'Ik zal hun nu een ultimatum stellen: ze kunnen zich óf zo snel mogelijk inschakelen in het arbeidsproces, óf op de koop toenemen dat van de 78.000 joden alleen de 23.000 werkende joden recht op rantsoenen hebben. Lijden de joden honger, dan zullen ze snel aan het werk gaan.'

In werkelijkheid was hem minder aan de uitbuiting van de gehate minderheid gelegen dan aan haar publiekelijke vernedering. Omdat een sterke sentimentele weerstand zijn plan 'om van Berlijn een jodenvrije stad te maken' vertraagde, moest voor de joden het wachten op de dood nog een hel worden. Op een creatievere en perfidere wijze dan alle andere antisemieten bedacht Goebbels onafgebroken nieuwe discriminerende maatregelen: stapsgewijs verbood hij de joden het bezit van fietsen, schrijfmachines, boeken, grammofoonplaten, koelkasten, ovens, radio's, het rijden met het openbaar vervoer, het bezoeken van bioscopen, opera's, zwembaden en parken, en hij verdreef hen ten slotte zelfs uit hun woningen. Aan zijn van haat vervulde brein ontsproot ook het publiekelijk brandmerken van de vervolgden met de jodenster. Triomfantelijk schreef hij in zijn dagboek hoe Hitler voor zijn aandrang zwichtte. Goebbels wilde zijn reputatie als radicale en fanatieke racist redden – nu hij wist dat het plan om de joden vlak achter het Duitse oostfront te vermoorden werkelijkheid werd. Maar al te goed wist hij dat de *Endlösung der Judenfrage* voor miljoenen de gaskamer betekende: 'Vanuit het gouvernement-generaal [Polen – vert.] worden nu, bij Lublin beginnend, de joden naar het oosten op transport gesteld,' schreef hij op 27 maart 1942 in zijn dagboek. 'Er wordt daar een tamelijk barbaarse en niet nader te beschrijven methode toegepast, en van de joden zelf blijft niet meer veel over. Globaal beschouwd kun je wel vaststellen dat 60% geliquideerd moet worden, terwijl slechts 40% voor het werk kan worden ingeschakeld. De voormalige gouwleider van Wenen, die deze operatie uitvoert, doet dat behoorlijk omzichtig en ook op een manier die niet al te zeer opvalt. De joden ondergaan een strafgericht dat weliswaar barbaars is, maar dat ze ten volle verdiend hebben.'

Ook in het openbaar stak de minister van Propaganda zijn kennis niet onder stoelen of banken. Bijna woordelijk kon de infame poging tot rechtvaardiging van de volkenmoord op 16 november 1941 in het met grote nauwkeurigheid opgemaakte weekblad *Das Reich* worden nagelezen. Inhakend op Hitlers decreet over de vernietiging uit het begin van de oorlog, schreef de columnist Goebbels: 'We maken op dit ogenblik het uitkomen van deze profetie mee en het jodendom wordt door een lot getroffen dat weliswaar hard, maar meer dan verdiend is. Medelijden of zelfs spijt is hier geheel misplaatst.'

Goebbels was zich er ten volle van bewust dat met deze misdaad van de eeuw alle bruggen naar een volkerengemeenschap voorgoed afgebroken waren. Hij erkende dat er geen weg terug meer was, en daarmee had oorlog voor hem alleen nog zin als middel om de dag van de afrekening uit te stellen – overeenkomstig de richtlijn van zijn meester: 'De Führer zegt: hetzij op een goede, hetzij op een slechte manier, wij moeten zegevieren. Dat is de enige weg,' noteerde hij in zijn dagboek, en voegde eraan toe: 'We hebben toch al zoveel op onze kerfstok dat we wel moeten winnen, anders zal ons hele volk, wij voorop met alles wat ons lief is, tot de laatste man worden uitgeroeid.'

Aan medewerkers vertrouwde Goebbels toe dat hij in dat geval zelf voor zijn dood zou zorgen. Hij wist dat hij niets meer te verliezen had en maakte dit besef tot een leidmotief van zijn propaganda. Alles of niets, zege of ondergang – het antwoord van de minister van Propaganda op het debacle aan het front, zoals dat zich in Stalingrad duidelijk aftekende, luidde 'totale oorlog': niemand zou meer aan de oorlogsmachine ontkomen. Wie niet kon aantonen dat hij 'voor de oorlog noodzakelijk' werk deed, moest onder de wapenen of naar de wapenfabrieken. Een op deze wijze extra gerekruteerd miljoenenleger moest voor de ommekeer zorgen. Nog altijd kreeg de amateur-strateeg geen steun voor zijn crue visioenen. Nog altijd bleef het woord zijn belangrijkste wapen.

Zo probeerde Goebbels met zijn beroemd-beruchte Sportpaleisrede van 18 februari 1943 de toehoorders achter zijn idee-fixe van de totale oorlog te krijgen. Hij beheerste de psychologische finesses om het zorgvuldig geselecteerde gehoor daar te krijgen waar hij het hebben wilde. Volgens de regels van de (rede)kunst trok hij alle registers open, van vleierij tot vervloeking, belofte en dreigement, spot en haat, geactiveerde trots, afgunst, angst, en beroofde hij het publiek met opzwepende dramaturgie letterlijk van haar zinnen. Met tien suggestieve vragen op het eind verwierf hij niet alleen de instemming van de aanwezigen, maar wist hij hen ook in een bedwelmende extase te brengen. Net zo ijskoud berekenend als hij elk detail van zijn optreden van tevoren had ontworpen en ingestudeerd, oordeelde de redenaar na afloop in besloten kring over de toehoorders: 'Als ik hen bevolen had om van het dak van een flat te springen, hadden ze het gedaan ook.'

'Het lied is uit...' Goebbels half verbrande lichaam (1945).

Toen ik Hitlers testament uittypte, kwam plotseling Goebbels binnen. Ik was geschokt door hoe hij eruitzag. Hij was lijkbleek, had tranen in de ogen en zei tegen mij: 'Mevrouw Junge, de Führer wil dat ik hem verlaat, dat ik een functie in de toekomstige regering aanvaard. Maar dat kan ik niet, ik ben immers gouwleider van Berlijn. Mijn plaats is aan de zijde van de Führer. Ik kan hem toch niet verlaten.'

Traudl Junge, Hitlers secretaresse

Er speelde zich in de Führer-bunker een drama af toen eenmaal besloten was: 'De kinderen blijven hier!' Vrouwen, keuken- en kantoorpersoneel – iedereen kwam en smeekte mevrouw Goebbels op de knieën om de kinderen te laten gaan. En Hanna Reitsch, de pilote, was er ook nog. Die wilde de kinderen uit Berlijn vliegen. Mevrouw Goebbels weigerde dit. Toen kwam de dag waarop mevrouw Goebbels in mijn kamer de kinderen voorbereidde op de dood. Zij stak hen in witte kleertjes, de haren gekamd, en verdween toen met hen. Goebbels was niet aanwezig. Doctor Stumpfecker is toen naar hen toe gegaan, en doctor Naumann zei tegen mij: 'Ze krijgen suikerwater te drinken, en dan is het voorbij.' Stumpfecker gaf de kinderen dus gif.

Rochus Misch, radiotelegrafist in de Führer-bunker

Met dé rede zijner redes stelde hij zich op als volkstribuun van de eerste orde in het Rijk. Terwijl de andere kopstukken zich op de achtergrond hielden, terwijl Hitler publiekelijk bijna verstomde, was de altijd maar in de weer zijnde agitator voortdurend onderweg om helpers van de luchtbescherming te onderscheiden, om door bombardementen dakloos geworden mensen van extra rantsoenen te voorzien, om arbeiders in de bewapeningsindustrie aan te sporen om langer en harder te gaan werken en om via de radio opofferingsgezindheid te prediken.

Om zelf het goede voorbeeld te geven, nodigde Goebbels zijn gasten alleen nog voor een karige maaltijd bij hem thuis uit tegen inlevering van distributiebonnen. Zijn echtgenote, met wie hij zich weer verzoend had, ging een tijdje – propagandistisch effectief! – met de tram op en neer naar Telefunken om daar in een fabriek te werken.

Het dagelijkse leven in de oorlog en de zware nachtelijke bombardementen verdreven de laatste restjes vrede uit het land. Maar het was nog lang niet zo erg als Goebbels' totalitaire waanvoorstelling. Pas toen Hitler na de aanslag van 20 juli 1944 in zijn omgeving alleen nog maar verraad bespeurde, schoof de trouwe volgeling, die in Berlijn met ijskoude beslistheid de poging tot staatsgreep om zeep had laten helpen, op naar het centrum van de macht. De onvermoeide carrièrejager had zijn doel bereikt. Als *Reichsbevollmächtigter für den totalen Kriegseinsatz* beschikte hij nu over ruime bevoegdheden om de laatste resten van het civiele maatschappelijke leven te vernietigen en alle bedrijven uit te kammen op reserves voor front en bewapeningsindustrie. Goebbels zelf betitelde deze functie als 'oorlogsdictator'.

Hoewel bureaucratie en vriendjespolitiek de omvang van deze rekruteringscampagne verminderden, kregen de Duitsers nu een idee van wat 'totale oorlog' werkelijk betekende. De haastig samengestelde reservebataljons hielden de ineenstorting van het Duitse front in het oosten en de opmars van de geallieerden in het westen niet tegen – de verschrikkingen duurden hierdoor alleen nog maar langer.

Persoonlijk maakte ook Goebbels zich nauwelijks meer illusies over de 'eindoverwinning'. 'De toestand in het oosten baart mij steeds grotere zorgen,' stelde hij medio 1944 in zijn dagboek vast. 'Het moet uiteindelijk toch mogelijk zijn om het front ergens tot stilstand te brengen. Als het zo doorgaat, dan staan de sovjets zeer binnenkort voor onze Oost-Pruisische grens. Ik vraag me steeds wanhopig af wat de Führer daartegen doet.'

Maar bij zijn publieke optredens maakte Goebbels van de mare van een komende ommekeer een wijdverbreid geloofsgoed. Met gebruikmaking van een onuitputtelijke rijkdom van variaties vergeleek hij de oorlog nu eens met koorts, dan weer met een marathonloop of met wisselvallig weer, om zo het vooruitzicht op de 'eindoverwinning' metaforisch te illustreren. Omdat de berichten van het front ondanks al zijn mooipraterij ongeschikt waren om deze hoop te versterken, greep Goebbels naar een propagandawapen waarvan de kwaliteit door geen enkele werkelijkheid kon worden aangetast: hij stelde het geloof in een wonder in. Eerst beloofde hij geheimzinnige 'wonderwapens' die, omdat ze nog nooit gebruikt waren, het voordeel hadden dat er de wonderbaarlijkste werkingen aan toegeschreven konden worden. Vervolgens voorspelde hij een breuk tussen de geallieerden, die, net als eertijds in de 'Zevenjarige Oorlog', het tij nog zou doen keren. En zelfs op het laatst, toen de Russische soldaten al waren doorgestoten tot in het met puinhopen bezaaide Berlijn, beloofde hij nog de bevrijding van de stad door een fantastisch Wenck-leger, dat echter alleen maar op de kaartentafel bestond.

Hoe duidelijker de ondergang werd, hoe minder mensen nog naar zulke beloften luisterden. Voor de meesten telde in de eerste plaats de eigen overlevingsstrijd. De gelovigste slachtoffers vond de rattenvanger op het laatst onder diegenen die in hun leven nooit andere boodschappen gehoord hadden: de jongeren achtten zijn woorden nog betrouwbaar, zij lieten zich door zijn drogbeelden verblinden en door zijn strijdleuzen enthousiasmeren.

Als leden van de Hitler-Jugend en oude mannen met pantservuisten aan zijn opgeheven arm voorbijmarcheerden, dan mocht ook Goebbels zich eindelijk een soldaat voelen. De *Volkssturm* was de laatste reserve van de gouwleider. Hiermee wilde hij de verdediging van de 'vesting Berlijn' als een heldhaftige finale van zijn 'totale oorlog' ensceneren. Voor dit uitzichtloze epos van de ondergang moesten vlak voor het einde van de oorlog nog eens tienduizenden met hun leven boeten. De organisator van de slachting leefde allang niet meer in de werkelijkheid. Zijn laatste propagandaproduct was zijn eigen legende. Om zijn belangrijkheid aan het nageslacht door te geven liet hij zijn dagboeken op microfilm vastleggen en uit de hoofdstad naar elders brengen. Na het vertrek van de andere paladijnen uit Berlijn wilde hij zichzelf opblazen tot de laatste getrouwe, die zijn Führer tot aan het eind gehoorzaam bijstond. Om geheel en al in diens nabijheid te zijn verhuisde hij met zijn hele gezin naar Hitlers sombere bunker onder de rijkskanselarij. Eindelijk viel hem ten deel waarnaar hij zijn leven lang gesmacht had: hij had zijn meester helemaal voor zichzelf. Samen met hem wilde hij als martelaar de geschiedenis ingaan.

Maar Hitler trok een streep door Goebbels rekening door hem in zijn politiek testament tot zijn opvolger als kanselier van het volkomen geruïneerde Rijk te benoemen. De tot curator aangestelde volgeling kon zich dus niet door zelfmoord stiekem aan zijn verantwoordelijkheid onttrekken! Hij moest nu opdraaien voor de zwartste bladzijde in de Duitse geschiedenis! Eén moment was Goebbels volkomen uit het lood geslagen. Maar nadat Hitler op 30 april het tijdelijke met het eeuwige had verwisseld, kon deze de uitvoering van zijn bevel toch niet meer controleren.

'In het delirium van verraad dat in deze kritieke dagen van de oorlog de Führer omgeeft, moeten er in elk geval een paar mensen zijn die onvoorwaardelijk en tot in de dood achter hem staan, ook al is dat in strijd met een formeel, inhoudelijk nog zo gefundeerd bevel, dat hij in zijn politiek testament kenbaar maakt,' rechtvaardigde Goebbels in een toevoegsel bij zijn testament zijn verachtelijke zelfmoord. 'Voor het eerst in mijn leven moet ik categorisch weigeren gehoor te geven aan een bevel van de Führer. Mijn vrouw en mijn kinderen sluiten zich bij deze weigering aan.'

Aan de kinderen werd niets gevraagd. Zij konden niet eens vermoeden dat hun vader na zijn totale mislukking ook hen ter dood veroordeeld had. Zij werden de laatste slachtoffers van zijn door blinde woede gevoede fanatisme.

De tweede man

Vanaf het eerste ogenblik dat ik hem zag en hoorde,
was ik met mijn gehele persoon aan hem verslaafd.

Ik heb geen geweten!
Mijn geweten heet Adolf Hitler.

Elke kogel die nu uit de loop van een
politiepistool komt, is mijn kogel.

Telkens als ik tegenover Hitler sta,
zinkt de moed mij in de schoenen.

Ik ben nu eenmaal een renaissancemens,
ik hou van de pracht.

Wie joods is, bepaal ik.

Wie dieren mishandelt, schendt het Duitse volksgevoel.

Ik zou niet graag een jood in Duitsland zijn.

Het is vreselijk – Hitler is gek geworden.

Ten minste twaalf jaar fatsoenlijk geleefd.

Ooit zullen jullie onze beenderen in marmeren doodkisten leggen.

Göring

Hermann wordt óf een groot man óf een crimineel.

Franziska Göring over haar zoon, ca. 1903

Op zondag 30 augustus werd kapitein Görings verlangen naar een grote dosis eukodal (een morfinederivaat) steeds sterker, en hij eiste een dosis die hijzelf bepaalde. Tegen 17.00 uur opende hij met geweld de medicijnkast en pakte twee ampullen met een eukodaloplossing van twee procent. Zes zusters konden hier niets tegen doen, en hij nam een dreigende houding aan. Kapitein Görings vrouw was erbij en eiste nadrukkelijk dat wij hem gaven wat hij hebben wilde; zij vreesde dat de kapitein in zijn woede iemand zou vermoorden.

Zuster Anna Törnquist van verpleegtehuis Aspuddens,
waar Göring in 1925 als patiënt behandeld werd

Je bent een groot man. Je mag je niet klein laten krijgen. Ik hou zoveel van je, met hart en ziel, dat ik het niet zou kunnen verdragen je te verliezen: en een morfinist te zijn betekent zoveel als zelfmoord te plegen – elke dag gaat een stukje van je lichaam en van je ziel verloren. Je bent in de greep van een boze geest en van een boze macht, en je lichaam kwijnt langzaam weg. Red jezelf en daarmee ook mij.

Carin Göring, brief van 26 januari 1927

Weg met 'generaal' Göring, deze pronkzieke beul met zijn driehonderd uniformen, die zich slempend en smakkend wentelt in het genot van de macht van het zwaard, een macht die hem krankzinnig genoeg is toegevallen. Weg met 'generaal' Göring die dagelijks met zijn verschrikkelijke, met drek besmeurde naam doodvonnissen tekent van jonge mensen die, als tot wanhopig verzet gedreven strijders voor een wat mij betreft verkeerde politieke heilsleer, vele honderden malen beter zijn dan hij.

Thomas Mann, 1933

Wat was die SA toch een bende perverse bandieten! Het is een verdomd goede zaak dat ik ze uit de weg geruimd heb, anders hadden ze ons van kant gemaakt.

Göring, 1934

Mij staat voor ogen een Luftwaffe te bezitten die, mocht het grote ogenblik eenmaal aangebroken zijn, zich als een engel der wrake op de tegenstander stort. De tegenstander moet het gevoel hebben dat hij al verloren is, voordat hij ook maar met jullie gevochten heeft.

Göring voor luitenants van de Luftwaffe, 1935

Ik kan het rustig zeggen, de oorlog is voorbij: De rijksmaarschalk was constant onder de invloed van morfine. Ik heb meegemaakt dat, als besprekingen lang duurden en de morfine niet meer werkte, de rijksmaarschalk onder de bespreking in slaap viel. En dat was dan de opperbevelhebber van de Luftwaffe!

Helmut Förster (generaal van de Luftwaffe), mei 1945

Göring komt. Het bekende gezeur. Wil generaal worden. Waarom niet meteen veldmaarschalk. Göring heeft al te grote plannen. Hij bruuskeert iedereen met zijn onbeschaamde geldingsdrang. Hopelijk vertrekt die dikzak snel.

Goebbels, dagboek 1933

We gaan toch niet va-banque spelen.

Göring tot Hitler, 1938

Ik heb in mijn leven altijd va-banque gespeeld.

Hitlers antwoord

We mogen blij zijn als Duitsland na deze oorlog nog dezelfde grenzen heeft als in 1933.

Göring, 1942

Mijn Führer! De bevoorrading van het zesde leger in Stalingrad vanuit de lucht wordt door mij persoonlijk gegarandeerd. Daar kunt u op vertrouwen.

Göring, 1942

Hierbij gelast ik u om alle noodzakelijke organisatorische voorbereidingen te treffen voor een alomvattende oplossing van het jodenvraagstuk in de Duitse invloedssfeer in Europa. Voorzover hierbij de bevoegdheden van andere centrale instanties geraakt worden, moeten deze erbij betrokken worden.
Verder gelast ik u om mij spoedig een complete schets van de organisatorische en materiële voorbereidende maatregelen voor te leggen, die nodig zijn om de nagestreefde definitieve oplossing van het jodenvraagstuk te realiseren.

Göring aan Heydrich, 31 juli 1941

Ik heb er nooit mijn goedkeuring over uitgesproken dat het ene ras zich tegenover het andere ras een *Herrenrasse* noemt en het onderscheid tussen de rassen benadrukt.

Göring voor het Internationaal Militair Gerechtshof in Neurenberg, 1946

Als ik een eed van trouw afleg, kan ik hem niet breken. Ook voor mij was het verschrikkelijk moeilijk om hem gestand te doen, dat kan ik u wel zeggen! Probeert u eens twaalf jaar lang de kroonprins te spelen, de koning altijd trouw toegedaan, het niet eens te zijn met veel van zijn politieke maatregelen, maar onmachtig te zijn om er iets tegen te kunnen doen en dan maar het beste ervan te moeten maken.

Göring in Neurenberg tegenover forensisch psycholoog Gustave Gilbert, 1946

Daar was Hermann Göring niet op voorbereid, en toch laat de aangeklaagde niets merken. Hij ziet er slaperig uit, zoals hij op de eerste rij van de beklaagdenbank in zijn stoel ineenzakt, de handen voor de ogen, en slechts af en toe het hoofd heft om een korte blik naar links te werpen. Daar, in zaal 600 van het Neurenberger gerechtshof, staat tussen imposante portalen een projectiescherm. Het is tamelijk donker in de zaal, alleen de beklaagdenbank en de tafel van de rechters worden als een podium door schijnwerpers verlicht, en er heerst stilte. Het is een verlammende stilte, een stilte van ontzetting, die soms wordt doorbroken door een snik of een zucht, alsof de hele zaal een nachtmerrie beleeft. Göring echter vertrekt geen spier. Hij sluit zich af voor de beelden van bewijsstuk 2430-PS, maar hij hoort door zijn koptelefoon hoe de tolk vertaalt wat de Amerikaanse omroeper beschrijft: 'In dit concentratiekamp bij Leipzig werden meer dan 200 politieke gevangenen levend verbrand. Andere van de oorspronkelijk 350 gevangenen werden doodgeschoten toen zij uit de barakken stormden...' Een uur lang toont het officiële gefilmde feitenmateriaal van de Amerikaanse aanklager op 29 november 1945 de misdaden in de concentratiekampen – moorden waarvoor ook Hermann Göring, de tweede man van het Derde Rijk, verantwoordelijk is. Hij wijst ze bruusk van de hand en verbergt zich achter het masker van de joviale brave burgerman die vlucht in cynische opmerkingen. 'Het was zo'n leuke middag,' zal hij 's avonds in zijn cel jammeren. 'Mijn telefoongesprek over de Oostenrijk-affaire werd voorgelezen, en iedereen moest daar met mij om lachen. En toen kwam die afgrijselijke film, die gewoon alles bedierf.'

De onverdraaglijke beelden bederven niet alleen Görings humeur. Ze verstoren vooral zijn drieste illusie dat het mogelijk is om met verbale oogkleppen op ongekende misdaden af te zwakken, ja zelfs te loochenen. Göring zou nog 58 uur spreektijd krijgen om in het kruisverhoor zijn retorische talent, charme en brutaliteit uit te spelen, maar bij dergelijke beelden vallen woorden in het niet. Dat beseft hij heel goed en hij kruipt weg in een doolhof van onwetendheid. Göring hangt de onschuldige uit. De *Machtmensch* van weleer beweert niets van de massamoord geweten te hebben, hoewel hij bij elke van mensonterende geweldddaad betrokken was, hoewel bijna alle anti-joodse wetten, verordeningen en bevelen tot moord door hem ondertekend zijn en hij Reinhard Heydrich, de chef van het *Reichssicherheitshauptamt*, gemachtigd had de *Gesamtlösung der Judenfrage* voor te bereiden. Göring doet zijn koptelefoon af als bewezen wordt hoe hij heeft bijgedragen aan het in slavernij brengen en vermoorden van elfeneenhalf miljoen mensen heeft bijgedragen. Nee, hij kan zich niets herinneren. 'Hoe hoger je positie is,' wil hij een verdediger doen geloven, 'des te minder je ziet van wat zich daar beneden afspeelt.'

'Vernam u niets over de gruweldaden waarvan de hele wereld wist?' insisteert forensisch psycholoog Gustave Gilbert.

'O, je hoorde een heleboel geruchten, maar zoiets geloofde je natuurlijk niet.'

'Ach, die massamoorden!' laat hij zich één keer meeslepen. 'Dat is een verdomd grote schande allemaal. Ik wil het er liever niet over hebben of er zelfs maar aan denken.'

Zwijgen over de eigen schuld eist hij ook van de andere daders, die naast hem in de beklaagdenbank zitten of in de getuigenbank worden ondervraagd over de volkerenmoord. Göring meent nog steeds over anderen te kunnen beschikken, en een mateloze woede grijpt hem naar de keel als ss-generaal Erich von dem Bach-Zelewski openlijk de massamoord bij de naam noemt. Even lijkt hij zijn zelfbeheersing te verliezen, hij springt op en kan slechts met moeite door de bewakers in bedwang worden gehouden. 'Smerige, vervloekte verrader!' scheldt Göring. 'Gemene schoft! Godverdomme nog aan toe! Smerig, stom varken! Hij was de grootste moordenaar van dat hele vervloekte stel. De vuile ploert! Verkoopt z'n ziel om z'n smerige vege lijf te redden!'

Göring ziet er vreemd uit. De veel te wijde ruiterbroek en het blauwgroene jasje zonder insignes en onderscheidingstekens fladderen als zeildoek bij wildstilte om het lichaam van de man die ooit 150 kilo woog. In gevangenschap is hij 80 pond afgevallen. Nu is hij van zijn morfineverslaving verlost en lijkt hij na de verplichte ontwenningskuur lichamelijk weer in zeer goede conditie te zijn. Deze Göring lijkt niet meer op dat 'onnozel glimlachende weekdier' waar de Amerikaanse gevangeniscommandant Burton C. Andrus hem aan het begin van de gevangenschap voor hield. In de Neurenberger rechtszaal getuigt zijn blik weer van de kille besluitvaardigheid waarmee hij voor Hitler het pad naar de macht effende en politieke tegenstanders zonder pardon liquideerde. Hij gedraagt zich bijna zo net zelfbewust als een overwinnaar, hoewel hij weet dat hem de galg wacht. Het proces zal Görings laatste optreden zijn, en hij is vastbesloten om voor zichzelf en het nationaal-socialisme een monument op te richten – niet als Tweede Man na Hitler, maar, zoals Amerikaanse bladen schrijven, als *Nazi Number One*.

Als Hitlers gedoodverfde opvolger was hij geschapen voor de rol om het schrikbewind in de beklaagdenbank te belichamen. Nadat Hitler zich door zijn zelfmoord aan zijn verantwoordelijkheid had onttrokken, drukte de last van de aanklacht vooral op hem, de trouwste paladijn: samenzwering tegen de vrede, voorbereiding van een oorlog, misdaden tegen de menselijkheid – Göring liet de beschuldigingen gelaten over zich heen gaan. 'De overwinnaar,' noteerde hij op de akte van beschuldiging, 'zal altijd de rechter zijn en de overwonnene steeds de beklaagde.' Soeverein, gelouterd en superieur wilde hij voor zijn rechters verschijnen, en evenals een toneelspeler had ook hij last van plankenkoorts. 'Het lichte trillen van zijn handen en zijn krampachtige gezichtsuitdrukking,' nam Gilbert vóór het begin van het proces waar, 'waren tekenen van zijn nerveuze concentratie, en hij begon de generale repetitie van zijn rol als een gekwelde edelman die op het punt staat voor de laatste akte het toneel te betreden.' Op de tweede zittingsdag ging na maandenlang wachten in de cel eindelijk het doek op. 'Alvorens ik de vraag van het hooggerechtshof beantwoord, of ik mij schuldig of niet schuldig verklaar...' begon hij omstandig, om er meteen door de voorzitter op gewezen te worden dat hij zich zonder omhaal schuldig of niet schuldig moest verklaren. Pas toen zei Göring: 'Ik verklaar mij in de zin van de aanklacht niet schuldig.'

De aanklaagde zou nog voldoende gelegenheid krijgen om zijn rol van de vervolgde onschuld te spelen en rekenschap af te leggen van een leven dat werd beïnvloed en gekenmerkt door geldingsdrang en hebzucht, door een onstilbare honger naar luxe, macht en erkenning.

Van jachtvlieger in de Eerste Wereldoorlog was hij opgeklommen tot opperbevelhebber van de Luftwaffe, tot economisch dictator en tot iemand met gigantisch veel bevoegdheden, die ambten, ordes en kunstwerken verzamelde zoals een ander postzegels – een ondoorgrondelijke persoonlijkheid met vele etiketten: een

Links: 'Een ambitieus cadet...' Hermann Göring op de cadettenschool Berlijn-Lichterfelde. Rechts: 'Op weg naar de Blauen Max...' Göring als officier van de Luchtmacht in de Eerste Wereldoorlog.

Ik onderwerp mij alleen aan de leiding van Adolf Hitler en aan die van Onze-Lieve-Heer!

Göring, 1933

2 september tot 7 oktober 1925:
Patiënt opstandig, was depressief, klaagde, huilde, was angstig, maakte voortdurend verlangens kenbaar, prikkelbaar en snel aangedaan; gedeprimeerd, praatziek, voelt zich het slachtoffer van de 'joodse samenzwering'; zelfmoordgedachten; overdrijft ontwenningsverschijnselen; geneigd tot hysterie, is egocentrisch, overdreven zelfbewustzijn; haat joden, heeft zijn leven gewijd aan de strijd tegen joden, was Hitlers rechterhand; hallucinaties; zelfmoordpoging (ophanging en wurging); uit bedreigingen, heeft zich stiekem in het bezit gesteld van een ijzeren gewicht als wapen; visioenen, stemmen, zelfbeschuldigingen.

Uit Görings ziekteverslag uit de zenuwinrichting Långbro in Zweden, 1925

Volksgenoten, mijn bezwaren zullen niet worden aangetast door welke juridische bezwaren dan ook. Mijn maatregelen zullen niet worden aangetast door welke bureaucratie dan ook. Hier heb ik niet rechtvaardig te zijn, hier heb ik alleen te vernietigen en uit te roeien, verder niets!

Göring na de 'machtsovername', 1933

opgeblazen, ijdele marionet; een nuchter-hautaine misdadiger; een aan morfine verslaafde, op een dwaalspoor gebrachte officier. Met zijn vlotte manier van spreken en van met anderen omgaan belichaamde hij het joviale gezicht van het Derde Rijk: populair, zwaarlijvig, bruut – een koude *Machtmensch* in de gedaante van een mensenvriend; een 'geparfumeerde Nero', door Hitler aanvankelijk 'vriend' genoemd, later als 'mislukkeling' vervloekt omdat de Luftwaffe zijn beloften niet kon nakomen en de oorlog uitliep op een catastrofe, terwijl hij, als een opgezwollen papegaai in fantasie-uniformen, ver weg van de werkelijkheid en getekend door drugs, een luxueus leventje leidde. 'Hij was behendig, sluw, koelbloedig, moedig en had een ijzeren wil,' karakteriseerde de Franse ambassadeur André François-Poncet hem. 'En hij was een cynicus. Hoewel hij edelmoedige gevoelens kende, kon hij onverbiddelijk wreed zijn.' Göring had van zichzelf een vriendelijker beeld: 'Ik ben wat ik altijd ben geweest: de laatste renaissancemens.'

Een hang tot pracht en praal was hem met de paplepel ingegoten tijdens zijn kindertijd op slot Mauterndorf en kasteel Veldenstein, beide bezit van zijn welgestelde halfjoodse peetoom dr. Hermann Ritter von Epenstein. Deze had het echtpaar Göring met de kinderen bij zich opgenomen – niet zonder eigenbelang, want Hermanns moeder was zijn minnares. Van von Epenstein, die er een romantisch-barokke levenswandel op nahield, nam Göring de lust in middeleeuwse maskerade over. Op de kantelen van 'zijn' burcht droomde hij van ridders en prinsessen, poseerde hij als Boerengeneraal en Robin Hood, veel meer geïnteresseerd in avonturen dan in het saaie schoolgebeuren en de kleingeestige dwang op het internaat in Ansbach. Hij spijbelde, was ongehoorzaam en liep herhaaldelijk weg. Het commentaar van zijn moeder: 'Hermann wordt óf een groot man óf een crimineel.'

Pas op de cadettenschool Berlijn-Lichterfelde lukte het om Görings onbeheerste temperament met Pruisische discipline en militaire dril te beteugelen. Op de militaire academie ontwikkelde de stijfkop zich tot een ijverige cadet. Het feit dat zijn ouders zich losmaakten van de merkwaardige driehoeksverhouding met de peetoom leek hem op te luchten. In 1911 slaagde hij met het predikaat 'voortreffelijk' voor het examen. Hij was nu luitenant, 19 jaar oud, droeg trots het uniform van de keizer en had toegang tot de Berlijnse *society*. Nieuwe avonturen dacht de jonge officier ondertussen eerder in de lucht dan te land te vinden. Toen de Eerste Wereldoorlog uitbrak, meldde hij zich aan bij de keizerlijke luchtmacht. Hij legde met succes de vliegtest af en nam in 1916 voor het eerst aan de luchtgevechten deel. Hij stond bekend als een ijzervreter. Dankzij zijn moedige optreden kreeg hij weldra het commando over een squadron jachtvliegtuigen. Zijn kameraden smiespelden weliswaar dat Göring het aantal geslaagde aanvallen soms wat overdreef, maar dit belette keizer Wilhelm niet de uitblinkende vlieger op 2 juni 1918 voor 18 erkende overwinningen in de lucht de hoogste Duitse orde voor bijzondere moed, de *Pour le mérite*, verleende – een onderscheiding waar hij nog lang van zou profiteren. Geridderd tot held liep Göring even trots met de zogenoemde *Blauen Max* te koop als met een ander statussymbool: de wandelstok van de legendarische 'rode baron' Manfred von Richthofen, wiens gevreesde Richthofen-circus Göring als laatste eskaderbevelhebber aanvoerde. Tot op het eind vocht de elite van Duitse jachtvliegers met grote verliezen tegen de vijandelijke overmacht in de lucht. Maar geen schot trof de troep zozeer als het plotselinge bericht van de wapenstilstand. Alle offers leken vergeefs te zijn geweest. Nooit heeft Göring hierin kunnen berusten. Toen het eskader in de raadskelder van Aschaffenburg werd ontbonden, zwoer hij zijn officieren plechtig: 'Onze tijd komt weer!'

Voorlopig echter verbood het Verdrag van Versailles de militaire luchtvaart in Duitsland. Göring vluchtte voor de smaad naar Zweden, liet zich bejubelen als demonstratievlieger en verhuurde zich als vertegenwoordiger in parachutes en als luchttaxipiloot. Op het landgoed van een Zweedse edelman werd hij halsoverkop verliefd op de aantrekkelijke Carin von Cantzow. De dweperige dochter van een Zweedse officier was weliswaar gehuwd, maar was zo verrukt van de resolute charme van de Duitse vliegenier, dat zij echtgenoot en zoon verliet en haar minnaar naar Duitsland volgde, waar zij in 1922 met hem trouwde.

In de Weimar-republiek was een dertigjarige kapitein b.d. een onzekere toekomst beschoren. Meer uit algemene interesse dan uit speciale belangstelling studeerde Göring in München geschiedenis en economie. Meer dan naar wetenschappelijke kennis verlangde de ervaren gevechtspiloot naar kameraadschap, heldendaden en naar een 'sterke man' die Duitsland weer zo machtig zou maken als weleer. Deze nieuwe 'keizer' ontmoette Göring op een herfstdag in 1922 bij een betoging op de Königsplatz in München. Vanaf het begin was hij door deze man gefascineerd, een man die

'Je bent bezeten van een kwade geest...' Carin en Hermann Göring (1924).

Toen mij dringend verzocht werd om de leiding van het Pruisische ministerie van Binnenlandse Zaken op mij te nemen, wist ik dat ik een zeer zwaar ambt zou aanvaarden, want hier ligt de sleutel tot alle macht. Ik zal schoon schip maken en allen die uitsluitend een functie bekleden vanwege hun rode of zwarte gezindheid, en om elk nationaal streven te onderdrukken, eruit gooien.

Göring, 1934

Bij de strijd om Hitlers gunst ging het eraan toe als bij de Borgia's. Dit was zeer vreemd, omdat de belangrijkste betrokkenen, Himmler, Bormann en Lammers werkelijk geen enkele kwaliteit – tussen aanhalingstekens – hadden die je in de geschiedenis aan zulke figuren verbindt. Hoe moet ik het verklaren? Deze drie waren – bourgeois is niet het juiste woord –, zij waren echt zeer lompe mensen. Goebbels en Göring, die natuurlijk ook intrigeerden, waren niet lomp; die waren zeer intelligent. Göring was gecorrumpeerd, maar misschien was zijn corruptie een gevolg van zijn ziekte, die morfineverslaving. Hoe kunnen wij dat weten? Goebbels was nooit corrupt, alleen verschrikkelijk gevaarlijk.

Speer, 1979

'De ware vrouw...' Göring met zijn tweede vrouw, Emmy, geboren Sonnemann, op huwelijksreis in Wiesbaden (1935).

Göring zelf lag in een wit uniform op een ottomane, hij was toen al zeer corpulent. Zijn linkerbeen, waarvan de broekspijp tot boven de knie was opgestroopt, steunde op een kussen. Hij droeg als een kardinaal roodzijden kousen. Van opzij gezien leek hij op een heldentenor in een Wagner-opera, en toch lag er iets krachtigs in de zelfverzekerd grove structuur van zijn onderkaak. Görings mond was ingevallen, leek op die van een oud vrouwtje en was toegeknepen.

Carl Jacob Burckhardt [hoge commissaris in de Volkenbond voor Danzig – vert.], 1937

Ik moet zeggen dat ook ik – net als Hitler – een zwak voor Göring had. Ik had hem leren kennen als een charmante en zeer intelligente man en zag hem verder meer als een individualist, een excentriekeling en minder als een ziek of zelfs slecht mens.

Speer, 1979

Hij is dood, Emmy. Nu zal ik hem nooit kunnen zeggen dat ik hem tot het einde toe trouw ben gebleven.

Göring tot zijn vrouw over Hitlers dood, 1945

hij kort daarop tijdens een 'spreekuur' persoonlijk zou ontmoeten. Hij zou aan zijn leven een nieuwe wending geven. Dit was precies wat Göring wilde horen: Versailles was een schande, joden en communisten hadden overal schuld aan, het vaderland moest worden gered. Deze Hitler werd door Göring in staat geacht om Duitsland van het juk van de overwinnaars te bevrijden. 'Vanaf het eerste ogenblik dat ik hem zag en hoorde,' schreef hij twee jaar later, 'was ik totaal aan hem verslaafd.' En ook Hitler vond de veelvuldig onderscheiden houwdegen sympathiek: 'Schitterend! Een oorlogsheld met de *Pour le mérite* – stelt u zich eens voor! Uitstekende propaganda! Bovendien heeft hij veel geld en kost hij mij geen cent.' Görings aanzien beloofde voordeel voor de jonge partij. De joviale ordedrager en de fanatieke demagoog – het was als een duivelspact. Toen Hitler aan zijn nieuwe volgeling de leiding van de SA opdroeg, beloofde deze geroerd: 'Ik leg mijn lot in goede zowel als in slechte tijden in uw handen, ook als het mij mijn leven zou kosten.'

Hitlers partij en programma interesseerden Göring maar matig, aan zijn saaie dagelijkse werk als SA-commandant viel voor hem maar weinig lol te beleven. Hij maakte van de vervallen *Sturmabteilung* weliswaar in korte tijd een strijdbaar privé-leger, maar liever wijdde hij zich aan de aangename kanten van zijn functie, liet zich zijn eerste fantasie-uniform aanmeten en keek vol verachting neer op de 'Beierse bierzuipers en rugzakdragers' in de NSDAP. 'Partijvrienden' als Rudolf Heß of partij-ideoloog Alfred Rosenberg, behandelde hij uit de hoogte, en het was dus nauwelijks verwonderlijk dat Göring binnen de Partij zonder persoonlijke macht bleef. Ideologie was voor hem 'troep'. Zijn partij heette Adolf Hitler. Voor hem was hij bereid zijn leven te riskeren. Met hem wilde hij de macht in het Rijk.

Op 9 november 1923, een druilerige, kille dag, moest in de straten van München beslist worden over macht en onmacht. Tegen de middag zette een colonne SA-ers en stoottroepers zich in beweging en marcheerde naar de Odeonsplatz. Voorop liepen Hitler, generaal Ludendorff en Göring. De juichkreten en 'Heil'-roepen van de toeschouwers gaven hen de hoop dat de machtsovername zou kunnen slagen. Enkele meters voor de Feldherrnhalle echter viel er een schot, vervolgens werd er een salvo gegeven. De Beierse politie mikte op de voorste rij marcherenden. Het vuurgevecht duurde zestig seconden. Veertien putschisten en drie politiemannen stierven. Hitler viel op de grond. Göring werd in zijn heup getroffen, zwaargewond en roerloos lag hij op het plaveisel. Na kort buiten bewustzijn te zijn geweest, sleepte hij zichzelf hevig bloedend uit de vuurlinie. SA-mannen hesen hem in een wagen en lieten hem in het huis van de joodse meubelhandelaar Ballin zo goed en zo kwaad als het ging verzorgen. Vervolgens begon de vlucht voor de politie. Samen met Carin passeerde Göring de grens met Oostenrijk, waar artsen in het ziekenhuis van Innsbruck voor het eerst morfine bij hem injecteerden – de drug die hem verslaafd maakte, maar de pijn voor korte tijd deed vergeten. Het mislukken van München had zijn politieke opkomst abrupt gestopt. De Beierse regering had ondertussen een bevel tot aanhouding tegen hem uitgevaardigd. Anders dan Hitler bevond hij zich weliswaar op vrije voeten, maar ondanks de morfine leed hij bijna ondraaglijke pijn. Zowel zijn lijfarts dr. Ramon von Ondarza als zijn jarenlange verpleegster maakten na de oorlog gewag van een zware testikelverwonding. Sinds deze schotwond dacht Göring onvruchtbaar te zijn.

De in fort Landsberg opgesloten Hitler verzocht de naar Oostenrijk gevluchte volgeling om meteen naar Italië te reizen en contact met Mussolini op te nemen. Zijn joviale gedrag en blinkende orde moesten de *duce* ertoe overhalen de ontredderde beweging aan gene zijde van de Alpen met twee miljard lire uit de nood te helpen – een illusie. Mussolini ontving Hitlers bedelende bode niet eens. Terwijl in het Rijk zijn bezit geconfisqueerd werd en Ernst Röhm de leiding over de SA overnam, trok het echtpaar Göring berooid en ontgoocheld terug naar Carins ouders in Zweden. Aan de pijn van zijn verwonding kon Hermann Göring echter niet ontsnappen. Bijna dagelijks liet hij zich morfine inspuiten. De eens zo slanke, knappe jongeman was spoedig opgezwollen, ja vet, leed aan geheugenstoornissen en aan de dwanggedachte zonder de drug niet meer te kunnen leven. Bij ontwenningsverschijnselen verloor Göring soms de controle over zichzelf en één keer wilde hij zelfs een eind aan zijn leven maken. Zo kon het niet verdergaan: in de zenuwinrichting voor gevaarlijk zieken in Långbro bij Stockholm probeerde de verslaafde het gevecht tegen de drugs te winnen en zijn vrouw Carin van een nachtmerrie te bevrijden. 'Een morfinist te zijn,' schreef zij hem bezwerend, 'betekent zoveel als zelfmoord te plegen – elke dag gaat een stukje van je lichaam en van je ziel verloren.' In steeds grotere wanhoop zag zij hoe het Göring duidelijk aan de kracht en de wil ontbrak om zijn verslaving te overwinnen. 'Je bent in de greep van een boze macht, en je lichaam kwijnt langzaam weg. Red jezelf en daarmee ook mij!'

Göring bleef aan de morfinespuit vastzitten. 'Gewelddadige hystericus met een zeer zwak karakter,' stond er in het Zweedse bulletin. Volgens de artsen was hij depressief, levensgevaarlijk voor zichzelf, egocentrisch en een jodenhater. Toch werd de patiënt op 7 oktober 1925 ontslagen, zonder symptomen van geestelijke gestoordheid, zoals professor Olov Kinberg constateerde. Officieel gold Göring als genezen. In werkelijkheid echter was hij ziek – een verslaafde die zich dagelijks tot 50 milligram morfine inspoot. Niemand behalve Carin zou van zijn leven in de schaduw van de drugs weten, maar hoe meer hij in de schijnwerpers van de publieke belangstelling kwam te staan, des te meer woekerden de geruchten over de morfinist aan het hoofd van de Staat voort.

Hij was nog jaren verwijderd van de macht waar hij zo vurig naar verlangde. Göring begon bij nul toen hij in 1927 na een amnestie voor politieke delinquenten naar Duitsland terugkeerde, zich als vertegenwoordiger erdoorheen sloeg en opnieuw probeerde in de politiek voet aan de grond te krijgen. Voor de allang uit de detentie in fort Landsberg ontslagen Führer kwam een man als Göring echter precies op het juiste ogenblik. De imperiale *Machtmensch* paste precies in het gat dat in de kring van vertrouwelingen rondom hem moest worden opgevuld. Hij was geen kleine burgerman zoals Hitler, geen voetknecht zoals Röhm, geen desperado zoals Goebbels; hij kon bogen op wat de rabauwen in de 'beweging' misten: een goede afkomst, verfijnde manieren en het talent om mensen voor zich in te nemen. Met de *Pour le mérite* kon hij zich bovendien toegang verschaffen tot het keizerlijk hof en de brandkasten van de geldadel. Als politiek gevolmachtigde in Berlijn moest Göring voor Hitler de high society van de hoofdstad veroveren, en inderdaad lukte het hem om niet alleen zijn Führer een audiëntie bij rijkspresident Von Hindenburg te bezorgen, maar ook om de lege partijkas te spekken – met giften van Krupp, Thyssen, de Deutsche Bank, BMW, de Lufthansa, Heinkel, Messerschmitt...

Als lid van de Rijksdag dartelde hij al gauw rond in de meest invloedrijke kringen van de adel, de geldaristocratie en de industrie, waar hij vol humor babbelend en berekenend charmant voor Hitler overwinningen in de highsociety behaalde. Hoewel Göring ondanks vermageringspillen steeds dikker werd, aan slapeloosheid leed en Carins dood op 17 oktober 1931 te boven moest komen, ontbrak het hem niet aan het elan om Hitler met sluwe behendigheid en gewetenloze intriges over de drempel van de macht te helpen. Als gekozen voorzitter van de Rijksdag nam hij de zoon van de rijkspresident, Oskar von Hindenburg, met beloften en geschenken voor zich in, kreeg hij het leger aan Hitlers kant en bracht hij de oude rijkspresident in slopende onderhandelingen ertoe Hitler tot rijkskanselier te benoemen. Het was, noteerde dagboekschrijver Joseph Goebbels, Görings 'gelukkigste moment' toen 'deze onverschrokken soldaat met het hart van een kind' op 29 januari 1933 aan Hitler de boodschap kon mededelen dat niets de machtsovername meer in de weg stond. Bij deze triomf had Göring een beslissende inbreng, en Hitler beloonde de diensten van zijn beul met een reeks ambten: rijksminister, aanvankelijk zonder portefeuille, rijkscommissaris voor de luchtvaart en plaatsvervangend minister van Binnenlandse Zaken van Pruisen.

Hiermee was Göring niet alleen een soort algemeen gevolmachtigde van Hitler, die in het geheim een luchtmacht moest opbouwen. Minstens zo belangrijk was dat de sterkste politie-eenheid binnen het Rijk onder zijn bevel stond – een machtsmiddel waarvan de zo prettig in de omgang zijnde Göring met onverwachte bruutheid gebruikmaakte. De salonheld liet zijn tanden zien en terroriseerde onder de dekmantel van schijnbare legitimiteit politieke tegenstanders, zoals communisten en sociaal-democraten. Met door de rijkspresident ondertekende noodverordeningen baande hij de weg voor het schrikbewind. Hij nam nu geen blad meer voor de mond: 'Volksgenoten, mijn bezwaren zullen niet worden aangetast door welke juridische bezwaren dan ook. Mijn maatregelen zullen niet worden aangetast door welke bureaucratie dan ook. Hier heb ik niet rechtvaardig te zijn, hier heb ik alleen te vernietigen en uit te roeien, verder niets!' Het viel Göring niet zwaar om deze beloften te houden. In Pruisen maakte hij van 50.000 SA-, SS- en *Stahlhelm*-mannen hulppolitieagenten, 'zuiverde' hij bestuurslichamen en hoofdbureaus van politie en gaf hij vóór de laatste – niet meer vrije – rijksdagverkiezingen op 5 maart 1933 het signaal voor een ongekende klopjacht op politieke tegenstanders. De politie moest 'met de krachtigste middelen optreden tegen staatsvijandige organisaties' en 'zo nodig zonder pardon van het vuurwapen gebruikmaken'. Pistolen vervingen gummiknuppels, en Göring bleef zijn mannen ophitsen, getrouw aan het devies: 'Elke kogel uit de loop van een politiepistool is mijn kogel.' De bruinhemden waren niet meer te houden. Knokploegen hielden ongehinderd door de politie overal huis. Waarderend noteerde Joseph Goebbels in zijn dagboek: 'Göring houdt in Pruisen met een hartverkwikkende krachtdadigheid grote schoonmaak. Hij heeft het in zich om zeer radicale dingen te doen en ook het lef om een harde strijd te doorstaan.'

Er viel van Görings standpunt uit bezien veel voor te zeggen dat deze strijd eerst met de KPD [Kommunistische Partei Deutschlands – vert.] uitgevochten moest worden. In feite was links zwak en verdeeld. De vervolgde tegenstanders ageerden met leuzen in plaats van met geweld. Desondanks klampten Hitler, Goebbels en Göring zich als bezetenen vast aan het propagandistisch effectieve idee dat de 'Commune' hen op het laatste moment de macht zou kunnen betwisten. Bijna leek het alsof dit visioen bewaarheid zou worden, want in de nacht van 27 februari 1933 sloegen vlammen uit de koepel van het Rijksdaggebouw. Wie had de brand gesticht? De op de plaats van het misdrijf gearresteerde, later ter dood veroordeelde communist Marinus van der Lubbe? De KPD? Of de nationaal-socialisten met Göring voorop? De Rijksdag en het paleis van Rijksdagvoorzitter Göring waren via een onderaardse gang met elkaar verbonden. Liet Göring de brand stichten, ook al verbrandden er nogal wat erfstukken waaraan hij gehecht was? Stringente bewijzen van wie de dader was, ontbreken tot op heden. Van beslissend belang is echter dat Göring de brandende Rijksdag, het symbool van de Republiek, als aanleiding nam om de klopjacht op communisten en andere tegenstanders te verscherpen. Als eerste arriveerde hij op de plek des onheils, en als eerste bracht hij, om de staatsgreep van rechts te legitimeren, de leugen in omloop dat links een putsch had willen plegen. 'Dit is het begin van de communistische opstand,' schreeuwde Göring op de plaats van het misdrijf tegen huilende sirenes in tegen de latere Gestapo-chef Rudolf Diels. 'Ze zullen er nu op losgaan! We hebben geen tijd te verliezen.' Nog diezelfde nacht werden er bevelen uitgevaardigd om meer dan 4.000 functionarissen van vooral de KPD te arresteren, partijkantoren te sluiten, pers te verbieden en ongewenste schrijvers als Carl von Ossietzky in 'preventieve hechtenis' te nemen. Al voordat het nieuws van de brand zich als een lopend vuurtje door het Rijk verspreidde, lagen Görings zwarte lijsten met de namen van de te arresteren mensen al klaar.

'Ik ben een renaissance-mens...' Göring op zijn jacht Carin II.

Heftige scène met Göring, die zich steeds meer tot de etter van de fractie ontwikkelt. Daarbij is hij zo stom en zo lui als een varken. Hij behandelde de anderen tot dusver als canaille en probeerde dat gisteren ook met mij.

Goebbels (dagboek), 1929

Dan vreet die vette Göring maar eens geen kaviaar. Ik kots van die vent!

Goebbels (dagboek), 1933

Het is toch niet te veel gevraagd om zekere gemakken prijs te geven om zo de vrijheid van het volk te bewerkstelligen, de kracht van de natie te waarborgen. Hoe sterker wij bewapend zijn, des te veiliger staan we ervoor, des te moeilijker kan iemand ons aanvallen. De Führer en wij allen hier, wij leiders verlangen niets van jullie wat wij niet elk moment zelf bereid zijn te doen en te geven. Te veel vet – te dikke buiken. Ikzelf heb minder boter gegeten en ben 20 pond afgevallen.

Göring, 1935

Weten jullie wanneer de oorlog afgelopen is? Als Göring in de broek van Goebbels past!

Mopje van de straat

Vanaf 28 februari 1933 gold door de 'Rijksdagbrandverordening' de permanente uitzonderingstoestand, en waren grondrechten als de vrijheid van het individu buiten werking gesteld. Openbare terreur was nu legaal. Göring had vrij spel. Door zijn bevelen werden politieke tegenstanders, maar ook homoseksuelen en Jehova's getuigen in concentratiekampen bijeengedreven. In Oranienburg en Papenburg had Göring deze tucht- en folterplaatsen als 'heropvoedingskampen' laten bouwen. Eind juli 1933, een halfjaar na Hitlers machtsovername, barstten deze kampen reeds met 27.000 politieke gevangenen uit hun voegen. De arrestaties, zwetste Göring in de getuigenbank in Neurenberg, waren een 'handeling van de Staat uit noodweer' geweest. Zeker, in de kampen was het tot wreedheden, slaan en 'ruwe handelwijzen' gekomen. 'Waar gehakt wordt, vallen spaanders', maar: 'Ik heb natuurlijk het bevel gegeven dat zulke dingen niet mochten gebeuren.' Desalniettemin bleef de situatie nagenoeg onveranderd. In gesprekken met gevangenen als Ernst Thälmann, de voorzitter van de communistische partij, betreurde hij weliswaar het gebruik van lichamelijk geweld bij de verhoren, maar hij kon tenslotte niet overal zijn. Thälmann keerde naar het concentratiekamp terug en werd op 18 augustus 1944 in Buchenwald gefusilleerd – op een moment dat de kampen niet meer onder Görings verantwoordelijkheid vielen, maar onder de *Reichsführer-SS*, Heinrich Himmler, die op Hitlers verzoek ook de leiding over Görings schepping de *Geheime Staatspolizei* Gestapo op zich nam. Als troost kreeg de hartstochtelijke jager in juli 1934 twee nieuwe functies: rijkshoutvester en rijksjagermeester. Tot op de dag van vandaag geldt de door Göring uitgevaardigde jachtwet die vivisectie verbiedt. Kennelijk ging het welzijn van het wild hem meer aan het hart dan het leven van politieke tegenstanders. 'Wie dieren mishandelt,' staat er op een houten paneel in zijn werkkamer, 'schendt het Duitse volksgevoel.'

Hij wilde weten wat het volk en vooral zijn rivalen voelden. Algauw na de machtsovername creëerde hij met het *Forschungsamt des Reichsluftfahrtministeriums* een onophoudelijk borrelende bron van inlichtingen. Hieruit putte hij nuttige informatie om in de intrige om de macht de overhand te behouden. Zo'n 3.000 medewerkers luisterden in de piekuren de telefoonlijnen van de rijkskanselarij en van de ministeries, partijkantoren en ambassades af. Afluisterspecialisten decodeerden dag en nacht gecodeerde teksten en schreven mee om de honger van hun chef naar inlichtingen uit de politiek en de privé-sfeer te stillen. Hetzij intiem gesmiespel tussen Joseph Goebbels en Lida Baarova, hetzij politieke discussies onder buitenlandcorrespondenten – Görings luistervinken noteerden ijverig elk woord, hoe banaal ook. 'Wat is het?' schertste de vrouw van de voormalige rijkskanselier Kurt von Schleicher aan de telefoon. 'Zonder een i wil niemand het zijn. Met een i iedereen! Nou, geef je het op?' Het antwoord: 'Arisch!' Grinnikend en zich op de dijen kletsend gaf Göring 'inlichtingen' als deze voor zijn medewerkers ten beste. Voor andere 'door onderzoek verworven inzichten', die in de 'bruine bladen' werden vergaard, gold de striktste geheimhouding. Die konden nu en dan politiek explosief zijn, wat Ernst Röhm, de stafchef van de SA, het leven zou kosten.

Uit de onderzoeksrapporten wist Göring dat de ontevreden revolutionair Ernst Röhm zich steeds kritischer opstelde ten opzichte van Hitler. Al geruime tijd drong hij erop aan Partij en SA te 'zuiveren'. Nu deed de gelegenheid zich voor om af te rekenen met Hitlers intieme vriend, die de facto was wat hijzelf wilde worden: de tweede man in de Partij. Hitler zelf leidde de moordactie in het zuiden. Göring en Heinrich Himmler trokken in Berlijn en Noord-Duitsland aan de touwtjes – voor Göring opnieuw een kans om zich bij Hitler als gewillige beul aan te bevelen. In zijn oude cadettenschool in Berlijn-Lichterfelde liet hij 43 zogenaamde putschisten fusilleren. Het was de eerste massamoord van het regime. Hij had er ook in Neurenberg geen berouw over: 'Wat was die SA toch een bende perverse bandieten! Het is een verdomd goede zaak dat ik ze uit de weg geruimd heb, anders hadden ze ons van kant gemaakt.'

Het beviel Hitler hoe 'ijskoud' zijn 'trouwste paladijn' in crisistijden ageerde. Göring, de houwdegen, had zich waargemaakt. Dat hij ideologisch niet zadelvast was, hinderde nauwelijks. Göring genoot het vertrouwen van Hitler, die hij slaafs, tot zelfverloochening toe, diende. Alleen al de aanwezigheid van Hitler was voldoende om hem van zijn eventuele kritische houding te beroven. 'Ik doe zo m'n best,' zou hij tegen minister van Economische Zaken Hjalmar Schacht hebben gezegd, 'maar telkens als ik tegenover hem sta, zinkt de moed mij in de schoenen.' Het was vooral het ontzag voor Hitlers macht dat hem een gewillige beul deed worden, een beul die van binnen voor Hitler op de knieën viel en hem als een afgod vereerde. 'Wie ook maar enigszins de omstandigheden bij ons kent,' liet hij in 1934 in zijn boek *Aufbau einer Nation* schrijven, 'weet dat een ieder van ons net zoveel macht bezit als de Führer hem wenst te geven. En alleen met de Führer en achter hem staand ben je daadwerkelijk machtig en heb je de sterke machtsmiddelen van de Staat in handen, maar tegen zijn wil, ja ook maar tegen zijn wens zou je op hetzelfde moment volledig machteloos zijn. Eén woord van de Führer, en iedereen valt...' Görings adoratie werd beloond. Toen Hitler na Hindenburgs dood 'Führer en rijkskanselier' werd en Göring de officieren van zijn Luftwaffe de eed op Hitler liet afleggen, ging in december 1934 zijn vurigste wens in vervulling. Per geheim decreet wees Hitler hem als zijn opvolger aan. Nu was hij officieel de tweede man, de toekomstige tiran. De droom van de absolute macht werd de drijvende kracht van zijn leven.

Iedereen moest zien hoe ver hij het geschopt had. Op de Kaiserdamm in Berlijn betrok Göring een luxe woning met meubilair zo massief als zijn lichaamsgestalte. Hij nam personeel in dienst en liet het paleis van de Pruisische minister-president op kosten van de belastingbetaler op grootscheepse wijze opnieuw inrichten. Geld speelde voor Göring geen rol meer. Alleen al het tabaksconcern Reemtsma maakte tot 1943 jaarlijks één miljoen rijksmark op zijn rekening over, en de Duitse auto-industrie kocht hem om met een motorjacht – de Carin II – ter waarde van anderhalf miljoen mark om als tegenprestatie met wapenorders bedacht te worden. 'De dikke Hermann', zoals hij in de volksmond genoemd werd, genoot met volle teugen van zijn succes. Hij gaf zich zonder enige reserve over aan lichamelijke geneugten. 's Nachts trakteerde bediende Robert Kropp zijn heer vaak op bier, belegde broodjes en cake met slagroom. Eind 1933 wees Görings weegschaal 280 pond aan. 'Hij heeft de gebruikelijke proporties van een Duitse tenor,' spotte Washingtons ambassadeur William C. Bullet. 'Zijn achterste heeft een doorsnee van minstens één yard. Omdat hij zich in een strak uniform perst, is het resultaat werkelijk uniek.' Ongegeneerd graaide Göring alles wat hem maar beviel naar zich toe: juwelen, schilderijen, uniformen, onderscheidingen... De cabaretière Claire Waldoff wist de pronkzucht raak te typeren: 'Links plakken, rechts plakken, en die pens maar uitzakken.' De zonnekoning van het Derde Rijk: op de Schorfheide, een idyllisch bos- en merengebied ten noorden van Berlijn, liet hij voor vele miljoenen een schitterende residentie bouwen met, bekostigd uit de budgetten van het ministerie van Luchtvaart en het ministerie van Binnenlandse Zaken, een Russisch stoombad, een bioscoop, een gymzaal en een ontvangstzaal zo hoog als een kerkschip. Waar ooit markgraven en Pruisische koningen het wild beslopen, nodigde nu heer des huizes Göring industriëlen en diplomaten uit voor een jachtpartij of gaf hij zich over aan nostalgische herinneringen aan de middeleeuwse droomwereld van zijn kinderjaren. Men zag hem in een leren jachtkostuum met pijl en boog, in een rijtuig lange ritten makend, en 's avonds aan het schakelpaneel van een buitensporig grote elektrische modelspoorbaan, een geschenk van het Pruisische Staatstheater, dat hij trots als een kind liet zien aan ambassadeurs als de Fransman François-Poncet. Het schouwspel verried de diplomaat het een en ander over de gedachten die Göring bezielden. 'Toen hij mij het speelgoed toonde,' herinnerde de diplomaat zich, 'riep een van zijn neven: "Oom Hermann, laat die Franse trein eens rijden!" De trein verliet de remise. De neef liet langs een van de draden die over het landschap gespannen waren, een klein vliegtuig glijden, en uit dit vliegtuig vielen bommen, voorzien van ontstekingen, waarmee de jongen de Franse trein probeerde te treffen.'

Göring vernoemde het landhuis naar zijn eerste vrouw Carinhall. Speciaal voor haar, die hij zijn leven lang als een heilige vereerde, liet hij aan de oever van het meer een granieten grafkelder bouwen. In de zomer van 1934 werd Carins kist uit Zweden overgebracht naar de Schorfheide, waar ondertussen een andere vrouw aan Görings zijde van de aangename kanten van de macht genoot. De blonde actrice Emmy Sonnemann had in de provincie als Gretchen in *Faust* een bescheiden naam gemaakt. Op 10 april 1935 trouwde zij met een, naar men fluisterde, onvruchtbare man, die het uiterlijk gelaten over zich heen liet gaan dat 'vrienden' aan het eind van de ceremonie twee ooievaars oplieten. Göring duldde weliswaar geen veldpredikers in zijn Luftwaffe, maar stond, wat in strijd was met de zeden in de Partij, op een kerkelijk huwelijk. Als het maar niet te lang duurde. Precies vijf minuten bleven er over voor rijksbisschop Ludwig Müllers preek in de Berlijnse dom. Want belangrijker dan vrome woorden vond Göring het programma eromheen. Tien Luftwaffe-generaals, 30.000 soldaten, acht kapellen en de nieuwste vliegtuigen in de lucht boven Berlijn gaven de huwelijksvoltrekking het karakter van een staatsplechtigheid. Gepikeerd merkte Londens ambassadeur sir Eric Phipps op: 'Nu rest hem nog maar één ding – de troon of het schavot.' Onverholen gebruikte Göring zijn bruiloft voor een wapenparade. Alsof het een monument betrof had hij reeds een maand eerder

'Een corrupte morfinist...' Hitler op bezoek in Görings landhuis 'Carinhall'.

Als de katholieke christen ervan overtuigd is dat de paus in alle religieuze en morele zaken onfeilbaar is, dan verklaren wij nationaal-socialisten met dezelfde diepe overtuiging dat ook voor ons de Führer zonder meer onfeilbaar is. Het is voor Duitsland een zegen geworden dat in Hitler de zeldzame vereniging heeft plaatsgevonden tussen de scherpste logisch denker, de waarlijk diepzinnige filosoof en de ijzeren man van de daad, taai tot het uiterste.

Göring, 1942

Hij was volkomen de paladijn van zijn Führer en was het met diens wereldbeschouwing eens. Hij was ook in zijn antisemitisme radicaal. Tijdens de *Kristallnacht* in 1938 werd er naar zijn mening te veel kostbaar joods bezit vernietigd. Hij had liever gehad dat er meer joden waren gedood. Daarmee zou het Rijk meer geholpen zijn geweest. Dat was toen zijn houding.

William Jackson, zoon en assistent van de hoofdaanklager in Neurenberg

'Een dappere piloot...' Hermann Göring vlak voor zijn eerste solovlucht (1916).

Mijn kameraden en ik waren zo naïef. Wij hielden het gewoon niet voor mogelijk dat iemand zo kon liegen. Göring beweerde dat hij de troepen uit Stalingrad weg zou halen. Pas later merkten wij dat dat helemaal niet kon. Göring moet dit geweten hebben. Dat was een schurkenstreek, en toen begonnen we aan het karakter van deze man te twijfelen. Zijn karakterzwaktes werden dan ook steeds duidelijker. Hij maakte zich belachelijk met zijn verkleedpartijen. Ik vroeg me af: waarom ziet hij eruit als een kaketoe, met zijn sneeuwwitte uniform, die rode strepen op zijn broek en zijn vele onderscheidingen – en dat alles midden in de oorlog, terwijl wij niet wisten wat we te vreten zouden krijgen.

Walter Wittkampf, slachtoffer van een bom

Na Stalingrad hoorden we van de hoogste chef van de Luftwaffe weinig of helemaal niets meer. Als wij kameraden het onder elkaar over Göring hadden, dan werd er alleen gezegd: Die dikke moet gewoon z'n bek houden.

Joachim Matthies, Luftwaffe-militair

onthuld waar hij en staatssecretaris Erhard Milch sinds 1933 in het geheim aan werkten: Duitsland beschikte weer over een luchtmacht, die niet langer een aanhangsel van de landmacht was, maar een zelfstandig onderdeel van de *Wehrmacht* was geworden. Als opperbevelhebber van deze luchtmacht had Göring aan politieke renommee gewonnen. Hij hoorde nu bij de militaire elite en leidde een ministerie van Luchtmacht met 2.800 kamers en naar het heette 1.600 parate toestellen. In werkelijkheid waren het vooralsnog slechts 200 verouderde vliegtuigen.

Reeds vóór de machtsovername had Göring zich geprofileerd als een radicale voorstander van een snelle bewapening. Nu, als opperbevelhebber van de Luftwaffe, lag het in zijn handen om vooral de dure en grondstofintensieve luchtbewapening te bespoedigen en Hitler een sterk aanvalswapen ter beschikking te stellen. 'Mij staat voor ogen een Luftwaffe te bezitten,' gaf hij zijn luitenants bij hun eedaflegging mee, 'die, mocht het grote ogenblik eenmaal aangebroken zijn, zich als een engel der wrake op de tegenstander stort. De tegenstander moet het gevoel hebben dat hij al verloren is, voordat hij ook maar met jullie gevochten heeft.' In de zomer van 1935 – de algemene dienstplicht was juist afgekondigd – drong Göring er bij Hitler op aan de toenmalige sterkte van de Luftwaffe te verdubbelen – gezien het gebrek aan grondstoffen een illusoir plan. Om de grondstoffenpositie te verbeteren en het 'verdere weerbaar maken te waarborgen' droeg Hitler in april 1936 zijn universele wapen Göring de leiding op over het nieuwe ministerie van Grondstoffen en Deviezen. Vier jaar later, zo eiste Hitler in een geheim memorandum, moest het Duitse leger 'paraat' en de Duitse economie 'klaar voor de oorlog' zijn. Bezwaren duldde hij niet. Economische problemen waren voor Hitler 'wilsproblemen', en alleen Göring achtte hij voor deze taak wilskrachtig genoeg. 'Hij is de beste man die ik heb, [...] een vastbesloten man, die weet wat er verlangd wordt, en het ook voor elkaar krijgt.' Hoewel deze man op economisch gebied een leek was, droeg Hitler hem in oktober 1936 tijdens een wandeling op de Obersalzberg een ambt op waardoor hij de op één na machtigste man van de Staat werd: als 'gevolmachtigde voor het vierjarenplan' had hij van de hoogste instantie het bevel gekregen de bewapening te bespoedigen, voldoende voedseltoevoer voor het Duitse volk te bevechten', maar vooral voor grondstoffen en deviezen te zorgen om, zoals Hitler het uitdrukte, de 'oorlog in vredestijd' voor te bereiden. Net als Hitler droomde ook Göring van een economisch autarkisch Duitsland – en liet het volk namaakproducten zoals surrogaathoning of synthetische textiel gebruiken, terwijl *hij* zich fantasie-uniformen en pakken van de beste stof liet aanmeten. 'Göring is even belachelijk als gevaarlijk,' nam de Franse diplomaat Robert Coulondre waar. 'Je moet lachen als hij ongelukkig is omdat de maarschalksstaf van Napoleon in zijn verzameling ontbreekt; maar je moet huiveren als hij over zijn vliegtuigen en kanonnen spreekt, waarvan hij de productie met woeste energie versnelt.'

Kanonnen in plaats van boter: vliegtuigen, tanks en schepen waren nu belangrijker dan particuliere consumptie of solide staatsfinanciën. Waarschuwingen van deskundigen als Hjalmar Schacht, de gerenommeerde rijksminister van Economie en president van de rijksbank, veegde Göring van de tafel. Net als aan het begin van de dictatuur stelde hij ook nu alles in het werk om Hitlers politiek tegen elk verzet in erdoor te jagen. Wie tot tien kon tellen moest het zien: de buitensporige bewapening maakte het besluit om oorlog te gaan voeren wel erg voor de hand liggend – mocht de ineenstorting van de Staat vermeden worden. 'Het einde van de bewapening is nog niet in zicht,' wreef hij in december 1936 vooraanstaande industriëlen onder de neus. 'Als wij winnen, zal het bedrijfsleven genoegzaam schadeloosgesteld worden. [...] Er mag niet worden uitgerekend wat het kost. [...] Wij spelen nu om de hoogste inzet. Wat is er lonender dan orders voor de bewapening?' Nog concreter werd hij op 2 december 1936 tegenover officieren van de Luftwaffe: 'De algemene situatie is zeer ernstig. Tot 1941 is rust gewenst. We kunnen echter niet weten of er al eerder complicaties zullen optreden. We zijn reeds in oorlog, alleen wordt er nog niet geschoten.' Dit was slechts de halve waarheid. Op hetzelfde moment stond Duitsland met het Condor-legioen de Spaanse fascistenleider generaal Francisco Franco in de Burgeroorlog bij – voor de Luftwaffe dé gelegenheid om, zoals Göring het uitdrukte, 'met scherp te testen of het materiaal in overeenstemming met het doel ontwikkeld is'.

Deze oorlog in vredestijd eiste in het dagelijkse leven vroegtijdig z'n tol. De tot duizelingwekkende hoogtes stijgende bewapeningsuitgaven gingen ten koste van de woningbouw en de levensmiddelenvoorziening. Er waren te weinig grondstoffen en deviezen en al gauw ook te weinig arbeidskrachten. Reeds vóór het begin van de oorlog ontbrak het het gewaande 'volk zonder ruimte' aan mensen voor de bewapeningsplannen van het regime.

Vooral het ijzerertsprobleem kostte Göring heel wat hoofdbrekens. Toen ijzer en staal in juli 1937 dramatisch schaars werden en het particuliere bedrijfsleven de crisis niet te boven dreigde te komen, zette Göring stormenderhand vaart achter de nazificering van de Roer-industrie. Met de *Reichswerke Hermann Göring* liet de naamgever in Salzgitter het grootste staalconcern van Europa uit de grond stampen en de bij de fabriek horende stad onder de bescheiden naam 'Hermann-Göring-stad' op de tekentafel ontwerpen – het voorlopige hoogtepunt van een ziekelijke drang tot zelfpresentatie. Voor deze ruïneuze bewapeningswaan van de ijdele dilettant wilde Hjalmar Schacht niet langer medeverantwoordelijk zijn. In november 1937 trad de minister af – een triomf waar Göring, voor even Schachts opvolger, flink van genoot. Honend liet hij zijn van macht beroofde concurrent telefonisch weten: 'Ik zit nu op jouw stoel!'

Görings begerige blik was echter alweer op het volgende, nog belangrijker ambt gericht. Hij wilde, constateerde minister van Financiën Lutz Graf Schwerin von Krosigk, 'de rijkdom van zijn aanzien bekronen met de positie van minister van Oorlog'. Die heette veldmaarschalk Werner von Blomberg en was zojuist voor de tweede keer getrouwd. Maar zijn bruid, zo bewees een politiedossier, was een 'dame met een verleden': als prostituee en model voor naaktfoto's. De bruiloft werd een zedenschandaal en een politiek schandaal en speelde Göring onverhoopt een troef in handen. Göring meende zeer goede kansen te hebben om de niet meer te handhaven Blomberg op te volgen. Als een spin spon de kandidaat een web van smerige intriges, waarin zijn meest kansrijke rivaal, de opperbevelhebber van de Landstrijdkrachten, generaal Werner Freiherr von Fritsch, verstrikt moest raken. Een ander politiedossier, door Göring haastig opgediept, beschuldigde Fritsch van homoseksualiteit – ongegronde verwijten, maar voldoende om Fritsch tot aftreden te dwingen. De aan de touwtjes trekkende Göring leek aan het langste eind te trekken, maar het goedkope toneelstukje eindigde met een klinkende oorveeg voor hem. Hitler riep zichzelf uit tot opperbevelhebber van de Wehrmacht en scheepte de naar ambten hongerende kandidaat af met weer een titel: 'veldmaarschalk'. Op 1 maart 1938 noteerde de Duits-joodse romanist Victor Klemperer in zijn dagboek: 'Vandaag, op de dinsdag van het Berlijnse carnavalsfeest vóór Aswoensdag, overhandigde Hitler in een grote plechtigheid aan Göring de maarschalksstaf. Zij hebben geen gevoel voor hun eigen komiekerigheid.'

'Een van macht bezeten baantjesjager...' Göring als rijksjachtmeester.

Göring verschilde naar mijn gevoel van de andere hoge pieten, vooral van Hitler en Goebbels. Hij maakte een onschuldiger, naïevere, op de een of andere manier menselijker indruk omdat hij zo ongelooflijk ijdel en genotzuchtig was. Dat zijn tenslotte meer onschuldige eigenschappen, die bijvoorbeeld Goebbels niet bezat. In het begin werd hij daarom niet zo gevreesd als de anderen. Hij was gewoon vager dan Goebbels en Hitler, die duidelijk negatief beoordeeld werden.

Isa Vermehren, cabaretière in de jaren dertig

De condities van zijn persoonlijke opkomst waren tegelijk die van zijn ondergang, want opkomst en ondergang vonden hun oorzaak in een volkomen ongebreideld, van elk controlemechanisme ontbloot egocentrisme, dat buiten het voldoen aan de eigen wensen geen enkele bindende norm kende en hem in al zijn naïeve hebzucht het karakter van een groot en gevaarlijk kind gaf.

Joachim Fest [Hitlers biograaf – vert.]

Met Blomberg en Fritsch had Hitler zich dankzij Görings hulp zonder bloedvergieten ontdaan van invloedrijke sceptici ten aanzien van zijn oorlogsplannen. Göring wist wat Hitler wilde sinds deze hem en de in rang hoogste officier op 5 november 1937 in een geheime bespreking had meegedeeld het 'ruimteprobleem' uiterlijk in de periode 1943-1945 te willen oplossen, zo mogelijk eerder. Hitler wilde nog geen oorlog. Hij maande Göring ertoe 'de politieke lijn zo te volgen dat een gewelddadige oplossing niet nodig is'. Hiermee doelde hij vooral op de Oostenrijk-kwestie. Hitler wilde zijn vaderland zonder geweld *heim ins Reich* voeren en vond in Göring een energieke, vastberaden helper, die zonder scrupules tegenover bondgenoten als Italië vaart achter de *Anschluß* zette en Hitler er zelfs toe aanspoorde om Wenen zo nodig ook met wapengeweld klein te krijgen. Zoals een trainer zijn bokser aanvuurt, zo moedigde Göring de aarzelende Hitler aan om in de aanval te gaan en klom hij ten slotte zelf in de ring toen Oostenrijks kanselier Kurt von Schuschnigg besloot een referendum over de onafhankelijkheid van het land te houden.

In feite was het Göring die in de turbulente dagen vóór het einde van de Oostenrijkse zelfstandigheid in de rijkskanselarij als veldheer telefonisch aan de touwtjes trok. In 27 telefoongesprekken tussen Berlijn en Wenen maakte hij op 11 maart 1938 de weg vrij voor de *Anschluß*. Hij eiste van kanselier Kurt von Schuschnigg dat deze aftrad en presenteerde als zijn opvolger Hitlers stadhouder in Wenen, Arthur Seyß-Inquart. Bondspresident Wilhelm Miklas weigerde echter de nationaal-socialist te benoemen. Toen vaststond dat Italië en Engeland zich koest zouden houden, beval Göring even na 20.00 uur 'in naam van de Führer' Oostenrijk binnen te rukken. Pas anderhalf uur later dicteerde hij het cynische telegram waarmee Seyß-Inquart in naam van de 'provisorische Oostenrijkse regering' Berlijn verzocht om 'zo snel mogelijk Duitse troepen te sturen'. Zijn eigen wens had Göring op dit tijdstip allang vervuld. 'Het was minder de Führer dan ikzelf,' liet hij in Neurenberg waarheidsgetrouw in het verslag opnemen, 'die hier het tempo aangaf en zelfs bezwaren van de Führer negerend de zaak op gang bracht.' Voor het eerst werd zichtbaar dat Hitler en Göring niet perfect harmonieerden. De alliantie vertoonde de eerste, haarfijne scheurtjes, die door de snelle triomf aan het oog onttrokken werden. Hitler zou zich niet nog eens door Göring het heft uit handen laten nemen.

Net zo min als Hitler wilde Göring het verplichte bad in de juichende menigte missen. In Linz greep hij de gelegenheid aan om openlijk te zeggen dat met de Duitse troepen ook de systematische terreur was binnengetrokken: 'De stad Wenen kan niet langer een Duitse stad genoemd worden. Waar 300.000 joden zijn, kun je niet van een Duitse stad spreken. Maar Wenen moet weer een Duitse stad worden.' Nog op het moment van de verenigingseuforie beval Göring de handel meteen en zorgvuldig te 'ariseren' en joden te dwingen naar het buitenland te vluchten. Ook binnen het Rijk zette de gevolmachtigde voor het vierjarenplan nu vaart achter de joodse exodus. Voor de wet golden joden al als tweederangsburgers sinds Göring als Rijksdagvoorzitter in september 1935 in Neurenberg de 'rassenwetten' had afgekondigd en bij die gelegenheid het hakenkruis had uitgeroepen tot het 'heilige symbool' van de strijd tegen 'de joden als rassenvernietigers'.

Verbaal profileerde Göring zich als een fanatieke jodenhater, en toch bleef zijn verhouding met joden tot op het laatst onduidelijk en voor een man in de naaste omgeving van Hitler merkwaardig gecompliceerd en ondogmatisch. Hij was een bureaumisdadiger met wie soms te praten viel: voor joden die hem van nut waren, zoals kunsthandelaars, schreef Göring, wiens peetoom halfjoods was, vrijgeleides – getrouw aan het eigenzinnige devies: 'Wie joods is, bepaal ik.' Hij liet de latere veldmaarschalk Erhard Milch, de tweede man van de Luftwaffe en eveneens een halfjood, niet vallen, en hielp zijn tweede vrouw Emmy joodse toneelcollega's te beschermen tegen de ss en de Gestapo. De actrice Käthe Dorsch, voor wie Göring een zwak had, stelde in 1936 de schrijver Carl Zuckmayer gerust: 'Als ze je arresteren, dan ga ik naar Göring en huil ik net zo lang tot ze je weer laten gaan.'

Voor zo velen kreeg Käthe Dorsch met tranen de kamppoort geopend. Inderdaad hing Görings antisemitisme van zijn luimen en voorkeuren af. Zijn jodenhaat werd beïnvloed en gekenmerkt door zijn plichtsbesef als vooraanstaand nationaal-socialist en door zijn bij voorbaat betoonde gehoorzaamheid aan Hitler, wiens rassenleer hij om redenen van opportuniteit ook tot zijn credo maakte. Van zichzelf beweerde hij een matigende invloed op Hitlers jodenpolitiek te hebben gehad, en tegen zijn neef Klaus Rigele zou hij hebben gezegd dat hij de joden weliswaar uit het politieke en economische leven wilde bannen, maar dat hij niemand kwaad wilde doen.

Ook al was Görings antisemitisme minder radicaal op vernietiging gericht dan dat van iemand als Joseph Goebbels, achter de façade van tolerantie ging toch een diepgewortelde jodenhaat schuil, die al in 1925 in de Zweedse zenuwinrichting Långbro was opgevallen en die van hem in het Derde Rijk de drijvende kracht van de jodenvervolging maakte. Zelfs op oude kameraden werd deze haat gebotvierd. Toen een joodse juwelier, ooit jachtvlieger onder zijn commando, tegenover hem bezorgd gewag maakte van anti-joodse dreigbrieven, reageerde Göring eerst welwillend: 'Maak je geen zorgen. Ik regel dat wel.' Vervolgens echter benadrukte de smekeling dat hij eveneens een Duitser was. Göring snauwde hem toe: 'Voor een oude kameraad doe ik alles. Maar ik ontzeg je het recht jezelf een Duitser te noemen. Een Duitser ben je nooit geweest. Je bent een jood.'

En joden moesten naar Görings mening 'met alle middelen' uit het bedrijfsleven verwijderd worden. De door Joseph Goebbels op 9 november 1938 geïnstigeerde pogroms in de *Reichskristallnacht* kritiseerde hij weliswaar, maar dit was niet uit sympathie voor de joodse bevolking, maar puur om economische redenen. 'Ik had liever gehad dat jullie tweehonderd joden doodgeslagen hadden en niet zulke waardevolle zaken hadden vernietigd.' Twee dagen na de nacht waarin de synagogen brandden, nodigde Göring als cynische afsluiting van de gewelddadigheden alle betrokken instanties uit voor een 'van beslissend belang zijnde' vergadering in het ministerie van Rijksluchtvaart, waar hij terstond over een wens van Hitler begon: het jodenvraagstuk moest nu in zijn samenhang worden bezien en de kwestie moest hoe dan ook worden afgehandeld. 'Telefonisch ben ik er gisteren door de Führer nog eens op gewezen dat ik nu de belangrijkste stappen moet coördineren.' Daarmee fungeerde Göring als de hoogste coördinator voor het oplossen van het jodenvraagstuk, een in zijn woorden 'omvangrijk economisch probleem', dat hij door de 'arisering' van het bedrijfsleven 'razendsnel' uit de wereld wilde helpen. Onder zijn voorzitterschap besloot de vergadering een *Judenauswanderungszentrale* [centraal emigratiebureau voor joden – vert.] op te zetten en de Duitse joden te verplichten tot het betalen van één miljard mark – als zoengeld voor de door de SA en de SS aangerichte verwoestingen. Zichtbaar tevreden sprak Göring tot de aanwezigen: 'Verder moet ik nogmaals vaststellen: ik zou niet graag een jood in Duitsland zijn.'

'Heb je honger, Ceasar?' Göring met zijn huisleeuw (1934).

Göring heeft de nazi-tijd als podium gebruikt. Hij was altijd een acteur, een toneelspeler die heeft geprobeerd zichzelf in het beste licht te plaatsen. Zijn bananenrepubliekuniformen versterkten steeds de indruk dat hij een toneelspeler was. Ook in zijn gebaren, in zijn hele optreden heeft hij voortdurend geprobeerd in het licht van de openbaarheid te treden. Zijn ensceneringen in Carinhall, zijn feesten, zijn parades, zijn toespraken toonden zijn acteertalent. En daar ging hij in een andere rol in de rechtszaal gewoon mee door. Daar probeerde hij de indruk te wekken dat het 'verheven personage Hermann Göring' nooit oorlogsmisdaden en misdaden tegen de menselijkheid ook maar in overweging genomen had.

Arno Hamburger, waarnemer bij de Neurenberger processen

Deze man kon heel vriendelijk en sympathiek zijn. Hij kon anderen echter ook op elk moment een mes in de rug stoten, als hij dat nodig achtte.

Egon Hanfstaengl, zoon van Hitlers perschef

Niet alleen het jodenprobleem hield Göring in deze dagen bezig. Meteen na de *Anschluß* van Oostenrijk kreeg Göring het volgende buitenlandpolitieke doel van Hitler in het vizier: de Sudeten-kwestie. Uit de geplunderde archieven van de Oostenrijkse ambassades in Berlijn, Praag, Parijs en Londen en uit de afluisterverslagen van zijn 'onderzoeksinstituut' wist hij hoezeer Engeland en Frankrijk een oorlog vreesden; en dit sterkte hem in zijn voornemen om de Sudeten-kwestie met dezelfde chantagemiddelen op te lossen als die van maart 1938 in Oostenrijk. Maar zijn plan ging niet door. Deze keer bepaalde Hitler het tempo, Göring stelde tot zijn verbijstering vast dat hij weer eens in de rol van toeschouwer was gedrongen. Hij wilde de 'blindedarm van Europa', Tsjecho-Slowakije, geweldloos 'in stukken snijden en onder Polen, Hongarije en Duitsland' verdelen. De greep naar Praag, zo vreesde hij, zou de westelijke mogendheden tot actie kunnen roepen en een wereldoorlog kunnen provoceren. Ondertussen had Hitler echter tegenover hoge officieren en ambtenaren gesproken over zijn onherroepelijke besluit om Tsjecho-Slowakije binnen afzienbare tijd 'door een militaire actie te verpletteren'. Göring opperde als enige voorzichtige bezwaren: zou het niet beter zijn om het Rijk krachtig te bewapenen om het gevaar van een aanval op Duitsland te verkleinen? Hitler sloeg de bezwaren van zijn paladijn in de wind. Hij wilde aanvallen. Vrede betekende alleen nog het voorspel voor de oorlog.

Göring nam afstand van Hitlers oorlogspolitiek, maar waakte er angstvallig voor hem al te nadrukkelijk tegen te spreken. Hij wist uit ervaring dat hardnekkige tegenspraak Hitler alleen maar meer in zijn plannen zou sterken. In plaats van te opponeren zocht Göring naar alternatieven om de wereldoorlog toch nog te verhinderen. Hij gaf Londen en Parijs te verstaan bereid te zijn tot onderhandelingen en probeerde met verleiding en dreigementen de westelijke mogendheden rustig te houden. Göring was geen duif, maar in vergelijking met Hitler een kleine havik die de idee-fixe van een Duits-Britse heerschappij over Europa aanhing. Hitler wilde ondertussen niets meer weten van de vredesbeloftes die hij Göring bij jachtpartijen op de Schorfheide tegenover Britse diplomaten liet afleggen. De Wehrmacht kreeg het bevel om op 1 oktober 1938 in staat van paraatheid te zijn. Het rook naar oorlog. Koortsachtig en met groeiend pessimisme zocht Göring naar een uitweg.

Op de Partijdag in Neurenberg beloofde de rijksjagermeester de Britse ambassadeur sir Neville Henderson en passant de vier beste Duitse herten als Engeland Praag niet langer de hand boven het hoofd zou houden. Meermalen beklemtoonde Göring tegenover de diplomaat de noodzaak van een gesprek onder vier ogen tussen Hitler en premier Neville Chamberlain. Hoewel Chamberlain, ijverend voor de vrede, Görings wens ter harte nam, spitste de situatie zich steeds verder toe. Onverbiddelijk eiste Hitler de onmiddellijke overdracht van de Sudetenduitse gebieden. Daarmee leek de Britse *appeasement*-politiek definitief mislukt te zijn. Görings nachtmerrie dreigde werkelijkheid te worden. Op 28 september 1938, kort vóór afloop van het ultimatum, snauwde hij minister van Buitenlandse Zaken Ribbentrop toe: 'Als er nu oorlog komt, dan ben ik degene die het Duitse volk zal vertellen dat jij het in de oorlog hebt gestort.' Ribbentrop reageerde giftig; dit pikte hij niet. Twee van de hoogste vertegenwoordigers van het regime scholden elkaar in Hitlers aanwezigheid uit, aldus een ooggetuige, als 'twee prima donna's vóór de generale repetitie'. Later zou Göring beweren tegen de Führer gezegd te hebben dat hij geen oorlog wilde omdat hij wist wat oorlog betekende. Maar als de Führer, vervolgde Göring, toch het marsbevel zou geven, 'dan zal ik mij in het eerste aanvoerende vliegtuig bevinden'. Göring had dit inderdaad gezegd, maar niet in dit gesprek in de rijkskanselarij en niet in Hitlers aanwezigheid. Nooit had Göring de moed om oog in oog met Hitler zijn standpunt met kracht te verdedigen. Tegenover zijn Führer gedroeg de machistische krijger zich onderdanig en belachelijk devoot. Görings dilemma heette Hitler. Aan hem kon hij niet ontsnappen. Hij was, stelde ambassadeur François-Poncet vast, 'kwetsbaar en snel beledigd. Dan trok hij zich als Achilles terug in zijn tent. Maar Hitler riep hem terug, sloeg hem op de schouder en zei: "Mijn beste Göring!" En Göring bloosde van vreugde, en alles was vergeten...'

Toch vond Hitler zijn gedoodverfde opvolger lang niet meer zo aardig als een jaar eerder. Sinds Mussolini op de 'onzalige conferentie van München' met een door Göring bedacht 'papieren' compromis de vrede nog een laatste, kleine kans had gegeven, vervreemdden Hitler en zijn tweede man zienderogen van elkaar. Het einde van de Tsjechische Staat was met de ondertekening van het Verdrag van München weliswaar bezegeld, en Göring was blij met dit succes, maar Hitler was ontstemd en beschuldigde zijn paladijn zelfs van lafheid. Zijn oorlog moest worden uitgesteld, en terecht stelde hij Göring hiervoor verantwoordelijk. Bij Hitler rees de verdenking dat zijn volgeling niet meer zo onvoorwaardelijk achter zijn onverbiddelijke ruimte- en rassenprogramma stond als zijn volgzame minister van Buitenlandse Zaken. In de maanden daarna kroop Ribbentrop in de rol die Göring bij de *Anschluß* van Oostenrijk had gespeeld. Formeel bleef deze gewoon de tweede man van het Rijk, maar in deze noodlottige lente- en zomermaanden brokkelde zijn machtspositie af, ook al bleven de Führer en zijn trouwste paladijn naar buiten toe de schijn van vriendschap ophouden.

De geest van München was snel vervlogen. De wind waaide nu uit een andere richting. De barometer stond op storm. Hitler maakte zich op om Tsjecho-Slowakije te verbrijzelen. Op 11 maart 1939, een zaterdag, viel het startschot voor het offensief. Generaal Wilhelm Keitel kreeg het bevel om Tsjecho-Slowakije een ultimatum te stellen: Praag moest de bezetting van Bohemen en Moravië gewoon slikken. Göring werd overal buiten gehouden. Ziek en uitgeput kuurde hij in San Remo. Wandelingen en tenniswedstrijden stonden in een bizar contrast met de ernstige crisis die als een schaduw over Europa hing. Hitler zelf had het verlof verordend om ongestoord de doodsteek voor Tsjecho-Slowakije te kunnen voorbereiden. 'Zijn verblijf,' zo verkondigde hij, 'draagt ertoe bij dat de gemoederen in Italië tot bedaren komen.' Zo vernam Göring pas op de dag van de inval, 15 maart 1939, wat Hitler achter zijn rug om had bekokstoofd. 'Ik was kwaad,' herinnerde hij zich in Neurenberg, 'omdat de hele zaak over mijn hoofd heen was beslist. Ik adviseerde geduldig te zijn en benadrukte dat een schending van het Verdrag van München voor Chamberlain prestigeverlies zou betekenen, waardoor Churchill waarschijnlijk aan de macht zou komen. Hitler luisterde niet naar mij.' Klaarblijkelijk wilde Hitler voorkomen dat Göring net als in München voor vrede zou pleiten.

Ondertussen was de situatie voor Tsjecho-Slowakije verder verslechterd. Hongarije eiste Karpaten-Oekraïne op, Slowakije verklaarde zichzelf onafhankelijk, nationaal-socialisten trokken 'Sieg heil!' roepend over de Praagse Wenzelsplatz. In deze precaire situatie begaf de Tsjechische staatspresident Emil Hacha zich met de moed der wanhoop naar Berlijn. Tsjecho-Slowakije als autonome Staat behouden – daar wilde de aan een hartkwaal lijdende politicus Hitler om verzoeken. De missie eindigde in een vernederende, mensonterende vertoning, waarin de weer op krachten gekomen Göring een hoofdrol speelde. Hitler presenteerde de smekende Hacha het doodvonnis voor zijn land en sommeerde hem ervoor te zorgen 'dat het binnenmarcheren van de Duitse troepen op acceptabele wijze geschiedt'. Hacha, getroffen door een flauwte, moest met zijn handtekening het lot van de veelvolkerenstaat bezegelen. Waarschijnlijk alleen om Hitler te plezieren wedijverden Göring en Ribbentrop voor de vorm met elkaar in beschrijvingen van wat er zeker zou gebeuren als Hacha zijn handtekening niet zou zetten: 'Praag zal binnen twee uur in puin liggen.' – 'Honderden bommenwerpers wachten op het startbevel dat 's ochtend om 6.00 uur gegeven wordt als de handtekeningen niet gezet zijn.' Gebroken door Görings psychologische terreur plaatste Hacha zijn handtekening.

Voor de zoveelste maal had Göring moeten buigen voor de wil van de Führer. Actief verzet, zelfs openlijke kritiek, zou naar zijn gevoel verraad hebben betekend tegenover de man aan wie hij alles in zijn politieke loopbaan te danken had. De eens onbetwiste tweede man was door Ribbentrops promotie gedegradeerd tot een handlanger van Hitler. Na jarenlang Hitlers naaste vertrouweling te zijn geweest, moest hij erin berusten dat Hitler en zijn minister van Buitenlandse Zaken belangrijke plannen buiten hem om smeedden. Er was echter nauwelijks iets wat de ijdele en egocentrische *Machtmensch* meer pijn deed dan het gevoel politiek aan gewicht te verliezen, gepasseerd te worden. Hitler stelde hij hiervoor niet verantwoordelijk; hem bleef hij innig toegedaan. Zijn wrok was gericht op zijn rivaal in het ministerie van Buitenlandse Zaken, Joachim von Ribbentrop, in zijn woorden: de eerste Papegaai van Duitsland, de criminele nar en ijdele pauw, die Hitlers agressieve oorlogskoers ondersteunde en daarmee Göring in invloed en prestige de loef afstak. Toen er op 22 mei 1939 over het 'stalen pact', het militaire bondgenootschap tussen Duitsland en Italië, werd onderhandeld zonder Göring, maar Ribbentrop hem verzocht om voor de foto van de ondertekening achter hem te poseren, kon Göring alleen nog zijn eigen onmacht toegeven: 'Ik ben toch niet gek, ik weet niet eens wat er hier ondertekend wordt.'

Toch liet Hitler naar buiten toe zijn joviale strijdmakker sinds 1922 niet vallen. Tegenover prins Paul van Joegoslavië bezwoer het staatshoofd: 'Ik ben niet eenzaam. Ik heb de beste vriend van de wereld. Ik heb Göring.' En toen Emmy Göring, vanwege Hitlers ongehuwde staat de *first lady* van het Rijk, tot grote verbazing van velen een meisje baarde, nam Hitler het peterschap voor de naar Mussolini's dochter vernoemde Edda op zich. Aan mild spottende opmerkingen over de nieuwe aanwinst van de familie Göring veranderde dit echter niets. Waarvoor, schertste de man in de straat, staat de naam EDDA? Antwoord: Eeuwig Dank aan De Adjudant. En de cabaretier Werner Finck zei spottend dat het kind eigenlijk Hamlet moest heten: Bestaan of niet bestaan. Göring nam hem dit kwalijk, en Finck belandde in het concentratiekamp. Want ook al deed de gewichtige vrolijke natuur zich voor als iemand die dicht bij het volk staat en vol humor zit – voor wie zich over hem vrolijk maakte, viel soms al gauw niets meer te lachen. Toen Göring in 1936 op het pantserschip *Deutschland* zeeziek over de reling hing, schonken twee brutale luitenants hem de titel 'rijksvisvoedermeester' met een bijpassend netje. Ook deze grap draaide uit op arrest.

Deze 'beste vriend' van Hitler voerde een dubbele politiek: enerzijds pronkte hij met de zogenaamd technisch modernste en getalsmatig sterkste luchtmacht van de wereld, die in werkelijkheid totaal niet was voorbereid op een langdurige oorlog, en anderzijds deed hij zijn uiterste best om met Londen tot een vergelijk te komen – in de ijdele hoop met een 'tweede München' de vrede te kunnen redden, en ongestoord van zijn luxe leventje te kunnen blijven genieten. Vanuit Carinhall legde hij steeds nieuwe contacten. Meermaals kwam de schatrijke president-directeur van het Zweedse concern Elektrolux, Axel Wenner-Gren, voorrijden, die toegang had tot Chamberlain. Vier keer stuurde Göring zijn speciale afgezant, directeur-generaal Helmut Wohlthat, naar Londen. Beleefd verzocht hij edellieden om via hun Engelse familieleden te bemiddelen. Maar de Duits-Britse verhoudingen verslechterden verder toen Hitler en Stalin eind augustus 1939 een non-agressiepact sloten en de Britse ambassadeur in Berlijn, Henderson, aankondigde dat de regering-Chamberlain achter Polen stond. Toen Hitler voor eind augustus de operatie *Fall Weiß*, de overval op Polen, beval, noteerde staatssecretaris Milch in zijn dagboek: 'G. deelt om elf uur plan mee! G. nerveus.'

De tijd drong, maar de kansen om op het laatste moment de lont nog uit het kruitvat te trekken, waren minimaal. Göring wist dat Hitler, als deze eenmaal vastbesloten was, nauwelijks meer tot andere gedachten te brengen was, temeer omdat zijn eigen stem aanmerkelijk aan gewicht had ingeboet. Toch waagde hij een late poging om Engeland uit de Duits-Poolse oorlog te houden. Hij hoopte namelijk twee dingen: ten eerste dat Hitler met zijn vabanque spel slechts blufte, en ten tweede dat de door hem geïnstigeerde oriënterende gesprekken van de Zweed Birger Dahlerus in Londen vrucht zouden dragen.

Göring kende de industrieel met de uitstekende contacten in Engeland en Duitsland al vanaf 1934. Net als Göring was ook Dahlerus er vast van overtuigd dat Engeland aan de oorlog zou gaan deelnemen en hij was alleen al om economische redenen geïnteresseerd in een 'laatste poging om de vrede te redden'. Meermalen reisde Dahlerus in deze beslissende zomerdagen als vredesbode heen en weer tussen Londen en Berlijn. Göring stelde de man op wie hij zijn hoop had gevestigd echter aan Hitler voor, die van zijn kant op Engelands neutraliteit hoopte, maar ook aandrong op handelen en niet op onderhandelen. Görings halfhartige plan om via Dahlerus de oorlog te verhinderen mislukte. Ondertussen wist hij uit de spionagerapporten van zijn 'onderzoeksinstituut' dat Engeland en Frankrijk Polen wilden bijstaan en dat Italië weigerde aan Duitslands zijde te vechten. Nog eenmaal probeerde hij Hitler van zijn besluit af te brengen.

Göring: 'We gaan toch niet va-banque spelen!'

Hitler: 'Ik heb in mijn leven altijd va-banque gespeeld.'

De strijd voor vrede leek definitief verloren. Toch deed Göring nog een allerlaatste poging om via Dahlerus een afspraak voor een bemiddelingsgesprek in Londen te maken. De motoren van twee Ju52's liepen warm, de bediende streek de smoking, en de lijfwachten werd opgedragen hun beste pakken te dragen. Maar de naïeve hoop dat het koninkrijk om vijf over twaalf nog van deelname aan de oorlog afgehouden kon worden, vervloog. Engeland en Frankrijk trokken ten oorlog. Terwijl de Luftwaffe tot diep in Polen doorstootte, klaagde Göring tegen zijn vriend en staatssecretaris Paul 'Pilli' Körner: 'Het is vreselijk – Hitler is gek geworden.'

Zijn treurnis hield niet lang aan. Een nieuw gunstbewijs van Hitler deed hem vergeten hoezeer hij buitenspel was komen te staan. Op 1 september 1939, de eerste dag van de oorlog, verkondigde Hitler in de Rijksdag: 'Mocht mij in deze strijd iets overkomen, dan is partijgenoot Göring mijn opvolger.' Met deze pleister op de wonde was Göring definitief gecorrumpeerd, was zijn afhankelijkheid van Hitler bezegeld. Zolang Hitler leefde, moest hij hem trouw blijven, wilde hij niet onterfd worden. Het decreet – op 29 juni 1941 schriftelijk bekrachtigd – maakte van hem een willoos werktuig. Voor Hitler was het opvolgingsdecreet zuiver een formaliteit. Voor Göring was het een teken dat hij weer tot de kring van vertrouwelingen rondom Hitler behoorde. Alleen het vooruitzicht ooit de Führer in zijn ambt op te volgen, compenseerde het vernederende machtsverlies tijdens de oorlog en de catastrofe van 'zijn' Luftwaffe.

Verblind door irreële cijfers over de sterkte van de luchtbewapening en misleid door vermeende constructiesuccessen die ingenieurs in het luchtmachttestcentrum Rechlin hem voorspiegelden, had Göring veel te hoge verwachtingen van zijn vliegers. Feitelijk had Göring geen zware bommenwerpers met grote reikwijdte om opgewassen te zijn tegen de strategische eisen van een langdurige luchtoorlog. Op bliksemoorlogen tegen Polen of Frankrijk was deze luchtmacht voorbereid, maar niet op gevechten tegen de Britse Royal Air Force. Slechts vier bommenwerpers van het type Ju88 waren in staat van paraatheid. Langeafstandsbommenwerpers bestonden alleen op de tekentafels van de Heinkel-constructeurs in Rostock-Marienehe. Göring zelf had op 29 april 1937 de bouw van deze toestellen in de koelkast gezet. Daarmee stond vast dat succesvolle strategische aanvallen met bommenwerpers door deze vloot niet konden worden uitgevoerd. Het uitbreken van de oorlog had de Luftwaffe overrompeld.

De snelle overwinning op de twintig keer zo zwakke Poolse luchtmacht camoufleerde de werkelijke gebreken en voerde Görings ongegronde vertrouwen op tot een euforische overwinningsroes. Het westelijke gedeelte van de vesting Warschau liet hij in de eerste grote luchtaanval op een stad met 400 vliegtuigen tot puin bombarderen, om er vervolgens over op te scheppen dat het Rijk alleen aan de Luftwaffe de overwinning op Polen te danken had. Na de verwoesting van Warschau volgde op 14 mei 1940 het bombardement op Rotterdam, terwijl daar net onderhandelingen over de overgave gevoerd werden. Deze oorlog, die hij nog steeds wilde stoppen, bood Göring ongekende mogelijkheden om zich voor Hitler te profileren. Hij wist echter ook dat het bedrijfsleven niet op de oorlog was voorbereid. Vooral daarom bleef hij zich inspannen om via eigen kanalen naar Washington en Londen tot een 'fatsoenlijke vrede' te komen. Via William Rhodes, de topman van een Amerikaans olieconcern, ontving president Roosevelt van Göring signalen die van zijn vredeswil getuigden. Zijn aanbod maakte een welhaast sensationele indruk: hij als kanselier zou Polen meteen ontruimen en de jodenvervolging stopzetten. De Amerikaanse president reageerde positief en garandeerde Duitsland de grenzen van 1914 en de teruggave van de koloniën.

'Eiserner, u hebt mij verraden...' Göring met afdelingshoofd Ernst Udet (1938).

Göring stelt zich in de huidige oorlogssituatie volslagen passief op.

Goebbels (dagboek), 1944

Tegen het einde was er in Hitlers omgeving geen Göring meer. Dat was pas weer na zijn telegram van 22 april 1945, waarin hij aanbood de plaatsvervanging op zich te nemen omdat Berlijn nu ingesloten was en Hitler beroofd was van zijn vrijheid van handelen. Bormann heeft de inhoud van het telegram blijkbaar zeer rigoureus overgebracht, rigoureuzer waarschijnlijk dan door Göring bedoeld was. Dat was een gevolg van de gespannen verhouding tussen Göring en Bormann. Het kwam tot een uitbarsting: Hitler kreeg een woedeaanval. Hij ervoer het als verraad dat Göring de taak van de Führer wilde overnemen.

Traudl Junge, Hitlers secretaresse

Het is jammer dat de Partij niet wordt vertegenwoordigd door een man als Dönitz, maar door Göring, die net zoveel met de Partij van doen heeft als een koe met stralingsonderzoek.

Goebbels (dagboek), 1945

Op hetzelfde ogenblik peilde Birger Dahlerus – met Hitlers toestemming – opnieuw de stemming in Londen. Maar weer draaiden alle pogingen op niets uit. De illusie van vrede was vervlogen. Hitlers motto werd bevestigd: 'Elke hoop op compromissen is onnozel: zege of nederlaag.'

Op 3 september 1939 zei Göring twijfelend: 'Als wij deze oorlog verliezen, moge de hemel ons dan genadig zijn.'

Göring hield rekening met een lange oorlog op meerdere fronten. Traumatische herinneringen aan november 1918 kwamen op, maar alle bezwaren ten spijt steunde ook hij van het begin af Hitlers vernietigingsoorlog. Hij had veel geprobeerd om deze oorlog te verhinderen; nu wilde hij alles doen om hem te winnen. Hij ondertekende als medeverantwoordelijke Hitlers 'germaniseringsdecreet' voor de bezette gebieden, en hij vaardigde richtlijnen uit voor de economische rooftocht in Polen. Als hij Hitler niet kon intomen, dan wilde hij hem in elk geval dienen als een trouwe soldaat. Hitler was echter nauwelijks onder de indruk van Görings inspanningen. Hij beraamde de oorlog in het westen, de operatie *Fall Gelb*. Op 17 januari 1940 zou Frankrijk worden aangevallen, toen plotseling een incident in België de militaire machinerie stopzette. Een Duits koeriersvliegtuig van de Luftwaffe met geheime actiebevelen moest bij Mechelen een noodlanding maken. Nu werd bekend wat Duitsland in het westen van plan was. Göring kreeg de volle laag. Hitler maakte hem verwijten en eiste als genoegdoening van zijn luchtmachtchef dat hij een van zijn bekwaamste bevelhebbers, generaal Hellmuth Felmy, zou ontslaan. Ondertussen stelde Hitler de aanval uit tot het voorjaar.

Göring zocht zijn toevlucht in een droomwereld. Een regenmaker moest voor een honorarium van vele miljoenen mark voor goed weer tijdens de aanval zorgen. Kort tevoren had hij een waarzegger ingeschakeld om uit te vinden waarom Groot-Brittannië niet in Polen had ingegrepen. Toen *Fall Gelb* ten slotte begon, liet hij voor een reis naar het front de monstrueuze commandotrein Azië bouwen – met een speciale wagon voor acht auto's, een foto-ontwikkelcentrale en een ziekenboeg. In naïeve overmoed pochte hij dat de bij Duinkerken ingesloten Britse en Franse troepen alleen met de Luftwaffe uitgeschakeld konden worden. Dit hoorde Hitler graag. 'Als ik met Göring praat,' zei hij in deze dagen tegen Albert Speer, 'dan is dat voor mij als een staalbad, ik voel me vervolgens verkwikt. Hij weet de zaken op een meeslepende wijze uiteen te zetten.'

Maar op de aanmatigende woorden volgden niet altijd daden. In Duinkerken beleefde de Luftwaffe haar eerste nederlaag. Voor het eerst ging boven een actiegebied de heerschappij in de lucht verloren. Nu werd voor iedereen duidelijk hoe slecht Göring op de hoogte was van de sterkte van zijn eskaders bommenwerpers en jachtvliegtuigen. De fouten in zijn personeelsbeleid, de benoeming van oude kameraden op hoge posities, begonnen zich op een noodlottige wijze te wreken. Met de voormalige toppiloot Ernst Udet had hij op 31 januari 1939 uit vriendschap een kameraad uit de Eerste Wereldoorlog tot *Generalluftzeugmeister* benoemd, die echter totaal niet was opgewassen tegen de hoge eisen die aan het leiden van de luchtmachtbewapening gesteld werden – een besluit met ernstige gevolgen: onder Udets leiding nam een fatale reeks technische tegenslagen en foutieve personele beslissingen een aanvang. Samen met Görings gebrek aan technisch inzicht en diens nonchalante onwetendheid wat de sterkte van de tegenstander betreft, bezegelde deze reeks het lot van de Luftwaffe. Te gemakzuchtig, te goedgelovig tegenover verkeerde adviseurs en met te veel andere taken in de weer, had Göring verzuimd de opbouw van de luchtmacht met harde hand op koers te brengen. Udet was *een*, Göring echter dé zwakke schakel in de top van de Luftwaffe.

Maar de eerste waarschuwingssignalen gingen ten onder in de roes van vreugde over de snelle overwinningen op Frankrijk, Nederland en België. Zelfkritiek liet Görings egocentrische aard maar zelden toe. Voor hem was het logischer om zich te buiten te gaan aan uitbundige loftuitingen betreffende het genie van zijn Führer en om Hitler te bezingen als *Gröfaz*: als *grö*ßter *F*eldherr *a*ller *Z*eiten. Zijn broer Albert verbasterde het compliment tot *Grövaz* – '*grö*ßter *V*erbrecher *a*ller *Z*eiten'. Hij ontsnapte maar net aan het concentratiekamp, terwijl Göring lauweren oogstte voor zijn loyaliteit tegenover Hitler. Na de succesvolle veldtocht in het westen verleende zijn idool hem het 'Grootkruis van het IJzeren Kruis'. Tevens benoemde Hitler zijn met geldingsdrang behepte paladijn tot rijksmaarschalk. Het verschil in rang ten opzichte van de generaals die na de veldtocht tegen Frankrijk tot veldmaarschalk waren bevorderd, bleef niet onopgemerkt. Göring had weer meer vertrouwen in de toekomst.

Na de Britse terugtocht uit Duinkerken rekende Hitler erop dat Engeland in zou binden en het pad zou effenen voor een verstandig vredesverdrag. Maar Engelands nieuwe premier, Winston

Churchill, wilde allesbehalve vrede met Hitler, ook al zwoer deze in het openbaar het *empire* niet te zullen verwoesten en door onderhandelingen tot een vredesverdrag te willen komen. De Duitse dictator ging van andere premissen uit. Inderdaad leek na de Franse capitulatie op 25 juni 1940 mogelijk wat sinds jaren het centrale motto van zijn buitenlandpolitiek was: 'Wij zoeken contact met Engeland op basis van een verdeling van de wereld.' Londen, zo hoopten zowel Hitler als Göring, zou snel bijdraaien en Duitsland benaderen. Toen iets dergelijks niet gebeurde, greep Hitler naar zijn laatste middel: Engeland moest met geweld tot een vergelijk worden gedwongen. Op 21 juli 1940 deelde Göring de bevelhebbers van de Luftwaffe in Carinhall mee dat de aanvallen op Engeland systematisch verscherpt moesten worden en dat de Royal Air Force vernietigd moest worden. Op 13 augustus 1940, 'Adelaarsdag', begon met 1.485 acties van de luchtvloten 2, 3 en 5 een van de beslissende luchtslagen van de oorlog – de vuurdoop voor een luchtmacht die het tot op dat moment tegen zwakke tegenstanders gemakkelijk had gehad.

Al na enkele dagen bleek dat de Royal Air Force qua gevechtskracht en aantal jagers een gelijkwaardige tegenstander was. Een zege binnen vijf dagen, zoals Göring gefantaseerd had, leek uitgesloten. De moderne Britse luchtverdediging gaf de hier en daar amateuristisch geleide Luftwaffe hardnekkig partij – en nog meer: ze was zelfs in staat om op 25 augustus 1940 de eerste aanval op Berlijn uit te voeren. De schade was gering, maar de verrassing gaf een eerste voorproefje van de verwoestende grootschalige bombardementen in de laatste twee oorlogsjaren.

Görings nervositeit kwam niet alleen door de taaie weerstand van de Britse jagers, die flexibeler ageerden dan die van de Luftwaffe. Hitlers bevelen hielden rekening met oorlog met de VS en de Sovjet-Unie. Reeds op 21 juni 1940 had Hitler de opperbevelhebber van de landstrijdkrachten, generaal Von Brauchitsch, opgedragen een operatieplan voor een veldtocht in het oosten uit te werken. Drie uur lang, vertelde Göring zijn verdediger in Neurenberg, had hij 'in augustus 1940 geprobeerd de Führer de aanval op Rusland uit het hoofd te praten – helaas tevergeefs'. Bewijzen hiervan ontbreken, maar het is waarschijnlijk dat Göring Hitler nadrukkelijk aanraadde om eerst eens het einde van de luchtslag om Engeland af te wachten. Met een triomf op het koninkrijk hoopte hij zijn positie aan 'Hitlers hof' duurzaam te verbeteren. Want mocht het lukken om de Britse luchtafweer te verlammen,

Een echte Makart voor de kunstdief: Hitlers verjaardagscadeau voor Göring (1938).

Het is een primaire taak van het nationaal-socialisme om alle onderzoeksmateriaal en cultuurgoederen van de betere kringen in beslag te nemen en naar Duitsland te vervoeren.

Decreet van Göring, 1941

Ik weet nog goed dat mijn verstandhouding met Göring, voor wie ik altijd een zwak had, in Mondorf veranderde. Hij was werkelijk op een zeer weerzinwekkende wijze arrogant en vol zelfmedelijden. Op een dag sprak Brandt [arts van Hitler – vert.] bij de lunch over de bergen en over hoe treurig het was dat ze hun huis toch nog verloren hadden. 'Ach, kom nou,' reageerde Göring, 'u heeft toch helemaal geen reden om u te beklagen, als u zo weinig had. Maar ik, die zoveel had, stelt u zich eens voor wat het voor mij betekent.' Ik zat met mijn rug naar Dönitz toe en hoorde hem tegen zijn buurman mompelen: 'Ja, en alles gestolen.' Hij had natuurlijk gelijk – en dat was dan de leiding van het Rijk!

Speer over de gevangenschap in Mondorf vóór het Neurenberger proces

Ik herinner mij dat Göring werd ondervraagd over de kunstroof. Hij vond het pijnlijk dat men dat gemerkt had. Hij wilde daar immers graag als legeraanvoerder staan en niet als kunstdief en persoon die zich verrijkt had.

Susanne von Paczensky, waarneemster bij de Neurenberger processen dan stond niets een invasie van het eiland meer in de weg. Een overwinning zou gelijk staan met een voorlopige beslissing in de oorlog. Maar Görings overdreven optimisme sloeg al gauw om: de Britse jagerafweer hield stand, en ook de nachtelijke aanvallen op Londen, op industrie en haven leidden niet tot het gewenste succes.

De luchtslag leidde tot onacceptabel hoge verliezen, die de Luftwaffe niet meer te boven zou komen. Tot oktober 1940 stortten 1.700 Duitse toestellen boven Engeland neer, terwijl de Royal Air Force er 'slechts' 915 verloor. Daarmee werd de kans op een invasie van het eiland, de 'Operatie Zeeleeuw', nihil. Op 7 oktober 1940 analyseerde generaal Hoffmann von Waldau, de chef-staf van de Luftwaffe, militair beknopt: 'Om Engelsen klein te krijgen, viervoudige nodig. Tweefrontenoorlog onmogelijk.' Op 11 mei 1941 steeg Görings Luftwaffe met 500 bommenwerpers op voor de laatste grootscheepse aanval op Londen voor de eerstvolgende tweeënhalf jaar.

Göring had meer dan alleen een slag verloren. Nooit meer zou Hitler hem volkomen vertrouwen. De catastrofe in de lucht boven Londen deed hem beseffen dat de beweringen van zijn paladijn over een onoverwinnelijke Luftwaffe producten waren van een op hol geslagen fantasie. Görings aanzien slonk, temeer omdat hij zich tijdens de 'Slag om Engeland' op de heide bij Rominten terugtrok om te jagen en de zoektocht naar werken van beroemde schilders hem blijkbaar meer interesseerde dan zijn roeping als chef van de Luftwaffe.

Uitgerekend op het hoogtepunt van de slag nam Görings zucht naar kunstschatten bijna ziekelijke vormen aan. Een leger agenten kamde in zijn opdracht de bezette landen van Europa uit op kunstwerken voor zijn privé-museum in Carinhall. Overal in de veroverde gebieden, in Parijs, Amsterdam of Brussel, eigende de 'koning van de zwarte markt' (Heinrich Himmler) zich als in een roes toe wat van grote waarde was en geen duidelijke eigenaar had. Als vaste bezoeker van het Parijse museum Jeu de Paume verlustigde hij zich in het in beslag genomen bezit van Franse joden. Göring genoot van de meesterwerken van Rembrandt, Van Dyck of Rubens. Dat veel schilderijen door het regime ontaard verklaard waren kon hem niet schelen, zolang ze maar in het buitenland tegen andere kunstwerken geruild kon worden. Gobelins, marmeren beeldhouwwerken, albasten vazen, zonnewijzers uit de Renaissance en oriëntaalse wapens – Göring 'kocht' volgens het devies: hoe kostbaarder en exotischer, hoe beter. Zijn honger leek onstilbaar te zijn. De kastelen Mauterndorf en Veldenstein puilden uit van buit gemaakte schatten, en in Carinhall, waar kostbare schilderijen soms vier rijen boven elkaar aan de muren hingen, moesten waardevolle schilderijen wegens plaatsgebrek aan het plafond worden aangebracht. De zolderverdieping leek op een depot voor buit gemaakte kunstschatten, die Göring tegen buitensporig hoge prijzen verpatste aan hoge partijfunctionarissen. De beste stukken evenwel bleven in Carinhall, waar de dief overwoog zijn buit in een Hermann-Göring-Galerie aan het publiek tentoon te stellen.

Om de kunstdiefstal de schijn van legaliteit te geven, formuleerde Göring in een decreet van 1 mei 1941 voor zichzelf de vrijbrief voor zijn strooftochten door de Europese musea. Want tenslotte was het een 'primaire taak van het nationaal-socialisme om alle onderzoeksmateriaal en de cultuurgoederen van de betere kringen in beslag te nemen en naar Duitsland te vervoeren'. Met deze truc lukte het hem om andere in kunst geïnteresseerde nationaal-socialistische groten voor te zijn en als eerste toe te slaan. Tot 1944 verzamelde Göring kunstschatten ter waarde van enkele honderden miljoenen mark. Terwijl hij aan het schakelpaneel van zijn modelspoorbaan zijn drang tot spelen de vrije loop liet, rolden in heel Europa treinen vol geroofde kunstgoederen naar Duitsland.

Ondertussen beraamde Hitler de aanval op de Sovjet-Unie. Toen hij op 4 november 1940 de drie opperbevelhebbers van de Wehrmacht in zijn plan inwijdde, reageerden de generaals verrast. Göring overstelpte Hitler opnieuw met argumenten tegen een oorlog met de Sovjet-Unie, tenminste niet op dat tijdstip. 'Ik heb toen 's avonds,' liet Göring in Neurenberg in het verslag opnemen, 'de Führer het volgende uiteengezet: ik verzocht hem zeer dringend om niet op dat ogenblik of binnen afzienbare tijd een oorlog tegen Rusland te beginnen; niet dat bepaalde volkenrechtelijke of andere redenen mij hier bewogen, mijn houding was uitsluitend gebaseerd op politieke en militaire omstandigheden.' Göring waarschuwde voor een tweefrontenoorlog, voor een oorlog met de VS, voor de onmetelijke vlaktes van Rusland en voor een Groot-Brittannië dat in de schaduw van het Duitse oostfront weer zou kunnen aansterken. Haast, zo maande hij Hitler, was bij de huidige sterkte van de Russische bewapening niet op z'n plaats. Eerst moest de oorlog in het westen gewonnen worden. Anders kon het zo zijn 'dat wij hier een betrekkelijk zekere zaak opgeven voor een nog onzekere'. Naar Görings waarschuwingen werd niet geluisterd. Vijf weken later, op 18 december 1940, ondertekende Hitler bevel nr. 21 voor de *Operatie Barbarossa*, de overval op de Sovjet-Unie. Göring jaagde toen net op de heide bij Rominten – nog altijd in de vaste overtuiging dat Hitler toch nog van zijn levensgevaarlijke oorlogsplannen zou afzien. Weer was hij gepasseerd. Weer ondervond hij hoe weinig invloed hij op de dictator had, en vermoedelijk dreef dit machteloze gevoel de vazal van Hitler ertoe landverraad te plegen. Op 9 juni 1941 stelde Göring zijn contactman Birger Dahlerus ervan op de hoogte dat Duitsland omstreeks 15 juni de Sovjet-Unie zou aanvallen. Dahlerus greep naar de telefoon; vervolgens waren ook de Britse en Amerikaanse ambassadeurs in Stockholm op de hoogte. Op 15 juni zaten de informant en zijn bode opnieuw tegenover elkaar. Göring werd nog concreter: de aanval zou zeven dagen later, op zondag 22 juni 1941, beginnen.

Toen het besluit gevallen was, durfde Göring Hitler niet meer met waarschuwingen lastig te vallen. De eens zo innige verstandhouding tussen hem en Hitler was toch al op een bedenkelijke wijze verflauwd, iets waar ook een andere gevaarlijke rivaal van Göring voor zorgde. Pijnlijk nauwgezet noteerde Martin Bormann, de intrigerende chef van het Partijbureau, die rechtstreeks toegang tot Hitler had, elke foutieve beslissing om Görings vurigste wens te verijdelen – Hitlers opvolging.

Göring deed in deze dagen opvallend zijn best om voor Hitler te bewijzen dat hij zich wilde inzetten. Plotseling kroop hij in de huid van een radicale pleitbezorger van Hitlers rassenoorlog tegen het bolsjewistische gevaar. Russische gevangenen, beval hij, moesten 'zonder enige vorm van proces worden gefusilleerd'. De gebieden in het oosten liet hij als chef van de *Wirtschaftsstab Ost* op niets en niemand ontziende wijze plunderen. Terwijl Russische burgers voor dwangarbeid naar het Rijk gedeporteerd werden, beval Göring 100 dorpen in de bossen van Bielowiecz met de grond gelijk te maken – voor een privé-jachtgebied. Göring liet zich aan Hitler kennen als een man van agressieve bruutheid – bereid om elk stuk te ondertekenen dat de positie van de joden in Duitsland en Europa verder verslechterde.

Op 31 juli 1941, in het zenit van de bedrieglijke zekerheid van de overwinning, machtigde hij als 'gevolmachtigde voor het vierjarenplan' in opdracht van Hitler Reinhard Heydrich schriftelijk tot het treffen van 'alle noodzakelijke voorbereidingen voor een

'Van man tot man met Eisenhower praten...' Göring op een persconferentie na zijn arrestatie (1945).

Gecorrumpeerd door de macht en door de verlokkingen van het goede leven, raakte hij zienderogen verslaafd aan de neigingen van ouder wordende heersers, aan het flegma en de grootheidswaanzin, en was hij ten slotte tot geen enkel initiatief meer in staat, door geen oorlogsramp van zijn mondaine liefhebberijen af te brengen, een 'geparfumeerde Nero' die in extase de lier bespeelde, terwijl Rome in vlam stond.

Joachim Fest

Göring kon, als hij dat wilde, zeer charmant zijn. Daardoor lukte het hem om een relatie met een jonge Amerikaanse officier op te bouwen, een van zijn bewakers in Neurenberg. Göring gaf hem ook cadeaus, een van zijn horloges en een gouden ring. Naar wij later vernamen, heeft deze bewaker Göring de cyaankalicapsule bezorgd waarmee deze zelfmoord pleegde. Hij had deze tevoren blijkbaar meegenomen uit Görings spullen, die in een ruimte waren gestouwd waarvan hij een sleutel had.

William Jackson, zoon en assistent van de hoofdaanklager in Neurenberg

Ach, die massamoorden. Dat is een verdomd grote schande allemaal. Ik wil het er liever niet over hebben of er ook maar aan denken.

Göring, 1945

alomvattende oplossing van het jodenvraagstuk in de Duitse invloedssfeer in Europa'. De Holocaust, die met het moorden van de Einsatzgruppen in het oosten begonnen was, moest nu ook naar West-Europa en zelfs naar het Franse Noord-Afrika worden uitgebreid. Görings volmacht 'bevorderde' Heydrich tot de hoogste jodencommissaris voor geheel Europa – verantwoordelijk voor het centraal vervullen van Hitlers wens: de vernietiging van het Europese jodendom. Twee weken nadat hij Heydrich carte blanche had gegeven, verklaarde de bureaumisdadiger 'dat de joden in de door Duitsland overheerste gebieden niets meer te zoeken' hadden.

Wat wist Göring van de massamoord in de vernietigingskampen? 'Wij hebben nooit cijfers of iets in die richting gekregen,' praatte hij zich op 21 maart 1946 in Neurenberg eruit. Bewezen is: Göring was van de executies in Wit-Rusland achter het Duitse front op de hoogte, en wat Joseph Goebbels op 2 maart 1943 na een vier uur durend onderhoud met Göring zijn dagboek toevertrouwde, spreekt voor zich: 'Göring beseft heel goed wat ons allen te wachten staat als wij in deze oorlog zwak worden. Daarover maakt hij zich volstrekt geen illusies. Vooral wat het jodenvraagstuk betreft zijn wij immers zo gebonden dat er voor ons geen ontkomen meer aan is.' In Neurenberg beweerde de aangeklaagde echter niets 'van de verschrikkelijke gebeurtenissen' in de kampen geweten en steeds 'het onderscheid tussen de rassen benadrukt' te hebben. Hardnekkig loochende hij de massamoord. 'Hoe moet het dan praktisch mogelijk zijn om tweeënhalf miljoen mensen te vermoorden?' vroeg hij in april 1946 met een onschuldig gezicht aan Gustave Gilbert. De psycholoog herhaalde wat de kampcommandant van Auschwitz, Rudolf Höß, hem over de gaskamers had verteld, en dat Hitler de massamoord bevolen had. 'Hoe zou het zijn geweest,' wilde Gilbert weten, 'als men de man die de massamoord beval, had omgebracht?'

'O, dat is gemakkelijk gezegd,' antwoordde Göring, 'maar zoiets kun je niet doen. Wat zou dat voor een systeem zijn, als een ieder de opperste bevelhebber zou kunnen doden als diens bevelen hem niet bevielen? In een militair systeem moet er gehoorzaamheid zijn.'

Aan het begin van de veldtocht tegen Rusland kon de gehoorzame Göring Hitler nog toenemende aantallen door zijn Luftwaffe neergehaalde vliegtuigen melden. Achtduizend sovjettoestellen waren tot het einde van het jaar vernietigd. Maar buiten de actieradius van de Duitse bommenwerpers, achter de Oeral, lukte het Stalin om de rode luchtmacht snel te herbewapenen. Reeds in november 1941 werd Hitlers kritische houding ten opzichte van Görings luchtmacht scherper. Het probleemgeval Luftwaffe breidde zich uit, en toen Moskou en Leningrad niet gelijktijdig veroverd konden worden, greep Hitler voor het eerst fors in de leiding van de Luftwaffe in. De slechte weersgesteldheid doorkruiste de plannen van de strategen, maar vooral hield de chaotisch georganiseerde vliegtuigproductie geen gelijke tred met de verliezen. Onder Udet als *Generalluftzeugmeister* verlieten maandelijks slechts 375 jagers de fabriekshallen; in de herfst van 1944, onder minister van Bewapening Albert Speer, waren het in topmaanden meer dan 2.500 toestellen.

Hitler stelde nu in de eerste plaats vertrouwen in de landstrijdkrachten. De Luftwaffe had aanmerkelijk aan betekenis ingeboet. In deze crisissituatie kreeg Göring een reeks zware beproevingen te verduren. Eerst beroofde de Generalluftzeugmeister, Ernst Udet, zich op 27 november 1941 van het leven, nadat hij als enige door Göring schuldig was verklaard aan de bewapeningsmisère. Vlak voordat Udet zichzelf met een revolver doodschoot, had hij op een bord geschreven: '*Eiserner*, jij hebt me verraden.' ('Eiserner' was Görings bijnaam.) Kort daarna verongelukte Werner Mölders, inspecteur van de jachtvliegtuigen, toen hij op weg was naar Udets staatsbegrafenis. Hitler verklaarde de VS de oorlog zonder Göring te consulteren, en in februari 1942 benoemde hij niet Göring, de 'gevolmachtigde voor het vierjarenplan', tot minister van Bewapening, maar de jonge architect Albert Speer. Deze was nu verantwoordelijk voor grote delen van de oorlogseconomie en daarmee feitelijk de baas over het vierjarenplan. De afbrokkeling van de macht ging maar door. Na de Britse aanval op 28 maart 1942 op de oude binnenstad van Lübeck, beval Hitler ter vergelding historische Britse steden als Bath, Canterbury of Exeter te bombarderen. Op het eiland noemde men deze pogingen tot wraak – spottend zinspelend op de beroemde reisgids – 'Baedeker-aanvallen'. Al te serieus namen de Britten deze pogingen allang niet meer. Göring moest lijdzaam toezien hoe 'zijn' Luftwaffe de aanvallen uitvoerde. Hitlers woord was bevel.

Gebruuskeerd, in zijn bevoegdheden gekortwiekt, en getekend door druggebruik, trok hij zich meer en meer in zijn privé-leven terug. Bij besprekingen in het Führer-hoofdkwartier liet de rijksmaarschalk zich steeds vaker vervangen. Göring vluchtte weg in de droomwerelden van de kunst, raakte in Carinhall in vervoering bij de aanblik van een Cézanne of een Van Gogh, reisde voor kunstinkopen naar Parijs en schepte genoegen in groteske optredens in Rome. De Italiaanse minister van Buitenlandse Zaken, graaf Galeazzo Ciano, beschreef hem als 'opgeblazen en arrogant', als een politieke clown in een kolossale jas van sabelbont, die 'het midden houdt tussen het kostuum van een automobilist uit het jaar 1906 en de bontmantel van een dure courtisane die naar de opera gaat'. Göring raakte steeds meer verslaafd aan de verlokkingen van het nietsdoen. 'In 1942,' herinnerde Albert Speer zich, 'gold hij algemeen als lethargisch en uitgesproken werkschuw.' De impulsieve volgeling van weleer, die de opbouw van de Luftwaffe en het vierjarenplan met zoveel energie had aangepakt, kwam slaperig over. Zijn glazige blik verried zijn verslaving. 'Zienderogen,' aldus Speer, 'maakte hij een rusteloze indruk, in het wilde weg vatte hij te veel ideeën op, hij was wispelturig en meestal onrealistisch.' In alle ernst stelde hij voor om locomotieven van beton te bouwen, omdat er gebrek aan staal was. Albert Kesselring, opperbevelhebber-Zuid, kwam tot de conclusie: 'De Göring van 1934-1935 en die van 1942/'43 zijn zeer verschillende personen. In de jaren dertig een energieke, zelfbewuste en strijdlustige persoonlijkheid, in de jaren veertig een vermoeide, cholerische man, die zich in hoge mate aan zijn vaderlandse plicht onttrok en zich ook niet meer kon handhaven.'

Maar hoewel de rijksmaarschalk met de 'beringde worstvingers' (stafchef Franz Halder) zijn belofte niet kon houden en Duitse steden al gauw weerloos waren overgeleverd aan de bombardementen van de 'vliegende vestingen' en Lancaster-bommenwerpers, bleef Göring dankzij zijn geroutineerde hartelijkheid bij het volk verbazend populair. Ook ondanks het feit dat de luchtaanvallen op het Rijk dramatisch toenamen. Keulen alleen al moest tussen 1940 en 1942 geduldig 104 aanvalsgolven van bommenwerpers verdragen. Maar de '1000-bommenwerpers-aanval' in de nacht van 30 op 31 mei 1942 maakte pas goed duidelijk hoe weerloos de Luftwaffe aan de hevige aanvallen overgeleverd was. Vijftienhonderd ton bommen veranderde de domstad in een woestenij van puin. De tot dan grootste luchtaanval uit de oorlogsgeschiedenis betekende voor Keulen een vernietigingscatastrofe. Alleen de Luftwaffe wilde het dodelijke onheil niet erkennen. Die berichtte over een 'grote overwinning' en speelde zelfs met de gedachte zichzelf met een extra mededeling te bewieroken.

'Geen woord ten nadele van de Führer...' Göring als gevangene in Neurenberg (1946).

Ik was naast Hitler de enige man in Duitsland die *eigen*, geen afgeleide macht bezat. Het volk wil nu eenmaal vereren, en de Führer stond vaak te ver van de massa af. Dus richtte men zich op mij.

Göring, bij het Neurenberger proces, 1945

In Neurenberg wilde hij de rol die hij in het nazi-rijk als tweede man had gespeeld, voortzetten. Hij probeerde zijn medegevangenen te manipuleren. Hij herinnerde hen aan hun plicht om achter Hitler te staan. Tijdens de middagpauzes vertelde hij hen altijd hoe zij zich dienden te gedragen en wat zij tijdens het proces moesten zeggen. Op een paar van de aangeklaagden – Ribbentrop, Sauckel [algemeen gevolmachtigde voor de arbeidsinzet – vert.], Streicher [uitgever van het antisemitische weekblad *Der Stürmer* – vert.] – heeft hij zeker invloed gehad. Anderen – Schacht, Speer en Frank [gouverneur-generaal van Polen – vert.] – waren zijn tegenstanders en wilden liever zelfstandig hun verdediging organiseren. Ten slotte begonnen zij over hem te klagen, en daarop werd Göring van de anderen gescheiden.

William Jackson, zoon en assistent van de hoofdaanklager in Neurenberg

'Met het neerhalen van welgeteld 37 vijandelijke bommenwerpers tot dusver,' had dit bericht moeten luiden, 'werd ongeveer de helft van de vijandelijke toestellen die het Duitse territoriale luchtruim waren binnengevlogen, vernietigd. Een nachtelijk eskader jagers [...] behaalde hierbij zijn zeshonderdste nachtelijke overwinning.' Dit waren zelfs voor Hitler te veel leugens in één zin. 'De Führer,' zo werd vastgelegd in het oorlogsdagboek van het opperbevel van de Wehrmacht, 'wees gezien de verliezen een dergelijke zegemelding om psychologische redenen radicaal af en nam bovendien het standpunt in dat dit bericht in geen geval kon kloppen.' De maat was nu vol. 'Toen Göring Hitler de hand wilde reiken,' herinnerde Görings adjudant Karl Bodenschatz zich, 'nam Hitler geen nota van Göring. In het bijzijn van jonge officieren negeerde hij de rijksmaarschalk.' Gesprekken onder vier ogen – vroeger aan de orde van de dag – werden zeldzamer. Belangrijke besprekingen vonden al langere tijd zonder Göring plaats. Toch was hij in Hitlers naaste omgeving misschien de enige realist. Hij had een vermoeden van wat het Rijk te wachten stond. De superioriteit van de geallieerden deed het ergste vrezen. 'We mogen blij zijn,' zei hij eind 1942, 'als Duitsland na deze oorlog nog dezelfde grenzen heeft als in 1933.'

Vooral het uitgedijde apparaat van het ministerie van Luchtvaart was Hitler een doorn in het oog. Naast talloze staven bemanden 104 personen Görings privé-kantoor, dat een hele verdieping in het ministerie besloeg. Twee miljoen man dienden in de Luftwaffe, en alleen al daarom had deze een grote verantwoordelijkheid. In de slag om Stalingrad wilde Göring eindelijk bewijzen waartoe zijn luchtmacht daadwerkelijk in staat was. Een luchtbrug als in de voorafgaande winter in Demjansk moest de ommekeer aan de Wolga teweegbrengen. In de hoop zijn beschadigde aanzien op te poetsen, beloofde Göring Hitler volmondig: 'Mijn Führer! De bevoorrading van het zesde leger in Stalingrad vanuit de lucht wordt door mij persoonlijk gegarandeerd. Daar kunt u op vertrouwen.' De tussen apathie en euforie zwevende leider van de Luftwaffe wilde het ingesloten leger dagelijks laten voorzien van 500 ton voedsel, munitie en brandstof – gezien de transportcapaciteiten en weersomstandigheden een illusoir voornemen. Onder invloed van Görings geruststellende leugens dat de bevoorradingssituatie van het ingesloten leger 'lang niet zo slecht' was, beval Hitler om tot elke prijs vol te houden. Voor de uitgeteerde soldaten bleef in sneeuw en ijs als laatste hoop de Luftwaffe over. Maar de opperbevelhebber reisde liever in zijn luxueus ingerichte speciale trein Azië naar Parijs, om met kisten vol schilderijen, wandtapijten, zilveren borden en marmeren beelden terug te keren. Stalingrad leek voor hem ver weg. De situatie in de lucht? Göring vond gobelins belangrijker. Dagelijks voorzag de Luftwaffe het ingesloten leger van gemiddeld slechts 160 ton voorraden – te weinig om te overleven. Pas toen de situatie volkomen uitzichtloos was, droeg Hitler het commando van Stalingrads luchtbevoorrading over op veldmaarschalk Milch, die hij waardeerde om zijn organisatietalent. Hitler wist: de grootsprakige Göring had gefaald. Stalingrad werd de grootste ramp in zijn carrière. In zijn privé-agenda staat op de dag waarop de restanten van het zesde leger capituleerden: 'De gehele dag bedrust'.

Verrast stelde nu ook Joseph Goebbels vast dat Görings aanzien bij Hitler enorm geleden had. Hitler, zo dicteerde hij op 9 maart 1943 voor zijn dagboek, oefende buitengewoon scherpe kritiek uit, want Göring zou zich 'door zijn generaals met illusies in slaap hebben laten sussen. [...] Göring hoort nu eenmaal graag het aangename; daarom verzwijgt zijn omgeving het onaangename voor hem. [...] De Führer is ontzettend woedend op deze onverantwoordelijke omgeving van de rijksmaarschalk.'

Hitlers woede jegens Göring zou nog heftiger worden toen de Britse luchtmacht in maart een bommentapijt op het Roergebied legde en in Hamburg in acht dagen, van 24 tot en met 30 juli 1943, met vijf grote aanvallen met duizenden brandbommen een vuurzee deed ontstaan die de temperatuur zo hoog opdreef, dat zelfs het asfalt in lichterlaaie stond. Hamburg trof onverhoeds de ramp die Göring Londen had toegewenst. De Royal Air Force had de radarbewaking met strookjes zilverpapier uitgeschakeld. Hierdoor waren alle nachtjagers blind, was het Rijk 's nachts weerloos. Göring was noch in staat de Anglo-Amerikaanse aanvallen af te weren, noch lukte het hem effectieve tegenaanvallen op gang te brengen.

Bijna onafgebroken voerden Britse eskaders 's nachts steeds exactere strategische aanvallen uit op Duitse steden. Mannheim, Neurenberg, Darmstadt, Heilbronn – elke grote stad was een potentieel doelwit geworden. Het 'dak' van de 'vesting Europa' stond wagenwijd open. Alle hoop was in deze fase gericht op de vergeldingswapens, waaraan in Peenemünde koortsachtig gewerkt werd. Toen bij een grootscheepse misleidingsmanoeuvre niet Berlijn, maar het geheime rakettentestcentrum gebombar-

Nürnberg 11. Oktober 1946.

Der Reichsmarschall
des Großdeutschen Reiches

I.

An den Alliierten Kontrollrat!

Erschiessen hätte ich mich ohne weiteres lassen! Es ist aber nicht möglich, den Deutschen Reichsmarschall durch den Strang zu richten! Dies kann ich um Deutschlands willen nicht zulassen. Ausserdem habe ich auch keine moralische Verpflichtung, mich dem Strafvollzug meiner Feinde zu unterziehen. Ich wähle deshalb die Todesart des grossen Hannibal.

Hermann Göring

Wenden!

Mij is de kwestie van de jodenvernietiging bijgebleven. Göring was destijds immers bij belangrijke besprekingen aanwezig en had documenten ondertekend. Bij het proces trok hij eerst de verantwoordelijkheid daarvoor naar zich toe. Vervolgens echter ontkende hij alles en zei hij dat hij het niet zo bedoeld had, dat hij gedacht had dat de joden allemaal geëmigreerd waren, en van vernietigingskampen zou hij helemaal niets hebben gemerkt. Dit was zo ongeloofwaardig: nu stortte die hele pose van die man ineen. Op het eind zag hij er erbarmelijk uit.

II.

Ich war mir von Anfang an bewusst, dass gegen mich ein Todesurteil gefällt würde, da ich den Prozess als reinen politischen Akt des Siegers angesehen habe, aber ich wollte diesen Prozess um meines Volkes willen durchstehen und hatte erwartet, dass man mir wenigstens den Tod des Soldaten nicht verweigern würde. Vor Gott, meinem Volk und meinem Gewissen fühle ich mich frei von der Schuld, die mir ein Feindgericht gegeben hat.

Hermann Göring

'Ik had me wel laten fusilleren...' Görings afscheidsbrief voor zijn zelfmoord (1946).

Göring was de interessantste figuur van het Neurenberger proces. Hij zat óf rechtop, óf hij ging er lummelig bij zitten en leunde met zijn arm ergens op. Hij liet zo door zijn lichaamstaal zien dat hij zich niets wilde laten welgevallen. Ook door zijn mimiek en gebaren zorgde hij ervoor dat men notie van hem moest nemen.

Susanne von Paczensky, waarneemster bij de Neurenberger processen deerd werd, kende Hitlers woede nauwelijks nog grenzen. Er moest een zondebok komen. Eigenlijk had zijn toorn Göring moeten treffen, maar diens autoriteit wilde Hitler niet aantasten. Hij gaf de chef van de Generale Staf de schuld, generaal Hans Jeschonnek, die toch al op het punt stond wanhopig te worden van Görings buien, onwetendheid en grootheidswaanzin. Murw gemaakt door de beschuldigingen, zette Jeschonnek net als Udet een pistool tegen zijn slaap. Op het bureau van de dode een briefje: 'Ik kan met de rijksmaarschalk niet meer samenwerken. Leve de Führer!'

Ook Hitler wilde steeds minder met Göring te maken hebben. Het aantal beledigende uitvallen, niet alleen onder vier ogen, nam toe. 'Jouw zwijnenstal van een Luftwaffe,' verweet Hitler hem, zonder te willen weten hoe overbelast de Luftwaffe met de haar opgedragen taken was. 'Göring! De Luftwaffe deugt niet. Dat is jouw schuld. Jij bent lui!' Al enige tijd sloeg Hitler met groeiend misnoegen Görings byzantijnse levensstijl in Carinhall, Rominten of op kasteel Veldenstein gade. Terwijl de Luftwaffe vocht om te overleven, nodigde Göring de nieuwe gezant in Stockholm, Hans Thomsen, uit op Carinhall voor een jachtpartij met aansluitend een modeshow. ''s Ochtends in een wambuis met bolle hemdsmouwen,' beschreef diplomaat en verzetsstrijder Ulrich von Hassell Görings groteske optreden, 'overdag herhaaldelijk van gewaad wisselend, 's avonds aan tafel in een blauwe of violette kimono met met bont afgezette pantoffels. [...] Reeds 's ochtends droeg hij opzij een gouden dolk, in de hals een agrafe [dasspeld] met edelstenen, om het dikke lichaam een brede, met vele stenen bezette riem, om nog te zwijgen van de pracht van het grote aantal ringen.'

En toch liet Hitler Göring als opperbevelhebber niet vallen – uit staatspolitieke overwegingen, zoals hij het tegen generaal Heinz Guderian zei. Nog steeds namelijk genoot de gedoodverfde opvolger bij het volk een ongebroken populariteit die het regime van pas kwam. Göring bleef vooral daarom een niet te onderschatten machtsfactor, want Hitler wilde zich nooit helemaal losmaken van het beeld dat hij ooit van de oude strijder gecreëerd had. Als onder hypnose dweepte hij in de stafbespreking van 25 juli 1943, na Mussolini's val: 'De rijksmaarschalk heeft zeer veel crises met mij doorgemaakt, is ijskoud in crises. Een betere adviseur in crisistijden dan de rijksmaarschalk kun je niet hebben. De rijksmaarschalk is in crisistijden bruut en ijskoud. Ik heb steeds gemerkt dat, als het op buigen of barsten aankomt hij een meedogenloze, bikkelharde man is. Dus, u kunt absoluut geen betere krijgen, een betere kunt u absoluut niet hebben. Hij heeft met mij nog alle crises doorgemaakt, de zwaarste crises, dan is hij ijskoud. Telkens als het echt erg werd, is hij ijskoud geworden...' Ondanks teleurstellingen en fiasco's – de band tussen de Führer en zijn eerste paladijn leek onverbrekelijk. Hij kwam niet meer van Hitler los, vertrouwde Göring Albert Speer toe, en de psycholoog Gilbert gaf hij te verstaan: 'Als ik een eed van trouw afleg, kan ik hem niet breken. Ook voor mij was het verschrikkelijk moeilijk om hem gestand te doen, dat kan ik u wel zeggen! Probeert u eens twaalf jaar lang de kroonprins te spelen, de koning altijd trouw toegedaan, het niet eens te zijn met veel van zijn politieke maatregelen, maar onmachtig te zijn om er iets tegen te kunnen doen en er dan maar het beste van te moeten maken.' Na de oorlog, op een van zijn schaarse momenten van zelfkritiek, definieerde Göring zijn verstandhouding met Hitler als psychische prostitutie.

'Politiek gezien,' schreef de adjudant van Joseph Goebbels, Rudolf Semler, op 10 augustus 1943 in zijn dagboek, 'had Göring net zo goed dood kunnen zijn. Er deden al geruchten de ronde dat hij dood was. Daarom had Hitler, bij wie Göring merkwaardig genoeg nog in hoog aanzien staat, voorgesteld dat de rijksmaarschalk zich weer in het openbaar zou vertonen om zijn populariteit te herwinnen.' Je zou denken dat het voor een man als Göring niet ongevaarlijk was om zich in deze situatie onder het volk te mengen. Maar bij zijn wandeling door Berlijn bleek dat Göring dankzij zijn demonstratieve goedhartigheid en zijn ongedwongen charme verbazend genoeg nog steeds op sympathie kon rekenen. Weliswaar groetten passanten hem sporadisch met 'Hans', maar meer kritiek dan deze mild spottende zinspeling op het gezegde dat hij Hans wilde heten 'als ook maar één vijandelijke bommenwerper het Rijksgebied bereikt', hoefde Göring niet te incasseren. Blijkbaar werd de schuld van de bombardementen en van zijn falen als chef van de Luftwaffe aan anderen gegeven: hoofdzakelijk aan de leiding, maar niet aan de 'dikke'. Die fungeerde als hoofpersoon in moppen meer als bliksemafleider voor de wanhopige slachtoffers van de bombardementen. Göring, zo spotte het volk, leek op Tengelmann – in elke stad een nederlaag. En over de Luftwaffe werd gezegd: 'Görings jagers zijn nu in de lucht, de aanval moet voorbij zijn.'

In deze zwarte humor stak een kern van waarheid. In mei 1944 vlogen dagelijks 2.000 geallieerde vliegtuigen het Rijksgebied binnen. Dag na dag vielen meer bommen op waterkrachtcentrales, raffinaderijen en wapenfabrieken. In de winter van 1944 leek de situatie volkomen uitzichtloos. De Luftwaffe stond op het punt uiteen te vallen, Duitse steden lagen in puin. Göring schold zijn jachtvliegers uit voor lafaards en vervloekte Udet vanwege de chaos in de luchtbewapening. Gallands [inspecteur-generaal van de Luftwaffe – vert.] aandringen om het eerste voor serieproductie geschikte straalvliegtuig ter wereld, de Messerschmitt 262, onmiddellijk als onderscheppingsjager in te zetten, wees Göring van de hand om de broze vrede met Hitler, die de Me262 dwaas genoeg als bommenwerper wilde gebruiken, te bewaren.

Maandenlang hield het geruzie over het inzetten van dit straalvliegtuig aan. Pas in de late zomer van 1944 werden de Me262 als 'bliksembommenwerper' en de Arado 234, een bommenwerper met twee straalmotoren, die 800 kilometer per uur sneller vloog, aan de Luftwaffe afgeleverd – te laat om nog met de geallieerde luchtvloot boven Duitsland te kunnen afrekenen. Ook de productierecords in de vliegtuigindustrie gingen nagenoeg zonder effect ten onder in de bommenregen van de geallieerden. In 1944 verlieten 38.000 vliegtuigen (in 1941: 11.000) de wapenfabrieken, maar na de bombardementen op de fabrieken voor synthetische benzine hield de benzineschaarste de jagers aan de grond, die pas nu en masse uit de fabriekshallen naar de opstellingsplaatsen rolden, waar ze weerloos waren overgeleverd aan de bommen. Op 6 juni 1944 vertrouwde Goebbels zijn dagboek toe: 'Dat wij in de luchtoorlog de zwakste partij zijn, is ronduit catastrofaal. De Führer lijdt daar zeer onder, vooral omdat Göring er direct en indirect schuldig aan is. Hij kan echter niets tegen Göring ondernemen, omdat dan het gezag van het Rijk en van de Partij zeer grote schade zou lijden.'

Ook binnen de Luftwaffe slonk het vertrouwen in de opperbevelhebber. Göring, als veelvuldig onderscheiden oorlogsheld ooit het idool van jonge piloten, stond ver af van de moeilijkheden en zorgen van de luchtmacht. Hoezeer de verstandhouding tussen de opperbevelhebber en zijn officieren geleden had, bleek toen Göring op 7 november 1944 bij een bespreking in Berlijn-Wannsee de aanwezige, door het gevecht getekende vliegers opnieuw voor lafaards uitmaakte, en zijn beledigende toespraak op grammofoonplaat bij alle eskaders liet bezorgen – een openlijk affront, dat bijna een opstand tot gevolg had. De stemming verbeterde ook niet toen Göring, om de misstanden uit de weg te ruimen, een luchtmachtparlement van 30 vooraanstaande officieren instelde, maar de afgevaardigden voorschreef om 'alles en iedereen te kritiseren – behalve mij'.

Göring stond met de rug tegen de muur: noch bij Hitler, noch bij zijn troepen vond hij nog steun. 'Medio à eind januari 1945,' zei hij in Neurenberg, 'was er geen hoop meer.'

Toen in januari 1945 sovjettroepen tot vlak voor de paradijselijke wereld van de Schorfheide oprukten, liet Göring echtgenote Emmy en dochter Edda naar Beieren brengen. Terwijl Dresden in het inferno ten onder ging, zorgde hij ervoor dat de eerste ladingen kunstschatten in een bergtunnel bij Berchtesgaden verstopt werden. Nog één keer rees in deze dagen de hoop op vrede. Met de geallieerden wilde hij vredesonderhandelingen voeren, en hij geloofde, wat een volslagen verkeerde beoordeling van de situatie was, in een remisekans. Maar heimelijk hield hij al rekening met het ergste – en schreef zijn testament.

Tijd om afscheid te nemen: op 20 april 1945, Hitlers laatste verjaardag, begaf Göring zich voor het laatst naar de rijkskanselarij om nog één keer tegenover de man te staan die hij in blinde trouw ondanks alle misdaden gevolgd was. Hij zou Hitler trouw blijven tot in de dood, had Göring meer dan twintig jaar eerder plechtig beloofd. Nu was hij vastbesloten om zijn Führer en de ingesloten hoofdstad van het Rijk zo snel mogelijk te verlaten. 'Göring,' zo beschreef Albert Speer het schouwspel, 'deelde mee dat hij in Zuid-Duitsland zeer dringende zaken had af te handelen. Hitler keek hem afwezig aan. Met nietszeggende woorden gaf hij Göring een hand.'

Vervolgens ging hij naar Carinhall, blies eigenhandig het landhuis op en verdween naar de Obersalzberg. Hij was getekend door zijn druggebruik, lethargisch en opgezwollen als een kwal, evenals Hitler lichamelijk een wrak, maar hij had hoop dat hij eindelijk het grote doel van zijn leven zou bereiken: uit Hitlers schaduw treden en hem opvolgen. Eindelijk de enige heerser! Het bericht van Hitlers zogenaamde zenuwinstorting maakte hem nog eenmaal koortsachtig actief. Was Hitler echt dood? Nog diezelfde dag, 23 april 1945, telegrafeerde Göring om 22.00 uur een telegram naar Hitlers bunker in Berlijn dat verstrekkende gevolgen zou hebben. Alleen al de inhoud van de eerste regels maakte Hitler witheet: 'Mijn Führer,' stond daar te lezen, 'gaat u ermee akkoord dat ik [...] overeenkomstig uw decreet van 29-06-1941 als uw plaatsvervanger onmiddellijk de algehele leiding over het Rijk op mij neem, met volledige handelingsvrijheid naar binnen en naar buiten toe?' Was alleen al deze vraag voor Hitler een affront, dan bezegelde de volgende alinea de definitieve breuk met

Göring. 'Als er uiterlijk om 22.30 uur geen antwoord is gekomen, neem ik aan dat u van uw handelingsvrijheid beroofd bent. Ik zal dan de voorwaarden van uw decreet als gegeven beschouwen en handelen voor het welzijn van volk en vaderland.'

Bormann hoefde niet lang na te denken. Hij rook de kans voor de laatste intrige tegen zijn persoonlijke vijand. 'Göring pleegt verraad!' sterkte hij Hitler in diens woede. 'Dat weet ik allang,' schreeuwde deze met een hoogrood hoofd. 'Ik weet dat Göring lui is. Hij heeft de Luftwaffe laten verslonzen. Hij was corrupt. Zijn voorbeeld heeft de corruptie in onze Staat mogelijk gemaakt. Bovenal is hij sinds jaar en dag een morfinist. Ik weet het allang.'

Niet veel later stond in Berchtesgaden SS-*Obersturmbannführer* [vgl. luitenant-kolonel – vert.] Bernhard Frank met een bevel in zijn hand dat Bormann haastig met de hand geschreven had: 'Omsingel meteen huis Göring en arresteer meteen, alle verzet brekend, de voormalige rijksmaarschalk Hermann Göring. Getekend Adolf Hitler.' Op 23 april 1945, tegen 22.00 uur, sloeg Frank in Görings paleisachtige landhuis op de Obersalzberg zijn hakken tegen elkaar en deelde de vermeende verrader mee: 'Rijksmaarschalk, u bent gearresteerd!' Zes dagen later beschikte Hitler in zijn Politiek Testament: 'Ik stoot vóór mijn dood de vroegere rijksmaarschalk Hermann Göring uit de Partij.' Zijn verwijt dat Göring achter zijn rug met de geallieerden had onderhandeld, was ongegrond. Bormann echter had zijn doel bereikt.

Göring voelde zich door Hitler verkeerd begrepen en het slachtoffer van een intrige. Hoewel niet hij, maar admiraal Karl Dönitz Hitlers nalatenschap aanvaardde, beschouwde hij zich nog steeds als enige gemachtigd om over Duitslands lot te beslissen. In grenzeloze zelfoverschatting stelde hij Dönitz op 6 mei 1945 voor om met Eisenhower in een gesprek van maarschalk tot maarschalk te proberen een eervolle vrede voor Duitsland tot stand te brengen. Toen Dönitz niet eens antwoordde, wendde Göring zich als de hoogste officier in rang van de Duitse Wehrmacht rechtstreeks tot Eisenhower – met het verzoek 'mij persoonlijk te ontvangen' om 'verder bloedvergieten in een uitzichtloze situatie te voorkomen'. Op 7 mei 1945 werd de rijksmaarschalk, die met echtgenote Emmy en dochter Edda op weg was naar de plek waar hij de US-army zou treffen, op een bergweg bij Radstadt door de Amerikanen gevangengenomen. Het was de laatste keer dat Hermann Göring zijn gezin in vrijheid zou zien. Zijn commentaar sprak boekdelen: 'Ten minste twaalf jaar fatsoenlijk geleefd!'

'Hij zag er beroerd uit,' herinnerde Leon Thanson zich, tolk in het Luxemburgse gevangenenkamp Mondorf, 'en hij snakte naar tabletten. "Zonder tabletten kan ik niet leven," had hij gezegd. Pas toen hij op de derde dag weer zijn tabletten had gekregen, leefde hij op en was hij de prettigste van alle gevangenen.'

Wat in 1925 in Zweden niet gelukt was, kregen de artsen van de US-army voor elkaar. De overwinnaars zetten *mister Göring*, zoals zij hem noemden, op dieet en gaven hem dagelijks steeds zwakkere doses paracodeïnetabletten. In die dagen ontmoette Göring voor het eerst Gustave Gilbert. In de 17 maanden die hem nog restten stond niemand zo dicht bij de prominente gevangene dan deze psycholoog in dienst van de US-army. Gilbert nam Göring nauwkeurig onder de loep. Een intelligentietest leverde een bovengemiddeld quotiënt van 138 op. Minder vleiend voor de gevangene, die niets van zijn ijdelheid verloren had, vielen de persoonlijkheidstests uit. 'Eerlijk gezegd,' deelde Gilbert Göring mee, 'heeft u bewezen dat u ondanks uw actieve, agressieve karakter niet de moed heeft om echt uw verantwoordelijkheid te nemen. Bij deze rorschachtest heeft u zichzelf door een klein gebaar verraden. Herinnert u zich de kaart met de rode vlek? U probeerde deze vlek met uw vingers weg te tikken, alsof u dacht dat u het bloed met een kleine beweging kon uitwissen. Hetzelfde deed u gedurende het hele proces. U zette uw koptelefoon af als de bewijzen van uw schuld ondraaglijk werden.'

Görings ondraaglijke schuld stond voor het Internationaal Militair Gerechtshof in Neurenberg vast. 'Er kan geen verzachtende omstandigheid worden aangevoerd,' stond er in het vonnis, 'want Göring was vaak, bijna altijd, de drijvende kracht, en alleen zijn Führer accepteerde hij boven zich. Hij was de politieke en militaire leidinggevende persoonlijkheid bij de aanvalsoorlogen; hij was de hoofdverantwoordelijke voor de slavenarbeid en de initiator van het onderdrukkingsprogramma tegen de joden en andere rassen in binnen- en buitenland. Al deze misdaden heeft hij openlijk bekend. [...] Deze schuld is uniek in haar monstruositeit. Voor deze man is nergens in het procesmateriaal een verontschuldiging te vinden.'

'Göring,' zo nam psycholoog Gilbert na de uitspraak waar, 'kwam als eerste naar beneden en liep met grote stappen en een strak gezicht en met van ontzetting uitpuilende ogen naar zijn cel. "Dood!" sprak hij, toen hij zich op zijn brits liet vallen. Hoewel hij probeerde losjes over te komen, trilden zijn handen. Zijn ogen waren vochtig, en hij ademde zwaar, alsof hij vocht tegen een zenuwinstorting.' Nog diezelfde dag moest de Duitse gevangenisarts dr. Ludwig Pflücker hem voor hartritmestoornissen behandelen. De arts: 'Het vonnis heeft hem toch wel zeer aangegrepen.'

Tegen een tolk had hij gezegd: 'Iedereen moet sterven, maar als martelaar te sterven, dat maakt onsterfelijk. Ooit zullen jullie onze beenderen in marmeren doodkisten leggen.' Tegen zijn zin diende zijn verdediger een gratieverzoek in. Göring zelf wilde niet bij de overwinnaars om gratie verzoeken. In plaats daarvan schreef hij drie brieven: aan de gevangenispastor, aan zijn vrouw Emmy en aan de Controleraad der Geallieerden, waarin hij benadrukte: 'Ik zou me wel hebben laten fusilleren! Het is echter onmogelijk om met de strop het vonnis te vellen over de Duitse rijksmaarschalk! Dat kan ik omwille van Duitsland niet toestaan. Ik kies er daarom voor te sterven als de grote Hannibal.'

Op 15 oktober 1946, om 22.45 uur, beet Hermann Göring in cel nummer vijf van de Neurenberger gevangenis het dunne glas van een cyaankalicapsule stuk. Wie hem het gif had toegespeeld is tot op heden omstreden. Aanvankelijk viel de verdenking op Emmy Göring, die haar man in de gevangenis mocht opzoeken, maar bewijzen ontbraken. Vermoedelijk heeft Jack G. Wheelis, een jonge Amerikaanse bewaker en jachtvriend, aan wie Göring ook zijn gouden ring en een gouden horloge heeft geschonken, de dodelijke capsule de cel in gesmokkeld. Wheelis is ondertussen gestorven en heeft zijn geheim meegenomen in zijn graf.

Op de dag na de zelfmoord strooiden Amerikaanse soldaten in München-Solln de as van verscheidene lijken uit boven de Conwentzbach, een zijrivier van de Isar. Een van de doden droeg de naam 'George Munger'. De GI's meenden met een verongelukte kameraad van doen te hebben. Zij hadden er geen vermoeden van dat 'Munger' Hermann Göring was.

Niemand kwam te weten waar de as was uitgestrooid. 'Boven een rivier ergens in Duitsland,' werd er officieel gezegd. In alle geval moest worden voorkomen dat er een bedevaartsplaats zou ontstaan. Want dat er ooit een monument voor hem zou worden opgericht, daarvan was Göring tot op het laatste ogenblik overtuigd. Nog aan de vooravond van zijn zelfmoord voorspelde hij: 'Over 50 of 60 jaar zullen er in heel Duitsland standbeelden van Hermann Göring te zien zijn.'

Hij zweeg, aarzelde even en voegde er toen aan toe: 'Misschien geen standbeelden, maar wel een portret in elk huis.'

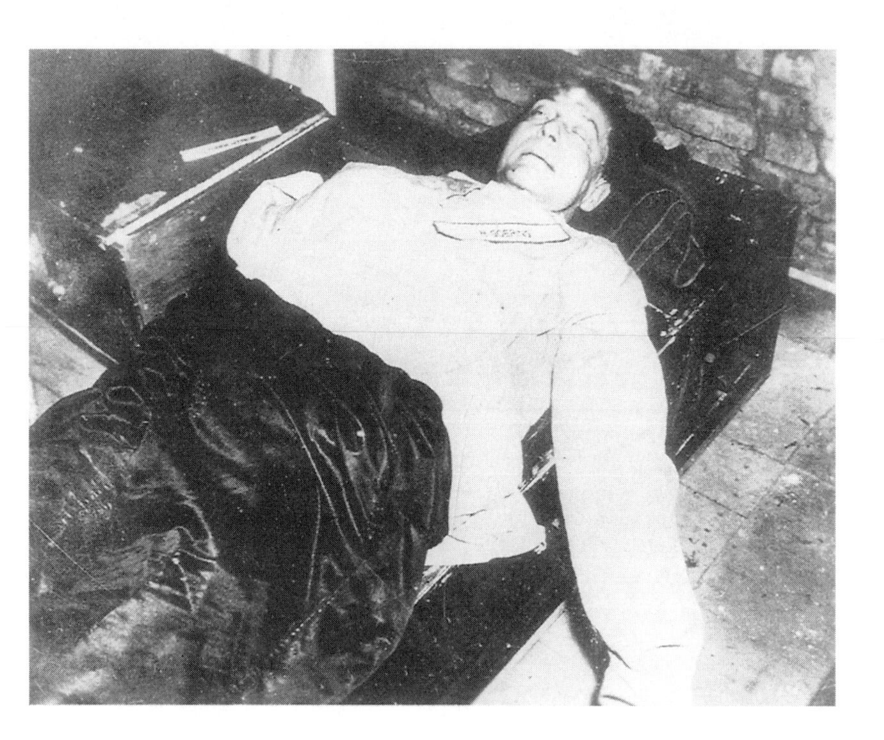

'Ooit zullen jullie onze beenderen in marmeren doodskisten leggen...' Göring in zijn afscheidsbrief na zijn zelfmoord op 15 oktober 1946.

Als u werkelijk iets nieuws wilt doen, dan zullen de goeden u daarbij niet helpen. Die zijn zelfgenoegzaam, lui, die hebben hun Lieveheer en hun eigen stijfkop – met hen red je het niet. 'Laat mij omringd zijn door tevreden, dikke mannen' – dit kan een gezalfde koning zeggen, maar niet een Führer die zichzelf gecreëerd heeft. Laat mij maar omringd zijn door doortrapte schurken. De slechteriken, die iets op hun kerfstok hebben, zijn prettige mensen, alert op dreigementen, want zij weten hoe je het doet, en waarvoor. Je kunt hen iets bieden omdat zij nemen. Omdat zij geen bedenkingen hebben. Je kunt ze ophangen als ze niet in het gareel lopen. Laat mij omringd zijn door doortrapte schurken – vooropgesteld dat ik de macht heb, alle macht over leven en dood. De enige absolute heerser, onder wiens duiven niemand mag schieten. Wat weet u van de mogelijkheden van het kwaad! Waarom schrijven jullie boeken en doen jullie aan filosofie, als jullie alleen iets weten over de deugd en over hoe je die verwerft, terwijl de wereld feitelijk toch door iets anders bewogen wordt.

Göring tot zijn verdediger in Neurenberg, 1946

Göring biedt een groteske aanblik. 's Ochtends in een wambuis met bolle, witte hemdsmouwen, overdag herhaaldelijk van gewaad wisselend, 's avonds aan tafel in een blauwe of violette zijden kimono met met bont afgezette pantoffels. Reeds 's ochtends een gouden dolk opzij, die herhaaldelijk verwisseld wordt, in de hals een agrafe met eveneens wisselende edelstenen, om het dikke lichaam een brede, met vele stenen bezette riem, om nog te zwijgen van de pracht van het grote aantal ringen.

Ulrich von Hassell, 1937

Ach, ik wilde de joden helemaal niet vernietigen, ik had heel andere ideeën. Die Goebbels heeft het allemaal op zijn geweten.

Himmler, 1942

Met het antisemitisme is het net als met ontluizen. Het is geen kwestie van wereldbeschouwing dat je luizen verwijdert. Het is een kwestie van properheid. Wij zijn binnenkort ontluisd.

Himmler, 1943

Bij de Russen doet alleen de massa het, en deze massa moet nu eenmaal doodgetrapt of doodgestoken, afgeslacht worden. Het is, om eens een heel grof voorbeeld te gebruiken, als bij een varken dat doodgestoken wordt en geleidelijk moet leegbloeden.

Himmler, 1942

Onder ons moet het maar eens heel duidelijk gezegd zijn, en toch zullen wij er in het openbaar nooit over spreken. Ik heb het over de evacuatie van de joden, de uitroeiing van het joodse volk. Het hoort bij die zaken die je zo gemakkelijk zegt. 'Het joodse volk wordt uitgeroeid,' zegt iedere partijgenoot, 'volkomen duidelijk, staat in ons programma, uitschakeling van de joden, uitroeiing, doen we.' En dan komen zij met z'n allen, die brave 80 miljoen Duitsers, en iedereen heeft zijn fatsoenlijke jood. Is toch duidelijk, die anderen zijn klootzakken, maar dit is een prima jood. Niemand die zo praat is ooggetuige geweest, niemand heeft het doorgemaakt.

Himmler voor SS-Gruppenführers
[vgl. luitenant-generaal – vert.], 1943

Als het nationaal-socialistische Duitsland al te gronde zal gaan, dan zullen haar vijanden en die hele bende criminelen die nu in de concentratiekampen zitten niet de triomf beleven dat zij als overwinnaars uit de bus komen. Zij zullen delen in de ondergang. Dat is het duidelijke bevel van de Führer, en ik moet ervoor zorgen dat het heel precies en grondig wordt uitgevoerd.

Himmler, 1945

De scholier stond bekend als vlijtig. Zijn klassenleraar prees hem als 'een leerling met duidelijk zeer grote capaciteiten, die met onvermoeibare ijver, vurige ambitie en zeer actieve deelname aan het onderwijs de beste schoolprestaties leverde'. Zijn ijver en zijn intelligentie, zijn zorgvuldigheid en vriendelijkheid werden in vele rapporten benadrukt. Nooit werd schriftelijk verklaard dat de knaap op een of andere manier naar gewelddadigheid neigde. Zijn schoolkameraad, de Duits-Amerikaanse historicus George Hallgarten, herinnerde zich de vredelievende medescholier later als 'het zachtmoedigste lam dat je je maar kon voorstellen, een jongen die geen vlieg kwaad deed.' De voorbeeldige knaap was van goeden huize, had een humanistische opleiding genoten, haalde zeer hoge cijfers en sloot met succes een studie aan een hogeschool af. Ook al ketste de begeerde militaire carrière af op zijn sterke bijziendheid en liet de onopvallende jongen nauwelijks een indruk achter, toch zou hij een, zij het bescheiden, carrière maken.

Als student kon hij zich wijden aan zijn hartstocht voor planten en landbouw. Hij zocht aansluiting en waardering, en werd lid van een aantal verenigingen. Hij viel niet op, al helemaal niet door radicaliteit of opruiende toespraken en revolutionaire ideeen. Na zijn eindexamen vond hij snel een goede betrekking – iets wat in die jaren van economische crisis geen vanzelfsprekendheid was.

Hij had ambtenaar kunnen worden en zeker een waardevol lid van de Duitse financiële wereld: pijnlijk nauwgezet, onomkoopbaar, zich altijd exact houdend aan de wet. Briljant was hij niet. Wilhelm Höttl, een van zijn naaste medewerkers, schatte hem in het gunstige geval in op het niveau van een lagere ambtenaar. 'Een tamelijk onbelangrijke ambtenaar,' luidde het vernietigende oordeel van de Zweedse diplomaat graaf Folke Bernadotte zelfs.

Misschien had hij ook als leraar zijn talenten kunnen ontplooien. Had hij dat gedaan, dan had hij zijn leerlingen secundaire deugden als ordelijkheid en gehoorzaamheid, plichtbesef en eergevoel, vlijt en zuinigheid bijgebracht. Hij was een spaarlustige schoolmeester, zoals SS-functionaris Oswald Pohl de in het oog springende karaktereigenschappen van zijn baas definieerde. De latere multifunctionaris ontving aan de top van zijn maatschappelijke ladder een salaris van precies 24.000 rijksmark per jaar. Dit was een zakcentje vergeleken met de corruptie-excessen die andere topfunctionarissen van de machtskliek zich veroorloofden. Bijna karikaturaal werd hij door veel tijdgenoten die hem meer van nabij kenden, beschreven als de incarnatie van de bovenmeester. Albert Speer karakteriseerde hem, achteraf, als 'half schoolmeester, half zonderlinge nar'.

Zijn komisch werkende belangstelling voor occulte verschijnselen, zijn bijgeloof, zijn passie voor kruidengeneeskunde zouden zich tot zijn eigen tuin hebben beperkt als er geen Derde Rijk geweest was. Beminnelijk zouden zijn buren hem hebben genoemd, zonderling misschien, enigszins getikt in het ergste geval – maar gevaarlijk?

Een doodgewoon leven zou het zijn geworden, een banaal leven bijna – als niet de tijdsomstandigheden hem een heel andere weg hadden doen inslaan. Hannah Arendts uitdrukking 'de banaliteit van het kwaad' sloeg op Adolf Eichmann, Himmlers beul – maar paste net zo goed de meester zelf. Heinrich Himmler was vooral Hitlers gewillige beul, die miljoenen mensen doodde zonder ooit eigenhandig iemand vermoord te hebben. Hij was een man met eigenschappen die ook nu nog typisch Duits gevonden worden: efficiënt en nauwgezet, plichtbewust en willoos afhankelijk van en onderworpen aan autoriteit, ordelijk en proper. Heinrich Himmler – een Duitse carrière of een Duitse ziekte?

Zo onbeschrijflijk de misdaden zijn die aan de naam Himmler verbonden zijn, zo onopvallend was de man die ze beging. Er was niets imposants of opvallends aan zijn persoon. Zijn tijdgenoten beschreven hem als een 'volstrekt onbelangrijke persoon die op onverklaarbare wijze op een belangrijke positie was terechtgekomen' (Albert Speer), als een man die 'niets voortreffelijks of bijzonders' had (generaal-majoor Walter Dornberger, verantwoordelijke voor V-wapens, wiens enige opvallende eigenschap zijn onopvallendheid was. Zijn karakter had 'niets verschrikkelijks of demonisch', schreef de Britse historicus Hugh Trevor-Roper. Maar demonisch werd Himmler toch door zijn efficiency. Zoals een belastingambtenaar honderden aangiftebiljetten behandelt, zo wikkelde Himmler zijn taak af: volkerenmoord als een organisatorisch probleem. Op het laatst maakte hij zich géén zorgen over het leed van de slachtoffers, maar over de zielenpijn van de daders.

Heinrich Himmler werd op 7 oktober 1900 als de tweede van drie zonen geboren in de Wittelsbacherstraße 2 in München. Zijn vader, Gebhardt Himmler, was een gewaardeerd gymnasiumleraar. Voor een nationaal-socialistische topfunctionaris groeide Heinrich Himmler op in opmerkelijk exotische, welvarende omstandigheden: katholiek en koningsgezind, welgemanierd en ontwikkeld, autochtoon en Beiers. In 1941 nam de man die ambtshalve katholieke geestelijken liet vervolgen, deel aan de streng-katholieke begrafenis van zijn tot op het laatste moment vereerde moeder. Zijn vader Gebhardt, conrector van het gymnasium in Landshut, was een vroom man, humoristisch binnen zekere grenzen, maar grenzeloos pedant. Hij was een Duits nationalist, maar geen antisemiet. De hoogopgeleide gymnasiumleraar voedde zijn kinderen op in de geest van het humanisme. Heeft Himmler zijn Plato verkeerd begrepen?

Ook al waren Heinrichs ouders niet rijk, zij konden wel voor welgesteld doorgaan. Daar zorgde de prominente peetoom wel voor, Zijne Koninklijke Hoogheid Prins Heinrich von Bayern. De vader van de nieuwe wereldburger was huisleraar van de prins van het geslacht Wittelsbach geweest, Himmlers oom hofkanunnik. De familie Himmler betekende iets aan het Beierse hof. Deze familie viel nu de eer te beurt om de prins 'een glas champagne te mogen offreren', zoals het op het geboortekaartje voor het koningshuis werd geformuleerd, om op Heinrichs doop te toosten. Het gold als een grote gunst dat een lid van de koninklijke familie het peterschap voor de zoon van de leraar op zich genomen had. Het contact tussen prins Heinrich en de familie Himmler eindigde niet met de dood van de prins, die in 1916 sneuvelde aan het front. Als laatste geschenk ontving Heinrich uit de nalatenschap van zijn peter een oorlogslening van meer dan 1.000 rijksmark. Materiële nood dreef hem niet in de klauwen van het nationaalsocialisme.

'Heinrich was veel ziek. 160 verzuimen, maar haalde alles in door lessen bij juffrouw Rudet en slaagde met een 9,' staat in de notities van zijn vader over Heinrichs lagereschooltijd. Zijn leven lang leed Himmler onder een zwakke gezondheid. Net als de scholier Heinrich compenseerde ook de Reichsführer-SS dit lichamelijke tekort door ijver. Het onderwijsdoel in Landshut – op re-

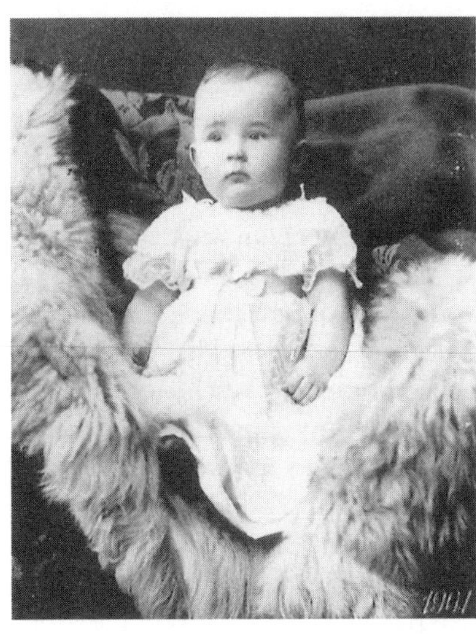

Het petekind van prins Heinrich: Heinrich Himmler (1901).

'Steeds welgemanierd...' Heinrich Himmler (onderste rij, tweede van links) met zijn klasgenoten van het gymnasium in Landshut.

Himmlers karakter had niets verschrikkelijks of demonisch. Zijn koelheid was niet ijzig, maar bloedeloos. Hij beleefde geen plezier aan wreedheden, hij bleef er onverschillig onder. De scrupules van anderen leken hem niet verachtelijk, maar onverstandig.

Hugh Trevor-Roper

ligieuze grondslag op te voeden tot zedelijke kwaliteiten, een hoogstaande algemene ontwikkeling in de vaderlandse geest te verschaffen en op zelfstandige geestesarbeid voor te bereiden – leek op het eerste gezicht bij Heinrich Himmler gelukt: 'Hij heeft zich steeds zeer netjes gedragen en nauwgezette ijver aan de dag gelegd,' staat er op zijn einddiploma van 15 juli 1919.

De leerling met de hoogste cijfers voor geschiedenis, oude talen en godsdienst begon een studie Landbouwkunde aan de TH in München. Net als de scholier was ook de student Heinrich Himmler vooral onopvallend; zijn medestudenten beschreven hem als 'stuntelig'. Op zoek naar aansluiting ontpopte Himmler zich als een echte verenigingsman: hij was lid van minstens tien verenigingen – van de *Deutsche Gesellschaft für Züchtungskunde* via de *Vereinigung der Freunde des humanistischen Gymnasiums*, tot de *Altbayerischer Schützenbund* – en van de katholieke kerk: 'Ik zal altijd van God houden, de kerk trouw blijven!' schreef hij destijds in zijn dagboek. Als kind was hij – obligaat – misdienaar geweest. In december 1919 werd hij lid van de katholiek georiënteerde Bayerische Volkspartei en deze verliet hij pas vier jaar later, om in augustus 1923 toe te treden tot een volslagen onbeduidende partij met grote ambities.

Bij de gekostumeerde bals tijdens het carnaval in München werd de actieve Heinrich gezien in het pak van een Turkse sultan. Alleen het drinktempo kon hij niet bijhouden. In dit opzicht moest de anders zo aangepaste student zich aan de Beierse normaliteit onttrekken. Het studentencorps verklaarde hem zelfs 'niet in staat tot satisfactie'. Pas toen door artsen werd vastgesteld dat hij een gevoelige maag had en hij daarop werd vrijgesteld van het bier drinken, werd hij in het corps opgenomen.

Niet mislukt op school, geen afgebroken of mislukte studie – op grond van zijn carrière kan zijn ontwikkeling als massamoordenaar niet verklaard worden.

Alleen zijn militaire loopbaan was voor hem een blinde vlek. Reeds als zeventienjarige zou hij als vaandrig in het 11de Beierse infanterieregiment hebben deelgenomen aan de gevechten in de Wereldoorlog. Zo bombastisch wordt het in de officiële levensloop van Heinrich Himmler beschreven, afgedrukt in het Handboek voor de Groot-Duitse Rijksdag van 1943. Het front had hij op dat moment nog niet gezien, aan de gevechten in het westen (in het oosten was de oorlog reeds beëindigd) nam hij niet deel, ook al beweerde hij bij gelegenheid dat hij als sergeant-majoor van het Beierse garderegiment reeds op zestienjarige leeftijd zijn mensen in de slag had aangevoerd. Dit was het begin van Heinrich Himmlers grote leugen. De waarheid is aanmerkelijk bescheidener.

Het klopt dat Gebhardt Himmler in de eindfase van de Grote Oorlog geprobeerd heeft om oude connecties in te schakelen om voor zijn zoon het pad naar een militaire loopbaan te effenen. Hij deed dit op aandringen van de jonge Heinrich, die per se officier wilde worden, ook al had de vader er aanvankelijk op aangedrongen om eerst de school af te maken. 'Ik verheug me op het gevecht, als ik 's konings wapenrok draag,' schreef de voorbeeldige leerling, die alleen voor gymnastiek slechte cijfers had, in zijn dagboek.

Toen de zoon eindelijk toestemming had om het gymnasium te verlaten, wilde de keizerlijke marine de sterk bijziende rekruut ondanks de koninklijke protectie niet opnemen omdat 'in het algemeen brildragers de dienst op het water geweigerd werd'. Dus meldde de nog niet zeventienjarige scholier zich bij de landstrijdkrachten aan. 'Mijn zoon heeft de vurige wens om infanterieofficier voor het leven te worden,' schreef de vader als motivatie op het aanmeldingsformulier. Maar het keizerrijk had gewone soldaten nodig, kanonnenvlees voor het front, om de bloedige verliezen in de Franse loopgraven te compenseren. Heinrich streefde echter naar iets hogers. Vanuit het opleidingskamp in Regensburg ondertekende hij een brief aan zijn ouders met 'miles Heinrich' – waarom had hij anders zo lang Latijnse woordjes in het hoofd gestampt? De in een beschermende omgeving opgegroeide snotneus die maatschappelijke waardering eiste, deelde met het gewone volk het enthousiasme voor de oorlog als ontsnappingsmogelijkheid uit het keurslijf van een tijdperk. Het enthousiasme voor alles wat militair was – ook daarin was Heinrich Himmler een kind van zijn tijd. Aan de 'gerechtvaardigde strijd' van het Duitse vaderland, aan deze 'heilige strijd', wilde Himmler deelnemen; hij wilde zijn puberteit 'op grootse wijze' beleven. 'Ik ben van binnen nu eenmaal een soldaat,' vertrouwde hij zijn dagboek toe. In de volgende bevrijdingsoorlog 'marcheer ik mee, ook al kan ik nog maar één been bewegen', daar was de would-be strijder, die de oorlog alleen uit propagandablaadjes kende en niet uit eigen smartelijke ervaring, van overtuigd.

Hitler kende de gruwelen van de oorlog, hij was er het product van. Zijn Rijk was een verlengstuk van de hel die hij in de loopgraven gezien had: een moderne Apocalyps. Himmler daarentegen, die deze Apocalyps organiseerde, zou zijn leven lang van een archaïsche wereld dromen; van fakkels en zwaarden, ploegscharen en aardkluiten.

De potentiële krijger werd niet, zoals hij zo vurig gehoopt had, ingezet. Voor hij zijn militaire opleiding beëindigd had, was het vrede. Himmler had zijn opleiding tot aspirant-officier weliswaar voltooid, maar het was te laat om actief aan het front ingezet te worden. Hitlers vaak geciteerde persoonlijke frontervaringen, daaraan ontbrak het de man die in de eindfase van de volgende oorlog aan het hoofd van de legergroep Weichsel de aanval van het Rode Leger moest afslaan. De aspirant-officier, die ervan droomde in een prachtig uniform glansrijke overwinningen te behalen, maakte het bloedbad van de geïndustrialiseerde oorlog niet mee. De stille gruwelen van een onzichtbare gifgasaanval, de dodelijke luchtaanvallen, de overrompelende tankaanvallen bleven hem bespaard. Niets verstoorde zijn geïdealiseerde beeld van een heroïsche strijd.

In april 1919 trad Heinrich Himmler toe tot een van de talrijke vrijkorpsen om tegen de Beierse Radenrepubliek te vechten. Hij meldde zich aan bij verschillende militaire organisaties die opmarcheerden tegen de democratie, tegen het 'schandelijke Verdrag van Versailles' en natuurlijk tegen de 'marxistische dictatuur'. In de vrijkorpsen *Landshut*, *Oberland*, *21. Schützenbrigade* en *Einwohnerwehr* was hij in paramilitaire dienst. Gedesoriënteerd zoals velen zocht de mislukte deelnemer aan de Wereldoorlog naar houvast, naar bevestiging, naar een verklaring – en vooral naar een idool.

In studentenkringen in München circuleerden destijds antisemitische pamfletten, die door de naar houvast hunkerende Himmler gelezen werden. Hij maakte kennis met Houston Stewart Chamberlains *Rasse und Nation*, hij stuitte op de 'Protocollen van de wijzen van Zion', een zogenaamd documentair bewijs voor de pogingen van een 'joodse samenzwering tegen de wereld'. Overdreven precies als Himmler was, liet hij voor het nageslacht een leeslijst na met commentaren bij elk boek. Hieruit spreekt een voorliefde van de bleke jongeman voor boeken over het Germanendom en werken over vermeende samenzweringen tegen de wereld van steeds weer andere groeperingen: vrijmetselaars, jezuïeten, joden.

Maar om het proces dat Himmler in het begin van de jaren twintig doormaakte te kunnen verklaren, is deze lectuur niet toe-

'Nog op de tweede rij...' Himmler (rechts achter Heß) bij een mars van de NSDAP in München (1925).

Als rentmeester van een landgoed, als burgemeester van een stad, maar ook, met zijn gevoel voor wetenschappelijk onderzoek, in een hoge functie als onderwijsambtenaar had Himmler misschien degelijk werk verricht. Het lot gaf hem een functie die hij niet aankon. Alles wat hij deed had iets verkrampts. Terwijl hij weekhartig van aard was, predikte hij hardheid. Daden die totaal in strijd waren met zijn aard voerde hij mechanisch uit. Als zijn Führer het beval, zelfs de fysieke vernietiging van mensen.

Felix Kersten, Himmlers arts en masseur, 1952

Bij Himmler. Ik leg met hem de grondslagen vast van onze toekomstige samenwerking op het terrein van de propaganda. Hij is een kleine, fijngebouwde man. Goedmoedig, maar vermoedelijk ook wankelmoedig.

Goebbels (dagboek), 1929

Himmler was immers de zoon van een leraar en werd door de ouderlijke omgeving, denk ik, sterk beïnvloed. Hij had iets schoolmeesterachtigs over zich, was koel, afwijzend, denigrerend. Hij had geen enkele kwaliteit, maar zijn enige of belangrijkste opvoedingsmiddel was altijd: straf.

Ernst-Günther Schenck, gevolmachtigde voor de voedselvoorziening van de Wehrmacht en de SS reikend. Himmler was niet dom, maar zijn vermogen om kritisch te denken was beperkt. Hij zocht naar simpele verklaringen voor de complexe en snelle veranderingen van de wereld. De maatschappelijke en politieke omwenteling schiepen onzekerheid en wekten angsten. De gevestigde orde zou de zoon van de prinselijke opvoeder een solide plek in de maatschappij hebben toebedeeld. Nu zag de jonge Heinrich zijn toekomst in de war gestuurd. Hij zocht naar verklaringen – en vond deze in simpele theorieën die een zondebok voor alle ellende aanwezen: de joodse samenzwering tegen de wereld, die de Germaanse held van de verdiende vruchten van zijn werk wilde beroven. Himmler was iemand die de oplossing vond in het uit de mottenballen halen van in de vergetelheid geraakte tradities.

Gebhardt Himmler had zijn zoon enthousiast gemaakt voor de Germaanse geschiedenis, de speciale passie van de gymnasiumleraar. In *Germania* van de Romeinse geschiedschrijver Tacitus vond Heinrich Himmler het 'wonderschone beeld van hoe verheven, rein van zeden en groots onze voorvaderen waren'. Hoe anders dan dit ideaal, waarvan reeds de vader hoog had opgegeven, ervoer de zoon nu zijn concrete levenssituatie. Het Duitse volk, zo kwam het hem voor, viel aan decadentie en zedeloosheid ten prooi. Hij echter droomde van de goede oude Germaanse tijd. Zijn grootste wens: zo zouden wij weer moeten worden. Als later de nationaal-socialistische utopie van de edele en dappere Germaanse krijger in de Reichsführer-SS z'n vurigste voorvechter vond, gaan deze hersenspinsels terug tot in de vroege jaren twintig. In 1924 schreef hij in zijn dagboek dat uit het 'uit gemengde rassen bestaande' Duitse volk weer Germanen 'van een zuiver ras' geteeld moesten worden. Hierbij zweefde hem een soort Kshatriya-kaste voor de geest – zoals de adellijke, land bezittende soldatenkaste uit het Oudindische kastenstelsel, zo moest ook zijn 'nieuwe' Germaan zijn: een aan de geboortegrond gebonden hoger wezen, superieur aan iedereen. Het doel van zijn romantisch-verheerlijkend toekomstbeeld van het 'paradijs van het Germaanse ras' was een wijdvertakt netwerk van modelsteden in het oosten, met cultische tempels, militaire dorpen en dodenburchten – een 'Germaanse bloedwal'.

De van mensenverachting getuigende gevolgen van deze vroege waanideeën zouden zich openbaren toen Himmler, in tegenstelling tot vele anderen die zich aan soortgelijke voorstellingen overgaven, de kans kreeg ze te verwerkelijken. Hij had in zijn dagboek al de vereiste voorwaarde en het bijkomende verschijnsel van zijn 'Germaanse paradijs' beschreven: tussen de woonplaatsen van de mensen met arisch bloed lagen kampen met 'werkslaven die, zonder dat er ook maar met enig verlies rekening gehouden wordt, onze steden, onze dorpen, onze boerderijen bouwen'. Precies zo had het er in Hitlers *Ostland* uit moeten zien.

De zoon van de amateur-historicus vervormde de geschiedenis zoals het hem uitkwam. Dus waren de Germanen volgens Himmler een volk dat sinds de vroegste voortijden een hoge beschaving had gehad en volgens ongeschreven wetten geleefd had. 'Wat zouden de voorvaderen in dit geval gedaan hebben?' luidde een van Himmlers gebruikelijke frasen als er een beslissing genomen moest worden.

Ook vaders andere stokpaardje, dat van de middeleeuwse Duitse geschiedenis, wierp bij zijn zoon late vruchten af. Heinrich Himmler beschouwde Hendrik I de Vogelaar en Hendrik de Leeuw als de stamvaders van het Groot-Germaanse Rijk. Hendrik de Vogelaar had zich zonder kerkelijke zegen tot keizer laten kronen, en gestreden tegen Slaven en Hongaren. In een toespraak ter gelegenheid van de duizendste sterfdag van Hendrik I op 2 juli 1936 bezwoer de Reichsführer-SS diens onvoltooide missie te voltooien: het oosten van Europa aan de Slaven te ontrukken en met Duits bloed te koloniseren.

Was Himmlers politieke visie al in de jaren twintig de gewelddadige creatie van een Groot-Germaans Rijk, zijn privé-doelen waren destijds nog relatief bescheiden. Hij had landbouwkunde gestudeerd omdat hij hoopte als rentmeester van een landgoed met een Duits meisje in vrede te kunnen leven: een idylle op Duitse grond. Alles had anders kunnen lopen, ook bij Heinrich Himmler. De geschiedenis is nooit een straat met eenrichtingsverkeer.

In het begin van de jaren twintig had de jonge student emigratieplannen. Op 23 november 1921 schreef hij in zijn dagboek: 'Vandaag heb ik een artikel over emigratie naar Peru uit de krant geknipt. Waar zal ik terechtkomen: in Spanje, Turkije, de Balkan, Rusland, Peru? Ik denk daar vaak over na. Over twee jaar ben ik niet meer in Duitsland.' Geen bestemming leek hem daarbij ver genoeg. In 1924 informeerde hij bij de Russische ambassade of hij niet als rentmeester naar Oekraïne kon gaan. De man wiens eenheden twintig jaar later in Oekraïne de oogst zouden vernietigen en joodse inwoners zouden doodschieten, wilde als vreedzame boer ontwikkelingshulp verlenen. Bij een toezegging had Heinrich Himmler als agrariër in Oekraïne de Duitse intocht van 1941 uit een heel ander perspectief kunnen volgen.

Zo droomde hij van het oosten, terwijl zijn reële horizon nog tot Beieren beperkt was. Op 1 augustus 1922 sloot hij zijn studie af met gemiddeld een 9,3. De nieuwbakken landbouwkundig ingenieur vond meteen na het examen een baan als landbouwkundig assistent bij een meststoffenbedrijf: Himmler werd verkoper bij Stickstoff-Land GmbH in Schleißheim.

Nu had eigenlijk alles z'n burgerlijke gangetje kunnen gaan. De verlegen Heinrich vond zelfs zijn Duitse meisje: de uit Bromberg afkomstige, een paar jaar oudere verpleegster Marga. De protestantse dochter van een welgestelde West-Pruisische herenboer voldeed aan Himmlers ideaalbeeld van een Duitse vrouw. Iedere regisseur van een Wagner-opera had haar als de ideale vertolkster van de Walküre kunnen casten: zij was groot, blond, blauwogig en tamelijk potig. Toen Himmler op 3 juli 1928 – tegen de zin van zijn ouders – met haar trouwde, kon hij dankzij haar bruidsschat zijn droom van een eigen landbouwbedrijf realiseren: bij Waldtrudering in de buurt van München werd het jonge echtpaar bezitter van een kippenfarm. De man die later ooit uit menselijk materiaal een heldenras wilde telen, begon als fokker van kleine dieren – zij het met matig succes.

Handiger bouwde hij aan zijn NSDAP-carrière. Tenslotte was hij een oud-strijder en partijlid sinds 1923. Heinrich Himmler, de meeloper, had deelgenomen aan de mars naar de Feldherrnhalle. Als drager van de 'Rijksvlag' onder het bevel van Ernst Röhm had hij met zijn broer Gebhardt en ongeveer vierhonderd andere strijders het ministerie van Oorlog bezet.

Terwijl Röhm en Hitler de gevangenis in moesten (Hitler in Landsberg, waar hij *Mein Kampf* schreef, Röhm in Stadelheim), lieten de overheidsorganen de onopvallende Himmler ongemoeid. Hij gold als een klein licht en leed daaronder: 'Ik ben een praatjesmaker, een zwetser, zonder fut, mij lukt niets,' schreef hij in zijn dagboek.

Na werkloos te zijn geworden, spendeerde hij in het voorjaar van 1925 aanvankelijk al zijn tijd en energie aan de 'Nationaal-socialistische Vrijheidsbeweging', die agiteerde onder generaal Erich von Ludendorff, de held uit de Wereldoorlog. Al in deze tijd kende hij Gregor Strasser. De uit Landshut afkomstige apotheker was kandidaat voor de Rijksdag – en Himmler werd in de verkiezings-

'Deze aanbidder...' Himmler met Hitler en Röhm (1930).

Hij verscheen ons in onze diepste nood, toen het met het Duitse volk niet meer ging, hij behoort tot die grote lichtende gestalten die het Germanendom altijd dan verschijnen als het in zeer diepe lichamelijke, geestelijke en psychische nood verkeert. Goethe was zo'n gestalte op cultuurgebied, Bismarck op politiek gebied, de Führer is het op alle gebieden, het politieke, culturele en militaire. Hij is door het karma van het wereldwijde Germanendom voorbestemd strijd tegen het oosten te voeren en het Germanendom te redden, een van de zeer grote lichtende gestalten heeft in hem haar incarnatie gevonden.

Himmler over Hitler, 1940

Niemand die het niet zelf heeft gezien, zal geloven dat een man met de bevoegdheden van Himmler bang was als hij bij Hitler ontboden werd, en blij was als over een met succes afgelegd examen als het weer eens goed gegaan was of als hij zelfs een compliment gekregen had. Dan begrijp je hoezeer hij ertegen opzag om Hitler onaangename dingen te rapporteren, en waarom hij bij elk fronsen van Hitlers voorhoofd terugdeinsde. Tegen Hitler kon Himmler niet op. Betrouwbare waarnemers vertelden mij dat Hitler hem met een enkel woord en een enkele handbeweging gewoon kon wegvagen of zo kon afmaken dat hij niets meer durfde te zeggen. Himmler ging persoonlijk onder deze situatie gebukt.

Felix Kersten, Himmlers arts en masseur, 1952

strijd Strassers secretaris. Voor een maandsalaris van 120 rijksmark suisde hij als ambtenaar op de motor door Neder-Beieren en hield vlammende toespraken tegen joden en kapitalisten. Strasser hield toentertijd de resten van de nationaal-socialistische beweging bij elkaar, gold meer als een socialist en zou met de linkervleugel van de NSDAP later in de partij-interne machtsstrijd tegen Hitler het onderspit delven. Himmler zette zich destijds net zo compromisloos voor Strasser en diens politieke overtuigingen in als later voor Hitler.

De chaotische toestanden in de op 27 februari 1925 heropgerichte NSDAP maakten een snelle partijcarrière mogelijk. Als secretaris van de NSDAP-gouw Neder-Beieren bestuurde Himmler vanuit Landshut de partijbasissen in de regio en klom hij nog in hetzelfde jaar op tot plaatsvervangend gouwleider van Neder-Beieren/Opper-Palts. De volgende treden op de maatschappelijke ladder: in 1926 plaatsvervangend gouwleider van Opper-Beieren/Zwaben, plaatsvervangend rijkspropagandaleider en in 1927 ten slotte plaatsvervangend Reichsführer-SS. Het leek alsof hij voorbestemd was de tweede man te zijn, die zijn opkomst te danken had aan zijn onvoorwaardelijke trouw aan de eerste man, aan wie hij zich blind onderwierp. Zulke lieden had Hitler nodig.

De man uit Braunau was ondertussen uit de vestinggevangenis ontslagen en zijn boek *Mein Kampf* was verschenen. Himmler had het gelezen. Zijn oordeel: 'Er staan ontzaglijk veel waarheden in.' Himmler had zijn surrogaat-God gevonden. Al gauw stonden Nederbeierse partijgenoten met grote ogen te kijken als Strassers secretaris op het kantoor in Landshut voor het konterfeitsel van Hitler tweegesprekken met zijn idool voerde.

In het midden van de jaren twintig was Hitlers later zo gevreesde *Schutzstaffel* (SS) een verloren clubje van amper tweehonderd man sterk. Hitler zag dit zwakke punt van zijn oorspronkelijke lijfwacht: 'Toen ik uit Landsberg kwam, was ze uiteengevallen in een paar elkaar bevechtende bendes. Ik zei destijds tegen mezelf dat ik een lijfwacht nodig had die, hoe klein ze ook was, mij onvoorwaardelijk trouw zou zijn en zelfs tegen haar eigen broeders zou opmarcheren.' Zo blikte hij begin 1942 in zijn tafelgesprekken terug op het bescheiden begin.

De demagoog Hitler wist dat hij speciale bescherming nodig had: niet alleen om zich tegen de politieke tegenstander te verweren, maar ook om zich tegen zijn eigen partijvrienden te beschermen. Hitler had een hem trouw toegedane, door een eed aan hem verplichte troep nodig. En hij had een man nodig die zich aan het hoofd van deze troep voor honderd procent loyaal zou gedragen: Heinrich Himmler.

Toen Hitler de man met SS-lidnummer 156 op 6 januari 1929 tot Reichsführer-SS benoemde, was de SS een klein onderdeel van de grote *Sturmabteilung*. De SA was onder Röhms op macht belus-te leiding uitgegroeid tot het leger van de Partij.

Anders dan de Sturmabteilung, die steeds van de massa uitging, zag de Schutzstaffel zichzelf van meet af aan meer als een elitekorps. Met haar zwarte petten, waarop een doodskop prijkte, en zwart omrande mouwbanden met daarop het hakenkruis, omgaf ze zichzelf bewust met de uitstraling van een Nibelungen-schaar: 'Als allen ontrouw worden, dan toch blijven wij trouw. Dat er altijd nog op aarde voor jullie een vendel moge zijn.' Een dergelijk zelfbeeld bevorderde Hitler graag: op 4 juli 1926 reikte hij op de Rijkspartijdag van de NSDAP in Weimar aan Joseph Berchtold, leider van de Schutzstaffel, de 'bloedvlag' van de Mars naar de Feldherrnhalle uit, met als opdracht haar veilig te bewaren.

De definitieve doorbraak van de SS kwam echter pas met Heinrich Himmler. De pretorianen van de Romeinse keizers hadden hem als jongen al gefascineerd. Een dergelijke garde, die de eed had afgelegd aan de grote man aan de top, wilde hij creëren. Deze groep moest Hitlers wil verwezenlijken – op effectieve wijze en zonder veel vragen te stellen. Het duidelijkst zichtbare teken van haar onvoorwaardelijke onderwerping aan de Führer waren de koppelgespen van de latere SS-uniformen: *SS-Mann, Deine Ehre ist Treue* ['SS-man, Uw eer is trouw' – vert.] stond daar ingegraveerd. Dezelfde spreuk sierde de lemmeten van de SS-eredolken. Hiermee had Adolf Hitler in april 1931 de prestaties van de Berlijnse SS-eenheden onderscheiden die onder leiding van Kurt Daluege een poging tot een staatsgreep van de radicale Berlijnse SA in de kiem hadden kunnen smoren. Het was niet het eerste interne partijconflict, en het zou ook niet het laatste zijn. Maar al begin jaren dertig werd duidelijk hoe Hitler dergelijke problemen dacht op te lossen – en met wie.

Ook Himmler koos een motto voor zichzelf en zijn garde. Deze klonk aanmerkelijk bescheidener en ademde nog de sfeer van zijn katholieke opvoeding, maar was van de oude Pruisen gestolen: *Mehr sein als scheinen* ['Meer zijn dan lijken' – vert.]. Himmler was zeker niet alleen de nederige aanbidder, zoals Röhm hem spottend noemde. Hij was ook een slimme tacticus, die vastberaden en onopvallend op de weg naar de macht de juiste stappen koos – in het juiste tempo.

Na Himmlers ambtsaanvaarding als Reichsführer-SS bleek welke rol de SS in het conflict met Hitlers tegenstanders was toebedeeld. Dat het uitschakelen van elk verzet tegen Hitler Himmlers grote doel was, gaf hij in zijn nieuwjaarsboodschap van 1934 openlijk toe: 'Een van de dringendste taken waar wij voor staan is: het opsporen, bestrijden en vernietigen van alle openlijke en verborgen vijanden van de Führer en van de nationaal-socialistische beweging.'

Op dat moment waren de Schutzstaffel en haar Reichsführer-SS Heinrich Himmler allang uit de schaduw van de eens oppermachtige SA getreden. Het ledental had zich van tweehonderd man eind 1928 vervijfvoudigd tot duizend man een jaar later. Vervolgens volgde er een jaarlijkse verdubbeling tot in juni 1934 een aantal was bereikt van vijftigduizend SS-mannen. Al in 1931 was onder leiding van Reinhard Heydrich de beruchte Ic-dienst ontstaan, waaruit later de Sicherheitsdienst zou voortkomen, een effectief controleorgaan van aanvankelijk de Partij en haar afdelingen. De vuurproef kwam in juni 1934.

Zonder Hitler waren Göring en Himmler nooit tegen Röhm opgetreden. Zonder Himmler en Heydrich had Hitler nooit kunnen terugslaan. Hitler wist dat de SA na zijn slinkse verovering van de macht eigenlijk overbodig was. De nieuwe Duitse kanselier was niet langer aangewezen op knokploegen. Ze waren eerder schadelijk voor zijn aanzien als de man die voor rust en orde zou zorgen. De SA stond zijn plannen voor een machtsuitbreiding in de weg. Rijksdefensieminister Blomberg had Hitler duidelijk gemaakt dat hij alleen dan op de steun van de Reichswehr kon rekenen, als deze de enige wapendrager in het Rijk zou blijven. In de conservatieve kringen binnen het bedrijfsleven, de politiek en het leger heerste wantrouwen, ja angst voor een proletarisch volksleger.

Twee van Hitlers paladijnen hadden er evenals hun Führer veel belang bij om de macht van de SA te breken: Hermann Göring en Heinrich Himmler. Röhm was Görings voornaamste vijand. Met zijn SA wilde Röhm de militaire leider van Duitsland worden, met dezelfde rechten als de politieke leider Adolf Hitler. Röhm was overtuigd van zijn onmisbaarheid en maakte steeds luider aan-

'Mannen zouden meerdere vrouwen moeten mogen hebben...' Gezinshoofd Himmler met zijn vrouw Marga, dochter Gudrun en een vriendinnetje.

Hij kon een teder gezinshoofd, een correcte chef en een kameraadschappelijke man zijn. Tegelijk was hij echter een bezeten fanaticus, een zonderlinge dromer en een willoos werktuig in de handen van Hitler, met wie hij door een steeds sterker wordende haat-liefdeverhouding verbonden was.

Karl Wolff, Himmlers adjudant

Himmler was met zijn voormalige verpleegster getrouwd. Zij was ouder dan hij. Het huwelijk leek niet bijster gelukkig te zijn, maar hij sprak altijd in zeer hoffelijke bewoordingen over haar. Tegenover vrouwen was Himmler bijzonder galant, dubbelzinnige opmerkingen of zelfs schuine moppen haatte hij, hij zag er een belediging in van zijn eigen moeder.

Felix Kersten, Himmlers arts en masseur, 1952

spraak op de positie naast Hitler. Maar deze had Göring voor zichzelf op het oog.

Ook Himmler was Röhms vijand. Hij hing dit echter niet aan de grote klok. Tenslotte ressorteerde de SS formeel onder de SA en dus onder Röhm, was de pretoriaanse garde noodgedwongen onderdeel van het ongedisciplineerde bruine gepeupel dat het over permanente revolutie had en socialistische leuzen gebruikte. Als de SA niet gekortwiekt werd, was er voor de SS geen toekomst. Röhm moest worden uitgeschakeld.

Bij de voorbereiding van de actie die in de geschiedschrijving 'Nacht van de Lange Messen' zou gaan heten, speelde Himmlers SS een belangrijke rol. Spionage, verraad en ten slotte moord, dat waren haar wapens in de strijd om de macht. Deze bruine Bartholomeusnacht werd geregisseerd door Reinhard Heydrich, die de documenten liet vervalsen die een zogenaamd aanstaande SA-putsch moesten bewijzen. Himmler deelde Hitler, die op 28 juni 1934 als getuige bij het huwelijk van de gouwleider van Essen, Josef Terboven, in het Rijnland verbleef, persoonlijk het nieuws van Röhms fictieve poging tot omverwerping mee. Himmlers gefingeerde boodschap: Een grootscheepse samenzwering zou het gezag en het leven van de Führer in gevaar brengen.

Deze zogenaamd geplande actie was het excuus voor en de rechtvaardiging van het verdere optreden. Er werden dodenlijsten gemaakt waarop naast namen van SA-leiders ook personen voorkwamen die niets met de SA en met de fictieve omverwerping te maken hadden. De gelegenheid was te groot om behalve Röhm niet ook oude tegenstanders van Hitler, zoals Kurt von Schleicher en Gustav von Kahr, of vermeende verraders als Gregor Strasser te laten vermoorden. Met de moordactie op 30 juni 1934 begon de doodsster van de SS eindelijk te rijzen.

De nietsvermoedende Röhm werd in Bad Wiessee door Hitler zelf ter verantwoording geroepen. 'Je bent gearresteerd,' schreeuwde Hitler zijn verraste makker uit de vroegere tijden van strijd toe, toen deze 's ochtends vroeg in pyjama zijn kamerdeur opende. Een paar uur later werden in Berlijn hoge SA-leiders wier namen op een zogenoemde Reichsliste stonden, gearresteerd. De slachtoffers van deze actie *Kolibrie* werden in de cadettenschool van Lichterfelde vrijwel meteen gefusilleerd. In München ging het anders: daar werd Röhm naar Stadelheim overgebracht, waar hij elf jaar eerder al eens had gevangengezeten. Hitler bekortte persoonlijk de dodenlijst van meer dan 100 namen tot nauwelijks

20. De naam van Röhm ontbrak nog. Hitler aarzelde het doodvonnis van zijn oude strijdmakker te ondertekenen. Sommige historici van de nationaal-socialistische tijd menen hierdoor dat Hitler eigenlijk een zwakke dictator was, die door zijn paladijnen gemanipuleerd werd en door verschillende betrokkenen – in dit geval Himmler en Göring – in verschillende richtingen gemanoeuvreerd kon worden. Het klopt dat de concrete plannen voor de moordactie van Heydrich en Himmler afkomstig waren. Het klopt dat Hitler Röhm aanvankelijk gratie wilde verlenen en door Himmler en Göring werd overgehaald om de SA-chef toch te laten ombrengen. Maar het klopt ook dat het Hitler was die het meest van deze moordactie profiteerde. Een van zijn gevaarlijkste, populairste en machtigste rivalen binnen de Partij kon hem, de Führer, nu geen gevaar meer berokkenen. Als Hitler Röhm en de SA opofferde, kon hij bovendien zeker zijn van de goedkeuring van de conservatieve elites. 'De Führer beschermt het recht' – de kop van een juichend artikel van prominente hand in de door Goebbels gecontroleerde pers – gaf de heersende mening weer: eindelijk was het afgelopen met de straatterreur.

Dit geaarzel van Hitler, zoals ook in andere situaties wel gebeurde, moet niet worden verklaard uit de zwakte van de dictator, maar vanuit zijn karakter: afwachten tot zich een radicale oplossing voor het betreffende probleem aandient. Vandaar dat Hitler de eigenmachtige uitbreiding van de dodenlijsten achteraf niet bestrafte. Röhm, die weigerde zelfmoord te plegen, werd ten slotte toch vermoord. Het was Himmlers SS die dit vuile werk opknapte. Theodor Eicke, de commandant van het eerste concentratiekamp in Dachau, fusilleerde Ernst Röhm, de man die met zijn troepen voor Hitler de Weimar-republiek murw geschoten had. Hitlers plaatsvervanger Rudolf Heß leverde deze kenmerkende rechtvaardiging: 'Omdat het om het bestaan of niet-bestaan van het Duitse volk ging, was de omvang van de schuld van het individu onbelangrijk.'

De door criminalisten gestelde vraag 'Wie heeft er voordeel bij?' kent ook een tweede antwoord, want behalve Hitler was er nog een persoon die van deze 'Nacht van de Lange Messen' profiteerde: Heinrich Himmler. Mogelijk wisten noch Göring noch Röhm van Himmlers afwegingen. Himmler vertoonde zich vaak met Röhm en ze waren samen peter van Heydrichs eerste zoon. Nu had Himmler de messen tegen Röhm geslepen en zich duur voor zijn medeplichtigheid aan Röhms uitschakeling laten betalen: van Göring had hij de leiding over de Gestapo overgenomen. Himmler had nu in het gehele Rijk de geheime politie in handen. Heydrich werd de chef van het hoofdkwartier van de Geheime Staatspolizei, dat gevestigd was in de voormalige kunstnijverheidsschool in de Prinz-Albrecht-Straße 8 in Berlijn, vanaf toen het meest gevreesde adres in Duitsland. Hiervoor had Himmler de man laten ombrengen die hij ooit naar de NSDAP gevolgd was, die een soort pleegvader voor hem was geweest. De Reichsführer-SS liet bij deze gelegenheid ook Gregor Strasser fusilleren, wiens plaatsvervanger hij was geweest in Landshut. Röhm en Strasser – de plaatsvervanger van weleer had geen scrupules om zijn beide eerste 'Führers' te vermoorden. Himmler was goedmoedig, had Goebbels in 1929 genoteerd, misschien ook wankelmoedig: 'Een product van Strasser.' Bij de moord op Röhm en Strasser toonde Himmler noch goed- noch wankelmoedigheid. Het was zijn eerste grote verraad.

Zijn judasloon kreeg hij in de vorm van een Hitler-decreet van 20 juli 1934: 'Gezien de grote verdiensten van de SS, vooral in het kader van de gebeurtenissen van 30 juni 1934, verhef ik haar tot een zelfstandige organisatie binnen de NSDAP.'

Hiermee kreeg Himmler een speciale positie die hem permanent en rechtstreeks toegang gaf tot de man die de enige bron van alle macht in het Derde Rijk was: Adolf Hitler. En hij maakte hiervan naar vermogen gebruik: in 1939 werd voor de leden van de SS een eigen rechtspraak ingevoerd. Die bestond naast de krijgsrechtsmacht van de Wehrmacht en gold voor alle militaire en burgerlijke misdrijven. Zo werd de SS een Staat in de Staat.

Naast deze grote stap voorwaarts van zijn carrière in de Partij zette Himmler ook zijn carrière in de Staat voort. Met de machtsgreep van de NSDAP in Beieren had Himmler op 9 maart 1933 als plaatsvervangend hoofdcommissaris van politie de uitvoerende macht in München overgenomen. Ook Reinhard Heydrich, Himmlers rechterhand, werd beloond en tot chef van de politieke afdeling van de Münchense *Kriminalpolizei* (Kripo) benoemd. Uit de officiële bekendmaking van dit personeelsbeleid wordt duidelijk waar het telkens om ging: er moest worden gewaarborgd 'dat de rijksregering van de nationale verbetering onder leiding van Adolf Hitler ook in Beieren loyaal personeel vindt'. Hier wordt al vooruitgelopen op de Führer-staat, die in het Duitse Rijk pas na de dood van Hindenburg met de eedaflegging van de soldaten op de persoon van Hitler goed van de grond zou komen. Het was vanaf nu de taak van de politie om de persoonlijke wil van Hitler uit te voeren en niet meer om de staatsorde te bewaken.

Vanuit Beieren ging Himmler aan de slag om in elke Duitse deelstaat de positie van chef van de politieke politie te bezetten. In januari 1934 voerde hij het bevel over de gehele politieke politie buiten Pruisen. Op *Führers Geburtstag*, 20 april, werd de Reichsführer-SS plaatsvervangend chef en inspecteur van de Pruisische Geheime Staatspolizei, de belangrijkste politieke politie in het Rijk. Toen hij formeel nog onder Göring als minister-president van Pruisen stond, droeg deze op 20 november 1934 het commando geheel aan Himmler over. Hoewel Göring lang geaarzeld had om bevoegdheden aan Himmler af te staan, had ook hij nadat het probleem Röhm was opgelost verplichtingen ten opzichte van zijn bondgenoot. Nu moest Göring Himmlers promotie tot chef van de Duitse politie slikken en accepteren dat op 1 oktober 1936 de Gestapo-wet op rijksniveau toepassing vond. De politieke politie, die tot dan een zaak van de deelstaten was geweest, was daarmee gecentraliseerd. 'De leiding over alle activiteiten van de politieke politie in het Duitse Rijk is in handen van de Reichsführer-SS Himmler,' beschreef de nationaal-socialistische jurist Hans Frank in 1937 de situatie.

In zijn nieuwe functie kon Himmler, omdat hij de rechten van een minister had, aan de kabinetsvergaderingen deelnemen. De pogingen van rijksminister van Binnenlandse Zaken Frick om de politie in zijn portefeuille te houden door ervoor te zorgen dat Himmler als 'inspecteur van de politie' onder het ministerie van Binnenlandse Zaken zou komen te staan, mislukten.

De politie was nu geen staatsorgaan meer, maar een machtsinstrument van de Führer onder het bevel van een man die voortaan als *Reichsheini* bespot werd. Dit kon natuurlijk niet hardop gezegd worden, dat kon dodelijk zijn.

In zijn nieuwe functie begon Himmler met het decreet van 26 juni 1936 een ingrijpende reorganisatie van de Duitse politie: politiegeneraal Kurt Daluege werd chef van de *Ordnungspolizei*, waaronder de *Gendarmerie*, de *Schutzpolizei* en de *Gemeindepolizei* ressorteerden. SS-Gruppenführer Reinhard Heydrich kreeg als chef van de *Sicherheitspolizei* de verantwoordelijkheid voor de politieke politie en de Kriminalpolizei. Achter deze tweedeling van de politieorganen ging een opwaardering van de politieke politie tot een zelfstandige tak schuil. Bovendien werd de Kriminalpolizei

'Met een Duits meisje...' Himmler met echtgenote Marga (1934).

Himmler kwam eigenlijk schuchter over, beslist niet zelfverzekerd, militair of zelfs bruut. Hij gedroeg zich eerder als een schuwe, burgerlijke man.

Traudl Junge, Hitlers secretaresse

Onze vader had in het hoofdkwartier van de Führer een minnares, met toestemming van mijn moeder. Ook Himmler had een buitenechtelijke verhouding, en deze minnares schonk hem twee kinderen. Mijn vader zorgde ervoor dat deze vrouw met haar kinderen een boerderij in de buurt van de Königssee kreeg en daar kon wonen.

Martin Bormann, Bormanns zoon en Hitlers petekind

Himmler was slimmer dan zijn optreden en zijn daden, en misschien daarom zo buitengewoon ontrouw.

Carl Jacob Burckhardt, 1938

Hij had niet de uitstraling van een massamoordenaar. Maar dat is waarschijnlijk juist wat de massamoordenaars zo succesvol maakt.

Traudl Junge, Hitlers secretaresse

'Meer zijn dan lijken...' SS-chef Himmler (1936).

De ondoorgrondelijkste volgeling van Hitler was de Reichsführer-SS Heinrich Himmler. Deze onopvallende man, behept met alle kenmerken van raciale inferioriteit, spreidde uiterlijke eenvoud tentoon. Hij deed zijn best beleefd te zijn. Zijn levenswijze kon in tegenstelling tot die van Göring bijna Spartaans eenvoudig worden genoemd. Des te buitensporiger was echter zijn fantasie. Hij leefde niet op deze planeet. Zijn rassenleer was verkeerd en verleidde hem tot zware misdaden.

Generaal Heinz Guderian

Himmler was iemand zonder enige innemende eigenschap. Daarin verschilde hij volkomen van Hitler en Goebbels, die, als het nodig was, zeer beminnelijk en charmant konden zijn. Himmler gedroeg zich echter bijzonder grof en direct, koketteerde met de manieren van een voetknecht en een antiburgerlijke instelling, hoewel hij daarmee duidelijk een aangeboren onzekerheid en onbeholpenheid wilde verhullen.
Maar dat was nog te verdragen geweest. Wat hem echter tijdens die rit tot bijna onverdraaglijk gezelschap maakte, was dat dwaze en welbeschouwd inhoudsloze gezwam waarmee hij mij onafgebroken lastigviel.

Albert Krebs, gouwleider van Hamburg tot 1932

binnen de invloedssfeer van de politieke politie gebracht. De indeling in de twee Hauptämter Ordnungspolizei en Sicherheitspolizei maakte verder duidelijk dat de politie in feite was opgegaan in de SS, want de organisatievorm Hauptamt was in het staatsbestuur onbekend en afkomstig uit de SS-terminologie.

Wat voor mentaliteit de nieuwe politiechef had, bleek op een indrukwekkende manier bij een rede op 11 oktober 1936, uitgerekend voor de Akademie für Deutsches Recht. Hier maakte Himmler zijn principiële afkeer van elk op recht en wet gebaseerd overheidshandelen duidelijk. Op een manier die aan borrelpraat deed denken, zwetste hij over de hulpeloosheid van de democratisch georganiseerde politie, die volgens hem moeite had niet in een val te lopen als een misdadiger erop uit was de wetshandhaver in het ongelijk te stellen. Himmlers eigen begrip van het recht: 'Of een paragraaf in strijd is met ons handelen kan mij absoluut niets schelen. Om mijn taak te vervullen doe ik in principe dat wat ik tegenover mijn geweten in mijn werk voor Führer en volk kan verantwoorden en wat in overeenstemming is met het gezonde verstand. Of anderen over het schenden van de wet jammerden was [...] volslagen onbelangrijk. In feite legden wij door ons werk de grondslagen voor een nieuw recht, het recht van het Duitse volk om te leven.'

Door deze houding werd Himmler Hitlers meest effectieve beul. Was de SS voor Hitler evenwel louter een machtsinstrument, Himmler had haar nog een tweede taak toegedacht: ze moest de kiem worden van een toekomstig arisch *Herrenrasse*.

Nog in het voorjaar van 1933 was de SS een soort chique SA. De vulgaire bruinhemden waren in de ogen van veel burgers niets anders dan lomperiken die vechtend door de straten trokken. Wie voor zijn carrière meende na de machtsovername lid te moeten worden van een van de nationaal-socialistische organisaties zonder zich al te zeer te binden, trad toe tot de SS of haar *Förderorganisation*, die betalende maar verder passieve leden opnam. Ofschoon Himmler er belang bij had om de Schutzstaffel zo spoedig mogelijk in strijdbare en daarmee noodzakelijkerwijs ook tamelijk grote eenheden in te delen, nam de troepensterkte van de SS maar langzaam toe. Veel belangrijker dan de groei van het ledental vond Himmler het verzamelen van het juiste mensenmateriaal voor de SS. In de jaren 1933 tot 1935 ontvingen 60.000 man het SS-lidmaatschapsboekje. Dit was in vergelijking met de 200 man van 1929 weliswaar een enorme stijging, maar bij de drie miljoen man die de Sturmabteilung eind 1933 telde, maakte deze toename een relatief bescheiden indruk. De terughoudendheid van Himmler bij het rekruteren van SS-mannen had een reden: 'Van de honderd kandidaten kunnen wij er gemiddeld tien of vijftien gebruiken, meer niet,' verklaarde de Reichsführer. De toegankelijkheid van de SS werd restrictief benaderd omdat Himmler zich in het hoofd had gezet van de SS een raciale elite te maken. 'Ik heb geen mensen onder de 1,70 meter genomen,' formuleerde hij een toelatingscriterium, waaraan hijzelf in het geheel niet voldeed. Maar in zijn duistere voorstellingen ging hij ervan uit dat een raciaal hoogstaand iemand een bepaalde lichaamslengte moest hebben. Ook uit gelaatstrekken kon afgeleid worden of de desbetreffende persoon arisch bloed had. Himmler liet zich foto's van de kandidaten bezorgen, die hij persoonlijk onderzocht op 'voor onze Duitse ogen op de een of andere manier komisch uitziende kenmerken', zoals hij die bij soldatenraadtypes uit de jaren na de oorlog zou hebben vastgesteld. Brede jukbeenderen wezen op Mongools of in elk geval Slavisch bloed – daar was Himmler van overtuigd. Hijzelf leed eronder dat hij met zijn 'brede kaakbeenderen en ronde gezicht eerder aan een Oost-Europeaan deed denken, zoals zijn masseur en lijfarts Kersten noteerde.

De landbouwkundig ingenieur paste zijn kennis van de mendeliaanse erfelijkheidsleer toe op de mens: 'Wij gingen, net als de zaadkweker die een oude goede soort die vermengd en verbrand is weer zuiver moet telen en om te beginnen een selectie van de vaste planten maakt, eerst aan de slag om de mensen puur op basis van hun uiterlijk te schiften.' Met speciale huwelijksvoorschriften probeerde Himmler de combinatie van mensen met 'erfgoed van uitstekende kwaliteit' te waarborgen. Op 28 oktober 1939 werd er voor de gehele SS een voortplantingsbevel uitgevaardigd. Het was de hoogste plicht van Duitse vrouwen en meisjes 'van goed bloed' om van de soldaten kinderen te krijgen, voordat deze ten strijde trokken. Zeer belangrijk: de geslachtsdaad moest vanuit een diepe morele verantwoordelijkheid worden voltrokken, niet uit frivole hartstocht. Himmler droomde van grote, blonde, blauwogige helden, en hij wilde het ideale Germaanse type scheppen: een raciaal trotse, harde, consequente *Herrenmensch*.

Zulke idee-fixen betreffende het telen van mensen vonden hun buitengewoon onmenselijke neerslag in de 'actie Lebensborn'. Het moest, aldus Himmler, voor iedere vrouw mogelijk zijn om van de vreugden van het moederschap te genieten, als zij kon bewijzen over raciaal zuiver bloed te beschikken. Het huwelijk was hiervoor niet noodzakelijk. Voor ongehuwde vrouwen stelde Himmler 'verwekkingshelpers' beschikbaar. Voor na de oorlog smeedde de ss-chef grootse plannen: iedere vrouw moest wettelijk verplicht worden om de Staat minstens één kind te schenken. Al tijdens de oorlog werd er voor de ss een bevel uitgevaardigd dat iedere gezonde ss-man, getrouwd of niet, ten minste één kind moest verwekken – ter compensatie van de oorlogsverliezen die juist het 'kostbare ss-bloed' troffen. De katholiek opgevoede Himmler beschouwde monogamie als een zonde. Evenals het verbod om zich te laten scheiden was ze volgens hem een immoreel voorschrift van de Kerk, een tekort aan kinderen en ontrouw waren in zijn ogen gevolgen van kerkelijke dwaalleren. Daartegenover dweepte de ss-voortplantingsbewaker met de islam en z'n profeet Mohammed: 'Hij beloofde iedere krijger die in de strijd dapper vecht en sneuvelt, als beloning twee mooie vrouwen. Deze taal begrijpt de soldaat. Als hij gelooft zo in het hiernamaals opgenomen te worden, riskeert hij graag zijn leven, trekt enthousiast ten strijde en vreest de dood niet.' Mannen mochten wat hem betrof verscheidene vrouwen hebben om vele helden te kunnen verwekken. De afschaffing van de monogamie had bovendien nog een ander voordeel, zoals Himmler zijn arts Kersten uitlegde: 'Bij bigamie zal de ene vrouw voor de andere de aansporing zijn om het ideaalbeeld in elke relatie te benaderen, het haar op de tanden en de pafferigheid zullen verdwijnen.' Zo zou er een eind komen aan de monogamie (waar de man toch al geen voorstander van was) en zou het afgelopen zijn met het tekort aan kinderen. Wat wereldbeschouwelijk zo uitvoerig gefundeerd was, stond Himmler zichzelf natuurlijk ook toe: naast echtgenote Margarete had hij een minnares, die hem twee kinderen schonk. Beiden leven tegenwoordig nog in Duitsland.

In Quedlinburg, de kleine stad in de Harz, liet Himmler in de zomer van 1936 de duizendste sterfdag van de Duitse koning Hendrik I gedenken, bij welke gelegenheid hij zijn visie op de ss als hoeder van de Duitse toekomst ontvouwde: 'Zo zijn wij aangetreden en marcheren wij volgens onveranderlijke wetten als een nationaal-socialistische soldatenorde van arische mannen en als een gezworen gemeenschap op naar een verre toekomst, en wensen en geloven wij dat wij niet alleen de nazaten willen zijn, die beter vochten, maar ook de voorzaten van zeer veel latere, voor het eeuwige leven van het Duitse Germaanse volk noodzakelijke geslachten.'

('Wij zijn de kern van het Herrenras...' SS-chef Himmler (rechts) aan het trainen voor de Rijkssportmedaille (1936).

Hij hoopte op z'n laatst na de oorlog al zijn mensen vegetarisch te hebben gemaakt, en van de alcohol en de nicotine te hebben afgeholpen. Dit was zijn toekomstbeeld, en hij geloofde dat dit de beste manier was om het Duitse ras te telen. Om ervoor te zorgen dat zijn mensen ook later van de alcohol af zouden blijven, kocht hij bovendien met zijn bedrijven alle mineraalwaterbronnen op. Deze ideeën van Himmler waren onder zijn mensen natuurlijk ook aanleiding tot vele grapjes.

Ernst-Günther Schenck, gevolmachtigde voor de voedselvoorziening van de Wehrmacht en de SS

Een bijna kleine man, die uiterlijk met zijn brede kaakbeenderen en ronde gezicht meer aan een Oost-Europeaan deed denken, keek mij vanachter zijn knijpbril levendig aan. Hij was geen sportief type, in plaats van losjes en soepel was hij van binnen verkrampt.

Felix Kersten, Himmlers arts en masseur, 1952

Afmars de arische nevel in: zo vaag bleven de voorstellingen van de nationaal-socialistische ideologen steeds als zij spraken over het aardse paradijs dat geschapen moest worden. Himmler was op dit punt geen uitzondering. Ook zijn toekomstvisie was gebaseerd op een verkeerd begrepen verleden. Toekomst had in het nationaal-socialisme altijd iets antimoderns en was een teruggrijpen op zelfgecreëerde voorvaderen. De toekomstige Duitsers waren in deze zin niets anders dan Nibelungen op raketten.

Bij Himmler nam dit teruggrijpen de meest lachwekkende vormen aan. Sommige ervan wortelden in zijn kinderjaren. De jonge Heinrich was opgegroeid in de omgeving van een oude apotheek, die hem met al haar poeders en kruiden, pillen en zalfjes, bekers en potten gefascineerd had. Deze hartstocht zou hij zijn leven lang houden. Later beval hij als ontbijt voor de SS-man look en mineraalwater aan en schreef hij aan in de wapenindustrie werkende vrouwen rauwe knoflook voor, opdat zij de last van de arbeid zo lang mogelijk zouden kunnen dragen. Het vraagstuk van de in de schil gekookte aardappel hield hem zeer bezig, persoonlijk drong hij erop aan dat deze kwestie heel duidelijk geregeld werd. Toen de SS later een reusachtig economisch imperium opbouwde, waren daarbij ook de grillen van de Reichsführer doorslaggevend. Zo dekte de SS in 1944 75 procent van de Duitse behoefte aan mineraalwater uit eigen bronnen, waaronder Apollinaris in Bad Neuenahr. Himmler had al als student problemen met bier drinken gehad en wilde als Reichsführer het liefst de Duitsers het drinken van bier helemaal verbieden. In plaats daarvan dweepte hij met mede, de 'voortreffelijke biologische drank' van de oude Germanen.

Een van zijn stokpaardjes was de homeopathie. De toepassing van haverstrobaden was hem even bekend als het nut van middeleeuwse kruidenkuren. Later liet hij zelfs in de concentratiekampen kruidentuinen aanleggen. Hij vond dit zo belangrijk dat de arts van zijn moeder, dr. Fahrenkamp, toezicht moest houden op de kruidentuin in het concentratiekamp Dachau. Omgeven door ellende en dood moesten kruiden gedijen en al groeiende een klein groen paradijs vormen te midden van een duistere wereld van helse pijnen. De leer van de grote Paracelsus waardeerde Himmler evenzeer als de waterkuren van pastoor Kneipp. Bij onderkoelingsproeven die de stafarts 1e klas dr. Sigmund Rascher in Dachau uitvoerde, stelde de SS-chef voor om de in het ijskoude water halfbevroren proefpersonen met biolo-

'Een orde van arische mannen...' Heinrich Himmler aan het graf van koning Hendrik I in de dom van Quedlinburg (1938).

Zijn nagedachtenis in ere te houden en dit op deze heilige plaats in stille bezinning te doen. Hem na te volgen in zijn deugden als mens en als leider, deugden waarmee hij duizend jaar geleden ons volk gelukkig heeft gemaakt, ons steeds weer ten doel te stellen en goed te beseffen dat wij hem het beste eren door de man te eren die na duizend jaar koning Hendriks menselijke en politieke nalatenschap in een staat van ongekende grootsheid aanvaardde, door onze Führer Adolf Hitler voor Duitsland, voor Germania, in gedachten, in woord en daad, op de oude wijze trouw en in de oude geest te dienen.

Himmler bij de Rijksviering ter gelegenheid van de duizendste sterfdag van Hendrik I, 1936

Zo zijn wij aangetreden en marcheren wij volgens onveranderlijke wetten als een nationaal-socialistische soldatenorde van arische mannen en als een gezworen gemeenschap. Wij gaan de weg naar een verre toekomst en wensen en geloven: wij willen niet alleen de nazaten zijn, die het uitvochten, maar ook de voorzaten van zeer veel latere, voor het leven van het Duitse en Germaanse volk noodzakelijke geslachten.

Himmler, 1935

gische warmte weer te laten opwarmen. Hiervoor kreeg Rascher de beschikking over vier vrouwen uit het concentratiekamp Ravensburg. Rascher stelde vast dat een dergelijke opwarming van sterk afgekoelde mensen alleen is aan te raden als andere mogelijkheden ontbreken. Rascher stond bekend om proeven die de dood van de proefpersonen tot gevolg hadden. Toen enkele van Raschers wetenschappelijk medewerkers weigerden hieraan mee te werken, schreef Himmler een woedende brief aan luchtmachtgeneraal Erhard Milch: 'In deze "christelijke" medische kringen staat men op het standpunt dat een jonge Duitse vlieger vanzelfsprekend zijn leven mag riskeren, maar dat het leven van een misdadiger daarvoor te heilig is en men er zijn handen niet aan vuil wil maken.' Menselijkheid was nooit een argument, alleen nut.

Tegenwoordig zijn wij misschien geneigd om te glimlachen om Himmlers Oud-Germaanse symbolen, zoals runen en midwinterfeestfakkels, of om de draak te steken met de plechtigheden die hij bij fakkellicht liet celebreren. Wie Himmlers grillen, zoals het idee om van het Westfaalse dorp Wewelsburg een centrum van de arische wereld te maken, eigenaardig vindt en dit alles meewarig glimlachend beschouwt als bewijzen voor de dwalingen van een naïeveling, moge bedenken dat het de ideoloog met zulke symbolen lukte om in de SS een collectief bewustzijn te scheppen dat de bestaande banden verving. 'Wie op de hakenkruisvlag zweert, heeft niets meer dat van hemzelf is', luidde een parool van de SS. Himmler gaf de leden van zijn orde het gevoel uitverkoren te zijn. Zo werd de SS voor velen een soort surrogaatfamilie.

Hitler zelf had weinig belangstelling voor Himmlers ensceneringen; hij hield zich afzijdig van wat de SS in Quedlinburg uitspookte. Over Himmlers sektarisme, zijn kwakzalverijen, de romantisering van de geschiedenis en de pseudo-Germaanse instandhouding van oude gebruiken mocht de Führer zich graag vrolijk maken. Reeds in *Mein Kampf* had hij zich tegen het 'pseudo-professorale van het volkse occultisme' uitgesproken. Nog scherper wees hij in 1938 de overdreven folkloristische ideeën van zijn paladijn af – zonder overigens de 'trouwe Heinrich' te noemen: 'Bovenaan ons programma staat niet het geheimzinnige vermoeden, maar het duidelijke waarnemen. Het is verkeerd als door vage mystieke elementen de beweging of de Staat onduidelijke opdrachten geeft. Het is al riskant om een aanvraag voor een zogenoemde gewijde plaats in te dienen. Alleen al hierdoor wordt het noodzakelijk om achteraf rituele spelen en handelingen te verzinnen. Onze cultus heet uitsluitend: instandhouding van het natuurlijke.'

Maar Hitler accepteerde Himmlers ongelooflijke efficiency. Ondanks zijn irrationele neigingen was het optreden van de Reichsführer-ss altijd doelgericht. Voor Hitler telden alleen resultaten – en Himmler stond voor deze resultaten in. Als tegenprestatie mocht hij zich ongestoord met zijn grillen bezighouden, zich volkomen overgeven aan zijn fantasieën, mocht hij elk jaar met zijn mannen in de crypte van de dom van Quedlinburg een met een mystieke aureool omgeven plechtigheid houden of in het Sachsenhain te Verden, waar de door Himmler verachte Karel de Grote 4.500 Saksen afgeslacht had, ter ere van de gevallenen een groep bomen planten. Hier herdacht Himmler onder de klanken van Germaanse luren [een lure is een blaasinstrument met een lange, s-vormige buis – vert.] elk jaar bij de zonnewende alle voorvaderen die zich niet meer konden weren.

Maar Himmlers droomwereld had wel degelijk reële kanten. Het kasteel de Wewelsburg, centrum van de arische wereld, functioneerde alleen omdat er een eigen concentratiekamp aan gekoppeld was. Zo vermengden Himmlers organisatorische macht en zijn raciaal-biologische visioenen zich tot een gevaarlijk brouwsel.

Zijn macht grondvestte Himmler vooral op zijn persoonlijke verstandhouding met Hitler, zijn directe ondergeschiktheid aan de Führer. Dat hij de hierdoor ontstane mogelijkheden al kon benutten, had hij te danken aan Reinhard Heydrich, de chef van de Sicherheitsdienst. De intelligente en berekenende Heydrich was machtsbelust genoeg om de onopvallende Himmler te gebruiken om op een geschikt moment diens plaats in te nemen. Heydrich had Himmler duidelijk gemaakt wat voor hoge positie hij als Reichsführer-ss innam; hij was de drijvende kracht waardoor de ss de machtige uitvoerende macht in het Derde Rijk werd. Heydrichs invloed was ook tijdgenoten bekend: H.H.H.H. – *Himmlers Hirn heißt Heydrich* luidde een mopje dat in het Derde Rijk op straat gefluisterd werd.

Dat Himmler in de ss-organisatie nooit in de rol van plaatsvervanger terugviel en Heydrich niet als de eigenlijke sterke man naar voren trad, had maar één reden: Heydrichs dood na een aanslag door Tsjechische partizanen in juni 1942. Na het wegvallen van zijn criminele energie bleef de ss wat ze op het tijdstip van zijn dood was. Himmler zelf wist niet hoe hij het ter beschikking staande machtspotentieel volledig kon benutten. Integendeel: hij liet zich in de oude hiërarchie inpassen, werd als rijksminister van Binnenlandse Zaken een onderdeel van de organisatiestructuur die hij met de SS gedegradeerd had. Van de voordelen die hij als Reichsführer-SS tegenover de lage SS-rangen genoot maakte hij geen gebruik. Of Himmler bijvoorbeeld de SS-leden Martin Bormann of Joachim von Ribbentrop als superieur bevelen heeft gegeven is niet bekend.

Waarom het Himmler kon lukken om aan de opbouw en uitbreiding van de SS ook zijn persoonlijke carrière te verbinden, daarvoor geeft de SS-leuze (*Deine Ehre heißt Treue*) een zeer goede aanwijzing. 'Trouw' betekende inderdaad: absolute gehoorzaamheid en onvoorwaardelijke onderwerping.

Zoals Hitler mensen nodig had die voor hem op politiek betrouwbare wijze elke opgelegde taak aanpakten en het probleem naar de idee van de Führer probeerden op te lossen zonder lang naar recht en wet te vragen, zo had hij aan het hoofd hiervan een volkomen loyale persoon nodig die geen ambities toonde om hem de leidersrol te betwisten. Anders dan Röhm, die als leider van de SA wel degelijk eigen doelen nastreefde, kon Hitler jarenlang op Himmler, zijn 'trouwe Heinrich', bouwen.

Himmlers opkomst was dus niet toevallig, en de centrale rol van de SS in het Derde Rijk alleen logisch als ook met de gedachtewereld van Hitler rekening gehouden wordt. Toch was er ook hier sprake van een breukveiligheid: Himmler beschouwde de SS niet alleen als een slagvaardige en betrouwbare troep, maar ook als een elitair centrum van de nationaal-socialistische ideologie. De SS moest meer zijn dan een uitvoerend orgaan van de nationaal-socialistische politiek. In de mannenorde van de SS zag Himmler de basis van de toekomstige nazistisch-nationale eenheidsstaat. Uit deze dubbele doelstelling hadden problemen kunnen ontstaan, want in elk elitedenken ligt besloten dat diegenen die zichzelf boven anderen verheven achten, hun best doen om zelf de absolute top te vormen of om zichzelf toch minstens als gelijken van de hoogste autoriteit te beschouwen. De elitegedachte bevat een oligarchisch principe dat zelfstandigheid beoogt en in tegenspraak is met de absolute dictatuur van een individu, dat bovendien geen deel uitmaakt van deze elite.

Dat deze explosieve kracht vóór de ondergang van Hitlers heerschappij niet in een putsch tot ontlading kwam, lag aan het karakter van Himmler. Heydrich zou bijvoorbeeld de ambitie hebben gehad om met het potentieel van de ss zijn eigen doelen door te zetten. Himmler zat anders in elkaar: zelfs als Reichsführer-ss en als chef van de Duitse politie en zijn talloze alle andere functies – van *Reichskommissar zur Festigung des deutschen Volksgutes* tot en met de militaire functies in de eindfase van de Tweede Wereldoorlog – bleef hij toch wat hij van meet af aan was: de eeuwige plaatsvervanger, de tweede man, die niet de eerste wilde zijn. Daarom bleef de ss wat ze voor Hitler moest zijn: een absoluut betrouwbaar machtsinstrument dat zijn alleenheerschappij waarborgde, een slagvaardige organisatie die zijn besluiten uitvoerde en zich daarbij niet bekommerde om morele principes. De ss was het machtsinstrument in Hitlers regelstaat en kende slechts één norm: de wil van de Führer. En Himmler was de juiste man om dit orgaan op te bouwen. Lutz Graf Schwerin von Krosigk, Hitlers minister van Financiën, onthulde het geheim van Himmlers succes: 'Hitler kon zijn politieke vuilafvoer aan geen geschiktere man opdragen dan aan hem die op pedante wijze een terreurorganisatie opzette en die noch genade noch berouw kende.'

Als aan de naam Heinrich Himmler het zwartste hoofdstuk in de Duitse geschiedenis is verbonden, dan niet alleen omdat hij als ideoloog een duister gedachtebouwsel optrok of als machtstechnicus een nieuwe organisatie opbouwde. Ook het spionageapparaat van Himmler, dat werd opgebouwd door de chefs van politie en SD, Himmler-vertrouweling Reinhard Heydrich en zijn opvolger Ernst Kaltenbrunner, was niet uniek – het vond, niet minder effectief, op Duitse bodem, maar ook in andere staten, een groot aantal voorlopers en opvolgers. Wij mogen ons niet beperken tot de militaire prestaties van de ss. Als in sommige ogen de ss tegenwoordig nog steeds is omgeven door een aureool van fanatisme, dan komt dit door de Waffen-ss. Deze was naast de *Totenkopfverbände*, die de concentratiekampen bewaakten, en de *Allgemeine ss* een onderdeel van de Schutzstaffel. De Waffen-ss, die uit de *Verfügungstruppe* was voortgekomen, werd naast de Reichswehr een tweede leger.

Maar het waren andere onderdelen van de ss, die onder Himmlers oppercommando een raciaal gefundeerde vernietigingsstrijd voerden. Ze wilden niet een ander leger militair verslaan, maar wel hele volksstammen uitroeien. Heinrich Himmler schiep de organisatie die gebruikt werd om deze taak met dodelijk effectiviteit te vervullen.

De vijanden van 'de gezondmaking van het volk' waren allang gevonden. 'U hoeft er niet over te twijfelen,' zei Himmler in 1935 in een toespraak, 'dat wij met de oudste tegenstanders die ons volk sinds duizenden jaren heeft, met joden, vrijmetselaars en jezuïeten, in gevecht zijn.' Al gauw breidde hij zijn groep tegenstanders uit met alles wat hij als niet-Duits beschouwde. Daar hoorden volksgroepen bij, zoals Slavische *Untermenschen* of zigeuners, andersdenkenden, zoals communisten en bolsjewieken, zieken, christenen, asocialen, homoseksuelen en anderen. De theorie van de *Untermensch* verschafte hem het recht om alle mensen uit te roeien die Hitlers plannen in de weg stonden. De oorlog tegen Rusland, de 'oorlog in de oorlog', schiep de nodige voorwaarden om aan de eigenlijke vernietigingscampagne te beginnen.

Om deze te voeren kon Hitler geen Duitse soldaten en officieren inzetten; hij had er organisaties voor nodig die buiten het staatsbestel opereerden. Weliswaar was ook de Wehrmacht bij oorlogsmisdaden betrokken – het uniform van de Duitse soldaat bleef niet altijd zo onbevlekt als menig strijder achteraf beschreef –, maar de eigenlijke moordacties werden uitgevoerd door nieuwe, speciaal voor dit doel gevormde eenheden.

Uit de Sicherheitspolizei en de SD liet Himmler *Einsatzgruppen* vormen die achter de frontlinie speciale taken moesten uitvoeren. SD-chef Heydrich, ook hier een onvermoeide organisator, zette in mei 1941 voor de officieren van deze aanvankelijk drieduizend man sterke groep uiteen wat de doelstelling was: 'Uitschakeling van alle joden, van alle Aziatisch-minderwaardigen, van alle communistische functionarissen en zigeuners.'

De leiders van de *Einsatzgruppen* voerden hun speciale taken met een van onmenselijkheid getuigende precisie uit. Otto Ohlendorf, een van de vier groepscommandanten, stelde het tot eind 1941 door zijn *Einsatzgruppe* uitgevoerde aantal executies vast op ongeveer negentigduizend. Hierbij registreerden Hitlers beulen uiterst nauwkeurig de volkerenmoord: keurig netjes noteerden zij de gegevens van de executies en de bijbehorende aantallen slachtoffers. De boekhoudersmentaliteit van Heinrich Himmler won terrein. Een van de grootste problemen bij massa-executies, zoals in het Oekraïnse Babi-Yar, leek de verwerking van het grote aantal slachtoffers te zijn.

Hoe verwerkten de daders zulke slachtpartijen? Himmlers antwoord is het antwoord van de moordenaar met het zuivere geweten: 'Ik wil hier voor jullie in alle openheid ook een zeer lastig thema aanroeren,' zei hij in een toespraak voor ss-Gruppenführers in Poznan, die je de adem doet stokken. 'Onder ons moet het maar eens heel duidelijk gezegd zijn. Ik heb het over de evacuatie van de joden, de uitroeiing van het joodse volk. Het hoort bij die zaken die je zo gemakkelijk zegt. – "Het joodse volk wordt uitgeroeid," zegt iedere partijgenoot. Doen we. Vanzelfsprekend. Staat in ons partijprogramma. En dan komen zij met z'n allen, die brave tachtig miljoen Duitsers, en iedereen heeft zijn fatsoenlijke jood. Niemand die zo praat is ooggetuige geweest, niemand heeft het doorgemaakt. Van jullie zullen de meesten weten wat het betekent als er honderd lijken bij elkaar liggen, als er vijhonderd liggen of als er duizend liggen. Dit te hebben doorstaan, en daarbij – afgezien van uitzonderingen wat menselijke zwakheden betreft – fatsoenlijk gebleven te zijn, dat heeft ons hard gemaakt.'

Fatsoenlijk blijven? Met de vernietiging van menselijk leven ging de afschaffing van alle morele voorstellingen gepaard. 'Er zijn gevallen,' zei Himmler, 'waarin de burgerlijke oordelen tekortschieten en een individu wel eens rechter en beul moet zijn, niet omdat hij bloeddorstig en wreed zou zijn, maar omdat de eer van de hogere gemeenschap het zou eisen omwille van het behoud van de ziel en het leven van het volk.' Himmler ontwikkelde voor zijn ss een eigen moraal: 'De Führer heeft altijd gelijk' luidde het eerste maxime, 'Het doel heiligt de middelen' het tweede.

In geen geval wilde Himmler een troep die uit sadistische of andere motieven moordde. Veeleer probeerde hij de gruwelen van de massa-uitroeiing te presenteren als een grootse, unieke taak die volbracht moest worden. 'Het is de vloek van de grote man dat hij over lijken moet stappen,' zei Himmler nadat hij bij Minsk, in het gebied van de *Einsatzgruppe* Nebe, de executie van tweehonderd joden bijwoonde en al bij het eerste salvo een flauwte kreeg omdat het het commando niet lukte om twee vrouwen meteen te doden. Zijn dubbele moraal ging zover dat hij zijn mannen weliswaar het recht (en zelfs de plicht) toekende om massamoorden te plegen, maar diefstal van in beslag genomen joods vermogen scherp veroordeelde: 'Wij hadden het morele recht, wij hadden de plicht tegenover ons volk om dit volk, dat ons wilde ombrengen, om te brengen. Maar wij hebben niet het recht om ons met een bontjas, een horloge, met een mark of met een sigaret of iets anders te verrijken.' Himmler vreesde voor de zuiverheid van zijn ideaal en dreigde met draconische straffen: 'Ik zal niet toestaan dat er een rottingsplek ontstaat, hoe klein dan ook. Mocht ze ergens ont-

'De Führer gaf mij het bevel...' SS-chef Himmler met zijn collega's (van links naar rechts) Franz-Josef Huber (Gestapo), Arthur Nebe (Kripo), Reinhard Heydrich (SD), Heinrich Müller (Gestapo) (1939).

Schijnbaar was Himmler, zoals vaak gezegd werd, een zo onbelangrijke, kleine pietlut. In werkelijkheid was hij echter allesbehalve 'klein', en hij had opmerkelijke kwaliteiten: het vermogen om te luisteren, het vermogen om lang na te denken voordat hij besluiten nam, de bekwaamheid om mensen voor zijn staf te selecteren die over het geheel genomen zeer efficiënt bleken te zijn. U ziet, dit lijkt niet op een onbeduidende persoon. Hij had natuurlijk ook die andere kant, die hem in de ogen van intellectueel veeleisender mensen grotesk deed lijken.

Speer, 1979

Gisteren het nieuws dat Himmler het ministerie van Binnenlandse Zaken heeft gekregen. De radicaalste dus, de meest beruchte bloedhond van de Partij, de politiechef, de Göring-tegenstander, de exponent van de eigenlijke bloedrichting! Hoe moet het in Duitsland eruitzien als men de beul minister van Binnenlandse Zaken maakt!

Victor Klemperer, joods romanist, 1943

De mensen hebben Hitler en Göring en vele anderen toegejuicht, maar ik heb nooit een foto gezien of het meegemaakt dat men Himmler toejuichte.

Ernst-Günther Schenck, gevolmachtigde voor de voedselvoorziening van de Wehrmacht en de SS

'De man van de politieke vuilnis-ophaal-dienst...' Himmler met Streicher en Ley.

Wij hebben slechts één taak, pal te staan en deze rassenstrijd meedogenloos te voeren. De wereld mag ons noemen wat ze wil, het is hoofdzaak dat wij de eeuwig trouwe, gehoorzame, standvastige en onoverwinnelijke troep van het Germaanse volk en van de Führer zijn, de Schutzstaffel van het Germaanse Rijk.

Himmler, 1943

Mijn vader was zeer apolitiek, daardoor was hij ook ongevaarlijk. Maar mensen als Heydrich en Kaltenbrunner waren bang voor alles rondom hen. Kaltenbrunner ging zelfs zover dat hij een aanslag op mijn vader pleegde: er werd een wegversperring gelegd, en mijn vader en zijn chauffeur moesten worden doodgeschoten. Een ss-man adviseerde mijn vader om een andere weg te nemen, zo kwam hij die dag precies op tijd in Berlijn aan bij Himmler. Later nam Himmler Kaltenbrunner onder handen en zei tegen hem: 'Als Kersten iets overkomt, ben jij binnen vierentwintig uur zelf dood.'

Andreas Kersten, zoon van Himmlers arts en masseur

staan, dan zullen wij haar gezamenlijk verdelgen. Over het geheel genomen kunnen wij echter zeggen dat [...] ons innerlijk, onze ziel, ons karakter er niet door geschaad wordt.'

Om dit te bereiken moest het betreurenswaardige slachtoffer eerst uitgebreid gebrandmerkt worden, moest hem zijn mens-zijn worden ontzegd. 'Die biologisch schijnbaar volkomen gelijksoortige schepping van de natuur, met handen, voeten en een soort hersens, met ogen en een mond, is toch een heel ander, een verschrikkelijk creatuur, is slechts een poging tot een mens, met gelaatstrekken die op die van een mens lijken – verstandelijk, geestelijk echter van een lager niveau dan het dier. In zijn diepste wezen een vreselijke chaos van woeste, ongebreidelde hartstochten: een onnoemelijke vernietigingsdrift, de primitiefste lusten, de meest onverhulde laagheid. Untermensch – anders niet!' verklaarde de Reichsführer in 1942. Met zo'n wezen hoefde je geen consideratie te hebben – dat was de door Himmler tot in het oneindige herhaalde boodschap. Hier ligt het antwoord op de vraag, waarom een mens die tijdens de sluipjacht weigerde 'op arme dieren te schieten, die zo onschuldig, weerloos en nietsvermoedend aan de rand van het bos staan te grazen', zonder enige scrupules mensen kon laten afmaken. Omdat er voor hem drie soorten levende wezens bestonden – mensen, dieren, Untermenschen. Tevens sprak Himmler uitvoerig over hoe de Duitse kinderen na de oorlog systematisch moesten worden 'doordrongen van dierenliefde', en dat de verenigingen voor dierenbescherming politiebevoegdheden moesten krijgen.

Voor Himmler was humaniteit een teken van een 'al te verfijnde geciviliseerde decadentie'. De ethische waarden waarmee zijn troep tot een eenheid moest worden gesmeed waren andere: trouw, oprechtheid, gehoorzaamheid, hardheid, fatsoen, armoede en dapperheid. Maar de doelgroep van de ethiek was beperkt: 'Eén principe moet voor de SS-man absoluut gelden: eerlijk, fatsoenlijk, trouw en kameraadschappelijk dienen wij te zijn jegens mensen van ons eigen bloed en jegens niemand anders.'

Het slachtoffer als mens te loochenen, de daad noodzakelijk te verklaren en de handelingen mechanisch uit te voeren: kan zo de januskop van Himmler en zijn beulsknechten worden verklaard? Kan er eigenlijk wel een rationele verklaring bestaan voor het irrationele handelen van een man die persoonlijk het mandje met cadeaus voor een dienstmeisje van zijn ouders inpakt – en tegelijk het bevel geeft om nog meer joden te fusilleren?

In de notities van de kampcommandant van Auschwitz, Rudolf Höß, komt Himmler naar voren als een koele planner en uitvoerder van de volkerenmoord. Ook al heeft Höß geprobeerd om een deel van zijn eigen schuld op zijn werkgever af te wentelen – zijn beschuldigingen zijn niet uit de lucht gegrepen. In de zomer van 1941, aldus Höß, liet Himmler hem naar Berlijn komen en deelde hij hem mee: 'De Führer heeft de *Endlösung der Judenfrage* bevolen. Wij, de SS, moeten dit bevel uitvoeren. De bestaande vernietigingskampen in het oosten zijn niet in staat om de beoogde grote operaties uit te voeren. Daarom heb ik Auschwitz hiervoor aangewezen.' Met Himmlers opdracht tot strikte geheimhouding moest Höß met Adolf Eichmann, het hoofd van het *Judenreferat* op departement V van het Reichssicherheitshauptamt, de volkerenmoord organiseren. De een, Eichmann, bereidde met grote perfectie het transport voor, de ander, Höß, met noeste ijver de vernietiging van de slachtoffers. Beiden pakten hun taak even gewetenloos als onverschillig aan. Zij organiseerden de moord op mensen alsof het slechts om de vernietiging van dingen ging.

Met Auschwitz kwam een geheel nieuw type concentratiekamp op. 'De oorlog heeft geleid tot een zichtbare structurele verandering en hun taak wat betreft de inzet van gevangenen fundamenteel veranderd,' schreef Oswald Pohl, het hoofd van de SS-bedrijven, op 30 april 1942 aan Himmler. 'De hechtenis van gevangenen alleen om reden van veiligheid, opvoeding en preventie staat niet meer voorop. De mobilisering van alle gevangenisarbeidskrachten treedt steeds meer op de voorgrond.' Wat Pohl eufemistisch als 'opvoedkundige taken' omschrijft, staat haaks op de werkelijke functie die de concentratiekampen al in de eerste jaren van het Derde Rijk hadden. De kampen, die oorspronkelijk onder de bevoegdheid van de SA vielen, waren speerpunten van het onderdrukkingsapparaat. Politiek andersdenkenden – van communisten en sociaal-democraten via geestelijken, joden en vrijmetselaars tot homoseksuelen en asocialen – werden erin geconcentreerd. Theodor Eicke, door Himmler benoemd tot 'inspecteur van de concentratiekampen en leider van de SS-bewakingseenheden', zorgde vanaf 1934 voor de uniformering van de concentratiekamporganisatie. Net als in Dachau, dat Eicke als commandant geleid had, voerde hij nu algemene bewakings- en strafverordeningen in, structuur en opbouw van de kampen werden geassimileerd. Als bewakers fungeerden rond vierduizend SS-mannen, die in de *To-*

tenkopfverbände georganiseerd waren. In het openbaar definieerde Heinrich Himmler als taak van de kampen: 'Zware, nieuwe waarden scheppende arbeid, een strenge, rechtvaardige behandeling. De leidraad om weer te leren werken en je handvaardigheden eigen te maken, dat zijn de methoden van de opvoeding. Het devies voor deze kampen luidt: er is een weg naar de vrijheid. De pijlers zijn: gehoorzaamheid, vlijt, eerlijkheid, ordelijkheid, reinheid, nuchterheid, waarheidsliefde, opofferingsgezindheid en vaderlandsliefde.' In tegenstelling tot deze idyllische voorstelling zag de werkelijkheid in de kampen er anders uit. Voor veel gevangenen was er maar één weg naar buiten: als as, die bij de nabestaanden bezorgd werd.

Aan het oog van de buitenwereld onttrokken, werden de gevangenen misbruikt voor wrede medische experimenten. Geen beroepsgroep in het Derde Rijk is zo diep gevallen als die van de SS-artsen. Hoewel zij door de eed van Hippocrates verplicht waren om mensen overal en met alle middelen te helpen, maakten zij gebruik van de mogelijkheid om in de buiten de rechtsorde geplaatste concentratiekampen weerloze mensen voor 'onderzoeksdoeleinden' te martelen. Favoriete slachtoffers waren kinderen. Voor wetenschappelijke doeleinden werden bij hen dodelijke verwekkers van besmettelijke ziekten geïnjecteerd om vaccins uit te testen. Vivisectie, onderdruk- en onderkoelingsproeven, sterilisatie door bestraling, sulfonamide om koudvuur te bestrijden, terminale experimenten, dus onderzoeksmethoden die van meet af aan de dood van de gevangene beoogden – de lijst van verschrikkingen is lang.

Op de laadplatforms van Auschwitz en andere kampen werd geselecteerd. Wie voor de 'speciale behandeling' in aanmerking kwam, moest meteen naar een van de vergassingsinrichtingen, waarin de nazi-beulsknechten hun slachtoffers met het zeer giftige *Zyklon B* in minder dan vijftien minuten doodden. Wie arbeidsgeschikt was moest langer lijden. De gevangenen werden als goedkope arbeidskrachten misbruikt om de bewapeningsproductie op te voeren. *Arbeit macht frei* – dit cynische motto stond boven de poort van menig concentratiekamp. Vernietiging door arbeid – dat was de praktijk.

Waren er aan het begin van de oorlog op het rijksgebied in zes grote concentratiekampen ongeveer 21.000 gevangenen, in de daaropvolgende periode groeide hun aantal sterk. In 1940 waren er reeds 800.000 mensen achter het prikkeldraad verdwenen. Maar de gruwelen namen nog toe en kregen een geheel nieuwe kwaliteit. Naast de concentratiekampen kwamen vernietigingskampen, waarin slechts één doel werd nagestreefd: het doden van zoveel mogelijk slachtoffers tegen zo laag mogelijke kosten en zo min mogelijke inspanningen. Abattoirs voor mensen: Auschwitz, Sobibor, Chelmno, Majdanek, Treblinka, Belzec. Ze lagen niet op het rijksgebied, maar op het territorium van het 'gouvernement-generaal'. De Duitsers mochten er niets van weten.

In 1942 kwam Himmler naar Auschwitz, woonde de selectie van de slachtoffers bij en sloeg door een kijkgat in de deur van de gaskamer de vergassing gade. Hij becommentarieerde het hele gebeuren met geen woord. Höß begreep het goed: de Reichsführer was tevreden. Himmler inspecteerde tevens het gehele kamp, waarbij Höß hem wees op de overbevolking, het hierdoor dreigende gevaar voor epidemieën, ook voor de SS-bewakers, en op de geringe arbeidsprestatie van de gevangenen ten gevolge van de honger. Volgens Höß erkende Himmler de hele ellende, maar liet zich niet uit zijn evenwicht brengen. 'Ik wil over problemen niets meer horen!' snauwde hij Höß toe. 'Voor een SS-leider bestaan er geen problemen, het is steeds zijn taak om optredende problemen meteen zelf uit de weg te ruimen! Over het hoe breekt u zich het hoofd, niet ik!'

Hoe kon een vernietigingsoperatie van een dergelijke omvang ongehinderd plaatsvinden? Het Derde Rijk was een rijk van geheimen en Himmler was een meester in geheimzinnigdoenerij. Göring beweerde in 1945 dat hij in de aangelegenheden van de SS geen inzicht had gehad: 'Geen buitenstaander wist iets van Himmlers organisatie.' Zeker niet van details, maar kan de volkerenmoord geheim blijven? Zeker niet. Zelfs kampcommandant Höß wees hierop: 'Al bij de eerste verbrandingen in de openlucht bleek dat dit niet voor eeuwig zo door kon gaan. Bij slecht weer of een stevige wind was de verbrandingslucht op vele kilometers afstand te ruiken, wat ertoe leidde dat alle omwonenden het over de jodenverbrandingen hadden, ondanks de tegenpropaganda van de Partij. Weliswaar waren alle bij de vernietigingsoperatie betrokken SS-leden verplicht om over het hele gebeuren te zwijgen, maar ook forse straffen konden niet verhinderen dat er gekletst werd.' De moord op de joden was weliswaar een *geheime Reichssache*, maar er waren voldoende mensen die genoeg wisten om precies te weten dat zij niet meer wilden weten.

Hoe reageerden om te beginnen diegenen die de moorden daadwerkelijk pleegden? In de meeste gevallen beriepen zij zich op de noodzaak om gegeven bevelen ondanks gewetensconflicten onvoorwaardelijk op te volgen. De verantwoordelijkheid werd naar boven doorgeschoven. Achter iedere moordenaar stond iemand die de moord bevolen had. Men wilde alle schuld op de opperste bevelhebber, Hitler, afschuiven en samen met hem in het niet verdwijnen.

Maar zo simpel is het niet. Hitler zelf heeft, net als Himmler, persoonlijk geen moord begaan. Himmler verklaarde tegenover zijn omgeving dat hij van Hitler het bevel had gekregen om het jodenvraagstuk door moord op te lossen. Een bewijs in de vorm van een schriftelijk document ontbreekt. Al in september 1942, zo meldt masseur Felix Kersten, had Himmler tegen hem gezegd: 'Ik wilde de joden helemaal niet vernietigen, ik had hele andere ideeen. Die Goebbels heeft het allemaal op zijn geweten.' Los van het feit dat er een groot aantal andere uitlatingen van Himmler bestaat, moet worden geconstateerd dat de Reichsführer-ss de bevelen tot de jodenvernietiging heeft doorgegeven. Wie kan zich beroepen op de noodzaak om gegeven bevelen ondanks gewetensconflicten onvoorwaardelijk op te volgen? Himmler was na Hitler de machtigste man in het Derde Rijk. Als iemand de mogelijkheid had om de bevelen van de Führer te boycotten, dan was de man aan het hoofd van de ss het wel. Maar die zag zichzelf nou juist als het werktuig van een 'Godmens': 'Hij verscheen ons in onze diepste nood,' zei Himmler een keer tegen zijn lijfarts Kersten, 'toen het met het Duitse volk niet meer ging. Hij behoort tot die grote lichtende gestalten die het in Germanendom altijd dan verschijnen als het in zeer diepe lichamelijke, geestelijke en psychische nood verkeert. Goethe was zo'n gestalte op cultuurgebied, Bismarck op politiek gebied. De Führer is het op alle gebieden, het politieke, culturele en militaire.'

Himmler stelde Hitler niet alleen op één lijn met Goethe en Bismarck, hij zag hem ook als Verlosser van de natie. Want voor Himmler was de man uit Braunau vooral de Messias. Zijn latere pogingen om – toen de nederlaag dreigde – alle schuld op Hitler alleen te schuiven en zo zichzelf van alle blaam te zuiveren, zijn tegen deze achtergrond niet geloofwaardig.

Moesten op lager niveau de gegeven bevelen ondanks gewetensconflicten onvoorwaardelijk opgevolgd worden? Bijvoorbeeld voor Höß en Eichmann, twee van de centrale organisatoren van

'De Führer heeft altijd gelijk...' Himmler met Hitler en Göring.

Toen ik Hitler voor het laatst sprak, in de nacht van 29 op 30 april 1945, hield hij voor mij ook een toespraak over de teleurstellingen in zijn leven. Hij had het erover dat hij vooral in zijn laatste dagen de vreselijke teleurstelling moest beleven dat zijn medewerkers hem verlieten. De grootste teleurstelling noemde hij Himmlers verraad jegens hem.

Arthur Axmann, leider van de Hitler-Jugend

Ik heb het één keer meegemaakt dat Hitler aan tafel het gesprek op Himmler en concentratiekampen bracht. Daarbij ontstond de indruk dat het om werkkampen ging. Hitler vertelde dat Himmler daar een heel geraffineerd systeem toepaste. Hij zou bijvoorbeeld een notoire brandstichter met de verantwoordelijkheid voor de brandwacht hebben belast. Himmler zei toen: 'U kunt ervan overtuigd zijn, mijn Führer, er zal daar geen brand uitbreken.' Je had het gevoel dat het om goed georganiseerde, psychologisch bekwaam geleide werkkampen ging. In Hitlers woorden klonk respect en bewondering voor Himmlers organisatorische talenten door.

Traudl Junge, Hitlers secretaresse

de massamoord? Voor de SS-man die in het concentratiekamp wacht liep? Voor de arts die op het laadplatform selecteerde en als God over leven en dood beschikte? Zij beriepen zich allemaal op de noodzaak om gegeven bevelen ondanks gewetensconflicten onvoorwaardelijk op te volgen. Maar hoeveel gevallen zijn er bekend waarin het weigeren van zulke bevelen consequenties voor de betrokkene had?

Het staat in elk geval vast dat niemand gedwongen werd om naast de bevolen moorden nog meer gruwelijkheden te begaan. Himmler zelf maakte zich zorgen over het moreel van zijn mannen, dat, door de bevelen die ze moesten uitvoeren, zou kunnen verruwen. Daarom eiste hij meer dan eens dat SS-ers fatsoenlijk bleven. Geweldsexcessen ontstonden vaak door het karakter van de dader. Ze achteraf te rechtvaardigen als 'noodzaak om gegeven bevelen ondanks gewetensconflicten onvoorwaardelijk op te volgen' is in strijd met de historische waarheid. Wie onder dienst was in de *Einsatzgruppen* of in de *Totenkopfverbände*, was hiertoe niet gedwongen. Kon hij na deze vrijwillige keuze weigeren om de dienstvoorschriften en daarmee de uitvoering van een bevel om te doden op te volgen? Er waren wel degelijk mogelijkheden om zich aan dergelijke bevelen te onttrekken, mogelijkheden waaraan geen bijzonder risico verbonden was. Wie verklaarde niet opgewassen te zijn tegen de eisen, of wie zich stilzwijgend aan dergelijke bevelen onttrok zonder dit uitdrukkelijk te motiveren, hoefde geen rekening te houden met persoonlijke gevolgen voor goed en bloed. Het was niet onmogelijk om onder de bediening van de moordmachine van de nazi's uit te komen. Gemakkelijk was dit echter niet; het is gemakkelijker om je nu, dus achteraf, te beroepen op de noodzaak om gegeven bevelen ondanks gewetensconflicten onvoorwaardelijk op te volgen. Maar hoe gemakkelijk dit ook is, het is verkeerd. Geen enkele dader mag zijn handelwijze op deze manier verontschuldigen. Van Himmler via Heydrich en Höß tot de laagste SS-man en concentratiekamparts – zonder hun energie en hun inzet was de waanzinnige uitroeiingspolitiek van de nationaal-socialisten beslist niet mogelijk geweest. Hitler had vele beulen.

Waarom hebben diegenen die niet onder het juk van het systeem gebracht waren er niets tegen ondernomen? De geallieerden waren al zeer vroeg op de hoogte van de beginnende volkerenmoord. Waarom hebben zij Auschwitz niet gebombardeerd en de vernietigingsmachine niet verwoest, zoals zij dit wel met de *Frau-*

enkirche in Dresden hebben gedaan? Hoe kun je een Duitser die bij het levensgevaarlijke heimelijke beluisteren van de zogenoemde vijandelijke zender over de massavernietiging hoorde, verwijten dat hij er niets tegen deed? Kunnen wij vandaag de heldenmoed eisen die toen nodig was om, met het risico in het concentratiekamp terecht te komen, tegen Auschwitz, Sobibor en Majdanek te protesteren?

Wie tegenwoordig de arrogantie heeft om als moraalridder de mensen te veroordelen die het doden niet verhinderd hebben, die moet zichzelf eens een andere vraag stellen: Hoe staat het tegenwoordig met morele moed? Hoelang mocht bijvoorbeeld Pol Pot in Cambodja of Idi Amin in Uganda moorden, voordat de beschaafde wereld ingreep? Hoelang heeft de internationale gemeenschap toegezien hoe Hutu's en Tutsi's in Rwanda elkaar afslachtten? Waarin verschilt het afmaken van onschuldige moslims in Srebrnica van het vermoorden van onschuldige joden in Babi-Yar? Daartegen op te staan vereist *tegenwoordig* geen heldenmoed.

Ten slotte werd de beul een verrader. Himmler kende de Berlijnse advocaat dr. Carl Langbehn en de voormalige Pruisische minister van Financiën dr. Johannes Popitz, die beiden deel uitmaakten van een groep die een putsch tegen Hitler beraamde. Beiden hebben Himmler vast niet in de plannen van de plegers van de aanslag van 20 juli 1944 ingewijd, voorzover ze deze plannen al kenden. Het staat echter vast dat Langbehn reeds lang vóór 20 juli met SS-generaal Karl Wolff, een vertrouweling en stafchef van Himmler, over de mogelijkheden sprak om tegenover het Westen een andere politiek te gaan voeren, om naar mogelijkheden te zoeken om door onderhandelingen met het Westen de oorlog te beëindigen. Hiervoor mocht Langbehn in 1943 naar het neutrale buitenland reizen. Dat de plegers van de aanslag van 20 juli hun plan konden uitvoeren – kwam dit ook doordat Himmler met zijn kennis van de plannen het niet door de Gestapo aan het licht liet brengen? Kersten vroeg de Reichsführer-SS in diens kwartier Hochwald bij Rastenburg: 'Kan dat eigenlijk, dat u ondanks uw wijdvertakte inlichtingensysteem niets van de plannen voor de aanslag wist? Zal men u dit niet zeer zwaar aanrekenen?' Kerstens vraag was terecht. En Himmler vreesde dat niet alleen zijn masseur deze vraag zou stellen. Hém kon hij het antwoord weigeren, anderen niet. Himmlers chef van de Kripo, Arthur Nebe, en zijn chef van de buitenlandse inlichtingendienst, Walter

'Dit heeft ons hard gemaakt...' Himmler op bezoek in Auschwitz (1942).

Het concentratiekamp is zeker – zoals elke vrijheidsbeperking – een scherpe en strenge maatregel. Zware, nieuwe waarden scheppende arbeid, een geregeld leven en een ongelofelijke properheid in wonen en lichaamsverzorging, uitstekende voeding, een strenge, maar rechtvaardige behandeling. Het devies voor deze kampen luidt: er is een weg naar de vrijheid. Z'n pijlers heten: gehoorzaamheid, vlijt, eerlijkheid, ordelijkheid, reinheid, nuchterheid, waarheidsliefde, opofferingsgezindheid en vaderlandsliefde.

Himmler

Himmler had het vermogen om met een zekere nuchterheid zaken af te wegen. Hij was zonder enige remming, zonder scrupules. Maar mijn vader kreeg het door gesprekken met Himmler voor elkaar om deze en gene uit het concentratiekamp te krijgen, bijvoorbeeld een socialist die in Oranienburg zat. Mijn vader ging dus naar Himmler en zei: 'Voor die man komen de Engelse quakers nu op. Er is een zeer actieve dame overgekomen, en die komt voor die man op. Als hij wordt vrijgelaten, zou dit voor ons in het buitenland publicitair een groot pluspunt zijn. Wordt hij niet vrijgelaten, dan zou het een even pijnlijk minpunt zijn.' Himmler hoorde dit aan en zei: 'Oké, ik begrijp het.' En zo kwam die man vrij, en het werd hem zelfs mogelijk gemaakt om naar het buitenland te gaan: deze man heette Ernst Reuter en hij werd na de oorlog burgemeester van Berlijn.

Egon Hanfstaengl, zoon van Hitlers perschef

'Geen kameraden...' Himmler bezoekt een kamp met Russische krijgs-gevangenen vlakbij het Oostfront (1941).

Wij zullen nooit ruw of harteloos zijn als het niet nodig is. Wij Duitsers, die als enigen ter wereld tegenover dieren een fatsoenlijke houding hebben, zullen ook tegenover deze beestmensen een fatsoenlijke houding hebben.

Himmler

Mevrouw Potthast, Himmlers minnares, zei dat zij ons iets interessants wilde laten zien, een bijzondere verzameling, die Himmler op de zolderkamer bewaarde. Zij nam ons mee naar de zolder. Toen zij de deur opende en wij naar binnen gingen, begrepen wij eerst helemaal niet wat wij daar zagen – tot zij het ons uitlegde, heel wetenschappelijk. Er stonden daar tafels en stoelen, gemaakt van menselijke lichaamsdelen. Er was een stoel waarvan de zitting een menselijk bekken was en de poten menselijke benen waren – op menselijke voeten. En toen nam zij een exemplaar van Hitlers *Mein Kampf* van een stapel. Zij toonde ons de band – van mensenhuid, zei ze – en legde ons uit dat de gevangenen in Dachau die hem gemaakt hadden er de huid van een rug voor hadden gebruikt.

Martin Bormann, Bormanns zoon en Hitlers petekind

Schellenberg, behoorden zelf tot de actieve samenzweerders. Schellenberg vermeldt in zijn memoires dat hij Himmler meer dan eens gevraagd heeft wat er in een Duitsland na Hitler zou gaan gebeuren of 'in welke la hij zijn alternatieven' bewaarde als de veldtocht tegen Rusland een ongelukkige wending zou nemen. Feit is dat Himmler op 17 juli 1944 een schriftelijk verzoek tot arrestatie van Carl Goerdeler [politicus en verzetsstrijder – vert.] en Ludwig Beck [generaal die in 1938 plannen voor een staatsgreep beraamde – vert.] afwees. Sturmbannführer [vgl. majoor – vert.] Willi Höttl, een vertrouweling van Himmler op de buitenlandafdeling van de SD, sprak over een vermeende vertragingstactiek van zijn chef. Of daar de bedoeling achter stak om de samenzweerders eerst maar eens in actie te laten komen, of dat Himmler de verdere ontwikkeling gewoon maar wilde afwachten, zal niet opgehelderd kunnen worden. Het is zeker dat Himmler op de hoogte was van het bestaan van de verzetsgroepen in de Wehrmacht en van de Kreisau-Kring. Het staat ook vast dat Himmlers perfecte vervolgingsapparaat pas na het mislukken van de bomaanslag op Hitler op volle toeren draaide – toen echter met alle perfectie en moorddadige grondigheid. Het ligt voor de hand om te denken dat Himmler het aan anderen wilde overlaten om de coup tegen Hitler te leiden; de coup die hij gezien de oorlogssituatie, ondanks alle trouw, ondertussen zelf als de ultima ratio beschouwde. Na de mislukte aanslag deed de Reichsführer-SS zijn best om zijn contacten met het verzet in een voor hem gunstig licht te plaatsen. Hij deed het voorkomen alsof hij een geraffineerde intrigant was, die hoogstpersoonlijk met Popitz had samengezworen om hem uit te horen. Het kan betwijfeld worden of Hitler een dergelijke uitleg geloofde. Maar de dictator stelde deze vraag niet. Zelfs de wantrouwige Führer kon zich niet voorstellen dat zijn 'trouwe Heinrich' hem ooit zou verraden.

Des te meer raakte het hem toen hij vernam dat ook Himmler hem in de eindfase van het Derde Rijk in de steek wilde laten – op een tijdstip weliswaar waarop het er toch al niet meer toe deed. Op 20 april 1945 was Himmler voor het laatst te gast in de Führerbunker in Berlijn. Führers Geburtstag – de laatste feestdag in het Derde Rijk, dat overal in puin lag. Op hetzelfde tijdstip wachtte op het landgoed van Felix Kersten een afgezant van het *World Jewish Congress* op de Reichsführer-SS. Op 21 april kwam Himmler daar met zijn spionagechef Schellenberg om twee uur 's ochtends aan. Het voorstel dat Himmler deed was absurd: 'Het is tijd dat jullie joden en wij nationaal-socialisten de strijdbijl begraven,' zei hij tegen de verblufte bode Norbert Masur. De strijdbijl die de nazi's hadden opgegraven en waarmee de ss gezwaaid had eenvoudigweg begraven? Masur was bereid om met de beul te onderhandelen: 'Ik hoop dat onze ontmoeting veel mensen het leven zal redden.' Zij konden en wilden geen vredesonderhandelingen voeren, maar probeerden de gevangenen in de concentratiekampen ervoor te behoeden dat zij bij de aanstaande ineenstorting van Duitsland mee de afgrond in zouden worden gesleurd. Masur eiste dat alle opgesloten joden daar waar het mogelijk was om de Zwitserse of Zweedse grens te bereiken, onmiddellijk op vrije voeten werden gesteld. In alle andere kampen verlangde hij op z'n minst een menswaardige behandeling tot aan de zonder strijd plaatsvindende overdracht van de concentratiekampen. Masur legde een lijst van het Zweedse ministerie van Buitenlandse Zaken op tafel met namen van Zweedse, Franse, Noorse en joodse gevangenen die de Duitsers als gijzelaars vasthielden. Zij moesten samen met duizend jodinnen in het concentratiekamp Ravensbrück meteen worden vrijgelaten. De tot dan zo genadeloze Himmler toonde zich bereid tot onderhandelingen. De gevangenen en de duizend jodinnen in Ravensbrück zouden vrijkomen, evenals de Hollandse joden in Theresienstadt. De kampen zouden bij het naderen van de geallieerden in onverwoeste staat worden overgedragen. De gevangenen, zo beloofde Himmler trouwhartig, zouden niet worden geëvacueerd. Op hetzelfde ogenblik trokken, op slechts een paar kilometer afstand van de onderhandelingsplaats, in een dodenmars gevangenen van het kamp Sachsenhausen voorbij. Een paar dagen eerder had Himmler de kampcommandanten van Dachau en Flossenburg bevolen hun kampen meteen te evacueren. Geen gevangene mocht in handen van de vijand vallen. Een overdracht van de kampen was uitgesloten omdat het in Weimar, aldus Himmler, tot gewelddadigheden tegen de burgerbevolking was gekomen nadat de gevangenen van het kamp zichzelf bevrijd hadden. Ook dit was een leugen.

Nog op 20 april had Himmler de vorming bevolen van *Fliegende Feld- und Standgerichte* die, ondersteund door spercommando's van de Sicherheitspolizei en de SD, de binnenstad van Berlijn moesten afsluiten en elke vluchtpoging van de burgerbevolking moesten verijdelen. Vluchtende soldaten of leden van Hitlers laatste reserve werden, als zij de indruk wekten te willen deserteren, meteen opgehangen: als afschrikwekkend voorbeeld voor iedereen die niet bereid was het zinloze gevecht tot op het laatste ogenblik vol te houden. Innerlijk had Himmler zelf echter reeds gecapituleerd. Toen hij afscheid nam van Kersten, zei hij: 'Het waardevolste deel van het Duitse volk zal met ons ten onder gaan. Het lot van de overigen is onbelangrijk.' Niet menselijkheid, niet berouw, maar onverschilligheid was de beweegreden voor Himmlers genereuze gebaar om een paar mensen het lot te besparen dat hij miljoenen andere reeds had laten ondergaan; onverschilligheid en de poging om zichzelf vrij te pleiten: '*Mij* zal men alle misdaden in de schoenen schuiven die Hitler zelf beging en die ik steeds heb geprobeerd te verhinderen.' Het was het uur van zijn laatste verraad.

Op 23 april voerde Himmler overleg met de Zweedse graaf Folke Bernadotte. Walter Schellenberg had de Reichsführer al vanaf het begin van het jaar willen overhalen om achter Hitlers rug vredesonderhandelingen met het Westen te voeren. Nu Hitler zelf de nederlaag had toegegeven, liet Himmler alle reserves die hij tot dan had, varen. In de kelder van het Zweedse consulaat in Lübeck, waar hij voor een geallieerde luchtaanval naartoe was gevlucht, deed hij de diplomaat een verrassend aanbod: 'Om zoveel mogelijk van Duitsland voor de Russische invasie te behoeden, ben ik bereid aan het westfront te capituleren – maar niet aan het oostfront.' Bernadotte beloofde om zijn regering over Himmlers voorstel te informeren. De kansen op een separate wapenstilstand achtte hij echter zeer klein. Himmler wuifde de bezwaren weg. Voor hem stond vast dat de westelijke mogendheden met hem zouden onderhandelen. Hij had de werkelijkheid zozeer uit het oog verloren dat hij zich reeds afvroeg of hij bij een ontmoeting met Eisenhower zijn zegevierende tegenstander de hand zou schudden. De volgende dag moesten de SS-leiders vluchten voor de naderende Russische verkenningspatrouilles. Het Westen peinsde er niet over om op Himmlers vredesaanbod in te gaan. Niettemin werd het in de pers gelanceerd. Op 28 april meldde de Londense radio: 'De Reichsführer-SS beweert dat Hitler dood is en hij zijn opvolger.' In Berlijn wond Hitler zich vreselijk op over het 'meest schaamteloze verraad uit de wereldgeschiedenis'. Görings Luftwaffe moest Himmler gevangennemen: verlies van realiteitsbesef alom. Omdat Hitlers wraakzucht geen uitstel kon lijden, moest er een surrogaatslachtoffer komen. Dit werd Hermann Fegelein, Himmlers verbindingsofficier in de Führerbunker. Hij werd vanwege een zogenaamde vluchtpoging gedegradeerd en als ingewijde onverwijld ter dood veroordeeld. Het hielp Fegelein niet dat hij met de zus van Eva Braun getrouwd was. Wegens 'geheime onderhandelingen met de vijand, die zij buiten mijn medeweten en zonder mijn toestemming voerden' onthief Hitler in zijn politiek testament Himmler en Göring van al hun ambten en beval hij de strijd voort te zetten. Direct daarop onttrok hij zich door zelfmoord aan zijn eigen verantwoordelijkheid.

Himmler toonde zich niet onder de indruk van Hitlers oordeel. Op 1 mei ontmoette de nieuwe eerste man van het Rijk de afgezette Reichsführer-SS. Admiraal Dönitz sprak met Himmler in de admiraalsbarak in Plön, omgeven door U-boot-matrozen – voor het geval dat. Himmler was weliswaar uit zijn ambt ontslagen, maar niemand wist hoe loyaal de SS zich tegenover haar leider zou gedragen. Dönitz had een schietklare Browning in zijn bureau toen hij Himmler, die met een groot gevolg vanuit zijn laatste hoofdkwartier in Kalkhorst aan de Lübecker Bocht was aangekomen, het Bormann-telegram gaf waarin hij van de gebeurtenissen in Berlijn en vooral van zijn afzetting op de hoogte werd gebracht. Himmler feliciteerde Dönitz en bood aan als tweede man van de Staat verder voor hem te werken. Zijn carrière, die hij als plaatsvervanger begonnen was, wilde hij als plaatsvervanger voortzetten. Dönitz weigerde dit. 'Anderzijds kon ik mij echter niet geheel van hem ontdoen, omdat hij de chef van de politie was.' Himmler probeerde nog een paar keer in persoonlijke gesprekken met Dönitz een positie in de opvolgerstaat te krijgen. Maar op 6 mei deelde Dönitz zijn bezoeker rond 17.00 uur mee dat hij hem nu definitief niet meer wilde zien. Toen Himmler Dönitz' kantoor verliet, kwam hij de nieuwe minister van Buitenlandse Zaken, graaf Schwerin von Krosigk, tegen, wie hij zijn verdere plannen ontvouwde: het Westen zou spoedig narigheid krijgen met de Russen. Tot het zover was, en dat zou al spoedig zijn, zou hij onderduiken. Daarna, als Duitsland in het conflict tussen Oost en West de doorslag moest geven, zou zijn tijd komen: 'Wij zullen dan afmaken wat wij in de oorlog niet konden bewerkstelligen.' Tot dan, Himmler rekende op twee à drie maanden, zou hij zich verborgen houden. Tegenover de paar laatste getrouwen schepte hij erover op van Sleeswijk-Holstein een SS-staat te zullen maken.

22 mei 1945 was een warme lentedag. Twee weken na het einde van de Tweede Wereldoorlog in Europa heerste er chaos in Duitsland. De steden lagen in puin, en verdreven en door bombardementen dakloos geworden mensen trokken zwervend over de stoffige wegen. De restanten van Hitlers Wehrmacht kwamen in geallieerde gevangenschap. Menigeen probeerde in burgerkleren aan dit lot te ontsnappen. Voor anderen betekende het Duitse uniform bescherming, zij hoopten zich als gewone soldaten aan de verantwoordelijkheid voor hun misdaden te kunnen onttrekken. In zijn hoofdkwartier in Flensburg had Heinrich Himmler vóór het einde van de oorlog Rudolf Höß aangeraden om onder te duiken. 'Zo snel mogelijk in de Wehrmacht verdwijnen', luidde het motto van hen voor wie er meer dreigde dan gevangenschap alleen. De moordenaars moesten zich mengen onder het volk waarover zij schande gebracht hadden. Menigeen die tot het op een na hoogste echelon van de bruine elite behoorde, probeerde te verdwijnen in de anonieme massa waaruit hij twaalf jaar eerder was opgeborreld. De allang de laan uitgestuurde *Frankenleider*, Julius Streicher, verschool zich als schilder in Beieren, Robert Ley, de vroegere leider van het *Deutsche Arbeitsfront*, verborg zich achter de naam dr. Distelmeyer, en de arrogante voormalige minister van Buitenlandse Zaken, Joachim von Ribbentrop, dook onder bij een vriendin in Hamburg.

Aan de rand van het dorp Barnstedt, tussen Bremervörde en Hamburg, dook op deze 22ste mei een kleine groep haveloze figuren op. Een Britse patrouille hield haar tegen. Een kleine, magere man stelde zich voor als sergeant-majoor Heinrich Hitzinger; zijn legitimatiebewijs was een vervalste pas. Met de machtige Reichsführer-SS vertoonde de uitgeteerde en ziek ogende man geen gelijkenis. Het snorretje ontbrak, een zwarte ooglap bedekte zijn linkeroog. Niemand had er een vermoeden van wie zich hier, in het uniform van een gewone soldaat, vanuit Flensburg door de Angelsaksische linie wilde heenslaan om Beieren te bereiken. Op 12 mei waren de mannen in hun verslonsde uniformen, waarvan de schouderstukken ontbraken, met een vissersboot de Elbe overgestoken. Hun auto's hadden ze moeten achterlaten. Van hier af zetten zij hun vlucht te voet voort: Himmler, zijn lijfwacht Kiermayer, zijn adviseur Standartenführer [vgl. kolonel – vert.] Rudolf Brandt, zijn adjudanten Obersturmbannführer Grothmann en Sturmbannführer Macher en zeven SS-ers. Zij gaven zich allemaal uit voor gedemobiliseerde leden van de *Geheime Feldpoli-*

'Tijd om de strijdbijl te begraven...' Overlevenden uit Himmlers kampen (1945).

De gevangenen in het kamp Niedernhagen stierven aan ondervoeding en aan straffen die aan de Middeleeuwen deden denken. De handen van sommige gevangenen werden bijvoorbeeld op de rug samengebonden, vervolgens omhooggetrokken tot de schoudergewrichten uit de kom raakten. Of de handen werden van voren samengebonden, beide knieën tussen de ellebogen door, en een ijzeren staaf ertussen. Zo liet men de gevangenen op de cementen vloer liggen.

In het kamp verrichtten jonge SS-artsen op gevangenen hun eerste operaties. Voorwaarde was dat de gevangenen op de negende dag na de operatie weer konden werken. Mijn breukoperatie werd zonder anesthesisten verricht. Vier man hielden mij vast, vervolgens werd er geopereerd en gehecht. Op de negende dag werd ik om hout te hakken ontslagen. Na een halfuur scheurde mijn wond open, en mijn darmen hingen op mijn knieën. Toen ben ik, toen de voorman niet keek, op mijn rug gaan liggen en heb ik mijn darmen weer in mijn buik gedrukt. Vervolgens hield ik met een hand mijn buik vast, terwijl ik met de andere houthakte.

Max Hollweg, concentratiekampgevangene

zei. Ook professor Karl Gebhardt was van de partij, een jeugdvriend van Himmler, geneesheer-directeur van de kliniek Hohenlychen, die vanwege zijn medische experimenten op mensen in het concentratiekamp Ravensbrück eveneens alle reden had om te voorkomen dat hij door de overwinnaars gevangengenomen zou worden. Na een lange voettocht hielden zij zich een paar dagen schuil in een boerderij bij Bremervörde. Als volgende etappe was de oversteek van de Oste gepland. Maar al bij de eerste controle mislukte de onderneming. Britse soldaten namen het groepje in hechtenis en brachten het naar kamp 031 bij Bramstedt. Nog steeds hadden de Engelsen er geen idee van, wat voor grote vis zij in hun netten gevangen hadden.

De behandeling die Himmler als sergeant-majoor Hitzinger kreeg, leek hem niet passen bij de belangrijkheid van zijn persoon. De gevangene verzocht om een persoonlijk gesprek met *captain* T. Sylvester. In het eerste gesprek met de commandant van kamp 031 nam hij meteen zijn ooglap af, zette zijn bril weer op en hief, met vermoeide stem, zijn incognito op. Himmler hoopte op een zeer voorkomende behandeling. Maar het pakte anders uit: net als miljoenen van zijn slachtoffers in de concentratiekampen moest hij zich helemaal uitkleden. Anders dan de beulsknechten van de SS ging het de Britten echter niet om het te gelde maken van zijn bezittingen, maar om het voorkomen van zelfmoord. Tot aan zijn transport naar het hoofdkwartier van het 2de Britse leger in Lüneburg hield *captain* Sylvester persoonlijk toezicht op zijn hoge gevangene. Na te zijn gefouilleerd kreeg Himmler een Engels uniform om te verhinderen dat hij gifcapsules zijn cel in kon smokkelen.

De volgende dag, op 23 mei, werd Himmler voorgeleid om opnieuw verhoord te worden. Nog steeds had hij geen gebruikgemaakt van de gifampul die hij, zoals alle nazi-groten, bij zich droeg. De Britse officier die hem verhoorde, kolonel N.L. Murphy, van Montgomery's inlichtingendienst, beval Himmler opnieuw te fouilleren. Toen een arts Himmlers mond wilde doorzoeken, beet de gevangene een cyaankali-ampul stuk, die hij in een gat tussen zijn tanden verborgen had gehouden. *We immediatly upended the old bastard,* ['We hebben die ploert meteen ondersteboven gekeerd' – vert.] schreef een van de aanwezige officieren later in zijn dagboek. Met naald en draad probeerden de Engelsen Himmlers tong vast te zetten om het gif met behulp van braakmiddelen en een maagpomp weer uit het lichaam te krijgen.

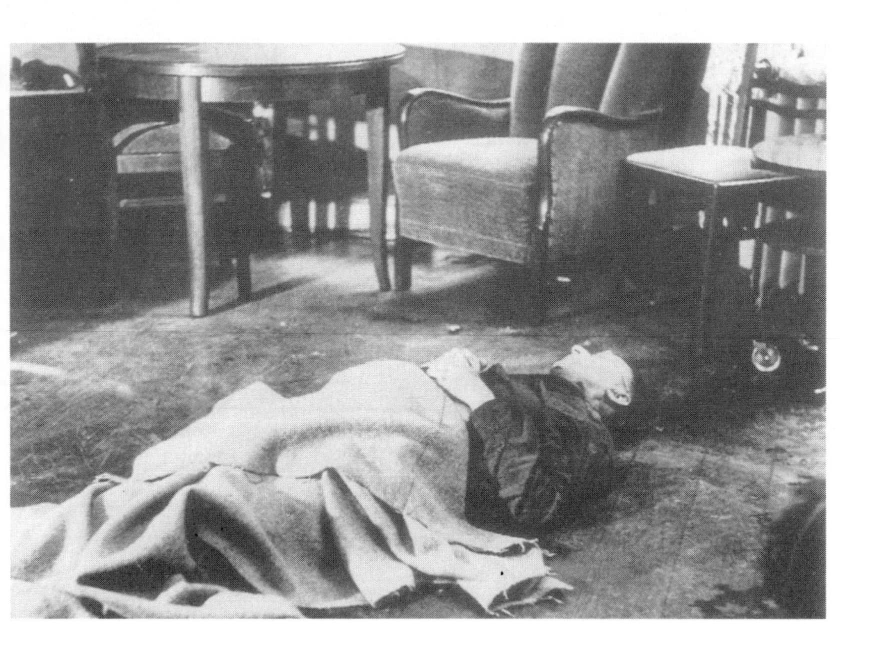

'En toen beet hij de gifampul stuk...' Himmler na zijn zelfmoord op 23 mei 1945.

Men had mij niet gezegd wie hij was. Ik wist alleen dat ik een belangrijke gevangene moest bewaken. Toen hij de kamer binnenkwam – niet de elegante verschijning die wij allemaal kenden, maar gekleed in legerondergoed, met een deken om zijn lichaam -, herkende ik hem meteen. Ik sprak hem aan in het Duits en wees naar een lege divan. 'Dat is uw bed,' zei ik, 'kleedt u zich uit!'
Hij keek mij aan en zei: 'Hij weet niet wie ik ben.' Ik zei: 'U bent Himmler. En dat is uw bed. Kleedt u zich uit.' Hij staarde mij aan. Maar ik staarde terug. Ten slotte sloeg hij zijn ogen neer en begon hij zijn onderbroek uit te trekken.
De arts en de kolonel kwamen binnen en onderzochten hem. Wij verdachten hem ervan gif bij zich te hebben. De arts keek overal, tussen zijn tenen, in zijn oksels, in zijn oren, achter zijn oren, in zijn haar.
Toen kwam hij bij zijn mond. Hij verzocht Himmler, zijn mond te openen. Die gehoorzaamde en legde zijn tong bloot. Maar de dokter was niet tevreden. Hij verzocht hem dichter bij de lamp te komen staan. De dokter probeerde twee vingers in zijn mond te steken. Toen trok Himmler zijn hoofd weg, beet de dokter in zijn vingers en beet de gifampul stuk die hij al uren in zijn mond had.
De dokter zei: 'Hij heeft het gedaan!'
Toen hij gestorven was, wierpen wij een deken over hem heen en lieten hem liggen.

Sergeant-majoor Edwin Austin, Himmlers bewaker, 1945

Maar alle pogingen mislukten. Na een doodsstrijd van twaalf minuten was de meest gevreesde man van het Derde Rijk dood. Een dag lang bleef het lijk liggen. Amerikaanse en Russische officieren inspecteerden de stoffelijke resten. Er werd een dodenmasker gemaakt. De sovjets bleven sceptisch. Het zou om Himmler kunnen gaan, luidde hun voorzichtige oordeel. Maar twijfels waren misplaatst. De dode was Heinrich Himmler, Hitlers beul. Op 26 mei werd zijn lijk door Britse soldaten achteloos onder de grond gestopt. Nog altijd liggen zijn beenderen, anoniem en onvindbaar, in een bosperceel bij Lüneburg. Althans in dit opzicht is hem hetzelfde lot beschoren als dat wat hij miljoenen van zijn slachtoffers heeft laten ondergaan.

De plaatsvervanger

Ik ken mezelf niet goed.

Ik wil de Hagen van de Partij zijn.

Wij geloven dat de Führer gehoor geeft aan een hogere roeping
om gestalte te geven aan het Duitse lot.

Ik zou het nationaal-socialisme en het fascisme
welhaast het in politieke vormen gegoten
gezond verstand willen noemen.

Het nationaal-socialisme wortelt in de oorlog.

Deze verklaringen voor de vrede in onze grote
officiële toespraken zijn geen lippendiensten.

U kunt zich altijd van mij ontdoen –
verklaart u mij gek.

Ik heb nergens spijt van.

Heß

Alles is nieuw voor je, heb je nooit eerder meegemaakt. Onlangs stond ik dik ingepakt op wacht. Het landschap wit van de sneeuw, de sterrenhemel fonkelt. Rechts plotseling een helder licht aan de hemel, alras ook links. Brandende dorpen! Van een ontroerende schoonheid. Oorlog!

Heß aan zijn ouders, 1914 (brief)

Met de regering-Kapp schijnt het alweer gedaan te zijn. Het is treurig. Een groot deel van het volk riep om een dictator die orde schept, optreedt tegen het joodse bedrijfsleven, zwendelarij en woekerhandel tegengaat. Maar als hij er dan eenmaal is, de man die onzelfzuchtig voor het welzijn van iedereen de zaak in handen wil nemen en op eigen risico handelt: ziedaar, het getier over de vredeverstoorder barst los. Onze joodse pers, die weet dat het haar rasgenoten de hals zou kunnen kosten, doet natuurlijk haar uiterste best om de nieuwe mensen als jonkers, reactionairen, monarchisten, etc. te brandmerken.

Heß aan zijn ouders, 1920 (brief)

Wanneer wordt deze kunstmatige muur tussen arbeiders en burgers eindelijk geslecht? Zolang dat jodentuig er voordeel van heeft, zeker niet.

Heß aan zijn ouders, 1920 (brief)

Ikzelf was vóór die tijd geen antisemiet. De feiten van 1918 en later waren echter zo in het oog springend, dat ik mij wel tot het antisemitisme moest bekeren.

Heß, 1940

Heß: de meest fatsoenlijke, rustige, vriendelijke, intelligente, gereserveerde: de privé-secretaris. Hij is een aardige vent.

Goebbels, 1926 (dagboek)

Ik hoop maar dat Heß mij nooit hoeft te vervangen. Ik zou niet weten met wie ik meer te doen zou hebben: met Heß of met de Partij.

Hitler tot Göring, 1937

Mocht mij iets overkomen, dan is mijn eerste opvolger partijgenoot Göring. Mocht partijgenoot Göring iets overkomen, dan is mijn volgende opvolger partijgenoot Heß.

Hitler, 1939

Ik zie mijn man nog voor me, alsof het gisteren was: de thee is gedronken, na een handkus staat hij bij de deur van de kinderkamer, plotseling merkwaardig ernstig, peinzend, bijna aarzelend.
'Wanneer ben je terug?'
'Dat weet ik nog niet precies, misschien morgen al, maandagavond zal ik er zeker wel weer zijn.'
Ik geloofde hem niet.

Ilse Heß over haar man, kort voor zijn vliegtocht naar Engeland

U wilt mij in alle ernst vertellen dat de plaatsvervanger van de Führer in Engeland is? Welnu, Heß of geen Heß, ik zit nu naar een film van de Marx Brothers te kijken.

Winston Churchill, 1941

Wij hebben allemaal onze graven en worden steeds eenzamer, maar wij moeten overwinnen en verder leven, mijn beste mevrouw! Ook ik mis de twee enige mensen in mijn omgeving aan wie ik van binnen echt gehecht was: dr. Todt is dood, en Heß is van mij weggevlogen.

Hitler tot de weduwe van uitgever Hugo Bruckmann, 1942

Als ik het juist beoordeel, is Hitler het verraad van zijn plaatsvervanger nooit te boven gekomen. Nog enige tijd na de aanslag van 20 juli 1944 zei hij in het kader van een van zijn fantastische verkeerde beoordelingen van de toestand dat een van zijn vredesvoorwaarden de uitlevering van 'die verrader' was. Hij moest van hem worden opgehangen. Heß meende, toen ik hem dit later vertelde: 'Hij zou zich met mij hebben verzoend. Zeker weten! En gelooft u niet dat hij in 1945, toen alles op zijn eind liep, wel eens dacht: Heß heeft toch gelijk gehad?'

Speer over Heß' vliegtocht naar Engeland

Hij is volkomen ongeïnteresseerd, heeft op zijn knieën een paar vellen papier liggen en schrijft onafgebroken. Göring buigt zich naar hem toe en maakt hem erop attent dat hij nu aan de beurt is. Maar Heß maakt wrevelig een afwerend handgebaar en gaat, zonder belang te stellen in wat er over hem gezegd wordt, door met het maken van zijn geheimzinnige notities. Hij heeft niet eens zijn koptelefoon opgezet, en als Göring hem vervolgens het vonnis in het oor fluistert, is afwezig knikken zijn enige reactie.

Joe J. Heydecker, Amerikaans journalist, 1946 in Neurenberg

'Vals alarm,' onderofficier Felicity Ashbee schudde het hoofd, 'wéér een valse melding van de kust.' Het radarstation van Ottercops Moss op het meest oostelijke puntje van Schotland stond erom bekend dat het soms onweerswolken met Duitse bommenwerpers verwarde. De melding op deze avond van 10 mei 1941 klonk ook al te avontuurlijk: één enkel toestel boven de Noordzee, op een hoogte van meer dan vijfduizend meter en zo snel als een jachtvliegtuig, koersend richting Schotland. Voor de ervaren luchtwachtmedewerkster Ashbee was dit in strijd met alle logica. Zij wist wel dat op hetzelfde ogenblik vijfhonderd Duitse bommenwerpers op weg waren om een nachtelijke aanval op Londen uit te voeren en dat zulke grootschalige bombardementen altijd met afleidingsmanoeuvres gepaard gingen, maar nu, even vóór 22.00 uur – de aanvallers waren reeds het Zuid-Engelse luchtruim binnengedrongen – was het daar veel te laat voor. Ook een verkenningsvlucht van de Duitse Luftwaffe was kort voor het invallen van de duisternis uitgesloten.

Om 22.08 uur bevestigden twee andere Schotse radarstations de melding van Ottercops Moss. Enkele minuten later vloog de indringer over de Schotse kust. Luchtruimwaarnemers van het Royal Observer Corps identificeerden het vliegtuig als een Messerschmitt Bf 110. Twee Britse Spitfire-jagers volgden het toestel nauwlettend. Zonder boordradar was dit in de schemering echter een hopeloze onderneming. De Messerschmitt jaagde nu in scheervlucht over het Schotse heuvellandschap. Later zou de piloot van het Duitse vliegtuig enthousiast over zijn indrukken vertellen: 'Sprookjesachtig gezicht. De steile bergachtige eilanden bij volle maan, in het laatste schemerlicht.'

Een in Glasgow gealarmeerde Defiant-nachtjager vormde een ernstige bedreiging. Maar de Duitse vlieger had geluk. Toen nog slechts een paar mijl hem van de nachtjager scheidden, opende hij de koepel van zijn toestel en sprong met zijn parachute de Schotse nacht in. Had hij een paar minuten langer geaarzeld, dan was de wereldgeschiedenis een bizar hoofdstuk armer geweest.

Met de eerste parachutesprong van zijn leven naderde de plaatsvervanger van de Führer, Rudolf Heß, die nacht Schotse bodem. Het waren zijn laatste minuten in vrijheid. Geen enkele episode uit de Tweede Wereldoorlog gaf tot zoveel gissingen aanleiding als deze roekeloze onderneming. Nog steeds zijn de achtergronden niet volkomen opgehelderd. De kansen op een volledige oplossing van het raadsel zijn slecht. Alle direct betrokkenen zijn dood en doorslaggevende aanwijzingen in de dossiers ontbreken. Ook nadat een omvangrijk gedeelte van de Britse archieven in 1992 geopend werd, blijft er een laatste vraag onbeantwoord: vloog Heß inderdaad als kansloze vredesengel met een eigen missie naar Engeland, zoals het merendeel van de onderzoekers aanneemt, of was hij toch de onzelfzuchtige brenger van een aanbod van Hitler, zoals sommige historici geloven?

In de gevangenis van Spandau heeft Rudolf Heß tot aan zijn dood in 1987 gezwegen. Officieel mocht hij toch al geen informatie geven over de eventuele politieke achtergronden van zijn vliegtocht, maar ook tegenover diegenen die zich van het gevangenisregime niets aantrokken en vertrouwelijke gesprekken met hem voerden heeft hij niets losgelaten. Niet in de laatste plaats door dit zelfopgelegde zwijgen, door zijn aan halsstarrigheid grenzende trots maakten dat Heß een cultfiguur voor neonazi's in de gehele wereld werd. Hijzelf wilde dit waarschijnlijk niet. Tegen zijn zoon zei hij dat hij kaalgeschoren skinheads in bomberjacks fantasten en idioten vond. Toch is hij door zijn dood een martelaar geworden. Hoewel steekhoudende bewijzen ontbreken, is niet alleen Heß' familie er vast van overtuigd dat er achter de gevangenismuren van Spandau een mysterieuze moord is gepleegd.

Het gissen naar het waarom van de vliegtocht naar Engeland en over het einde in de gevangenis heeft de serieuze biografie van Rudolf Heß naar de achtergrond geschoven. Waar liggen de wortels van deze man, die ervoor zorgden dat hij het mysterie van de contemporaine geschiedenis werd? Wie was deze man, die Hitlers opkomst vanaf het begin van zeer nabij heeft mee- en mogelijk gemaakt en die zijn Führer met totale onderwerping steunde? Welke eigenschappen maakten hem tot de gelovigste van Hitlers beulen, deden hem zo definitief in de ban van de demogoog geraken?

De eerste overeenkomst was de geboorteplek van de verleider en zijn volgeling. Heß werd geboren in de Egyptische havenstad Alexandrië, dus net als de Oostenrijker Hitler buiten het Rijk dat voor beiden het doel van hun ambities zou worden. Net als Hitler ontwikkelde Heß op jonge leeftijd sterke gevoelens voor het verre vaderland. Het keizerrijk betekende voor de welgestelde koopmansfamilie Heß in Alexandrië vooral de geromantiseerde wedergeboorte van de natie. Onder de zogenoemde *Auslandsdeutsche* was overtrokken nationalisme wijdverbreid – 'Duitser dan Duits', zoals een latere strijdmakker van Heß opmerkte.

De verjaardag van de keizer gold als de belangrijkste niet-christelijke feestdag. Fritz Heß, de vader, ging dan niet naar kantoor, maar vierde deze verjaardag thuis en opende zijn beste fles wijn. Ver weg van de sociale problemen in de Hohenzollern-staat vond ook hij het in 1871 gestichte (Tweede) Rijk het grootste nationale geluk. En als de familie Heß ieder jaar in de zomer naar het Duitse vaderland terugkeerde, dan meed ze de steden waar achter protserige *wilhelminische* gevels zo nu en dan de ellende van de fabrieksarbeiders zichtbaar kon worden. Liever verbleven de zomergasten in hun villa te Reichholdsgrün, omgeven door de eenzaamheid van het Fichtelgebergte.

Voor Fritz Heß stond het al bij de geboorte van zijn zoon Rudolf in 1894 vast dat deze eens zijn bedrijf zou leiden. De opvoeding die hij zijn spruit gaf, was de voor welgestelde *Auslandsdeutsche* gebruikelijke: in Egypte waren het de kleine Duitse scholen en huisleraren, in 1908 vervolgens een internaat in het Rijnlandse Bad Godesberg. Rudolf was begaafd, zij het niet bovenmatig. Natuurwetenschappen en wiskunde lagen hem beter dan talen. De verstandhouding met zijn ouders beantwoordde aan het omstreeks de eeuwwisseling geldende opvoedingspatroon. Vader Heß commandeerde het gezin op een strenge kazernetoon, waarbij, herinnerde Rudolf Heß zich later, 'ons bloed dreigde te stollen'. Tegenover zijn kinderen – Rudolf kreeg nog een broertje en een zusje, Alfred en Margarete – gevoelens te tonen was in strijd met de aard van de patriarch. De Zwitserse herkomst van de familie – de invloed van het calvinisme en van de oude koopmanstraditie – weerspiegelde zich in het gezinshoofd. Toch bleef Frits Heß ondanks de vergaarde rijkdom in zijn diepste wezen een brave koopman. Hitlers perschef Ernst Hanfstaengl moest na een ontmoeting met de vader van de plaatsvervanger denken aan een kegelvriend. Discipline en zelfdiscipline, plichtsbetrachting en gehoorzaamheid, dat waren de hoekstenen die Fritz Heß zijn zoon meegaf – kenmerken van een tijdperk waarvan Hitler niet alleen in dit geval zou profiteren.

De familie Heß was zeer Duits-nationalistisch. Vandaar dat Rudolf zich voor Hitler interesseerde. Rudolf Heß' vader had in zijn werkkamer een groot schilderij van Wilhelm II hangen. Op diens verjaardag liet hij zich altijd wijn brengen en wenste hij zijn keizer een *happy birthday* toe. Toen Hitler gekozen werd, vroeg ik mevrouw Heß wat er nu zou veranderen. Zij zei: 'Dat is toch heel simpel. In plaats van dat je met een of ander goed plan moet wachten totdat de regering het erover eens is, hebben we nu een man die zegt, zo doen we het, en daarmee uit.' Dat loog er voor mij niet om.

Stefanie Camola, vriendin van de familie

Links: 'Duitser dan Duits...' Rudolf Heß als kind met zijn moeder Clara (1895).

Rechts: 'Verlangend naar de dag van de wraak...' Rudolf Heß als student.

De ouders van Rudolf Heß waren alleraardigst. Mijn zus kon heel goed overweg met vader Heß, die soms wat arrogant overkwam. Zijn vrouw was veel zachtaardiger. Voor vader Heß was het heel erg dat zijn oudste geen koopman werd om zijn bedrijf over te nemen.

Ingeborg Pröhl, Heß' schoonzuster

Heß lette altijd goed op wat hij at. De hele familie at geen vlees, ook wijn dronk hij zelden. Toen ik nog voor hem werkte, hadden we een feest en toen werd er ook wijn geschonken. Göring, die eveneens was uitgenodigd, merkte hierover op: 'Wie had gedacht dat er bij Heß zulke goede wijn zou zijn.'

Hildegard Faht, Heß' privé-secretaresse

Voor nestwarmte thuis was de moeder, Clara Heß, verantwoordelijk. Van haar erfde Rudolf de liefde voor natuur en muziek, het vertrouwen in geneeskrachtige planten en een buitengewoon grote belangstelling voor astrologie. Brieven aan de zoon in het internaat werden bijna altijd door de moeder geschreven. Vrees en bewondering voor de autoriteit van de vader aan de ene kant en de innige, tedere verstandhouding met de moeder aan de andere kant – deze tegenpolen zouden Rudolf Heß zijn leven lang beïnvloeden en kenmerken.

Het werd karakteristiek voor hem dat hij in het spanningsveld tussen beide posities geen echt eigen standpunt innam. Zijn hele leven had hij twee gezichten: de harde vechtjas in de knokpartijen in de tijd van strijd was tegelijk een zeer gevoelige dierenvriend, die letterlijk geen vlieg kwaad kon doen. De zedenprediker van de Partij, die opkwam tegen corruptie en ambtsmisbruik, gedroeg zich meteen daarop als een felle stoker die de invoering van stokslagen voor joden in het bezette Polen eiste. De dappere en vastberaden officier uit de Eerste Wereldoorlog ontwikkelde ten opzichte van Hitler een slaafse trouw, die nauwelijks ruimte liet voor eigen initiatieven. En ten slotte: de politiek uitgeschakelde plaatsvervanger, die vanwege zijn verstrooidheid en wereldvreemdheid door de andere paladijnen meewarig glimlachend bekeken werd, was in 1941 tot ieders verrassing zo besluitvaardig en stoutmoedig om midden in de oorlog naar de vijand te vliegen.

De jeugdjaren van Rudolf Heß zijn vaak geïnterpreteerd als noodlottig voor zijn latere leven, terwijl er in deze tijd in werkelijkheid niets gebeurde wat buiten het kader van het normale viel. Het was een gelukkige jeugd zonder materiële zorgen. Op het internaat in Godesberg behoorde hij tot de onopvallende leerlingen. Aan zijn vaders wens om in plaats van daar eindexamen te doen, in het Zwitserse Neuchâtel een handelsopleiding te voltooien, gaf Rudolf gehoor – zij het met tegenzin. Eigenlijk wilde hij liever ingenieur worden. In rustiger tijden was hij waarschijnlijk een brave koopman geworden die stiekem zou hebben getreurd om de noodgedwongen loochening van zijn voorliefde voor de natuurwetenschappen.

Maar het waren stormachtige tijden. Toen in de nazomer van 1914 de volkeren van Europa ten prooi vielen aan de roes van het nationalisme en in een uitbundige golf van enthousiasme een oorlog begonnen die zich tot een wereldbrand zou ontwikkelen, was dit ook voor de twintigjarige Rudolf Heß het beslissende keerpunt. In augustus meldde hij zich vrijwillig bij het leger aan – tegen de wil van zijn vader. Het was de eerste keer dat de zoon openlijk weigerde te gehoorzamen. Het zaad dat het oppermachtige nationalisme van de in het buitenland levende Duitse koopman gezaaid had, was allang opgekomen. Vader en zoon bleven weliswaar ook verder op respectvolle wijze met elkaar verbonden, maar autoriteit zocht Rudolf Heß van nu af nu elders.

Vooreerst bleef de begeerde weg naar het front echter versperd. Te veel Duitse mannen hadden haastig vrijwillig dienst genomen. Rudolf Heß moest eerst geduld oefenen, en vervolgens op het kazerneterrein leren omgaan met wapentuig. Het wachten op het moment waarop hij voor het eerst zou worden ingezet, werd een kwelling voor hem. In de absurde vrees dat hij vóór de verwachte snelle overwinning geen schot meer zou kunnen lossen, hoopte de rekruut zelfs op enorme Duitse verliezen: 'Je zou dus bijna gaan wensen,' schreef hij aan zijn moeder, 'dat die arme kerels bij het volgende gevecht geraakt worden. Anders is het onzeker hoelang ik nog tussen hemel en aarde zal zweven.'

Rudolf Heß kreeg vervolgens vier jaar lang de gelegenheid om het grote sterven van zeer nabij mee te maken. Zijn eenheid, het 1ste Beierse infanterieregiment, vocht aan het westelijk front. Toen de infanterist Heß zijn vuurdoop ontving, was de oorlog reeds verstard tot een stellingenoorlog. Niettemin vertelde hij in brieven vol naïef enthousiasme over zijn indrukken: 'Brandende dorpen! Van een ontroerende schoonheid. Oorlog!' Heß beschikte over de kwaliteiten om een goede soldaat te worden. Militaire gehoorzaamheid kende hij van thuis en ook de van zijn vader geërfde besluitvaardigheid viel zijn superieuren al gauw in positieve zin op. In de zomer van 1915 werd hij bevorderd tot onderofficier, in 1917 was hij luitenant.

Het aanvankelijke enthousiasme week spoedig voor het ontnuchterende inzicht dat een snelle overwinning op Frankrijk een bedrieglijke illusie was geweest. De soldaat Heß twijfelde echter niet. 'Doorvechten, volhouden – op het slagveld en thuis,' bezwoer hij zijn ouders in 1916 op het hoogtepunt van de Slag bij Verdun en beschreef hoe hijzelf enorm op de pessimisten inpraatte. De zinloze, miljoenvoudige dood in de loopgraven en granaattrechters – om de oorlog met zijn wereldbeeld in overeenstemming te kunnen brengen, verbloemde Heß hem met een overdreven pathos. In een paginalange ballade van de slag rijmde de frontsoldaat over 'trotse zegetochten', 'hellevuren' en 'grijze, afwachtende gestalten'.

Ook de verwondingen die hij aan het front opliep veranderden niets aan zijn enthousiasme. In 1917 ontsnapte hij aan het Roemeense front maar net aan de dood na een schot waarbij de kogel in een van zijn longen bleef steken. Weer genezen kreeg de nieuwbakken luitenant het bevel om een reservecompagnie naar het westelijk front te begeleiden. In deze compagnie bevond zich ook een Oostenrijker die zich voor dienst in het keizerlijke en koninklijke leger gedrukt had en liever vrijwillig in het leger van de Duitse keizer diende: Adolf Hitler. Bij hun toevallige ontmoeting wisselden de officier en de korporaal, die later in een andere rolverdeling geschiedenis zouden schrijven, echter geen woord.

In het voorjaar van 1918 werd de luitenant, na herhaalde verzoeken zijnerzijds, overgeplaatst naar de nieuwe elite van het leger, de 'vliegende troep'. Heß dweepte met de toppiloten rondom baron von Richthofen en kapitein Göring, wier luchtgevechten voor het verloop van de oorlog weliswaar van geen enkele beslissende betekenis waren, maar die elk kind kende. Tijdens zijn pilotenopleiding ontpopte hij zich ook in de cockpit als talentvol. Maar hij was te laat om zelf een oorlogsheld te worden. Pas in de laatste dagen van de oorlog ingezet, haalde hij geen vliegtuig meer neer – en leed ook zelf geen schade. De vliegerij zou hij echter trouw blijven.

De ineenstorting van het keizerrijk in november 1918 beschouwde Heß net als de meeste van zijn kameraden als een nationale catastrofe. Zonder een vermoeden te hebben van het beslissende aandeel van de keizerlijke regering aan het uitbreken van de oorlog, beschouwde hij deze nog altijd als een gerechtvaardigde verdedigingsstrijd van het Duitse volk. Het aanknopen van wapenstilstandsonderhandelingen was voor hem een grote fout: 'Wij staan er niet slechter voor dan in 1914,' schreef hij koppig aan zijn ouders, 'integendeel. Onze mannen waren alleen een tijd lang niet meer standvastig als gevolg van gestook vanuit het vaderland en door behendig vervaardigde strooibiljetten van de tegenstander.' Dolkstoot – wie schuldig was aan het 'falen' van het vaderland stond voor Heß allang vast: links. Dat de eigenlijke opperste bevelhebber van de laatste jaren, generaal Ludendorff, de nederlaag had toegegeven om zich vervolgens door ontslagname onmiddellijk aan zijn verantwoordelijkheid te onttrekken, daarvan wilde Heß net als vele frontsoldaten niets weten.

'Ik hou van hem...' Rudolf Heß (tweede van rechts) samen met Hitler als gevangene in Landsberg.

Hij stond vanaf het begin zijn mannetje en was spoedig een van de kranigste soldaten. Als het erom ging vrijwilligers voor de talrijke verkenningspatrouilles en stoottroepen te vinden, dan was hij steeds van de partij, zette zich altijd volledig in, was bij aanvallen door zijn koelbloedigheid en onzelfzuchtigheid een voorbeeld.

Strijdmakker van Heß in de Eerste Wereldoorlog, 1955

Na de mislukte putschpoging moest Rudolf Heß eerst een tijdje onderduiken. Mijn zus Ilse heeft hem toen steeds eten gebracht, omdat zij de enige was die van zijn schuilplaats in het Isar-dal wist. Later gaf hij zich aan en werd vervolgens in Landsberg opgesloten. De atmosfeer daar was niet zo drukkend als in een normale gevangenis, maar veel vrijer. Vooral mijn zus heeft hem daar regelmatig bezocht.

Ingeborg Pröhl, Heß' schoonzus

Hitler was zijn grote idool. Al heel vroeg leerde hij hem kennen en zei toen dat dit de man was die ons uit de misère zou halen. Als zodanig heeft hij Hitler vervolgens altijd vereerd en geacht. Hij zou ook nooit iets achter zijn rug hebben gedaan.

Laura Schroedel, Heß' secretaresse

Heß' plechtige ernst werkt soms op m'n zenuwen!

Hitler tegen Heinrich Hoffmann [zijn 'hoffotograaf' – vert.], 1927

De verloren oorlog als een knagende, persoonlijk gevoelde pijn, het fatale misverstand van het verraad van de politici – een trauma zette zich vast in miljoenen harten en sloeg in de Weimarrepubliek een diepe kloof die het volk verdeelde. Rudolf Heß stond aan de kant waar men maar één gedachte had: 'Het enige wat mij overeind houdt,' verklaarde hij in de zomer van 1919, 'is de hoop op de dag van de wraak.' Wie deze wraak zou treffen, dat zag Heß al net zo precies als zijn latere idool op hetzelfde ogenblik: niet alleen communisten en sociaal-democraten, ook de joden. Zestien jaar later zou hij dat in een toespraak onderstrepen: 'Vóór die tijd was ik geen antisemiet. De feiten van 1918 waren echter zo in het oog springend, dat ik mij wel tot het antisemitisme moest bekeren.'

Voor een dergelijk gedachtegoed bleek München, waar de afgedankte luitenant zich had ingekwartierd, een gevaarlijke stad te zijn. Onder de socialistische minister-president Kurt Eisner was de Beierse metropool naast Berlijn de tweede hoofdstad van de revolutie geworden. Op de Königsplatz patrouilleerden soldaten met rode mouwbanden. Bijna dagelijks berichtten de kranten over politieke moorden. Heß bleef voorlopig uit de vuurlinie en schold slechts in stilte op deze 'komedie naar Russisch voorbeeld'.

Ook voor hem persoonlijk zag de toekomst er somber uit. De Britten hadden het Egyptische bezit van zijn familie geconfisqueerd, en de jaren van financiële zorgeloosheid waren voorbij. In de villa in Reichholdsgrün wachtten zijn ouders af of het tij zou keren. Voor de vijfentwintigjarige zoon culmineerden het voorlopige verlies van het bedrijf in Alexandrië en de troebelen van de Duitse politiek in een zware levenscrisis. In een latere brief gaf hij toe destijds met de gedachte gespeeld te hebben zich een kogel door het hoofd te jagen.

Een eerste houvast vond de wanhopige jongeman in een achterkamer van het chique Münchense hotel Vier Jahreszeiten. Hier kwamen de leden bijeen van een vereniging die in het Münchense Verenigingsregister stond ingeschreven als *Studiengruppe für germanisches Altertum*. Achter deze onschuldige klinkende naam ging echter een geheime loge schuil met rechts-radicale, antimarxistische en antisemitische doeleinden, het *Thule-Gesellschaft*. Hierin waren het *völkische* gedachtegoed en contrarevolutionaire plannen voor een staatsgreep gebundeld – een broeinest voor een ideologisch noodlot dat zich veertien jaar later zou manifesteren.

Het embleem van het Thule-Gesellschaft was het hakenkruis, een van z'n idealen de arische mens. Heß sloot zich begin 1919 bij het geheime genootschap aan en nam al gauw belangrijke taken op zich als leverancier van wapens, werver van vrijwilligers en leider van sabotagetroepen. Toen paramilitaire vrijkorpsen met steun van de *Reichswehr* in mei 1919 de Münchense radenrepubliek uiteensloegen, droeg zijn subversieve arbeid vrucht. Het vrijkorps *Epp* vestigde z'n hoofdkwartier in de vertrekken van hotel Vier Jahreszeiten. Heß bestreed links nu ook in dienst van de vrijkorpsen.

In het *Thule-Gesellschaft* hadden zijn vage antisemitisme en zijn droom van het herstel van de nationale grootheid zich geconsolideerd tot een radicaal gedachtemengsel. Ook de idee van een Führer die Duitslands wedergeboorte zou bewerkstelligen had op Heß' warme instemming. Bovendien leerde hij in de vertrekken van het genootschap latere strijdmakkers en nationaal-socialistische groten kennen: Hans Frank, Alfred Rosenberg en Dietrich Eckart. Of ook een toen nog onbekende bierkelderredenaar genaamd Adolf Hitler met het *Thule-Gesellschaft* in contact stond, zoals Rudolf von Sebottendorf, leider van de organisatie, later beweerde, is onzeker. Zeker is dat het gedachtegoed en ook talrijke aanhangers van het genootschap later in de NSDAP wortel konden schieten.

Rudolf Heß had in hotel Vier Jahreszeiten zijn eerste politieke thuis gevonden. Ook maatschappelijk sloeg hij een nieuwe weg in: als frontsoldaat mocht hij zonder einddiploma aan de universiteit van München studeren. Een voltooide universitaire opleiding leek hem het juiste middel om definitief aan het nog altijd dreigende kantoor van het bedrijf van zijn vader te ontsnappen. Heß schreef zich in voor Economie en Geschiedenis – een algemene studie, hij had geen duidelijk beroep voor ogen.

In de collegezaal volgde een kennismaking met verregaande gevolgen. Geopolitiek werd gedoceerd door professor generaal b.d. Karl Haushofer, een eerzaam man met contacten in de Münchense society. Heß vond in de oude houwdegen het begeerde surrogaat voor zijn autoritaire vader. De student Heß werd al snel de assistent van de professor, zocht hem steeds vaker ook privé op en maakte zich het wetenschappelijke credo van de leermeester eigen. Haushofers thesen vormden in feite meer een politiek dan een academisch programma. Zijn grondgedachte luidde: het ontbreekt het Duitse volk aan *Lebensraum*, dat alleen in het oosten gevonden kan worden. Dat de realisering van deze waan stromen van bloed zou kosten ontbrak in de wetenschappelijke onderbouwing van professor Haushofer. Zijn assistent slorpte het *Lebensraum*-plan niettemin gulzig op.

Privé leidde de jongeman, die al op zijn vijfentwintigste in de rechts-radicale kringen van München naam had gemaakt, een tamelijk sober leven: hij rookte niet, hij dronk niet, hij danste niet. Hoewel hij sportief was, afkomstig uit een welgestelde familie en er goed uitzag, lijken er evenmin meisjes in het jonge leven van de brave burgerman geweest te zijn. Uit de toon van zijn vroege brieven spreekt een kleurloze nuchterheid, die pas in een fanatieke bezetenheid omslaat als het over Duitsland, over politiek of over de oorlog gaat. De weinige portretten van Heß uit die jaren tonen een man die in zichzelf gekeerd lijkt te zijn, wat hij met zijn borstelige wenkbrauwen ook optisch nog lijkt te versterken.

In 1920 leerde hij in zijn eenvoudige pension in Zwaben de officiersdochter Ilse Pröhl kennen – de eerste vrouw in het leven van de zonderling. De eerste ontmoeting met haar latere echtgenoot herinnerde zij zich aldus: 'Plotseling sprong, door een buitentoegang in de tuin gekomen, een jongeman in een veldgrijs uniform, op zijn arm de bronzen leeuw van het vrijkorps Epp, met drie treden tegelijk de kleine trap op. Een schok bij mijn onverwachte aanblik, een zeer vijandige en afwijzende blik onder borstelige wenkbrauwen, een zeer korte, maar beleefde buiging – en weg was hij! Dat was Rudolf Heß.'

Het was niet bepaald een hartstochtelijke, wederzijdse verliefdheid. Het is heel kenmerkend dat Heß veel tijd nodig had om aan de gedachte te wennen een vrouw aan zijn zijde te hebben. Zijn ouders beschreef hij Ilse op weinig vleiende wijze: uit een kuil vol slangen had hij de enige paling gevist. Maar Ilse Pröhl werd meer dan alleen een vriendin, verloofde en echtgenote. Als een van de eerste vrouwen trad zij toe tot de NSDAP en hielp zij in de jaren vóór haar huwelijk ook bij het politieke werk.

Op deze ommekeer in zijn privé-leven volgde op een avond in mei 1920 een gebeurtenis die zijn leven zou veranderen: in een bierkelder in München, de Sterneckerbräu, hoorde Rudolf Heß een spreker van de 'Deutsche Arbeiterpartei' (DAP), een van de vele Duits-nationalistische splintergroeperingen in Beieren. In de horecagelegenheid waren amper twee dozijn toehoorders samengekomen. Een kelnerin serveerde bier in pullen. Er hing een sigarettenwalm. De spreker was een paar jaar ouder dan Heß, had donker haar met een scheiding en een bijna rechthoekig geknipte snor. Op een strooibiljet van de DAP stond zijn beroep: kunstschilder.

Met een sterk Oostenrijks accent begon hij de gebeurtenissen van de afgelopen jaren te schilderen: het Verdrag van Versailles als misdaad jegens het Duitse volk, het verraad van de burgerlijke regering jegens de frontsoldaten, en hij beschuldigde de joden ervan de heimelijke veroorzakers van alle ellende te zijn. Inmiddels was zijn toespraak allang geculmineerd in een extatisch geschreeuw. Heß was gebiologeerd. Het was de gebeurtenis die hem wakker schudde. Deze man leek hem naar zijn hart te spreken. Nog diezelfde nacht stormde hij de kamer van zijn vriendin binnen. 'Die man, die man,' stamelde hij enthousiast, 'er sprak een onbekende, zijn naam weet ik niet meer. Maar als iemand ons van Versailles zal bevrijden, dan is deze man het, deze vreemdeling zal onze eer weer herstellen!' Ilse Heß beschreef later dat haar man 'leek te zijn veranderd als een blad aan een boom, opgewekt, stralend, niet meer somber, niet verbitterd'.

In 1920 was Hitler nog lang geen Führer. Voorlopig streed hij nog binnen de nietige DAP om de macht. De kracht van zijn redevoeringen was echter al voelbaar. Heß behoorde tot de eersten die aan deze demagogie ten prooi vielen. Een paar dagen later besloot hij de schilder die redevoeringen hield te volgen. Hij had hiervoor verschillende, gecompliceerde redenen. Zeker, Hitlers nog ongeordende politieke ideeën kwamen in hoge mate overeen met de ideeën die zijn toekomstige discipel in het *völkische* milieu van het *Thule-Gesellschaft* meegekregen had. Beiden waren frontsoldaat geweest. Beiden waren zwaargewond geraakt, en beiden waren door de ineenstorting van het keizerlijke leger persoonlijk gekwetst. Maar Heß had ook nog een andere, innerlijke behoefte: zijn sterke verlangen naar autoriteit. Na zich te hebben losgemaakt van zijn vader, was hij steeds op zoek geweest naar een oriëntatiepunt. In het leger had de militaire hiërarchie dit vacuüm opgevuld, later voor korte tijd zijn docent en vaderlijke vriend Karl Haushofer.

Nu leek deze man uit de Sterneckerbräu niet alleen geschikt om zijn nieuwe persoonlijke autoriteit te worden, maar ook om een oplossing te bieden voor de knagende pijn om de toestand van de natie – voor Heß een fatale symbiose van vurig politiek – en privé-verlangen. Hier vielen zijn wensen samen met de tijdgeest. In talrijke boeken, gedichten en artikelen uit die jaren is sprake van 'die Ene', die de natie redding zal brengen. Voor Heß was Hitler deze 'Ene', en vanaf dat moment stelde hij zich tot taak deze nationale redder te helpen zijn doel te bereiken.

Hitler vond de jonge helper, die zich als een discipel bij hem aansloot, meteen aardig. Heß was betrouwbaar, kende uit zijn 'Thule'-tijd invloedrijke mensen en beschikte over een eigenschap die de manisch-monologen-houdende Hitler zeer goed uitkwam: hij kon luisteren. Binnen de nog kleine Partij werd om het ongelijke duo geglimlacht. Zelfs koffiehuizen bezochten ze meestal samen: Heß, het burgerzoontje, gereserveerd, met goede manieren – en Hitler, de agitator van eenvoudige afkomst, die op anderen zo onbeholpen en sluw overkwam. Niets wees erop dat hier de toekomstige Führer van de Duitsers en zijn plaatsvervanger optraden.

Heß' enthousiasme voor de tribuun, zoals hij Hitler vol ontzag noemde, culmineerde al gauw in een ongeremd fanatisme. 'Een prachtvent,' schreef hij aan zijn nicht, en vertelde vervolgens geestdriftig met de nodige overdrijving: 'Onlangs kreeg hij het in een grootse rede voor elkaar dat op het eind in Circus Krone de ongeveer zesduizend toehoorders uit alle lagen van de bevolking het *Deutschland, Deutschland über alles* aanhieven. Ongeveer tweeduizend aanwezige communisten zongen mee.' Een dergelijke uitbundigheid bracht Karl Haushofer, de bezorgde beschermer van Heß, natuurlijk geenszins in vervoering. De beschaafde generaal trok zijn neus op voor de parvenu Hitler, die noch op esprit, noch op ontwikkeling kon bogen. Waarschijnlijk was er ook een heel klein beetje jaloersheid in het spel, omdat deze bierkelderredenaar uit Oostenrijk het klaarspeelde om zijn lievelingsstudent van de universiteit te houden.

Heß ontwikkelde zich steeds meer tot Hitlers secretaris – vooral toen deze in 1921 de leiding van de NSDAP naar zich toe had getrokken. Hij maakte zich ook op een andere manier nuttig: hing met zijn vriendin Ilse aanplakbiljetten op, verspreidde strooibiljetten en organiseerde op Hitlers bevel de eerste *Studentische Hundertschaft* van de SA. Colleges bezocht de jonge functionaris nauwelijks nog. Het touwtrekken tussen Hitler en Haushofer om de toekomst van Rudolf Heß was beslist. Bij gevechten met politieke tegenstanders tijdens bijeenkomsten verwierf hij als vechtjas een zekere roem. Het feit dat hem eens met een bierpul door een communist een gapende hoofdwond was

'Hij was rood van kwaadheid...' Bij de naamgeving van de zoon van Heß, Wolf-Rüdiger, op 9 november 1938 (Pogromnacht), was Hitler peetoom.

Heß was van al mijn chefs zeker de beste. Hij was altijd beleefd en vriendelijk, en wij hebben vaak samen gelachen. Ook had hij een zeer sterk ontwikkeld rechtvaardigheidsgevoel. Zo heeft hij de vrouw van generaal Haushofer steeds beschermd. Ook in andere gevallen, telkens wanneer hij over bijzondere onbillijkheden hoorde, greep hij in en hielp het slachtoffer. Daarom noemde men hem ook wel de klaagmuur van de Partij. Velen vroegen hem om hulp en advies. Driftig heb ik hem nooit meegemaakt. Slechts één keer was hij woedend, vanwege de *Kristallnacht*, die achter zijn rug om georganiseerd was. Toen hij van de actie hoorde, verbood hij iedere partijgenoot om eraan deel te nemen. Maar het was al te laat.

Hildegard Faht, Heß' privé-secretaresse

Mijn zuster vroeg hem eens: 'Grote, moeten wij nu niet uit de kerk treden?' Hij antwoordde: 'Nee, stel je voor hoe de mensen zouden reageren. Die zouden ook allemaal uittreden, alleen omdat Heß uitgetreden is. En dat gaat niet, eigenlijk hebben we de kerk toch nodig. Anders verliezen de mensen hun houvast. We treden niet uit!'

Ingeborg Pröhl, Heß' schoonzuster

toegebracht, werd in de latere toespraken van de plaatsvervanger een telkens terugkerende frase: 'Wie zoals ik bloedend voor de Führer ineengezakt is...'

Maar om in de jonge NSDAP op te scheppen miste Heß een doorslaggevende kwaliteit. Hij kon niet spreken in het openbaar! Als Heß op een podium een toespraak moest houden, was hij geremd en verkrampt. Toehoorders hadden de indruk dat hij blij was als zijn toespraak voorbij was. Hermann Esser, partijspreker in de begintijd, merkte op: 'Ten overstaan van een dozijn mensen kan Heß geen samenhangende zin uitspreken.'

Toch begon men in de Partij de betrouwbare helper aan Hitlers zijde serieus te nemen. In de *Völkischer Beobachter*, de nieuwe partijkrant, mocht hij op 31 juli 1921 in een hoofdartikel het programma van de Partij toelichten, dat reeds de essentiële punten van latere jaren bevatte: het was antiparlementair, anti-joods, antikapitalistisch – en beoogde de creatie van een nationale volksgemeenschap. Heß was weliswaar geen opsteller van het programma, hij was geen denker van de Partij en is dat ook nooit geworden – maar hij gaf haar reeds in deze begintijd wel een gezicht: fanatiek, gelovig, en op een fatale manier ook geloofwaardig. Consequent begon hij een mythe rond zijn tribuun te creëren. De titel die twaalf jaar later elk kind met Hitler in verband zou brengen, is van hem afkomstig. Als eerste noemde hij Hitler de Führer.

In november 1923 maakte deze Führer zich voor het eerst op om geschiedenis te schrijven. In Beieren heerste een explosief klimaat. De inflatie had een ongekend hoogtepunt bereikt. Een brood kostte meer dan één biljoen rijksmark. Het leven van honderdduizenden gezinnen was door de razende geldontwaarding geruïneerd. Vooral in het zuiden van de populaire Weimarrepubliek werd luid geroepen dat er een eind moest worden gemaakt aan het wanbeleid van de parlementen. Een jaar eerder hadden in Italië Benito Mussolini en zijn fascistische zwarthemden met hun 'Mars naar Rome' laten zien hoe je in een volkomen geruïneerde staat de macht kon grijpen. Hitler was weliswaar geen Mussolini en zijn NSDAP nog steeds een splinterpartij die buiten Beieren bijna niet bekend was, maar hij achtte zichzelf sterk genoeg om te handelen. Op 8 november durfde hij de staatsgreep aan.

Heß beschreef in een brief aan zijn ouders nog diezelfde dag zijn indrukken van het gebeuren – een document van de eerste rang. Volgens dit document gaf de ex-korporaal Hitler de luitenant b.d. Heß 's ochtends om negen uur het bevel om paraat te staan om 's avonds alle Beierse ministers te arresteren: 'Een eervolle en belangrijke opdracht. Ik beloofde strikte geheimhouding, en wij gingen uiteen om elkaar 's avonds weer te treffen.' Met Hitler, Göring en een handjevol bewapende SA-mannen drong putschist Heß 's avonds tegen zes uur de Bürgerbräukeller binnen, waar de deelstaatregering een openbare bijeenkomst hield. 'Hitler sprong op een stoel,' aldus zijn beschrijving, 'wij begeleiders volgden, we eisten stilte, die kwam niet. Hitler loste een schot in de lucht – dat werkte. Hitler maakte bekend: "Zojuist is in München de nationale revolutie uitgebroken; de hele stad wordt op dit moment door onze troepen bezet. Deze zaal is door zeshonderd man omsingeld."'

De volgende dag bleek al dat de putschpoging dramatische bluf was, amateuristisch gepland en als een operette in scène gezet. In het geweervuur van een politie-eenheid vond de eerste poging van Hitler om de macht te grijpen een bloedig einde. De herdenking van de veertien slachtoffers van deze negende november 1923 zou later een jaarlijks terugkerend, onheilspellend ritueel worden – met fakkellicht, tromgeroffel en al het pathos dat de ceremoniemeesters van het regime maar wisten op te wekken. Dat Rudolf Heß hierbij steeds in de eerste rij van de 'oud-strijders' marcheerde was een bewuste verdraaiing van de geschiedenis, want op 9 november, bij het bloedige onheil vóór de *Feldherrnhalle*, was hij er in werkelijkheid niet bij.

Zoals hem bevolen was, bewaakte hij op dat moment gijzelaars uit de Beierse staatsregering, de beide ministers Schweyer en Wutzelhofer. Toen hij hoorde dat de putsch mislukt was, vorderde hij een auto en vluchtte hij met zijn beide beschermelingen richting Bad Tölz. Het verdere verloop van de gijzeling beschreef Heß weer in de brief aan zijn ouders: bij het invallen van de duisternis probeerde hij in een boerderij langs de weg voor het ongewone reisgezelschap kwartier te maken. 'Toen ik terugkwam, was de auto om een mij tot dusver onbekende reden vertrokken. De ministers zijn vervolgens in München gearriveerd. Misschien was dit de beste oplossing.' In werkelijkheid was de ontsnapping van de ministers uit zijn gevangenschap voor de would-be putschist geen heldhaftige gebeurtenis, net zo min als zijn verdere optreden: nog diezelfde dag nam hij de wijk over de grens naar Salzburg.

Terwijl Hitler en de meeste andere putschisten in verzekerde bewaring op hun proces wachtten, bleef de secretaris ondergedoken. Is dit het gedrag van een vazal die zijn baas trouw is als een hond, zoals enkele biografen de jonge Heß karakteriseren? In de afzondering van steeds weer andere schuilplaatsen in de Alpen genoot hij van de natuur, skiede hij, ontmoette hij zijn vriendin en wijdde hij zich ook weer aan zijn economische studie.

Voor de laatste keer in zijn leven leek hij te weifelen. In een brief aan zijn ouders piekerde hij: 'Op *mijn* leeftijd nog altijd zonder een goede betrekking, zonder huis, zonder gezin...' Was voor een kort ogenblik de weg terug mogelijk, de weg naar een burgerlijk bestaan? Kwamen er bij Heß twijfels op over het idee dat de Partij na de catastrofe van 9 november nog eenmaal opnieuw tot leven gewekt zou kunnen worden? Werd de aantrekkingskracht van de tribuun op zijn helper zwakker omdat zijn opkomst door de staatsmacht zo plotseling gestopt leek?

De berichten uit de Münchense militaire academie, waar een *Volksgericht* over de putschisten moest oordelen, beurden de vluchteling weer op. Hitler gebruikte het proces als een politiek podium voor zijn redenaarstalent – en de rechters lieten hem zijn gang gaan. Het fiasco vóór de *Feldherrnhalle* veranderde onverwacht in een triomf. Passages uit zijn rechtvaardigingstirades werden afgedrukt in de kranten. Toen Heß een knipsel uit een van deze kranten in handen kreeg, juichte hij: 'Dit is vermoedelijk een van de beste, geweldigste toespraken die hij ooit heeft gehouden.' De ban was weer hersteld. De vonnissen die over de hoogverraders werden uitgesproken vielen mild uit. Hitler kreeg vijf jaar gevangenisstraf en een boete van tweehonderd goudmark. Hem werd in het vooruitzicht gesteld dat bij goed gedrag de straf na zes maanden in een voorwaardelijke straf zou worden omgezet.

Als een discipel die zijn geloof hervonden heeft begaf Heß zich op weg naar München. Nu wilde hij zich bij de autoriteiten aangeven. 'Erger dan de meester kan het mij toch niet vergaan,' stelde hij zijn ouders gerust. De tijd drong. In mei 1924 zouden de *Volksgerichte* in Beieren worden afgeschaft. Zou het de laatkomer niet meer lukken om hier terecht te staan, dan dreigde het hooggerechtshof in Berlijn – met veel zwaardere straffen. Maar Heß had geluk. Na een zitting van een paar dagen werd hij tot achttien maanden gevangenisstraf veroordeeld en net als Hitler naar de gevangenis van Landsberg overgebracht.

De volgende maanden waren voor de verhouding tussen Heß en Hitler beslissend. In Landsberg consolideerde deze sterke band zich definitief, een band die ook na hun scheiding in 1941 tussen de Führer en zijn plaatsvervanger zou blijven bestaan. De carrière van Heß begon daar waar ze eindigde: achter de tralies. De omstandigheden in Landsberg pasten bij de milde wijze waarop de rechters met de revolutionairen omgingen. In een modern, ruim gebouw, dat meer op een sanatorium leek dan op een gevangenis, genoten de politieke gevangenen grote vrijheden.

Toen Heß arriveerde, had Hitler een eigen kamer, waarvan de deuren nooit op slot waren. Zijn naaste vertrouwelingen verbleven met hem op de eerste verdieping, die door de andere gevangenen eerbiedig *Feldherrnhügel* genoemd werd. Heß kreeg de kamer naast Hitler, die zijn volgeling in zijn nabijheid wilde hebben. 'De tribuun ziet er fantastisch uit,' berichtte Heß zijn vriendin blij. 'Zijn gezicht is niet meer zo mager. De gedwongen rust doet hem goed.' Maar voor Hitler was de tijd in Landsberg er niet alleen een van lichamelijk herstel, maar vooral van politieke herbezinning. Na het mislukken van zijn eerste poging om de macht te grijpen plande hij in de luxe gevangenis de toekomst van de beweging.

Heß speelde hierbij meerdere rollen tegelijk: hij fungeerde als gesprekspartner, als aangever van trefwoorden en als proefpubliek. Zijn rechtstreekse invloed op het gedachtebouwsel dat Hitler optrok en in zijn belijdenisboek *Mein Kampf* ook formuleerde, was waarschijnlijk groter dan tot dusver aangenomen. Heß was geen secretaris die het manuscript voor de auteur uittypte, maar adviseur. Vooral de geopolitieke stellingen van zijn docent Haushofer vonden ingang bij de tribuun. '*Lebensraum* in het oosten': deze kern van Haushofers geopolitiek werd ook de centrale eis in het buitenlandpolitieke deel van *Mein Kampf*.

Toen Haushofer zelf meer dan twee decennia later hierover door de geallieerden in Neurenberg werd ondervraagd, wilde hij van zijn geestelijke vaderschap inzake *Lebensraum* begrijpelijkerwijs niets meer weten. Pas na hardnekkig aandringen van de verhoorders gaf de professor toe: 'Ja, deze ideeën kwamen via Heß bij Hitler terecht, maar die heeft ze nooit echt begrepen, en hij heeft mijn boeken nooit gelezen.' Enkele weken later pleegde Haushofer zelfmoord.

In Landsberg vonden de beide gevangenen op de *Feldherrnhügel* elkaar niet alleen op het politieke vlak. Kenmerkend is een scène in juni 1924: Hitler droeg enkele pagina's voor uit het manuscript *Mein Kampf*: over het enthousiasme in augustus 1914, over de kameraadschap in de loopgraven, over de dood van kameraden. De scène ontaardde in een sentimenteel toneelstuk: 'De tribuun las op het laatst steeds langzamer, met steeds meer haperingen,' schreef Heß aan Ilse Pröhl. 'Toen liet hij plotseling het blad zakken, legde zijn hoofd in zijn hand – en snikte. Dat ik toen mijn tranen niet meer kon bedwingen, hoef ik je waarschijnlijk niet te zeggen.' Gemeenschappelijke tranen van de beide veteranen uit de Wereldoorlog – zoiets schept voor altijd een band. Het einde van de brief: 'Ik ben hem meer toegedaan dan ooit, ik houd van hem.'

Vanaf toen kon Heß zich nooit meer van Hitlers betoverende invloed bevrijden. Waarheen de tribuun de Partij ook leidde, Heß zou volgen. De koers stippelde Hitler reeds in Landsberg uit. 'Wij zullen ons met het gebeuren in de Rijksdag gaan bemoeien,' zei hij. 'Het zal weliswaar meer tijd kosten om de marxisten te overstemmen dan om ze dood te schieten, maar ten slotte zal hun eigen grondwet voor ons de weg naar het succes effenen.' Toen Heß hem vroeg, hoelang hij dacht nodig te hebben voor de machtsovername, antwoordde Hitler: 'Minstens vijf, hoogstens zeven jaar.' Het zou slechts één jaar meer worden.

De lange weg naar de macht: na het ontslag uit Landsberg, waar Ilse Pröhl hem met de auto ophaalde, reorganiseerde Hitler de Partij en begon hij aan de legale poging om zijn doel te bereiken. Verkiezingstournees, partijbijeenkomsten en steeds weer redevoeringen – de NSDAP startte haar langdurige campagne om de gunst van de kiezers. Aanvankelijk was dit een moeizame onderneming. In de tweede helft van de jaren twintig, de *golden twenties*, herstelde de Duitse economie zich. De impopulaire Republiek leek toch duurzamer dan men in 1923, hét crisisjaar, vermoedde.

Het waren slechte tijden voor radicalen – de NSDAP haalde tot 1930 bij rijksdagverkiezingen nooit meer dan twee procent van de stemmen. De privé-secretaris van de partijchef bleef niettemin mateloos optimistisch: 'De dag zal komen,' voorspelde hij zijn ouders, 'waarop het Duitse volk het lot in eigen handen neemt, volstrekt in overeenstemming met de grondwet, maar niet in de geest van haar opstellers!' Bovendien, zo schreef hij, had hij uit een astrologisch boekje opgemaakt dat de sterren voor Hitler gunstig stonden. De brief is gedateerd 27 januari 1927 – de eerste aanwijzing voor ontluikende astrale neigingen.

Slachtoffer van waanvoorstellingen...' Heß en zijn plaatsvervanger Martin Bormann.

Bormann was uit ruwer hout gesneden dan Heß. Hij liet de teugels van de partijleiding niet meer over de grond slepen, maar hield de gouwleiders in toom. Tandenknarsend legden de meeste gouwleiders zich hierbij neer.

Lutz Graf Schwerin von Krosigk, 1939

Bormann was een onaangename man. Hij was wat wij in Beieren achterbaks noemen. Zolang hij nog voor Heß werkte, was hij vriendelijk. Zodra hij Heß echter de rug had toegekeerd, werkte hij hem tegen.

Stefanie Camola, vriendin van de familie

Na Heß' vliegtocht naar Engeland in 1941 nam Bormanns macht natuurlijk enorm toe. Lang tevoren was het hem al gelukt om Heß bijna volledig te isoleren, zonder twijfel een van de redenen voor Heß' krankzinnige tocht. Na de vliegtocht nam Bormann, die zich overigens tegenover Heß' vrouw echt vreselijk gedroeg, heel snel, binnen een paar dagen, al zijn functies over en liet zich tot secretaris van de Führer benoemen.

Speer, 1979

Heß was in deze jaren van de 'tijd van strijd' bijna voortdurend in de nabijheid van zijn Führer. Als secretaris regelde hij Hitlers agenda en reisde hij met hem van bijeenkomst naar bijeenkomst. Nadat Hitler weer eens twee toespraken voor een gereserveerd publiek in daverende overwinningen had omgezet, noteerde Heß trots en bezorgd: 'Ten slotte wist hij ze dan toch in te pakken. Maar de tribuun was op! Lijkbleek, met holle ogen, wankelend, het hoofd zwijgend op de tafel gelegd, nauwelijks meer verstaanbaar door de schorheid. Ik doe dit nooit meer, twee bijeenkomsten vlak na elkaar plannen.'

Ook als Hitler op de Obersalzberg in zijn pas gekochte huis Wachenfels verbleef, was Heß daar meestal te vinden. Bij officiële gelegenheden spraken zij elkaar met 'u' aan, privé reeds lang met het vertrouwelijke 'jij' en 'je'. Jaloers registreerden de andere paladijnen de voortdurende gunst waarin Heß zich verheugde. Alfred Rosenberg klaagde bijvoorbeeld: 'Hitler is gewoon niet benaderbaar, constant draait die Heß om hem heen.' Andere partijfunctionarissen hadden het vanwege zijn gereserveerde, devote gedrag al spottend over 'juffrouw Heß'. Inderdaad leek Heß al vóór 1933 zijn functie als bediende hoog op te vatten. Luidruchtige optredens, het aanslaan van een hoge toon en elke vorm van profileringsdrift waren hem een gruwel. Goebbels, die hem in 1926 voor het eerst leerde kennen, noteerde in zijn dagboek: 'Heß: de meest fatsoenlijke, rustig, vriendelijk, intelligent, gereserveerd.'

Onder het Duitse volk was de naam van de man in Hitlers schaduw nog nauwelijks bekend. Voor furore zorgden naast de partijchef van de bruinhemden anderen: de barokke en brute Hermann Göring, Joseph Goebbels, die in Berlijn voor de beweging 'trommelde', of de voormalige *Reichswehr*-officier en SA-chef Ernst Röhm. Heß was tevreden met zijn rol, want in feite overtrof zijn invloed in hoge mate de bekendheid van de anderen.

In de juiste veronderstelling dat Hitler naar hem luisterde, werd hij in de Partij gevleid en geacht. Heinrich Himmler bijvoorbeeld verleende Heß allengs steeds hogere SS-rangen, die van *Obergruppenführer* [vgl. generaal – vert.] zelfs als kerstgeschenk op 24 december 1932. Tegelijkertijd gebruikte Heß zijn positie als intermediair tussen Hitler en de rest van de Partij om zijn chef af te schermen tegen vervelende ruzietjes en grieven. Zonder formeel van iemand hiertoe opdracht te hebben gekregen schiep de privé-secretaris op deze manier een inofficiële partijfunctie als coördinator en klachtenbus.

Deze taken lieten nauwelijks ruimte voor een privé-leven. Ilse Pröhl, die na zeven jaar wachten meer wilde dan incidentele bergtochten met haar vriend, was van plan een betrekking in Italië te aanvaarden – om professionele redenen, maar ook om weg te gaan bij de man die toch al liever in de buurt van zijn Führer leek te zijn. Pas toen besloot Heß te trouwen. Hij nam echter niet zelf het initiatief, maar Hitler, die zich waarschijnlijk ook zorgen maakte over het geklets waartoe de vele vrijgezellen in zijn omgeving aanleiding gaven. Ilse Heß beschreef de beslissende avond: 'Wij zaten met Hitler in de Osteria. Toen ik over mijn Italië-plannen begon, legde Hitler mijn hand en die van Heß op elkaar en zei: "Is het dan nooit in u opgekomen om met deze man te trouwen?" '

Op 30 december 1927 gaven de twee elkaar het jawoord. Het was een sobere bruiloft. Van een kerkelijk huwelijk had het bruidspaar om ideologische redenen afgezien. 'Met de hemel in de gangbare zin,' motiveerde Heß dit besluit tegenover zijn gelovige ouders, 'hebben wij beiden toch al niets te maken.' Getuigen waren Hitler en Haushofer, die elkaar nog steeds niet bijster mochten. De ouders van Heß ontbraken omdat zij in Egypte verbleven, waar Fritz Heß zijn zaak weer had opgebouwd. Ilses moeder kwam vermoedelijk niet omdat zij, zoals Rudolf schreef, van heel anderen politieke huize was dan haar schoonzoon.

De droom van huiselijk geluk ging voor de pasgetrouwde mevrouw Heß toch niet in vervulling. Weliswaar betrok het paar een kleine woning in het noorden van München, maar het grootste deel van zijn tijd bleef de echtgenoot aan de zijde van zijn tribuun doorbrengen. Ilse Heß zou haar leven lang Heß' liefde moeten delen. Al gauw na de bruiloft vertrouwde zij een kennis ontnuchterd toe dat zij zich soms een leerlinge van een kloosterschool voelde. Maar zij hoefde in elk geval niet bang te zijn dat haar man amoureuze misstappen zou doen. Vrouwen vonden Rudolf Heß met zijn geheimzinnige aard weliswaar aantrekkelijk – als je de weinige berichten hieromtrent mag geloven –, maar zijn ethiek zou een slippertje vermoedelijk nooit hebben toegelaten.

De brave echtgenoot bleef ook een andere oude liefde trouw: het vliegen. Nadat hij dit door tijdgebrek een paar jaar had moeten verwaarlozen, bood de koop van een eenmotorig toestel door de *Völkische Beobachter* weer een mogelijkheid om in de cockpit te stappen. Heß vloog talrijke reclamevluchten voor de partijkrant.

Aan sportieve rondvluchten, zoals de 'Duitsland-Race' of de 'Race rond de Zugspitze', nam hij deel telkens wanneer de agenda van zijn baas dit toeliet. Als Duits antwoord op de eerste vlucht over de Atlantische Oceaan door de Amerikaan Charles Lindbergh plande Heß in de zomer van 1927 de eerste Atlantische vlucht in oost-westrichting. Telegrafisch verzocht hij de Amerikaanse automagnaat Henry Ford om financiële ondersteuning. Fords sympathie voor de nazi's was bekend. Toch weigerde hij – onder druk –, waardoor Heß deze eerste kans om in de lucht geschiedenis te schrijven miste.

Wel lukte het hem om als piloot in gerechtelijke stukken terecht te komen. In Hannover joeg hij in 1931 met het partijvliegtuig in scheervlucht een sociaal-democratische betoging uiteen. In de motivering van de aangifte tegen de piloot staat dat hij tweeenhalf uur lang steeds weer over de hoofden van de tegenstanders gesuisd had en zelfs tussen de huizenrijen door in de binnenstad op roekeloze wijze een stoet achterna had gezeten. De twee gezichten van Rudolf Heß – de man die bij zijn partijgenoten opviel door zijn bedachtzame, rustige manier van doen, was dezelfde die zich aan levensgevaarlijke vliegmanoeuvres boven bomvolle straten waagde. Deze eigenschap, om heel plotseling alle gereserveerdheid te laten varen en het uiterste te wagen, is ook een van de sleutels tot de verklaring van zijn vliegtocht naar Engeland tien jaar later.

In de brieven die Heß later vanuit de Spandau-gevangenis schreef, komen de tien jaar tussen Landsberg en de machtsovername naar voren als de gelukkigste in zijn leven. Met de Partij ging het bergopwaarts, hij was dichter in de buurt van Hitler dan wie ook, en zijn visie dat Duitslands eer zou worden hersteld leek steeds realistischer te worden. De verhalen over Heß uit die tijd bevatten dan ook geen aanwijzingen voor zijn latere geestelijke verwarring. Een chronisch zieke man, zoals sommige biografen willen doen geloven, was hij toen nog niet.

Toen de Partij op de Münchense Königsplatz het 'Bruine Huis' betrok en Heß een eigen kantoor kreeg, dat hij ondanks het verzet van de architect welhaast Spartaans inrichtte, was hij inmiddels zoiets als de *éminence grise* van de bruinhemden. Ook profileerde de secretaris, die nog steeds geen officiële titel droeg, zich als collectant. De lucratieve contacten met de industriëlen in het Roergebied, die vanwege de socialistische geluiden in de nationaal-socialistische verkiezingsstrijd nog aarzelden, waren vooral het werk van Heß. 'Hij kwam zo integer over,' herinnerde een diplomaat van het ministerie van Buitenlandse Zaken zich. Beter dan de radicale herrieschoppers van de Partij, soms zelfs beter dan Göring, behartigde de koopmanszoon de contacten met de grootindustriëlen. Hun royale giften maakten het mogelijk om een verkiezingsstrijd op gang te brengen die alle andere partijen in de schaduw stelde.

'Als het Derde Rijk nu maar heel gauw verrijst. Het zou velen zeker redding brengen.' Deze vurige wens van zijn moeder van 4 mei 1932 bereikte Heß midden in een jaar van dobberen tussen hoop en vrees. De economische crisis, de werkloosheid en de agonie van de regeringen hadden de NSDAP tot een massabeweging doen uitgroeien. Met 37 procent behaalde zij bij de verkiezingen in juli een overweldigend resultaat. Maar Hitlers verwachting dat hij tot rijkskanselier benoemd zou worden, ging niet in vervulling. Hindenburgs afkeer van de 'korporaal uit Bohemen' en de terechte vrees van de conservatieven voor Hitlers opvatting over trouw aan de grondwet verhinderden deze triomf in de warme zomer van 1932.

De Partij kende haar zwaarste crisis. Als bij een te strak gespannen boog dreigde, nu het doel ondanks het verkiezingssucces ver weg bleef, de band tussen Führer en basis te springen. Ongeduld, gelatenheid en financiële nood grepen om zich heen. Omdat de *captains of industry* hun portemonnees gesloten hielden, had de Partij al gauw een schuld van twaalf miljoen rijksmark.

De crisis maakte Rudolf Heß ziek. Met een ernstige steenpuistaandoening moest hij in september in een sanatorium worden opgenomen. Zijn moeder, die kort tevoren bij hem op bezoek was geweest, zag de oorzaken van de ziekte duidelijk in het werk liggen. Toen Heß op zijn post terugkeerde, had de situatie zich dramatisch toegespitst. In de verkiezingen van november had de NSDAP twee miljoen stemmen verloren. De eerste verliezen bij rijksdagverkiezingen! Hitlers nimbus leed ernstige schade.

Ook in de Partij brokkelde de autoriteit van de Führer af. Gregor Strasser, de oude strijdmakker die met zijn *Reichsorganisationsleitung* het functioneren van de Partij gegarandeerd had, onderhandelde op 4 december 1932 op eigen houtje met rijkskanselier Schleicher – voor Hitler en Heß openlijke rebellie! Dat Strasser uit bezorgdheid over de eenheid binnen de beweging het overleg met de regering gezocht had speelde geen rol. 'Je hebt mij van achteren aangevallen!' schreeuwde Hitler tegen hem. 'Jij wilt niet dat ik kanselier word! Jij wilt de beweging verscheuren!' Strasser begreep er niets meer van en verliet sprakeloos het vertrek. 'Het is al erg genoeg als iemand een bohémien is,' zei hij hoofdschuddend tegen een vertrouweling. 'Maar als hij ook nog hysterisch is, dan hebben we met een catastrofe te maken.'

's Avonds leek Hitler terneergeslagen als nooit tevoren. 'Als de Partij ooit uiteenvalt,' tobde hij, 'dan maak ik er binnen drie minuten met mijn pistool een eind aan.' Na alle successen, na de ongekende opkomst van de Partij was er met tegenslag gewoon geen rekening gehouden. Goebbels noteerde in zijn dagboek: 'Wij zijn allemaal zeer gedeprimeerd.' Het waren slechts de trouwste partijgenoten die zich die avond in hotel Kaiserhof rond Hitler verzameld hadden. Heß was natuurlijk één van hen.

Zijn Nibelungen-trouw werd spoedig beloond. Gregor Strasser, die voor even het lot van de Partij in handen had gehad, ontvluchtte de ruzie met Hitler in een nachttrein naar Italië. Zo kwam het niet tot de dreigende scheuring. Niettemin zou Hitlers buitensporige wraak voor zijn eigenmachtige optreden hem nog treffen. De moordcommando's van de SS, die op de dag van de zogenoemde *Röhm-putsch*, 30 juni 1934, uitzwermden, schoten ook Gregor Strasser dood.

Nog in december 1932 verdeelde Hitler het machtsapparaat dat Strasser had nagelaten in stukken: naast diens plaatsvervanger, een drankzuchtige apparatsjik genaamd Robert Ley, werd de trouwe bediende Heß de eigenlijke erfgenaam van Strassers organisatie. Het was zijn eerste officiële partijfunctie: leider van de *Politische Zentralkommission*. Rudolf Heß was van de ene dag op de andere een soort secretaris-generaal geworden – met bevoegdheden die op papier tot in alle geledingen van de NSDAP reikten: de hele partijpers en alle gekozen nationaal-socialistische volksvertegenwoordigers van buiten Pruisen waren vanaf nu aan Heß' controle onderworpen. Hitlers motivatie bij de benoeming van de secretaris tot opzichter was doorzichtig: de onvoorwaardelijke loyaliteit van Heß zou verhinderen dat er opnieuw een functionaris tegen de autoriteit van de Führer zou rebelleren.

De opwaardering van de secretaris demonstreerde Hitler ook naar buiten toe. Heß mocht zijn baas vergezellen naar het beslissende gesprek met Franz von Papen, de conservatieve souffleur

'Hopelijk hoeft hij mij niet te vervangen...' Hitler met plaatsvervanger Heß (en Goebbels) (1941).

Heß was een sympathieke gek. Wij wisten allemaal dat hij zo zijn eigenaardigheden had, dat hij bijvoorbeeld in kruidendokters geloofde. Hij was een geestdriftig aanhanger van Hitler en kondigde hem altijd haast zalvend aan. Hij zwoer hem eeuwige trouw, en daar hield hij zich ook aan. Heß was een bijna religieus nationaal-socialist, een fantast en idealist, en hij was een man met zeer hoge morele opvattingen.

Reinhard Spitzy, privé-secretaris van Ribbentrop

Heß houdt van Hitler! Heß was de enige ware gentleman in Hitlers naaste omgeving. Maar zijn liefde voor Hitler was een soort horigheid. Voor Hitler deed hij alles, zelfs dingen waartegen zijn natuurlijke gevoel voor fatsoen en eer wel in opstand moest komen.

Otto Strasser, 1973

Mijn vader was een idealist en zeer overtuigd van Duitsland. Zijn doel was altijd het welzijn van zijn land. Hij was zeker geen typische *Machtmensch*, zoals bijvoorbeeld Göring. Toen de oorlog begon, werd bij ons thuis alles weggedaan wat gemist kon worden. Er bleef dus maar één auto over voor het hele, zeer grote gezin. Net als Hitler leidde hij een zeer Spartaans leven.

Wolf-Rüdiger Heß, Heß' zoon

van de bejaarde president. Ironisch genoeg was het juist de crisis binnen de NSDAP die maakte dat haar leider in januari eensklaps verlof kreeg om bij Hindenburg te verschijnen. Ze gaf voedsel aan de illusie van dompteur Papen dat hij de nazi-leider kon temmen. Het werd een rit op de tijger.

Heß was maar gedeeltelijk op de hoogte van de intriges achter de schermen, die op 30 januari de benoeming van Hitler tot rijkskanselier mogelijk maakten. Zoals de meeste partijgenoten was hij verrast en verheugd. Hij feliciteerde Hitler als een van de eersten. De handdruk van de beide ex-frontsoldaten, ex-gedetineerden en strijdmakkers was lang en hartelijk. De volgende dag stuurde Heß zijn vrouw een op het postpapier van de rijkskanselier geschreven brief: 'Mijn lieve, kleine meisje! Droom ik of ben ik wakker – dat is hier de vraag! Ik zit in de werkkamer van de kanselier in de rijkskanselarij aan de Wilhelmplatz. Ambtenaren komen over zachte tapijten geruisloos naderbij om stukken voor meneer de rijkskanselier af te geven.'

Hitler had zijn doel bereikt – wat volgde strookte met zijn belofte dat hij de rijkskanselarij alleen nog als lijk weer zou verlaten. Twaalf jaar Duizendjarig Rijk en stromen van bloed gingen vooraf aan het moment waarop deze voorspelling definitief in vervulling zou gaan.

Nadat Hitler op 30 januari via de achterdeur het machtscentrum was binnengeslopen, volgde nu razendsnel de eigenlijke greep naar de macht, die met een soort algehele mobilisering van het volk gepaard ging. Rijksdagbrand, machtigingswet, de uitschakeling van de partijen, de gelijkschakeling van heel Duitsland: dit waren de hoekstenen van de adembenemende opbouw van een dictatuur. Noemenswaardig verzet was er niet. In Duitsland gingen de lichten uit, zoals een scherpziende waarnemer opmerkte.

Ook voor Heß begon een nieuwe fase. Hitler benoemde hem op 21 april 1933 tot 'plaatsvervanger van de Führer'. Een veelbelovende titel die toen zowel als nu aanleiding gaf tot misverstanden – wat waarschijnlijk ook de bedoeling was. Want aan de nieuwe titel was nauwelijks enige reële toename van macht verbonden. De plaatsvervanging gold slechts binnen de Partij, en daar was hij immers reeds als leider van het centraal comité formeel de hoogste man in rang na Hitler.

Voor Heß betekende de promotie dan ook aanvankelijk iets anders: het einde van zijn publieke terughoudendheid. De plaatsvervanger trad in het licht van de schijnwerpers. In de herfst van 1933 werd hij als minister zonder portefeuille ook lid van de regering. Zijn acceptatie door de bevolking verraste zelfs de mediamieke poppenspeler van het ministerie van Propaganda. Hoewel er nog geen opinieonderzoeken naar de populariteit van politici gedaan werden, gold Heß samen met de populistische Göring al gauw als de meest geliefde nazi – na Hitler uiteraard.

Op de Königsplatz in München ontstond nu onder leiding van de 'onderkoning zonder macht' het nieuwe hoofdkantoor van de Partij. Een deel van de geplande monumentale gebouwen kon vóór het uitbreken van de oorlog gerealiseerd worden, zoals het 'Führer-gebouw' en het *Verwaltungsgebäude* van de NSDAP met de *Ehrentempel* voor de doden van 9 november 1923 – in steen gehouwen grootheidswaanzin. Samen met de belendende huizen die werden opgekocht ontstond rondom het 'Bruine Huis' een complex voor enkele duizenden partijbestuurders – met een eigen krachtcentrale, met gasvrije schuilkelders en een onderaards labyrint van verbindingsgangen.

In de nieuwe gebouwen woekerde het apparaat van de plaatsvervanger. De secretaris, die steeds in de nabijheid van Hitler gewerkt had, was een soort hoofd van het ambtenarenkorps geworden. Onder het uitdijende partij-imperium ressorteerden honderdduizenden politiek leiders, van gouwleiders tot blokhoofden. Bij talrijke organen was er sprake van overlappingen van overheidsinstanties – een wildgroei die de plaatsvervanger uit hoofde van zijn functie eigenlijk moest kanaliseren. Maar Heß beleefde geen plezier aan zijn leven als functionaris.

Algauw ging hij op zoek naar een eigen, bekwame secretaris. In mei 1933 had een zo goed als onbekend hoofd van het 'Ondersteuningsfonds van de NSDAP' bij hem naar een betrekking gesolliciteerd. De van een stierennek voorziene man, die sinds 1927 lid van de Partij was, leek een betrouwbare werker met een groot doorzettingsvermogen. Zijn naam was Martin Bormann.

De 'nieuwe' begon in juli 1933. Al in oktober kreeg hij de rang van 'rijksleider van de NSDAP'. Een pijlsnelle promotie; over het waarom kunnen wij slechts speculeren. Zeker is dat Bormann zich meteen zó op het werk stortte dat Heß voortaan van de vervelende administratieve rompslomp bevrijd was. Ook speelde hij tegenover zijn chef consequent de devote lakei. De argeloze plaatsvervanger had in het begin waarschijnlijk oprechte sympathie voor zijn secretaris. In brieven had hij het schertsend over zijn

'Bormannetje'. In werkelijkheid ontwikkelde dit prototype van een technocraat zich steeds meer tot de sterke man. Vaak nam hij weliswaar in naam van zijn superieur beslissingen, maar zonder diens medeweten. Gewetenloos, machtsbelust en sluw slaagde hij er op geniepige wijze in om zijn chef van diens macht te beroven. Dat Heß dit niet doorhad lijkt ongelooflijk. Zeer waarschijnlijk achtte de plaatsvervanger een machtsstrijd met een secretaris beneden zijn waardigheid.

Net zo min als Hitler hield Rudolf Heß van het bestuderen van dossiers. In een toespraak op 12 september gaf hij dit ook openlijk toe: aan dossiers moest niet 'al te veel betekenis worden gehecht', adviseerde hij de aanwezige gouw- en *Kreis*leiders, wat volgens hem alleen telde was het levendige eigen oordeel op basis van persoonlijke indrukken. Evenals zijn idool kon hij zich niettemin uitputtend met detailkwesties bezighouden, met onmiskenbare beuzelarijen. Elke dag liet hij zijn medewerkers wel vier uur lang verslag doen over de gang van zaken in de Partij. Dan ging het om kwesties als het plan van de 'Bond van vaderlandsgetrouwe Beierse *Ostmärker*' om nieuwe vlaggen aan te schaffen, of om de zorgen van het hoofd van een *Kreis*-kantoor over de sociale zorg/pensioenregeling voor de oorlogsslachtoffers in zijn *Kreis*.

De dingende problemen loste hij niet op. Het gezag in het Derde Rijk raakte allengs verstrikt in een ondoordringbaar woud van verschillende instanties. ministeries en partijkantoren besteedden meer energie aan gehakketak over competenties dan aan hun eigenlijke taak. Dit was weliswaar voor een deel Hitlers bedoeling – hij wilde zichzelf volgens het devies 'verdeel en heers' onvervangbaar maken –, maar regering en bestuur waren verlamd. Nu wreekte zich het feit dat Heß de hoogste partijfunctie was toevertrouwd. Partijdiscipline werd een farce. Individuele gouwleiders solden publiekelijk met de plaatsvervanger. De grosserende hebzucht van de regionale partijbonzen – ze was vooral een gevolg van Heß' onmacht.

Maar ondanks dit duidelijke onvermogen om de Partij te regeren was Heß althans in de vredesjaren een centrale figuur van het regime. Zijn effect op de massa was enorm. Zijn welhaast vrome kersttoespraken op de rijksradio, de door hem afgenomen rituele massale eden op Hitler bij fakkellicht en tromgeroffel, zijn met gloeiende ogen gehouden Partijdag-redevoeringen – Heß had een grote inbreng in de noodlottige massahypnose. De frasen die hij op Rijkspartijdagen voor meer dan honderdduizend aanhangers in de microfoon brulde, klinken tegenwoordig banaal – zoals: 'Hitler is Duitsland, zoals Duitsland Hitler is.' Op tijdgenoten oefenden zulke bezweringen echter een verwoestende suggestieve kracht uit.

Als hogepriester van de Führer-cultus was Heß een van de meest effectieve verkondigers van zijn Heer, zoals hij zichzelf graag noemde. Een typisch voorbeeld hiervan is een nachtelijke eedaflegging op de Königsplatz in München in 1937, slechts verlicht door tientallen vuurschalen: met een van vrome aandacht trillende stem zegde Heß als ceremoniemeester de eedsformule voor, en tienduizenden antwoordden: 'Ik zweer aan Adolf Hitler – bij de wachters van de beweging – en aan de leiders die hij boven mij plaatst – onvoorwaardelijke gehoorzaamheid!'

Vastgelegd op film hebben deze scènes veel van hun spookachtigheid verloren. Maar nog altijd overdondert het enorme vuur waarmee Heß op zulke pseudo-sacrale gewijde ogenblikken voorging – temeer daar hij naar eigen zeggen publieke optredens haatte. Hier stond iemand voor de massa's die van het geloof in de Führer het eerste credo gemaakt had. Zijn eigen geloof maakte hem zo geloofwaardig. Het innerlijke vuur van deze eerste bewaker van de cultische Führer-graal, het was niet geveinsd.

De ijver waarmee Heß de heraut van zijn heer speelde nam soms groteske vormen aan. Filmopnamen die regisseuse Leni Riefenstahl van de Rijkspartijdag van 1934 gemaakt had, bleken voor een deel onbruikbaar te zijn. Een paar maanden later moesten de opnamen daarom in de studio nog eens worden overgedaan. Albert Speer beschreef de scène: 'Heß arriveerde en moest als eerste worden gefilmd. Net als voor de dertigduizend aanwezigen op het Partijcongres hief hij plechtig zijn hand. Met het hem eigen pathos van oprechte opwinding begon hij zich precies die kant op te draaien waar Hitler nu net niet zat en riep hij, in de houding staand: "Mijn Führer, ik begroet u in naam van het Partijcongres." '

Heß gold ook als het toonbeeld van fatsoen aan Hitlers zijde: integer, betrouwbaar, correct. Het goede geweten van de Partij: inderdaad liet hij ooit, toen zijn chauffeur de privé-auto, een Mercedes-sportwagen, bij de garage van de Partij had volgetankt, het bedrag uit zijn eigen portemonnee betalen. Doelbewust werd dit zuivere imago door de propaganda ondersteund. In de laudatio

'Vrede met Engeland...' Rudolf Heß aan boord van de Me 110, waarmee hij naar Groot-Brittannië vloog.

In de herfst van 1940 vertelde Heß mij dat hij al zijn krachten moest concentreren op een daad die Duitsland de redding zou brengen. Toen ik hem vroeg wat hij met redding bedoelde, antwoordde hij dat hij daar niets over kon zeggen, maar dat hij zich voorbereidde op een daad van historische betekenis.

Felix Kersten, Himmlers arts en masseur, 1940

Vanaf eind 1940 wist ik dat mijn chef met dingen bezig was die hij voor zijn naaste medewerkers verborgen hield. Meneer Heß leek een geheim te hebben dat wij bewust niet aanroerden.

Alfred Leitgen, Heß' adjudant, 1955

Ik heb destijds voor Heß vaak toespraken uitgetypt. Eén keer, wij waren met z'n allen om op adem te komen net bij een vriend in Karlsbach, dicteerde hij mij daar in de tuin een toespraak. Hij wilde deze voor Engelse officieren houden. Er stond zo ongeveer dit in: 'Wij willen met jullie een *gentleman's agreement* sluiten, wij hebben jullie kapotgemaakt, jullie hebben ons kapotgemaakt, nu moeten wij elkaar bijstaan tegen het Oosten.' Terwijl hij mij deze toespraak dicteerde, dacht ik voortdurend: Ik zou enkel willen weten waar meneer Heß deze toespraak zal houden, waar vindt hij nu Engelse officieren? Ik snapte er niets van, maar hij verlangde dat ik op mijn erewoord beloofde om niet over de toespraak te spreken. Dat hij met een vliegtuig alleen naar Engeland zou vliegen, daar kwam ik niet op.

Laura Schroedel, Heß' secretaresse

'Hoe kan Heß mij zoiets aandoen...?' Het wrak van de Me 110 waarmee Heß op 12 mei 1941 bij Glasgow een noodlanding maakte.

Ik zat net met de hertog en hertogin van Hamilton te souperen, toen plotseling de telefoon ging. De opbeller zei dat er een Duits vliegtuig was neergestort. De piloot zou met een parachute in de buurt van Glasgow zijn geland en wilde per se met de hertog van Hamilton spreken. Zijn naam zou Alfred Horn zijn. De hertog zei dat hij niemand kende die Horn heette en dat hij de volgende dag wel zou komen. De opbeller, een officier, zei: 'Er is iets merkwaardigs met die man, u moet echt vandaag nog komen.' De hertog ging toen en kwam pas om twee uur 's nachts terug. Hij zei toen: 'Je denkt misschien dat ik gek ben, maar ik geloof dat Rudolf Heß in Glasgow is. Wat moeten wij nu doen?' We overlegden en waren van mening dat de hertog eerst op een of andere manier minister van Buitenlandse Zaken Lord Halifax op de hoogte moest brengen. De hele kwestie bracht de hertog in een zeer lastig parket, want de mensen zouden natuurlijk zeggen: 'Wat is dit nu? Is hij soms goede maatjes met de Duitsers?'

Sandy Johnstone, Brits vice-maarschalk van de luchtmacht en vriend van de hertog van Hamilton

Wij wisten allemaal dat Churchill absoluut geen belangstelling voor vredesonderhandelingen had. Onze minister van Buitenlandse Zaken, Lord Halifax, was daar evenmin serieus in geïnteresseerd, maar die dacht ook nog iets anders. Hij was in elk geval bereid om naar een vredesaanbod te luisteren. Maar omdat Churchill uiteindelijk de macht had om te beslissen, kwamen wij in 't geheel niet op het idee dat vredesonderhandelingen, welke dan ook, mogelijk zouden zijn. Daar kwam nog bij dat Groot-Brittannië net op het punt stond met bondgenoten in zee te gaan, dus geenszins geïsoleerd was. Er was dus geen enkele reden om op een Duits vredesaanbod in te gaan.

Sir Frank Roberts, in 1941 diplomaat op het Britse ministerie van Buitenlandse Zaken van de krant *NS-Rheinfront* werd Heß bij gelegenheid van zijn vijfenveertigste verjaardag geprezen als een iemand die een wakend oog houdt op de zuiverheid van het nationaal-socialisme; dat alles wat in naam van het nationaal-socialisme geschiedt ook werkelijk nationaal-socialistisch is. Gezien het optreden van de gouwleiders in het rechtsgebied van de plaatsvervanger was dit evenwel volslagen absurd.

Toch bevatte Heß' ironische zelfbeoordeling dat hij de klaagmuur van de beweging was, een kern van waarheid. Dagelijks kwamen er in München honderden klachten over ambtsmisbruik en foutieve handelwijzen van lokale partijfunctionarissen binnen. Vele behandelde de plaatsvervanger zelf – een strijd voor gerechtigheid in dienst van de ongerechtigheid. Zijn vermaningen aan de bruine functionarissen schenen echter vaak niet veel meer dan hilariteit te hebben verwekt. Bijvoorbeeld toen hij op de Partijdag van 1938 de politiek leiders bezwoer om het roken en drinken op te geven en dagelijks één uur aan de gezondheid te werken, omdat de gezondheid van de nationaal-socialistische leiders de natie zou toebehoren.

Met zijn promotie tot hoogste partijfunctionaris begon ook zijn verwijdering uit de omgeving van zijn geliefde Führer. Die verbleef inmiddels toch al vaker in Berlijn. Een eerste ernstige breuk liep de relatie van de twee op in de zomer van 1934. De chef van de SA, Ernst Röhm, was na de machtsovername een onruststoker geworden. Zijn partijleger was ontevreden. De beloofde lucratieve baantjes waren de bruine vechtjassen onthouden. Röhm eiste nu heel onomwonden meer macht voor zichzelf en de SA – ten koste van de *Reichswehr*.

Hitler koos na enige aarzeling tegen zijn goede vriend Röhm. De *Reichswehr* zou hij nog nodig hebben. Op 30 juni liet hij de gehele top van de SA onverhoeds arresteren en liquideren. Heß was diep teleurgesteld – niet over de moorden, maar over het feit dat men hem tevoren niet had ingelicht. Alfred Rosenberg beschreef hoe Heß met een wanhopig bewijs van zijn loyaliteit de gunst van Hitler trachtte terug te winnen: volgens Rosenberg had hij met de woorden 'de grootste schoft moet dood' de gearresteerde Röhm eigenhandig willen liquideren. Maar Hitler gaf de opdracht aan anderen.

Toen een SS-man de lijst met de overige ter dood veroordeelden voorlas, kwam het bij de plaatsvervanger tot een gevoelsuitbarsting. Alfred Leitgen, zijn adjudant, herinnerde zich: 'Mijn chef was lijkbleek, maar uiterlijk zeer kalm. Maar toen de naam Schneidhuber viel, maakte hij een afwerend gebaar, wierp zijn hoofd naar achteren en murmelde iets. Hij boog zich naar Hitler, fluisterde hem een paar woorden toe. Die schudde wrevelig het hoofd. Heß werd plotseling groen in zijn gezicht. Hij ging naar een zijkamer. Toen ik hem even later volgde, maakte hij een wegwuivend gebaar. Hij kronkelde van de pijn, alsof hij maagkramp had. In zijn ogen stonden tranen. Schneidhuber was zijn vriend geweest.'

Dit grote verdriet belette Heß niet om een paar dagen na de schoten van 30 juni mee te zingen toen het koorlied der rechtvaardiging werd aangeheven, en de liquidatie van meer dan tweehonderd mensen als een handeling van de Staat uit noodweer goed te praten: 'Zo trouw als de oude SA-man achter de Führer staat, zo trouw staat de Führer achter zijn oude SA. De Führer heeft de schuldigen gestraft. Onze band met de SA is nu weer als vanouds.' Twijfels omtrent Hitlers handelen kwamen bij Heß niet op. Had hij niet zelf als student in 1921 hoopvol in een scriptie geschreven: 'Om zijn doel te bereiken ontziet de dictator ook zijn beste vrienden niet!'?

Het goede geweten van de Partij was in werkelijkheid net zo radicaal en net zo bereid om geweld te gebruiken als de andere paladijnen. Alleen moest alles in de haak zijn. Met dezelfde intensiteit waarmee Heß zich in de eerste maanden na 30 januari tegen de wilde terreur van de SA had gekeerd, interesseerde hij zich voor de uitbreiding van het 'legale' geweld in de jaren erna. Door Himmler liet hij zich urenlang in het concentratiekamp Dachau rondleiden.

Aan de bij de wet geregelde terreur tegen de joden in Duitsland werkte de plaatsvervanger actief mee. De Neurenberger rassenwetten van 1935 dragen evenals het beroepsverbod voor joodse advocaten en artsen zijn handtekening. Maar net als anderen uit de hoogste leiding had hij een ambivalente houding tegenover het jodendom. Drie dagen na de afkondiging van de rassenwetten belde Heß privé zijn oude vriend Haushofer op en verzekerde hij hem dat zijn familie niets te vrezen had. Haushofers vrouw gold volgens de rassenwetten als een halfjodin. In de oorlog stelde de plaatsvervanger voor om voor joden in het bezette Polen stokslagen in te voeren. En hij werkte actief mee aan de invoering van terreurmaatregelen. In 1935 hoonde hij in kil ambtelijk Duits: 'De nationaal-socialistische wetgeving heeft corrigerend ingegrepen tegen de te grote buitenlandse invloeden.'

Thuis, in de nieuwe villa van de familie Heß in Harlaching, een voorstad van München, ging het er demonstratief bescheiden aan toe. Als enige van de hoogwaardigheidsbekleders van het Derde Rijk probeerde Heß níet om zich vanuit zijn positie te verrijken. Bij de doopplechtigheid van zijn zoon verscheen slechts een handjevol geselecteerde gasten. Een kerkelijke doop was voor Heß natuurlijk uitgesloten – twee jaar later zou hij zich er zelfs voor inspannen om de verzending van christelijke literatuur aan frontsoldaten te verbieden. Hitler was er als peetoom bij. Wolf-Rüdiger zou de spruit van de plaatsvervanger heten; Wolf naar de vroegere strijdnaam van Hitler, en Rüdiger naar de trouwe held uit de Nibelungen-sage. Het was een historische datum, 9 november 1938. Heß en Hitler zwolgen in herinneringen aan de gemeenschappelijke putschpoging van vijftien jaar eerder. 's Avonds rinkelde de telefoon. De heer des huizes vernam dat in heel Duitsland de synagogen brandden, dat joden mishandeld en vermoord waren. *Reichskristallnacht* zou deze avond later in de bagatelliserende officiële terminologie van het regime gaan heten.

'Toen hij van het telefoongesprek terugkwam,' herinnerde Heß' privé-secretaris zich, 'zag hij groen en geel van ergernis.' Wederom een vertrouwensbreuk. Niemand had de plaatsvervanger over het pogromplan geïnformeerd, ook de peetoom van zijn zoontje niet. Deze keer was hij echter ook ontsteld over het gebeuren in de straten. Vandalistisch optreden was niet Heß' stijl. Zoals het gepeupel tekeerging, dat was niet 'zijn' vorm van geweldpleging. In een telegrafisch rondschrijven aan alle gouwleidingen probeerde hij de volgende dag meer ongeregeldheden te verhinderen. Maar de bevelen van de plaatsvervanger werden niet meer serieus genomen.

De verontwaardiging van Heß bleef een uitzondering. Gewoonlijk sloot hij liever de ogen. Toen Friedrich Rupp, plaatsvervangend hoofd van een kliniek in het Hessische Stetten, hem schriftelijk meedeelde dat in zijn ziekenhuis in het kader van het 'euthanasieprogramma' systematisch geesteszieke patiënten werden vermoord, stuurde de plaatsvervanger slechts een kort antwoord. Het schrijven van Rupp zou om redenen van competentie zijn doorgezonden aan de SS.

Rudolf Heß had vóór het eigenlijke begin van de massamoord op de joden Duitsland reeds verlaten. Zou hij de Holocaust op

'Geheugenverlies als een puur tactische zet...'
Heß in de beklaagdenbank met Göring en Dönitz tijdens het Neurenberger proces (1945).

Heß was een uiterst complexe persoon. Er werd destijds veel gediscussieerd over de omstandigheden waarin Heß naar Engeland was gevlogen. Die waren immers echt vreemd. Ook werd er gediscussieerd over de vraag of Heß wel in staat was om het proces te volgen en te doorstaan. De vraag naar zijn geheugenverlies was zeker terecht. Een college van artsen besloot toen dat hij met zijn geestelijke vermogens in staat was om het proces te volgen.

Lord Hartley Shawcross, Brits aanklager in Neurenberg

Rudolf Heß is immers op 10 mei 1941 naar Engeland gevlogen om op het laatste moment een nieuwe wereldoorlog te voorkomen. Als ik de zaak juist beoordeel, had Heß toen, in 1941, de status van parlementariër. Een parlementariër wordt beschermd door het internationaal recht, dus Heß had nooit door de Engelsen gevangengenomen mogen worden. Men had hem moeten laten terugvliegen.

Dr. Alfred Seidl, Heß' verdediger in Neurenberg

U zult zien, deze spookverschijning zal verdwijnen, en u zult binnen een maand de Führer van Duitsland zijn!

Heß tot Göring over het Neurenberger proces, 1946

dezelfde wijze hebben ondersteund als het rechteloos maken van de Duitse joden door de Staat vóór de oorlog? Heß vond zichzelf radicaal. 'Nationaal-socialisme is toegepaste biologie,' had hij gezegd. In 1934 formuleerde hij in een radiotoespraak een opvatting over 'gehoorzaamheid', die als een vooraf gegeven leidraad voor de ss-moordenaars in Auschwitz kon worden opgevat: 'Trouw als karaktertrek betekent een onvoorwaardelijke gehoorzaamheid, die niet vraagt naar het nut van een bevel, die niet vraagt naar de motieven van een bevel, die gehoorzaamt omwille van het gehoorzamen.' Zulke toespraken behoorden tot de voorbereidende werkzaamheden voor de misdaad van de eeuw.

In de rechtszaal van Neurenberg echter verstarde hij bij de vertoning van een film over de bevrijding van de vernietigingskampen. Heß leek niet te kunnen geloven dat men met de *Endlösung der Judenfrage* tijdens zijn afwezigheid deze moorddadige weg was ingeslagen. Voor hem bestond er maar één uitweg: de filmopnamen moesten vervalsingen zijn. Heeft hij niet consequent en tot het einde doorgedacht over Hitlers gedachten die hij sinds samenwerking bij het schrijven van *Mein Kampf* in Landsberg kende? Of heeft hij de consequenties voorvoeld en verdrongen? Is het toeval dat Heß in de jaren waarin de rassenpolitiek van het regime steeds radicaler werd, pathologische ziektebeelden vertoonde? De antwoorden op deze vragen had alleen de gevangene van Spandau kunnen geven.

Het feit dat de plaatsvervanger afscheid begon te nemen van de werkelijkheid, werd door zijn naaste omgeving nauwkeurig geregistreerd. Heß had altijd al een voorliefde gehad voor stromingen in de schemergebieden van de menselijke studies. Bij de astrologie, die hij steeds serieuzer met zijn medewerker en vriend Ernst Schulte-Strathaus beoefende, kwamen geleidelijk aan andere obscure hartstochten: wichelroedelopers, droomuitleggers en helderzienden ontmoetten elkaar regelmatig bij de plaatsvervanger.

Steeds vaker leed Heß aan maag- en galkolieken. Noch de gevestigde medische wetenschap noch kwakzalvers die door de notoire hypochonder geconsulteerd werden verschaften verlichting. Alfred Rosenberg vertelde dat Heß op advies van een van deze 'geneeskundigen' alle tanden uit zijn bovenkaak had laten trekken om een vermoedelijke infectie te bestrijden, maar er trad geen verbetering op.

Natuurlijk ontging de toenemende excentriciteit van zijn plaatsvervanger ook Hitler niet. Kenschetsend hiervoor was de volgende ontmoeting. Als Heß in de rijkskanselarij voor het eten werd uitgenodigd, liet hij in een eetblik stiekem speciaal voor hem bereid vegetarisch eten meebrengen. Op een dag kreeg Hitler, eveneens een vegetariër, hier de lucht van en riep Heß aan tafel ter verantwoording: 'Ik heb hier een eersteklas dieetkokkin,' zou Hitler volgens Albert Speer hebben gezegd. 'Als jouw arts jou iets speciaals heeft voorgeschreven, dan zal zij dat graag bereiden. Maar je eigen eten meenemen, dat gaat niet.' Heß probeerde het bijzondere van zijn geval toen met zijn speciale dieetplan te motiveren, waarop Hitler hem nadrukkelijk aanraadde om dan voortaan maar thuis te eten. Speer: 'Heß verscheen hierna nog maar zelden voor de maaltijden.'

Ook in het gezelschap van de andere paladijnen maakte Hitler grapjes over zijn wonderlijke plaatsvervanger, die hij verder in gesprekken nog steeds heel vriendschappelijk 'mijn Heßje' noemde. 'Ik hoop maar dat Heß mij nooit hoeft te vervangen,' zei hij tegen Göring. 'Ik zou niet weten met wie ik meer te doen zou hebben, met Heß of met de Partij.' Bij belangrijk politiek overleg werd de plaatsvervanger niet meer betrokken. Zijn stafchef Bormann daarentegen was daar nu steeds bij aanwezig.

Heß werd in plaats daarvan steeds meer de reizende representant van het regime: winterhulp, koffiekransjes met gratiën van de *Bund Deutscher Mädel* voor het bioscoopjournaal, het verlenen van *Mutterkreuze* aan de vruchtbaarste volksgenotes – de frequentie van dergelijke optredens in Heß' agenda groeide met het verlies van Hitlers gunst. 'Hij haatte zulke opdrachten,' herinnerde zijn secretaresse Laura Schroedel zich. Maar hij drukte zich nooit. Plichtsvervulling als hoogste gebod, het dogma van de vader bleef de zoon onwankelbaar trouw.

De Duitse invasie in Polen op 1 september kwam voor Heß niet als een verrassing. Plichtbewust had hij in de voorafgaande weken in zijn redevoeringen de propagandistische voorbereidingen ondersteund. Vijf dagen voordat de Duitse troepen de grens overschreden, verklaarde hij met het gebruikelijke pathos in Graz: 'Wij staan achter het vaandel van de Führer, wat er ook gebeurt.' En vervolgens, met een onnavolgbare dictie: 'De verantwoordelijke voor de onverantwoordelijkheid van Polen is Engeland!'

Twee weken eerder had Heß tegen Haushofer georakeld dat de oorlog slechts 'een kort onweer en geen langdurige regen' zou zijn. De tegenwerping van zijn vriend dat je nooit kon weten wat voor 'vloedgolf' op een onweer volgde, stierf ongehoord weg.

De plaatsvervanger zag zijn Führer nog maar zelden. Als opperste bevelhebber schaarde Hitler anderen om zich heen. Niettemin werd Heß officieel opgewaardeerd. In zijn rede op 1 september – waarschijnlijk de meest cynische onofficiële oorlogsverklaring van alle tijden ('Sinds 05.45 uur wordt er nu teruggeschoten') – regelde Hitler ook voor het eerst publiekelijk zijn opvolging. Tot de eerste erfgenaam van de Führer benoemde hij Hermann Göring, en toen: 'Mocht partijgenoot Göring iets overkomen, dan is zijn opvolger partijgenoot Heß!' De derde man in het Derde Rijk – in werkelijkheid was dit geen serieus bedoeld eerbewijs, maar een blijk van waardering voor de populariteit die de plaatsvervanger onder de bevolking genoot. Tegen Hermann Göring, die zich weinig enthousiast toonde over zijn potentiële opvolger, zei Hitler: 'Als jij de Führer van het Rijk wordt, dan kun je Heß toch eruit gooien en je eigen opvolger aanwijzen.' Verder benoemde Hitler zijn plaatsvervanger tot lid van de Raad van Ministers ter verdediging van het Rijk – een benoeming die voor het gerecht in Neurenberg ten laste van Heß zou worden uitgelegd. In feite was de Verdedigingsraad een college zonder betekenis, en Heß heeft nooit aan een zitting ervan deelgenomen.

Op 3 september, Duitse eenheden waren al tot diep in Polen doorgedrongen, was de plaatsvervanger evenwel nog één keer in de rijkskanselarij. Het was de dag waarop het bericht van de Engelse oorlogsverklaring arriveerde. Nu zag het er niet meer naar uit dat het om een kort onweer ging. Verbijsterd voer Hitler tegen zijn minister van Buitenlandse Zaken uit: 'Wat nu?' Ribbentrop had keer op keer verzekerd dat de Britten niet aan een oorlog zouden deelnemen.

'Mijn hele levenswerk valt nu in duigen,' jammerde Hitler. 'Mijn boek is voor niets geschreven.' Inderdaad was nu een van de centrale thesen uit *Mein Kampf* de vriendschap met Engeland, waardeloos geworden. De Europese brandstichters in de rijkskanselarij raakten even in paniek. Toonloos mompelde Hermann Göring: 'Als wij deze oorlog verliezen, moge de hemel ons dan genadig zijn.' In een vlaag van confuus heroïsme verzocht Heß militair beknopt om toestemming om als gevechtsvlieger naar het front te gaan. Een man van 45 jaar – Hitler keek zijn plaatsvervanger ongelovig aan en legde hem vervolgens botweg een vliegverbod op voor de duur van een jaar. Heß sloeg de hakken tegen elkaar en verliet zonder een woord te zeggen de zaal.

Tevoren was hij nog getuige geweest van een hulpeloze poging om Londen buiten de oorlog te houden. Via een Zweedse diplomaat liet Göring bij de Britten navragen of hij niet met een vliegtuig voor onderhandelingen naar het eiland kon komen. Een laatste strohalm, waaraan waarschijnlijk ook Hitler zich vastklampte. Het antwoord luidde koel: 'Zijne majesteits regering heeft geen tijd meer voor gedachtewisselingen met mijnheer de veldmaarschalk Göring.' Een ondeugdelijke poging, ook van Heß' standpunt uit bezien. Híj zou zonder vooraankondiging naar Engeland zijn gevlogen. Bemiddelende bezoeken waren sinds de vredesvlucht van Chamberlain in 1938 toch een goede traditie tussen de beide arische staten?

De tijd van de snelle overwinningen brak aan. Een nieuwe term duikt op in het oorlogsjaar: *Blitzkrieg*. Ook Rudolf Heß juichte over de onverwachts succesvolle veldtochten waarmee Hitlers Wehrmacht half Europa onderwierp: Polen, Denemarken, Noorwegen, Nederland, België, Frankrijk. Maar de oorlog tegen Groot-Brittannië bleef een ramp voor de plaatsvervanger. Voorvoelde hij dat Duitsland tegen het weerbarstige eiland voor een verloren zaak streed?

Toen het Britse leger bij Duinkerken over zee ontsnapte, geloofde de plaatsvervanger in een bewust teken van Duitse welwillendheid. Steeds weer had Hitler Londen vrede aangeboden: langs officiële weg en langs discrete diplomatieke kanalen. Het zou een vrede zijn geweest die hem in Europa de vrije hand gaf en waarvoor hij het *empire* met rust zou hebben gelaten. Maar Churchill, de nieuwe premier, peinsde er niet over om een vredesverdrag te sluiten met een Duitsland dat z'n buurlanden onder het juk had gebracht en dat onverhulde terreur tot het uitgangspunt van de Staat had gemaakt. Anderen in zijn regering, minister van Buitenlandse Zaken Lord Irwin Halifax voorop, zouden wel tot een gesprek bereid zijn geweest – in elk geval tot het begin van het Duitse luchtoffensief waarmee Hermann Göring beloofd had Engeland klein te krijgen.

Churchills houding sloeg de hele redenatie die sinds *Mein Kampf* aan Hitlers veroveringsplannen ten grondslag had gelegen, aan gruzelementen. Vooral voor de plaatsvervanger was dit alles een tragisch misverstand. Dat de oorlog voor het Westen een vrijheidsstrijd tegen de dictatuur was geworden kon hij niet begrijpen. Eigenlijk was toch het communisme de gemeenschappelijke ideologische tegenstander – zo luidde een wijdverbreid foutief oordeel dat nog tot aan het einde van de oorlog in Duitsland valse hoop zou wekken.

In de zomer van 1940 rijpte een nieuwe idee. Misschien was een etentje op de Berghof, waarbij Heß aanwezig was, doorslaggevend. Rochus Milsch, een soldaat van het *Führerbegleitkommando*, herinnerde zich: 'Opeens verscheen rijksperschef Dietrich en meldde: "Mijn Führer, de Engelsen willen niet." Hierop zei Hitler vertwijfeld: "Mijn God, wat moet ik dan nog meer doen? Ik kan er toch niet heen vliegen en voor de Engelsen op mijn knieën vallen?!" '

Heß begon nu op eigen houtje buitenlandpolitiek te bedrijven. Hij vroeg zijn oude docent Karl Haushofer om advies. Na een bezoek van Heß op 31 augustus aan het landgoed van de Haushofers schreef de raadgever aan zijn zoon Albrecht dat het er nu om ging buitengewoon ernstige gevolgen af te wenden. Nogal cryptisch geformuleerd – de SS las mee –, maar het betekende niets anders dan dat Haushofer zijn vriend van onbezonnen daden wilde afhouden.

Albrecht Haushofer, net als zijn vader professor, verklaarde zich bereid te helpen. De geleerde voelde zich aan Heß verplicht omdat deze zijn niet-arische familie de hand boven het hoofd hield. Maar het was gevaarlijk spel, want elk contact met de vijand zonder Hitlers medeweten gold als hoogverraad.

In opdracht van Heß probeerde Albrecht nu via een tussenpersoon in Portugal contact met Engeland te leggen. Het doel was een ontmoeting met een hoge Britse vertegenwoordiger op neutraal terrein. Als ontvanger van deze boodschap koos Heß de hertog van Hamilton. Waarom de keuze juist op deze Schotse edelman viel, kan veel over worden gespeculeerd. Zeker is dat Albrecht Haushofer hem tamelijk goed kende en dat hij als gepassioneerd sportvlieger de plaatsvervanger in principe sympathiek leek. Heß had hem in 1936 tijdens de Olympische Spelen van Berlijn één keer kort ontmoet. Of zij meer dan een paar beleefde woorden hebben gewisseld is onzeker. Maar Hamilton was allesbehalve een invloedrijk politicus. Als bevelhebber van de luchtverdediging in Schotland bekleedde hij een militaire functie en had hij nauwelijks contacten met politiek Londen. Uitgaand van een meer romantische opvatting over politiek beschouwde de plaatsvervanger de hertog echter als een geschikte contactpersoon tussen hem en de Engelse kroon, waarvan de ware betekenis door de amateur-buitenlandpoliticus Heß danig werd overschat.

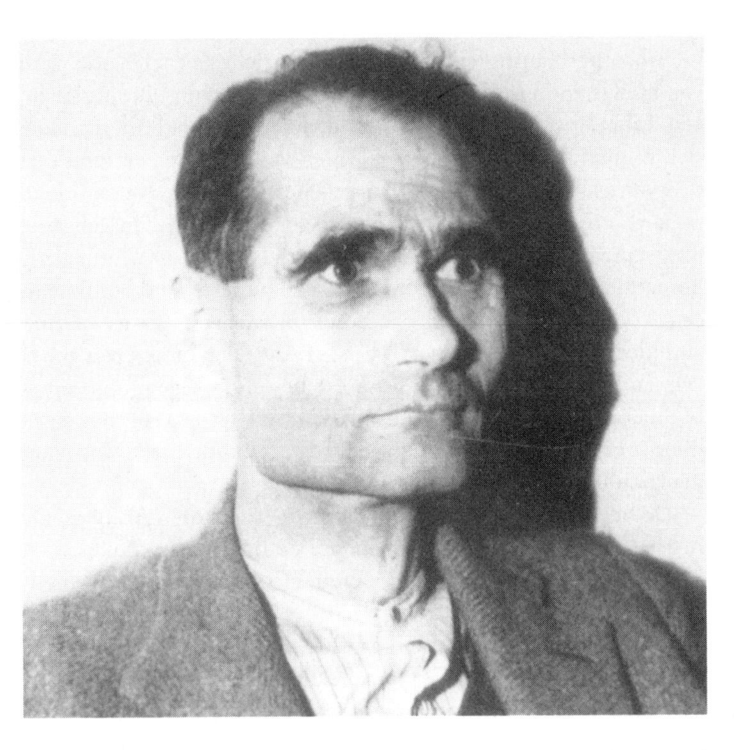

'Ik heb nergens spijt van...' Rudolf Heß in zijn cel in de Neurenberger gevangenis.

Niemand vond destijds dat Heß een 'kleine jongen' was. Pas na de nazi-tijd is immers gebleken dat hij betrekkelijk weinig bevoegdheden heeft gehad. Maar hij was een mededader. Hij was iemand die nooit op enigerlei wijze kritiek heeft uitgeoefend op wat er in die tijd allemaal gebeurde, integendeel, hij was iemand die de Führer als de Nibelungen zo trouw toegedaan was. Daar verandert ook het feit dat hij naar Engeland is gevlogen niets aan. De gruweldaden die in het Derde Rijk zijn gepleegd, die waren al lang vóór 10 mei 1941 gepland. De aanvalsoorlog tegen Rusland was gepland, de jodenvernietiging was gepland, de gedwongen tewerkstelling van buitenlandse arbeiders was gepland – dit alles gebeurde immers niet van de ene dag op de andere. Aan al deze dingen lagen plannen ten grondslag waaraan men gedurende vele jaren gewerkt had, waar Heß van geweten heeft en die hij ondersteund heeft. Onder vele wetten stond zijn handtekening. Je kunt je dan toch niet aan je verantwoordelijkheid onttrekken door te zeggen dat het 'tenslotte allemaal gebeurd is toen ik er niet meer was'.

Arno Hamburger, deelnemer aan de Rijkspartijdagen

Voor Rudolf Heß was de tijd in 1941 stil blijven staan. Zijn relatie met zijn medegevangenen was niettemin altijd goed. Speer en Von Schirach [rijksjeugdleider van de NSDAP – vert.] letten altijd een beetje op de oude man; Speer maakte zelfs zijn bed op. Uiteindelijk overleefde hij hen allemaal.

Eugene Bird, commandant in Spandau

Albrecht Haushofers rol bij de voorzichtige vredespogingen van Heß is nooit helemaal opgehelderd. Waarschijnlijk speelde hij een dubbelspel. Gezien zijn goede contacten in het buitenland en ook binnen de oppositie tegen Hitler was de samenwerking met de politiek naïeve plaatsvervanger voor hem een tweesnijdend zwaard. Hij geloofde toch al niet in een goed einde. In een brief waarschuwde hij Heß dat 'alle op enigerlei wijze in aanmerking komende Engelsen' een door de Führer ondertekend verdrag als een 'vodje papier' zouden beschouwen. Maar Heß was zich op zijn idee blind gaan staren. Als het hem zou lukken om een goede verstandhouding met de Engelsen te bewerkstelligen, dan moest hij hiermee toch Hitlers achting kunnen terugveroveren – zo hoopte hij. Foutieve buitenlandpolitieke beoordelingen vermengden zich met irrationele gevoelsopwellingen.

De bemiddelingspoging van Albrecht Haushofer mislukte. De Britse Geheime Dienst onderschepte de boodschap. Nu besloot Heß om het in zijn eentje te proberen. Hij wilde zelf als parlementariër naar Engeland vliegen. Het doel zou wederom de hertog van Hamilton zijn, die, hoe praktisch, op zijn landgoed over een vliegveld beschikte. Karl Haushofer leek hem in zijn beslissing gesteund te hebben. Tijdens een boswandeling vertelde hij Heß over een zogenaamde droom waarin hij hem door met gobelins versierde kastelen had zien schrijden om twee grote naties de vrede te brengen. Voor Heß, die in allerlei zaken tussen hemel en aarde geloofde, een goed voorteken. Nog vanuit de Engelse gevangenis schreef hij melancholisch aan zijn raadgever: 'Ik denk vaak aan jouw droom.'

De voorbereidingen rukten hem uit zijn apathie van de laatste maanden. Goebbels noteerde na een ontmoeting met hem verbaasd: 'Hij is weer op dreef. Heß maakt op mij een uitstekende indruk.' Maar niemand mocht te weten komen waar het om ging – ook Hitler niet, wiens sympathie de onderneming eigenlijk moest opwekken. Er is veel gegist over de vraag of Hitler toch niet van de vlucht van zijn plaatsvervanger op de hoogte is geweest en stiekem de regisseur van de actie was. Talrijke historici hebben zich over deze vraag gebogen, maar geen van hen vermocht een bewijs voor enig medeweten van de Führer te vinden. Integendeel: de omstandigheden waarin de voorbereidingen plaatsvonden en ook de reacties na de vlucht toonden duidelijk aan dat Hitler deze avontuurlijke onderneming nooit zou hebben goedgekeurd.

Kenmerkend was reeds de eerste poging van Heß om een vliegtuig te regelen. Toen hij Ernst Udet, zijn oude luchtmachtkameraad en Görings Generalluftzeugmeister, verzocht om voor hem privé een Messerschmitt klaar te zetten, verklaarde deze dat hij eerst Hitler om toestemming moest vragen. Meteen bond Heß in en zag hij ervan af. 'De toestemming van de Führer,' merkte hij twee jaar later op, 'wiens vliegverbod voor mij immers net was verlopen, stelt de onschuldige mens als voorwaarde – ik had mij net zo goed meteen kunnen laten arresteren.'

Pas in de Messerschmitt-fabriek in Augsburg kreeg de vredesapostel iets voor elkaar. Onder het voorwendsel testvluchten te willen doen kreeg hij een jachtvliegtuig van het type Bf 110, die hij geleidelijk aan liet ombouwen voor zijn langeafstandsvlucht. Niemand vatte enige verdenking op. 'Als de plaatsvervanger van de Führer een toestel wil hebben,' herinnerde testpiloot Fritz Voss zich, 'hebben wij geen reden om bezwaar te maken.'

In de herfst begon hij Engelse woordjes in het hoofd te stampen. Zijn secretaresse dicteerde hij een toespraak die hij voor Engelse officieren wilde houden en hij eiste dat zij op haar erewoord beloofde er met niemand over te spreken. Op discrete wijze liet hij zich weerberichten en kaarten met oorlogszones in het luchtruim boven de Noordzee bezorgen. Op 10 januari ondernam hij zijn eerste poging. Vóór zijn vertrek gaf hij zijn adjudant Karl-Heinz Pintsch twee enveloppen: één met een aan Hitler gerichte afscheidsbrief en één met een brief die vier uur na zijn vertrek geopend moest worden. Twee uur na de start verslechterde het weer, en Heß moest omkeren. Bij zijn terugkeer in Augsburg moest hij vaststellen dat Pintsch een van de brieven reeds gelezen had. De inhoud: Hij, Heß, was zojuist naar Engeland gevlogen. Nu zat er voor hem niets anders op dan zijn adjudant in vertrouwen te nemen en ook van hem te eisen dat hij op zijn erewoord beloofde het absolute stilzwijgen te bewaren. Het was een belofte die Pintsch in het concentratiekamp zou doen belanden.

Na nog een tweede startpoging was Heß begin mei nog één keer in Berlijn. Hitler was in deze dagen alleen nog maar bezig met de voorbereidingen voor de inval in de Sovjet-Unie. Natuurlijk wist Heß hiervan en hij zag het gevaar van een dreigende tweefrontenoorlog.

's Avonds sprak hij in de rijkskanselarij nog eenmaal met Hitler. Ook over de inhoud van dit laatste onderhoud is veel gespeculeerd. Het duurde vier uur volgens een politieambtenaar die voor

Hitlers werkkamer op wacht stond. Na afloop zouden de twee in vrede en vriendschap afscheid van elkaar hebben genomen en zou Hitler hebben gezegd: 'Jij bent en blijft een oude stijfkop.' Zeker is dat Heß zich er nog eenmaal van vergewist heeft dat Hitlers wensdroom van een vrede met Groot-Brittannië onveranderd gebleven was. Een tot dusver ongepubliceerd document bevestigt dit: in de stukken die na zijn vlucht bij Heß werden gevonden, bevond zich ook een zestien pagina's tellend manuscript voor politieke onderhandelingen. Hierin deed hij in ongewijzigde vorm hetzelfde aanbod dat Hitler een jaar eerder, nog vóór de luchtoorlog tegen Engeland, geformuleerd had: de vrije hand in Europa en in het oosten in ruil voor een ongeschonden *empire*. Het was een hopeloos onderhandelingsaanbod, dat Churchill al meer dan eens botweg van de hand gewezen had. In zijn manuscript verklaarde Heß uitdrukkelijk het eens te zijn met de mening van Hitler: 'Niet geïnteresseerd in de ineenstorting van het wereldrijk. Mijn gesprek met de Führer. Voor het laatst op 3 mei.' Of Hitler in de vliegplannen was ingewijd, daarover wordt in het manuscript echter met geen woord gerept – zoals Heß ook in Engeland de vraag of hij in Hitlers opdracht gekomen was, steeds ontkennend beantwoordde.

Een astroloog had gezegd dat de sterren op 10 mei gunstig zouden staan. 's Ochtends speelde Heß in zijn villa in Harlaching zeer lang met zijn vierjarige zoontje, zo lang dat het zijn vrouw begon te verbazen. Zijzelf voelde zich die ochtend niet lekker en was in bed blijven liggen. Tegen de middag verscheen haar man in vliegtenue en nam hij afscheid van haar. 'Wanneer ben je terug?' Op het antwoord 'Morgen' zei Ilse, die een vaag vermoeden had: 'Dat geloof ik niet. Zorg dat je gauw weer terug bent, de jongen zal je missen.' – 'Ik zal hem ook missen.'

Samen met Pintsch reed Heß naar Augsburg. Om 17.45 uur startte hij zijn Messerschmitt. Even na tien uur 's avonds sprong hij met zijn parachute de Schotse nacht in. Het was het moment waarop alles eindigde. Het was het einde van een idee-fixe, het einde van een carrière als de naïefste van Hitlers beulen en het einde van Rudolf Heß' vrijheid. De tweede helft van zijn leven bracht de plaatsvervanger in de gevangenis door. In de nacht van 10 mei 1941 verloor hij – heroïsch – zijn realiteitsgevoel.

In de gespannen internationale toestand sloeg het nieuws van de gevleugelde Parsifal Rudolf Heß in als een bom. Hitler wilde het eerst niet geloven, kreeg toen een driftaanval. 'Hoe kan Heß

'Waarom laat men mij niet sterven...?' De duurste gevangene van de wereld in de tuin van de Spandau-gevangenis.

In mijn ogen was Rudolf Heß zeker niet gek of seniel. Integendeel: hij was intelligent en zeer geconcentreerd op alles wat hem interesseerde. Hij nam actief deel aan alles wat er om hem heen gebeurde, en hield zich tijdens zijn gevangenschap met vele dingen bezig. Hij werd bijvoorbeeld een specialist op het gebied van het Amerikaanse ruimtevaartprogramma. Ook lichamelijk was hij nog kort voor zijn dood in goede conditie, afgezien van de gebruikelijke kleine gebreken. Hij was zonder meer in staat om zich te verhangen.

Generaal Blank, Amerikaans arts in Spandau

Heß probeerde meermalen zelfmoord te plegen. Ik hoorde van een poging in Engelse gevangenschap. Een andere keer probeerde hij het toen hij als enige gevangene in Spandau was overgebleven. Vervolgens kwam er verbetering in de omstandigheden waarin hij in de gevangenis verbleef.

Tony Le Tissier, gevangenisdirecteur van Spandau

mij zoiets aandoen?' schreeuwde hij. Goebbels schreef in zijn dagboek dat hij de kwestie alleen maar kon verklaren als een gevolg van Heß' voorliefde voor gebedsgenezing en grasvreterij. Nog diezelfde dag liet Hitler de adjudanten en secretaresses van Heß arresteren. Toen aarzelde hij. Even leek hij op nieuws uit Engeland te wachten. Je kon immers nooit weten. Albrecht Haushofer werd naar de Berghof gebracht en werd gedwongen een stuk te schrijven met de titel: 'Zijn er nog mogelijkheden voor een vrede met Engeland?'

Toen de eerste berichten uit Engeland duidelijk maakten dat Heß' missie niet de geringste kans van slagen had gehad, was het zaak de schade zoveel mogelijk te beperken. Wat zouden de bondgenoten denken? Samen met Bormann bedacht Hitler een radiobericht waarin Heß gek werd verklaard en waarin werd verwezen naar de afscheidsbrief, 'die in z'n warrigheid helaas sporen van geestelijk ontreddering' zou vertonen, 'die doen vrezen dat partijgenoot Heß helaas het slachtoffer van waanvoorstellingen is geworden'. Maar er werd lang niet door iedereen op deze manier met de affaire omgesprongen. In een vertrouwelijk rondschrijven van het ministerie van Propaganda aan de *Kreis*leiders van de NSDAP van 4 september 1941 stond althans dat de plaatsvervanger met de edelste bedoelingen naar Engeland zou zijn gevlogen. Ten minste binnen de Partij moest de indruk worden vermeden dat er binnen de top plaats zou zijn voor waanzinnigen.

De Duitstalige dienst van de BBC meldde enkele dagen na Heß' aankomst spottend: 'Heden geen nieuwe rijksministers komen aanvliegen.' Maar een groot Brits propagandaoffensief bleef tot vreugde van Goebbels uit. 'Hoe hadden we daarop moeten reageren,' merkte de propagandachef opgelucht op. Het regime deed er nu alles aan om het onaangename voorval snel te doen vergeten. Het bioscoopjournaal van de tweede week van mei werd uit de bioscopen teruggehaald omdat in twee fragmenten de plaatsvervanger nog te zien was. Ziekenhuizen die de naam van Heß droegen kregen een andere naam. De adjudanten van Heß moesten na maandenlange verhoren naar het concentratiekamp. Ook de astroloog Ernst Schulte-Strathaus werd gearresteerd.

De droom van Martin Bormann, die zich meteen van zijn voormalige chef gedistantieerd had, ging niet in vervulling. Hij werd nu weliswaar officieel met de taken belast die hij toch al uitoefende, maar een plaatsvervanger benoemde Hitler niet meer. Vergeven heeft de Führer Heß vermoedelijk nooit. Albert Speer vertelde over een gesprek in 1944 dat Hitler erop zou hebben gestaan dat Heß, als deze ooit zou worden uitgeleverd, 'voor een militaire rechtbank verschijnt en meteen wordt geëxecuteerd'. In een van zijn tafelgesprekken dreigde hij dat Heß bij terugkeer slechts de keuze 'executie of gekkenhuis' zou hebben. Pas in de laatste dagen van de oorlog leek de labiele dictator zich zijn strijdmakker van weleer weer op een andere manier te herinneren. Führer-chauffeur Kempka vertelde Ilse Heß na de oorlog dat Hitler in een van zijn laatste nachtelijke monologen dwepend over haar echtgenoot had gezegd dat deze de enige idealist van het zuiverste water in de beweging was geweest.

De geschiedenis van Heß na zijn parachutesprong is vooral een beschrijving van pathologische toestanden. Churchill peinsde er niet over om de plaatsvervanger van Hitler als een parlementariër te behandelen. Ook hem kwam de vliegtocht van Heß heel slecht uit. Noch in Washington noch in Moskou mocht de indruk ontstaan dat het hier om vredesoverleg ging. De hertog van Hamilton was verbaasd: 'Het is verbijsterend hoe slecht de nazi's ons begrijpen.' Na een groot aantal verhoren, waarin Heß steeds weer verklaarde met een missie van de mensheid te komen, waarin hij echter geen enkel nieuw aanbod deed, zetten de Britten de boodschapper zonder enig commentaar achter de tralies.

Tot grote teleurstelling van de Britse regering verried hij niet wanneer de Sovjet-Unie zou worden aangevallen – ook niet nadat men hem een waarheidsserum had toegediend. De verhoorders lieten Londen weten dat Heß vermoedelijk inderdaad niet meer geheel met beide benen in de werkelijkheid stond. Vanuit de gevangenis schreef hij nog eenmaal een afscheidsbrief aan Hitler – een document van geestelijke verstarring: 'Haast nooit was het mensen vergund om met zoveel succes een man en diens idee te dienen als diegenen onder u. Zeer hartelijk dank voor alles wat u mij gegeven heeft en voor wat u voor mij bent geweest. Ik schrijf deze regels in het duidelijke besef dat er voor mij geen andere uitweg is – hoe moeilijk dit einde mij ook valt. Door u, mijn Führer, groet ik ons Groot-Duitsland, dat een ongekende grootsheid tegemoet gaat. Misschien brengt mijn vlucht ondanks mijn dood of juist door mijn dood vrede en een goede verstandhouding met Engeland. Heil mijn Führer.' Een dag later wierp hij zich in zijn gevangenis van een trap. Maar deze eerste van de in totaal drie zelfmoordpogingen mislukte. Heß brak slechts een been.

Terwijl de meest prominente gevangene van de Tweede Wereldoorlog in Zuid-Londen steeds meer versteende, gingen de geallieerde legers over tot de stormaanval op het 'Groot-Duitsland' dat Heß zo geprezen had. Regelmatig moesten psychiaters zich om de beroemde gevangene bekommeren. Zijn maagkrampen werden chronisch. De bewakers werd bevolen nieuwe zelfmoordpogingen te verhinderen. Schriftelijke klachten van de gevangene vertoonden symptomen van een duidelijk ontwikkelde vervolgingswaan: 'Ze deden bijtende zuren in mijn eten. De huid van mijn gehemelte hing in flarden neer.' Of: 'Het eten smaakt altijd naar zeep, spoelwater, mest, rotte vis of carbolzuur. Het ergst waren de kliersecreten van kamelen of varkens.'

De paranoïde symptomen van zijn ziekte ontvluchtte Heß ten slotte door te vluchten in vergetelheid. Een van de behandelend artsen oordeelde: 'Heß lijdt aan een hysterische amnesie. Deze is vergelijkbaar met de vorm van amnesie die veel soldaten onder zware druk in de oorlog ontwikkelen.'

Ook voor het Internationaal Militair Gerechtshof van Neurenberg leek hij aanvankelijk aan geheugenverlies te lijden. Rudolf Heß werd op alle punten aangeklaagd: samenzwering, misdaden tegen de vrede, oorlogsmisdaden en misdaden tegen de menselijkheid. Juridisch was dit een dubieuze onderneming – want de plaatsvervanger had vóór het begin van de eigenlijke massamoord Duitsland verlaten, en aan Hitlers oorlogsvoering had hij niet deelgenomen. Ten slotte liet men de laatste twee punten vallen. Maar alle hoop van zijn familie en verdedigers op een niet-ontvankelijkverklaring omdat Heß niet in staat zou zijn zich te verdedigen, vervloog toen de verdachte in een toestand van verward verzet verklaarde dat zijn simulatie van geheugenverlies puur tactisch geweest was.

Na deze verklaring liet hij zich weer op de beklaagdenbank zakken en volgde met een uitgebluste blik in zijn ogen het gebeuren. Was dit verzet een opwelling van zinloze trots of slechts een poging om de aandacht op zich gevestigd te krijgen? Rudolf Heß heeft ook in het proces van Neurenberg geen zweem van berouw getoond. In zichzelf gekeerd en met een bazige afwijzende houding tegenover de rechtbank verbleef hij in gedachten hardnekkig in de wereld die hij in 1941 verlaten had.

De Russische aanklager eiste ook voor Heß de doodstraf, de Amerikanen wilden een beperkte gevangenisstraf. Uiteindelijk kwamen zij 'levenslang' overeen. Misschien was het vonnis milder uitgevallen als Heß van zijn slotwoord had afgezien. Met starre, in een lege verte gerichte blik legde hij de verklaring af van iemand die niet voor rede vatbaar is. Toen Göring hem toefluisterde dat hij beter kon zwijgen, snauwde hij zijn voormalige rivaal toe: 'Onderbreekt u mij niet.' Vervolgens zei hij: 'Het was mij vergund om vele jaren van mijn leven te werken onder de grootste zoon die mijn volk in z'n duizendjarige geschiedenis heeft voortgebracht. Zelfs als ik het zou kunnen, zou ik deze periode niet uit mijn leven willen schrappen. Ik heb nergens spijt van. Eens zal ik voor de rechterstoel van de Eeuwige staan. Voor Hem zal ik mij verantwoorden, en ik weet dat Hij mij vrij zal spreken.'

Deze laatste zin kwam bijna woordelijk overeen met Hitlers slotwoord voor het Volksgericht in München in 1924. In het Duitsland van 1946, het platgebombardeerde, door honger geteisterde land, stierven de woorden ongehoord weg. Maar voor Heß waren ze een poging tot rehabilitatie, drukten ze zijn verlangen uit naar terugkeer in de kring van de discipelen. Na het mislukken van zijn absurde liefdeblijk in de nacht van 10 mei 1941 was hij nu weer Hitlers beul. Aan dit fatale anachronisme hield hij tot aan zijn einde vast.

De vier decennia in de gevangenis van Spandau waren voor de plaatsvervanger slechts een wachten op de dood. Aan een bewaker in Neurenberg vroeg hij: 'Waarom laten ze mij niet sterven?' Vanaf 1966 was hij de enige gevangene in de duurste gevangenis van de wereld. Alle andere paladijnen, ook zij die levenslang hadden gekregen, waren inmiddels ontslagen. Bij Heß liepen alle pogingen om hem vrij te krijgen stuk op het veto van de Sovjet-Unie, hoewel velen zich publiekelijk en diplomatiek voor vrijlating van de hoogbejaarde gevangene inzetten – de regeringen van de drie westelijke zegevierende mogendheden, de bondskanseliers en de bondspresidenten. Ook gedurende de decennia in de gevangenis bleef Heß zichzelf trouw – een zonderling. Pas in 1969 gaf hij zijn familie toestemming om hem te bezoeken.

Op het laatst werd Heß, de gevangene in een gevangenis die als laatste overblijfsel van de Anti-Hitler-Coalitie de Koude Oorlog had overleefd, een martelaar voor neonazi's in de gehele wereld. Of hij zich na een ontslag uit de gevangenis in deze wereld, die hem zo vreemd was, had kunnen handhaven, is meer dan twijfelachtig.

Zijn dood op 17 augustus 1987 maakte van hem definitief een mysterie van de contemporaine geschiedenis. Tot op de dag van vandaag zijn er mensen die weigeren geloof te hechten aan het geallieerde communiqué waarin staat dat de plaatsvervanger zelfmoord zou hebben gepleegd. Dat komt vooral door het onhandige optreden van de Vier Mogendheden': de vernietiging van bewijsmateriaal, tegenstrijdigheden in publieke verklaringen, een slordig uitgevoerde sectie en niet in de laatste plaats het geheimhouden van dossiers en onderzoeksrapporten – dit alles heeft bijgedragen tot allerlei geheimzinnige complottheorieën. Als een magneet heeft de dood van Heß, gepleegd met behulp van een elektriciteitssnoer, zelfbenoemde experts en dubieuze getuigen aangetrokken.

Terwijl de feiten iets anders zeggen. De laatste gevangenispastor Michel Röhrig verklaarde dat de snelle achteruitgang van Rudolf Heß' gezondheid in het voorjaar van 1987 de levenswil van de gevangene definitief brak. Toen Röhrig begin augustus met vakantie wilde gaan, zou Heß hem hebben bezworen: 'Gaat u niet, ik zal u nodig hebben.' Ook een bij de dode gevonden afscheidsbrief weerspreekt de moordtheorie: 'Geschreven een paar minuten voor mijn dood,' schreef Heß op de achterkant van de brief aan zijn schoondochter, waarin hij bedankte voor de jarenlange toewijding. Zijn zoon, Wolf-Rüdiger Heß, houdt de brief niettemin voor een vervalsing, omdat de dictie niet zou overeenkomen met de stijl van zijn vader op het tijdstip van zijn dood. In een door externe deskundigen in opdracht van Wolf-Rüdiger opgesteld onderzoeksrapport staat evenwel dat desbetreffende sporen ontbraken.

Voor sensatie zorgde de laatste verpleger van Heß in Spandau, de Tunesiër Abdullah Melaouhi, toen hij zich een paar weken na de dood van zijn beschermeling bij de pers meldde en melding maakte van twee hem onbekende mannen in Amerikaans uniform, die naast de dode zouden hebben gestaan en er als moordenaars zouden hebben uitgezien. Melaouhi kwam echter pas na meer dan een halfuur naar het tuinhuisje waarin de gevangene gevonden werd. De beide mannen in Amerikaans uniform waren vermoedelijk wachtofficier Al Ahuja en zijn hospitaalsoldaat. Ahuja: 'Hij kon ons in het geheel niet kennen, wij hadden elkaar nooit eerder ontmoet.' Een plausibele verklaring, omdat de wachtcompagnie, die elke maand afgelost werd, in de regel geen contact had met het vaste personeel van Spandau. Abdullah Melaouhi laat zich overigens tegen een fiks bedrag interviewen.

Ook een tweede sectie, uitgevoerd in opdracht van de familie, diende als versterking van de bewijsvoering tegen de geallieerde versie. Inderdaad weerlegde het rapport van de gerenommeerde

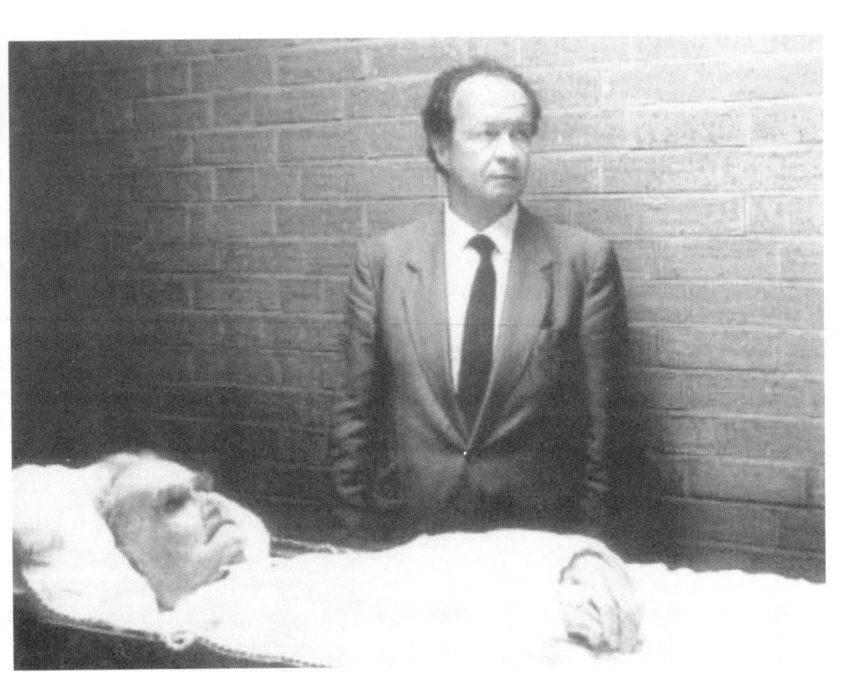

'Wij kunnen geen derde hand bewijzen...' Heß' zoon, Wolf-Rüdiger, na de sectie op zijn vader (1987).

Wij behandelden de kwestie van Heß' dood zeer zorgvuldig – in het besef van haar historische betekenis. Ook de sectie werd met de grootste zorgvuldigheid door dr. Cameron, een Brits patholoog, verricht. Er waren verschillende afgezanten van de geallieerden bij aanwezig. De doodsoorzaak was zuurstofgebrek in de hersenen. Dit was wat ongewoon voor iemand die zich had opgehangen, omdat in dit geval niet zoals gebruikelijk de nek was gebroken. De terugvoer van bloed uit de hersenen was onderbroken. Heß moet door het opzwellen van zijn hersenen zeer snel het bewustzijn verloren hebben. Alles wees erop dat het zo gegaan was en dat het om zelfmoord ging.

Generaal Blank, Amerikaans arts in Spandau

Ik ben ervan overtuigd dat mijn vader is omgebracht, en wel door de Engelsen. Welk motief kan hiervoor doorslaggevend zijn geweest? Mijn vader wist te veel! Het gevaar bestond dat uiteindelijk naar buiten zou komen dat Engeland medeschuldig was aan de oorlog. Ook verder zijn er veel dingen die mijn moordtheorie bevestigen: mijn vader wist dat de Russen hem wilden ontslaan, en bovendien was hij een man van drieënnegentig, lichamelijk niet eens in staat om zelf zijn veters te strikken, laat staan zich het leven te benemen. Hierbij komt de tweede sectie van professor Spann, die nota bene zelf in zijn memoires schrijft: 'Zoals de Engelsen zijn dood beschreven hebben, zo kan het niet gegaan zijn.' En dan de kwestie met die afscheidsbrief, die duidelijk vervalst is, zoals je vooral inhoudelijk duidelijk merkt. De zelfmoordtheorie heeft dus geen bestaansrecht.

Wolf-Rüdiger Heß, Heß' zoon

Münchense patholoog Wolfgang Spann het geallieerde rapport van de Britse professor Cameron, en bewees het dat deze slordig onderzoek had verricht. Maar de verwijten aan de collega's betreffen vooral forensisch-geneeskundige methoden. Aanknopingspunten voor een moord vond Spann niet. Desgevraagd verklaarde hij: 'Dat levert ons rapport niet. Wij kunnen niet bewijzen dat er een derde hand in het spel is.'

Maar er blijven inzake Rudolf Heß vragen die waarschijnlijk alleen door opening van de desbetreffende dossiers opgelost kunnen worden. Ook het dossierbestand van de Britse Geheime Dienst over de vliegtocht naar Engeland blijft vooralsnog gesloten. De wijze waarop met deze archieven wordt omgegaan, geeft zo nog altijd voedsel aan speculaties over de twee grote raadsels in het leven van de plaatsvervanger.

Wat voor effect zulke mysteries kunnen hebben op een minderheid van aanhangers van Eeuwig Gisteren, bleek nog eens bij de begrafenis van Heß in Wunsiedel, op slechts een paar kilometer afstand van Reichholdsgrün, het domicilie van zijn jeugd. Omdat duizenden rechts-radicalen de begraafplaats belegerden, moest de plechtigheid worden uitgesteld. Jaarlijks doen nog altijd onverbeterlijke personen op de sterfdag van de plaatsvervanger een bedevaart naar Wunsiedel, waar zij een aanzienlijke politiemacht bezighouden. De dwaalleer waaraan Rudolf Heß tot op het laatst heeft vastgehouden, is nog niet ten grave gedragen.

De architect

Ik bewonderde Hitler zonder enig voorbehoud.

Op die ogenblikken waarop hij als architect bezig was,
was hij echt volkomen ontspannen.

Vooral – en dat was zeker de grootste fout
in mijn leven – had ik het gevoel
dat hij een mens was.

Je zou ook kunnen zeggen dat *ik* iets voor hem betekende.

Voor een groot bouwwerk zou ik
evenals Faust mijn ziel hebben verkocht.

Over het algemeen heb ik een echt zuiver geweten,
want ik heb nooit antisemitisch gehandeld en ik heb evenmin ooit antisemitische uitlatingen gedaan.

Ik wist niets van joden.

Wie zonder mijn toestemming jodenwoningen verhuurt,
maakt zich schuldig aan een strafbaar feit!

Het kwam absoluut niet in mij op dat het mij persoonlijk
wat aanging als een ander wellicht in mijn bijzijn
zei dat alle joden doodgeslagen moesten worden.

Speer

Naar mijn mening zijn er, als je voor de Staat werkt, twee soorten verantwoordelijkheid. De ene verantwoordelijkheid is die voor de eigen sector, daar ben je natuurlijk volledig voor verantwoordelijk. Daarenboven vind ik persoonlijk dat er voor zaken die in hoge mate van doorslaggevende betekenis zijn, een algehele verantwoordelijkheid bestaat en moet bestaan voorzover je een van de leidende figuren bent, want wie is anders verantwoordelijk voor de loop van de gebeurtenissen?

Speer in Neurenberg, 1946

Stelt u zich voor dat iemand tegen u zou zeggen: 'Ik wil pertinent dat de 'Negende' vanaf nu alleen op de mondharmonica wordt uitgevoerd.'

Speer tot dirigent Wilhelm Furtwängler, 1939

De kinderen kenden hem nauwelijks. Misschien dat hij de oudsten een beetje kende. Vóór de oorlog nam hij nog wel eens een dag vrij of zo. Maar de twee jongsten kende hij praktisch helemaal niet. De kinderen hadden eigenlijk geen vader. Soms, op kwade ogenblikken, stelde ik mij voor dat ik *u* tegen Albert zei.

Margret Speer

Bij Speer mag je niet vergeten dat hij niet helemaal van ons oude nationaal-socialistische bloed is. Hij is immers van nature een technicus en heeft altijd zeer weinig om politiek gegeven. Daarom is hij ook in deze ernstige crises wat kwetsbaarder dan de echte nazi's.

Goebbels, 1944 (dagboek)

Mijn Führer, het is de eerste keer dat u over prestaties die op mijn werkterrein geleverd worden, ontevreden bent.

Speer aan Hitler, voorjaar 1944

Laat Speer weten dat ik hem liefheb.

Hitler tot generaal Milch, voorjaar 1944

Mijn Führer,

......

Mijn geloof in een gunstige wending van ons lot was tot 18 maart intact.

Ik kan niet in het succes van onze goede zaak geloven als wij op deze beslissende momenten de fundamenten van ons volksleven verwoesten.

Ik verzoek u daarom om niet zelf ten opzichte van het volk deze verwoestende stap te zetten.

God behoede Duitland, Speer.

Speer, 1945

Het Duitse volk heeft zich in deze oorlog als één man opgesteld, wat in later tijden de bewondering van een rechtvaardige geschiedenis zal wekken. Wij mogen zeker op dit moment niet rouwen en treuren om wat geweest is. Slechts door taaie arbeid kunnen wij ons lot blijven dragen.

Speer, 3 mei 1945

Aanklager Jackson: U kent ook de politiek van de nazi-partij en de regeringsmaatregelen tegen de joden, nietwaar?
Speer: Ik wist dat de nationaal-socialistische partij antisemitisch is en ik wist ook dat de joden uit Duitsland geëvacueerd werden.
Jackson: U nam toch ook deel aan de uitvoering van deze evacuatiemaatregelen, nietwaar?
Speer: Nee.

Verhoor van Speer in het Neurenberger proces, 21 juni 1946

Ik moet zeggen dat ik het boek *Mein Kampf* niet helemaal heb gelezen.

Verhoor van Speer in het Neurenberger proces, 21 juni 1946

Ik heb meermalen geprobeerd om Himmler en anderen van de regering uit te schakelen en hen te dwingen zich voor hun daden te verantwoorden.

Verhoor van Speer in Neurenberg, 20-06-1946

Speer heeft niet alleen de methoden gekend die werden toegepast om de bevolking van de bezette gebieden in slavernij te brengen, hij heeft ook aan de besprekingen deelgenomen waarin beslissingen over de deportatie van miljoenen mensen genomen zijn. Speer heeft nauw met Himmler in contact gestaan: Himmler heeft hem gevangenen geleverd voor de tewerkstelling in bewapeningsbedrijven; in veel bedrijven die onder Speer vielen zijn dependances van de concentratiekampen geopend. Dit is het ware gezicht van aangeklaagde Speer...

Generaal R. A. Rudenko, hoofdaanklager voor de Sovjet-Unie, 1946

Ik leefde in de planning van het Berlijnse project, en, zoals ik heb opgemerkt, ik kan mij daar ook nu niet van losrukken. Als ik diep van binnen op zoek ga naar mijn tegenwoordige afwijzing van Hitler, dan stuit ik daar, naast alle wreedheden die hij beging, ook een beetje op mijn persoonlijke teleurstelling: dat hij door zijn politieke machtsspel de oorlog in rende en hierdoor mijn levensplan verwoestte.

Speer, 1953

Ik heb mij de vraag of ik mij anders gedragen zou hebben als ik alles geweten had miljoenen keren gesteld. Het antwoord dat ik mijzelf geef, is steeds hetzelfde. Ik zou deze man op een of andere manier hebben blijven proberen te helpen zijn oorlog te winnen.

Speer, 1979

De mengeling van bierwalm en sigarenrook hoorde, net als de 'langste van alle voetenbanken in Duitse horecagelegenheden' bij de sfeer van de *Neue Welt*. De vervallen feestzaal in de Hasenheide, de hoofdstraat van de Berlijnse arbeiderswijk Neukölln, had wel betere tijden gekend.

Op deze avond van 4 december 1930 kwam het publiek echter uit de betere kringen. Ditmaal dansten niet de bewoners van de hoerenbuurt, agiteerden niet de communisten. Ditmaal domineerden vooraan in de zaal, aan tafels naast het podium, gesteven hemden, vadermoorders en donkerkleurig laken. Daarachter: petten en bonte wimpels. Hier zaten hoogleraren en studenten, die van de voorzitter van de bijeenkomst hoorden dat zojuist opnieuw twee SA-mannen het slachtoffer zijn geworden van de rode moordmachine.

De *Badenweiler-mars* weerklonk. De jongeman die boven op de galerij voor het eerst een politieke vergadering bijwoonde, stond op, evenals de jongelui om hem heen die hem hierheen hadden meegenomen: studenten Bouwkunde van de technische hogeschool. De grote, smaakvol geklede man was de assistent van hun professor.

Hitler sprak. Hij had zich aan zijn omgeving aangepast: hij droeg een donker pak en een stropdas. Zij stem klonk zacht en doordringend. De eis die hij aan de bijeengekomen academici stelde, was duidelijk: 'Uit dit volk moet nog eens een organisatie van eersteklas mensen, een organisatie van idealisme worden gevormd.'

Hitler hield zich in, zoals steeds in zulke gevallen. De demagoog had het op deze avond niet over wie hij als minderwaardig beschouwde – en wat hij met de mensen die hij daaronder rekende van plan was. Geen polemiek. Slechts, in bijna elke zin, de bezwering van natie, volk, vaderland: 'Gelukkig is ons volk als de geest van de SA- en SS-er ooit de geest van veertig miljoen mensen is geworden.' Hierop weerklonk er een stormachtig applaus.

Een paar maanden later, op 1 maart 1931, trad de smaakvol geklede jongeman toe tot de NSDAP en kreeg hij lidnummer 474481.

Waarom werd Albert Speer nationaal-socialist?

'Ik koos niet voor de NSDAP, maar voor Hitler, wiens verschijning mij bij de eerste ontmoeting suggestief geraakt had en sindsdien niet meer had losgelaten.' Was er geen enkele berekening in het spel?

Gerhard Kosel herinnert zich de Speer uit die tijd nog goed. Ook hij studeerde Bouwkunde, maar Kosel was een communist. Op de hogeschool was Speer zijn grootste tegenstander: 'Onder zijn leiding had zich een hele groep georganiseerd.'

Speer trad volgens Kosel ook als spreker op. Na een discussiebijeenkomst in de Berlijnse voorstad Nikolassee kwamen de twee nader tot elkaar. Speer, zijn jonge vrouw Margret en Kosel wandelden tot vroeg in de ochtend langs de oever van de Wannsee heen en weer.

'Speer ging ervan uit dat de toekomst Adolf Hitler toebehoorde,' vertelt professor Kosel in zijn woning aan de Strausberger Platz in Berlijn. Van daaruit heeft hij een goed uitzicht op de door hem ontworpen televisietoren. 'Hij vertelde over zijn gesprekken met Hitler en de fantastische vooruitzichten voor de ontwikkeling van de architectuur als Hitler aan het bewind zou komen.'

Weet Kosel dit heel zeker? Speer zou Hitler, zo bezwoer hij voor het Neurenberger gerechtshof (en vaak bij andere gelegenheden), pas in 1934 hebben leren kennen. Het gesprek aan de Wannsee vond echter al in 1931 plaats.

'Ja,' zegt Kosel, 'uit zijn betogen bleek dat hij beslist veel gesprekken met Hitler over architectuur en kunst gevoerd heeft.'

Was er hier misschien sprake van opschepperij van een nieuwbakken nazi die een communist wilde overtuigen? Feit is in elk geval dat Albert Speer de eerste bouwopdracht kreeg die de Berlijnse NSDAP in 1932 te vergeven had: de verbouwing van het pas aangekochte *Gauhaus* in de Vorstraße, midden in de Berlijnse wijk met de regeringsgebouwen. Na de voltooiing betuigde bouwheer Joseph Goebbels de architect schriftelijk zijn grote waardering en oprechte dank: 'Wij hebben het als buitengewoon prettig ervaren dat u binnen het zeer korte tijdsbestek de verbouwing op een zodanig tijdstip wist te voltooien, dat wij al in ons nieuwe kantoor met het verkiezingswerk konden beginnen.'

Op betrouwbare wijze en in korte tijd een opdracht uitvoeren – dat was de reputatie die de basis voor Speers carrière legde.

Hitler was nog geen drie maanden rijkskanselier of Albert Speer kreeg de volgende, niet bepaald alledaagse opdracht: hij moest de aankleding van een nationaal-socialistische bijeenkomst verzorgen.

1 mei 1933 was voor het nieuwe regime een strategische datum. De dag van de strijd tegen politieke tegenstanders werd veranderd in een feestdag voor de volksgemeenschap. Op het *Tempelhofer Feld* in Berlijn wilde Hitler de eerste grote massabijeenkomst van het Derde Rijk organiseren. Honderdduizenden mensen werden er verwacht. Het was een machtsdemonstratie om de gehavende linkse groeperingen verder te demoraliseren, om elk verzet tegen de bruine terreur door intimidatie de kop in te drukken.

Albert Speer moest het grootse optreden van de Führer ensceneren. Op de radio kreeg de nog onbekende architect de gelegenheid om zijn plannen toe te lichten. 'Wij zijn daarbij tot de overtuiging gekomen dat het bij de lengte van het veld van rond duizend meter noodzakelijk is om het middelpunt, van waaruit de Führer spreekt, zo duidelijk vorm te geven dat hij ook door de meest veraf staande mensen als zeer indrukwekkend wordt ervaren.'

De Führer als zeer indrukwekkend laten uitkomen – de jonge Speer had goed gezien waar het bij de opdracht om ging. En Hitler toonde zich enthousiast over Speers concept.

Goebbels benoemde de jonge architect vervolgens meteen tot regisseur van het regime, tot *Amtsleiter für die künstlerische Gestaltung der Großkundgebungen*. Dit was een eerste stap op de maatschappelijke ladder, maar nog niet dat waar Speer van gedroomd had.

Want voor het ontwerpen van gebouwen was een ander verantwoordelijk: professor Paul Ludwig Troost was Hitlers architect. Hitler bewonderde Troost, noemde hem de grootste bouwmeester sinds Schinkel, en bij zijn bezoeken in de studio van de Münchense professor nam Hitler de rol van leerling aan – niet het ideale levensgevoel voor een man die zichzelf voor het genie bij uitstek hield.

Want de Führer wilde zich als architect profileren. Al in de jaren twintig had Hitler de monumentale bouwwerken van zijn toekomstige Rijk geschetst. Architectuur beschouwde Hitler als de koningin van de kunsten, zoals Speer in 1936 in een artikel citeert uit *Mein Kampf* (het boek waarvan hij beweerde dat hij het nooit zo goed gelezen had). Hitler, zo was de jonge architect bij het lezen bovendien te weten gekomen, geloofde 'dat mijn mooie toekomstdroom, ook al zou het nog vele jaren kunnen duren, werkelijkheid zou kunnen worden. Ik ben er altijd van overtuigd geweest dat ik als bouwmeester eens naam zou maken.'

'De eerste opdracht: Speer (midden) met Goebbels en NS-leden bij de opening van het Gouwhuis van de Berlijnse NSDAP (1932).

Speer was overtuigend. Hij maakte een zeer rustige indruk – hij was iemand die heel precies wist wat hij wilde, die richtinggevend was, die boven de dingen stond en in alles geïnteresseerd was. En hij was sympathiek, omdat hij op ons inging – iemand die met aandacht luisterde naar de zorgen en noden van anderen en vervolgens ook adequaat reageerde. Hij was ook altijd positief en zocht in gesprekken het positieve. En hij was onvermoeibaar in alles wat hij deed.

Manfred von Poser, Speers adjudant

Hij was zo arrogant. Sommige van die hoge pieten praatten met ons, zelfs Göring. Maar Speer nooit.

Rochus Misch, radiotelegrafist in de Führer-bunker

Na Hitler was Speer in het laatste jaar beslist de machtigste man. Als hoofd van de hele oorlogsproductie was hij zich van zijn macht bewust. Hij lette er goed op dat zijn vooraanstaande positie ook gerespecteerd werd. Op zichzelf was hij een beleefde en vriendelijke man, maar als het om macht ging kon hij zeer hard worden.

Willy Schelkes, architect bij Speer

Speer was iemand die een buitengewoon bescheiden indruk maakte. Hij kwam sympathiek over. Zoals hij praatte en wat hij zei, het had een zekere warmte. Hij gedroeg zich gewoon fatsoenlijk. Hij had ook charme en maakte soms grappige opmerkingen. Hij viel op een aangename manier op in dat hele gezelschap, vooral bij de vrouwen.

Traudl Junge, Hitlers secretaresse

Nu was Hitler geen bouwmeester, maar bouwheer. Voorlopig was zijn aandacht gevestigd op de hoofdstad van de beweging: 'Het *Haus der deutschen Kunst* en de *Führerbauten* op de Königsplatz zijn de eerste mooie bouwwerken van het nieuwe Rijk,' verkondigde hij bij de eerstesteenlegging. Naast opperbouwmeester Troost was daar geen plaats voor een andere architect.

Voor de eerzuchtige Albert Speer bleef echter altijd nog de bouw van allerlei decorstukken voor Hitlers massabijeenkomsten over: vlaggen, adelaars, schijnwerpers, tribunes. Vreemd dat dit alles zou hebben plaatsgevonden zonder dat Hitler erbij betrokken zou zijn geweest: zelfs de opdracht voor de aankleding van de 'Partijdag van de overwinning' in september 1933 beweerde Speer te hebben gekregen zonder de Führer persoonlijk te hebben leren kennen.

Op een *echte* bouwplaats mocht de achtentwintigjarige eind 1933 enkel als een soort hoofdopzichter onder Troost meewerken: bij de verbouwing van de rijkskanselarij in Berlijn. Daar zou Hitler hem pas opmerken, schrijft Speer in zijn *Erinnerungen*. Als het ware op *zoek* naar een jonge, getalenteerde architect, nog zo onbeschreven dat hij hem kon vormen, zou Hitler op hem zijn gestuit.

Speer wilde later doen geloven dat hij zich toen door de macht had laten *verleiden*. Is het vele Duitsers destijds niet net zo vergaan? Met geen woord heeft de architect ooit toegegeven dat hij doelbewust Hitler opgezocht had, dat hij al vroeg en heel bewust zag dat hij door hem de kans van zijn leven zou krijgen.

'Voor een groot bouwwerk zou ik, net als Faust, mijn ziel hebben verkocht,' schreef Speer in zijn *Erinnerungen* over de ontmoetingen op de bouwplaats in Berlijn. 'Op dat ogenblik had ik mijn mefisto gevonden.'

Pas op dat ogenblik? *Deze* Faust deed allang alles om zijn mefisto op zijn voordeligst te laten uitkomen – in de hoop daar rijkelijk voor beloond te worden.

Onverwachts stierf begin 1934 Paul Ludwig Troost. Toeval of niet: in dezelfde tijd verplaatste Hitler het zwaartepunt van zijn bouwwoede naar Neurenberg. Nu ontmoetten zij elkaar, Speer en Hitler: het begon met de uitbreiding van het Partijdagterrein.

Een van de zeldzame filmdocumenten uit deze tijd illustreert de relatie tussen de twee: Speer en Hitler betreden een bouwplaats. Eerst spreekt Speer, licht de plannen toe. Dan is Hitler aan de beurt. Hij zet zijn bril op, laat zich een blocnote en een potlood aanreiken. Met de blocnote op zijn knie begint hij te schetsen.

Speer, de handen aan de broeksnaad, slaat de meester gade. Zo doe je dat, Speer. – En vervolgens drukt de Führer hem de schets in handen.

Speer, die alleen architect wilde zijn, schreef destijds: 'De Führer moet als nationaal-socialist bouwen. Als zodanig bepaalt hij, precies zoals hij de wil en de uitingsvorm van de beweging bepaalt, de zuiverheid van de bouwmentaliteit, de uitdrukkingskracht, de helderheid van de bouwidee, het edele van het materiaal en als hoogste en belangrijkste de nieuwe innerlijke betekenis en daarmee het innerlijke gehalte van zijn bouwwerken. Bouwen is voor de Führer geen tijdverdrijf, maar een serieuze aangelegenheid, bedoeld om ook in steen op verheven wijze uitdrukking te geven aan de wil van de nationaal-socialistische beweging.'

Alleen als Hitler vond dat een gebouw honderd meter lang moest worden, maakte Speer bezwaar, aldus Gerdy Troost, de wat afgunstige weduwe van de Münchense architect. Zijn tegenvoorstel: tweehonderd meter, mijn Führer!

De tribune van het Zeppelinfeld, Speers eerste grote bouwwerk van steen, mat dan ook 390 meter – hiermee was ze dubbel zo lang als de thermen van keizer Caracalla in Rome, zoals Speer trots in zijn *Erinnerungen* vermeldt. De bedoeling van het bouwwerk had hem, zo merkte hij later op, nogal geïrriteerd: 'Storend bleek de onontbeerlijke eretribune te zijn, die ik zo onopvallend mogelijk in het midden van het trapsgewijze complex probeerde te integreren.' Speer schreef echt 'onopvallend'!

In de officiële, mede door Speer samengestelde brochure over *Das Reichsparteitagsgelände in Nürnberg* las de volksgenoot iets heel anders: 'De plaats waar de Führer staat is architectonisch op de voorgrond geplaatst en ligt vast. Hij staat vóór de menigte die, in een bepaalde orde opgesteld, tot voor hem opgemarcheerd is. Dit oog-in-oog-staan, de Führer voor het volk en het volk voor de Führer, is de bepalende opstelling voor het geheel. [...] In het midden, ver vooruitgeschoven ten opzichte van het terrein, is de plaats van de Führer. Deze dwingende opstelling van de massa maakt dat elke deelnemer de geweldige harmonie van de wil [...] voor zich ziet.' En tot besluit: 'Zonder de voorstelling van deze door het nationaal-socialisme geschapen vorm van opmarcheren als politiek middel kan deze architectuur niet worden begrepen.'

Speers architectuur was de demonstratie in steen van een politieke macht die zonder zijn enscenering niet tot z'n recht kwam: Hitlers ceremoniemeester gaf de voorkeur aan nacht- en schijnwerperlicht. Zo kon hij alle effecten sturen. Daarbij kwamen fakkels en vuurgloed, vaandels, marscolonnes – en de muziek van Richard Wagner: de ouverture van *Rienzi*, Hitlers lievelingsopera.

De Kathedraal van Licht markeerde het hoogtepunt. Zijn 'mooiste ruimtelijke schepping', zou Speer, schijnbaar onschuldig, deze bloem van Hitleriaanse verleidingskunst later noemen: 130 uiterst moderne zoeklichten van de luchtafweer, opgesteld op een afstand van twaalf meter rondom een menigte van 150.000 mensen. De lichtbundels reikten tot acht kilometer in de lucht: 'Iedereen die er deze avond bij is, voelt in zijn ziel met een heilige huivering de mythe Duitsland aan, die alleen Duits bloed volkomen vermag te vatten,' draait de officiële Partijdaglyriek vakkundig in elkaar.

Met geen woord heeft de architect ooit zijn spijt betuigd over zijn medeverantwoordelijkheid voor de verleiding van een heel volk. 'Mijn taak was een apolitieke,' zou hij later, toen alles in duigen viel, zelfs tegenover Hitler driest beweren.

Speers grootste project in Neurenberg was het *Deutsche Stadion*. Ooit zou het plaats moeten bieden aan 400.000 toeschouwers! De Olympische Spelen, verkondigde Hitler op de bouwplaats, zouden in de toekomst alleen nog hier plaatsvinden! Wie vandaag naar resten van het 'grootste stadion van de wereld' zoekt, zal slechts een vijver aantreffen: de SS liet de reusachtige bouwput kort vóór het einde van de oorlog vollopen.

Zo had Speer zich de ondergang van zijn bouwwerken niet voorgesteld. Ze zouden 'als oorkondes van de politieke wil nog over duizenden jaren van hun grote tijd getuigen', orakelde hij destijds. Hiertoe schreef hij zelfs een speciale bouwmethode voor: de 'wet van ruïnes'. Op deze wijze zouden Hitlers paleizen ook nog in het stadium van verval imponeren – net als de tempels uit de klassieke oudheid.

Voor de oorlog stonden alleen de Zeppelin-tribune en de *Kongreßhalle* in de steigers – de laatste is het enige bouwwerk in Neurenberg dat Speer niet ontworpen heeft, maar waarbij hij alleen de bouwwerkzaamheden heeft gecoördineerd. Ook deze 'eerste reus onder de bouwwerken van het Rijk' (Hitlers woorden bij de eerstesteenlegging) diende slechts als decor – enkel en alleen voor Hitlers jaarlijkse redevoering voor de vijftigduizend Partijdag-gedelegeerden.

Zoals in Neurenberg, zo droomde Speer, zou het er spoedig in het hele Rijk uitzien: 'Niet de warenhuizen en de kantoren van

'Alsof er een minnares langskwam...' Speer en Hitler gebogen over tekeningen van de verbouwing van Berlijn (1937).

Het zal in de geschiedenis uniek zijn dat een Führer met een superieure kennis van zaken stenen bouwwerken schept die als oorkondes van de politieke wil nog over duizenden jaren van hun tijd zullen getuigen.

Speer, 1934

Speer heeft al vóór 1933 vele gesprekken met Hitler gevoerd. Hij nam het standpunt in dat de architectuur voor de verwerkelijking en verdere ontwikkeling van nationaal-socialistische ideeën een grote rol zou spelen. Ik kan mij voorstellen dat hij daarbij ook aan zijn eigen carrière gedacht heeft.

Gerhard Kosel, architect

Mij was bekend dat Speer in de allerhoogste mate Hitlers gunst genoot. Ik kon daar later zelf getuige van zijn, toen ik voor het eerst met Ribbentrop op de Obersalzberg was: Speer had het voor het zeggen als hij daar was. Hij was beslist Hitlers persoonlijke vriend. Hitler was enthousiast, alsof er een minnares langskwam. Zij begonnen dan beiden te tekenen en te ontwerpen. Er werden maquettes te voorschijn gehaald. Je had het gevoel dat beiden op dit punt praktisch gelijkwaardig waren. Mijn chef Ribbentrop en de anderen hadden plotseling niets meer te zeggen – zij waren alleen nog decor. Hitler onderbrak dan voor twee, drie dagen zijn staatszaken en maakte ontwerpen met Speer.

Reinhard Spitzy, Ribbentrops adjudant

banken en concerns zullen het karakter van de steden bepalen, maar de bouwwerken van de Führer...'

Bouwheer Hitler wilde zijn architect Speer ook op de Obersalzberg steeds om zich heen hebben. De familie kreeg in 1935 van Hitler een oude villa op loopafstand van de Berghof. Meteen ernaast werd een studio gebouwd. Speer en zijn vrouw Margret behoorden tot de kleine privé-kring rond Hitler, op het terras van de Berghof waren zij vaste gasten.

Reinhard Spitzy was destijds als privé-secretaris van minister van Buitenlandse Zaken Ribbentrop vaak in Hitlers domicilie in de Alpen aan het werk. 'Hij genoot in de allerhoogste mate de gunst van de Führer,' herinnerde hij zich Speer. 'Als hij daar was had hij het uiteindelijk voor het zeggen. Hitler was enthousiast, alsof er een minnares langskwam. Zij corrigeerden elkaar, zij gomden samen, hanteerden samen het potlood. Het was een genot om te zien hoe de geestverwanten aan het werk waren. Maar voor ons secretarissen was het natuurlijk een ramp, want wij bleven dan twee of drie dagen met onze stukken zitten. Als Speer er was, kwam er van al het andere niets meer terecht.

'De mooiste ogenblikken in zijn leven,' zei Spitzy ons, 'waren voor Adolf beslist die met Speer.'

Door een 'sterke homo-erotische factor aangedreven', zo analyseerde psycholoog Alexander Mitscherlich de relatie Hitler/Speer: 'Binnen deze verbroedering had Speer duidelijk de vrouwelijke rol. Hij moest *uitdragen* wat Hitler geïnspireerd, waarmee deze hem *bevrucht* had. Hitler legde hem [...] de wereld aan zijn voeten. Normaliter maakt een man dit gebaar voor een vrouw.

Ergens in de zomer van 1936 legde Hitler de wereld inderdaad aan de voeten van zijn Speer: 'De allergrootste bouwopdracht' had hij te vergeven. Slechts vergelijkbaar, zoals hij zei, met de bouwwerken van Babylon en die van het oude Egypte: Speer moest Germania bouwen, de wereldhoofdstad. Begin 1937 benoemde Hitler zijn architect tot *Generalbauinspektor für die Neugestaltung der Reichshauptstadt* en verleende hem de titel professor.

De nieuwe rijkskanselarij in Berlijn was het enige grote gebouw dat naar een ontwerp van Albert Speer voltooid werd. Behalve bergen foto's en weinig indrukwekkend filmmateriaal is er niets van overgebleven.

Kleurenfoto's geven een indruk van hoe de stijl en de uitstraling van dit gebouw moet zijn geweest. De mooiste aspecten (de mozaïekzaal en de ronde zaal) waren imitaties van elementen uit de klassieke oudheid en de Italiaanse Renaissance – imposante, koele pracht. De afgrijselijkste aspecten (de voorgevel en de erehof) waren een troosteloze monotonie van 'noords' graniet, plompe zuilen en standbeelden voor venstermuren, als laarzen die tegen de gevels schoppen.

Voor Hitler was het gebouw deel van zijn politieke programma: 'Ik had in de december- en januaridagen van 1937/'38 besloten om de Oostenrijkse kwestie op te lossen en daarmee een Groot-Duits Rijk te stichten. Zowel voor de puur ambtelijke, maar ook voor de representatieve taken die daarmee gepaard gingen, voldeed de oude rijkskanselarij in geen enkel opzicht meer.'

Hitler heeft haast. Medio januari 1939 wil hij bij de nieuwjaarsreceptie de verzamelde ambassadeurs met de kracht van deze architectuur imponeren. Op 11 januari 1938 krijgt Speer de officiële bouwopdracht. Hij heeft dus nog precies één jaar de tijd.

Voor Speer is dit een uitdaging voor zijn bekwaamheid en professionaliteit: nu moet hij, nu kan hij met een groot bouwwerk eindelijk bewijzen waartoe hij in staat is. Geld speelt geen rol, bureaucratische, juridische horden (bouwvergunning! bezwaren!) zijn er niet. Binnen twee maanden zijn alle huizen in de Voßstraße ontruimd en gesloopt.

Willi Schelkes, een van Speers naaste medewerkers bij de *Generalbauinspektion* (GBI) van de rijkshoofdstad, herinnert zich: 'Hij was een fantastisch organisator, en daarom heeft hij niet aan één bedrijf de uitvoering van de afwerking uitbesteed, maar aan drie, vier of vijf bedrijven, zodat op hetzelfde ogenblik op verschillende plaatsen kon worden begonnen. Alleen hierdoor was het mogelijk om dit reusachtige object in zo'n kort tijdsbestek te bouwen.'

In de laatste bouwfase zijn meer dan achtduizend arbeiders uit allerlei branches tegelijk aan het werk. Onafgebroken zijn schoonmaakploegen aan het vegen, terwijl er overal nog gehamerd, gezaagd en versierd wordt. Speer wil per se de deadline halen; hij wil als een succesvol man zijn Führer tegemoet treden.

Twee dagen vóór afloop van de termijn kan Hitler komen voorrijden. De filmbeelden tonen hem naast een Speer die bijna lijkt te barsten van trots. Alles is inderdaad af, en Hitler overlaadt zijn architect met lof: 'Dat en hoe dit werk lukte, is enkel en alleen de verdienste van de geniale architect, zijn artistieke talent en zijn ongelofelijke organisatorische capaciteiten. [...] Het pleit voor de geniale bouwmeester en maker ervan: Albert Speer.'

Hitler is echter van plan om het gebouw slechts voor een paar jaar te gebruiken. Vanaf 1950 heeft het, zo schrijft hij bijna onverschillig, 'een andere bestemming'. Zijn plaatsvervanger Rudolf Heß moet er gaan resideren. De Führer zelf wil dan nog één keer verhuizen: naar het nieuwe centrum van het Rijk, dat direct naast de Brandenburger Tor moet staan. Precies daar waar tegenwoordig de kranen voor het kantoor van de Bondskanselier en de regeringsgebouwen van de Berlijnse Republiek draaien, moet het centrum van de wereldhoofdstad Germania komen.

De ontwerpen van toen zouden, zoals Speer bewust op al zijn tekeningen laat vermelden, zijn ontstaan naar ideeën van de Führer.

Het nieuwe *Palast des Führers* moest op de Großer Platz worden gebouwd, direct tegenover de oude Rijksdag (Hitler was van plan dat als museum te behouden). Het zou geflankeerd worden door de paleizen van het *Oberkommando der Wehrmacht* en de Große Halle, het grootste bouwwerk van de wereld: een driehonderd meter hoge koepelhal voor 180.000 mensen. Helemaal bovenop zou een adelaar tronen met het hakenkruis in zijn klauwen. In 1939 beval Hitler de architect om het nationaal-socialistische symbool te vervangen door een wereldbol.

Eenmaal per jaar, aldus Hitler, zouden afvaardigingen van de onderworpen volken hier rondkijken en verbaasd staan. De waan Germania moest in 1950 voltooid zijn.

In de studio's van de *Generalbauinspektor* op de Pariser Platz werd 24 uur per dag vooral aan de maquettes voor de Großer Platz gewerkt. Diep in de nacht, zo herinnert Willi Schelkes zich, kwam Hitler onaangekondigd vanuit de rijkskanselarij binnenwandelen om alles in ogenschouw te nemen. 'Dit bevalt me,' zou hij steeds weer hebben uitgeroepen.

Op 14 juni 1938 gaf de heer van Germania het startsein: 'Ik leg de eerste steen voor de bouw van het *Haus des Fremdenverkehrs* en geef daarmee het bevel om te beginnen met de reconstructie van Groot-Berlijn.' Het moest het eerste bouwwerk aan de noordzuidas worden, de 120 meter brede en 7 kilometer lange *avenue* van de wereldhoofdstad.

Maar deze keer ging het allemaal niet zo vlotjes als bij de bouw van de rijkskanselarij. Want de *Generalbauinspektor* moest voor de bouwwerken van de Führer eerst ruimte, veel ruimte maken: 52.000 woningen moesten worden gesloopt, bijna vier procent van het totale Berlijnse woningbestand!

'Tweehonderd meter mijn Führer...' Speer en Hitler op de bouwplaats van het Rijkspartijdag-terrein (1936).

Natuurlijk maakte ik destijds eigenlijk al jaren deel uit van Hitlers 'hofhouding'. Maar het is in het geheel niet mogelijk om te beschrijven hoe alles plotseling anders werd. Natuurlijk veranderde onze verstandhouding vooral vanaf het ogenblik van mijn benoeming. Terwijl deze verstandhouding in de jaren waarin ik zijn architect was niet alleen hartelijk, maar bijna intiem geweest was – laten we zeggen, zo intiem als een relatie met hem kon zijn –, bejegende hij mij sinds die ochtend van 8 februari 1942 koel en afstandelijk. De ongedwongenheid verdween volkomen.

Speer over zijn benoeming tot chef van de 'Organisation Todt' en tot rijksminister van Bewapening en Munitie, 1979

Hij was buiten zichzelf van vreugde. Hij triomfeerde: de wereld behoorde hem toe.

Annemarie Kempf, Speers secretaresse, over Speers benoeming tot chef van de Organisation Todt

Na de aanslag van 20 juli heeft ook Speer met de Führer gesproken. Hij nam zijn ministeries tegen aanvallen in bescherming, want medewerkers die geen lid van de Partij waren, werden ervan verdacht aan de aanslag deelgenomen te hebben. Speer verklaarde: 'Wij zijn vakmensen, wij zijn niet partijgebonden, wij doen voor het Duitse volk alles wat wij kunnen. Met de aanslag van 20 juli hebben wij niets van doen.'

Manfred von Poser, Speers adjudant

De *Abrißmieter* [huurders van de te slopen woningen – vert.] kon Speer vervangende woonruimte aanbieden: vanaf begin 1939 werden door Speers dienst meer dan 23.000 zogenoemde jodenwoningen geregistreerd. Deze registratie werd uitgevoerd door de afdeling II/4 onder leiding van het hoofd van de GBI-afdeling Herhuisvesting Clahes (een naam die in Speers *Erinnerungen* geen enkele keer genoemd wordt!). De wettelijke basis was een brief van Göring aan Speer van 26 november 1938, dus twee weken na de grote november-pogrom, de *Reichskristallnacht*. Deze 'voorschriften [...] voor de uitzetting van joden uit woningen, winkels en pakhuizen van arische verhuurders' voorzagen erin 'dat de *Generalbauinspektor* wordt gegeven: een optie c.q. de bevoegdheid om te beslissen over de eerste nieuwe verhuring of nieuwe verpachting'.

Op speciale meldingsformulieren moesten 'beschikbare c.q. vrijkomende woningen van joodse huurders' bij de GBI gemeld worden. De 'vrijgekomen' adressen werden bekendgemaakt in *Wohnungsnachweise für Mieter aus Räumungsbereichen*, het officiële orgaan van de GBI. Speer, die later beweerde van niets geweten te hebben, deelde de verhuurders dreigend mee: 'Wie zonder mijn toestemming jodenwoningen verhuurt, maakt zich schuldig aan een strafbaar feit.'

Al op 14 september 1938, zo staat in de notulen van een intern overleg van de GBI-top, '[...] ontwikkelde prof. Speer het voorstel dat beoogt de beschikbaarheid van de vereiste grote woningen te garanderen door middel van gedwongen huurbeëindiging voor joden'.

Pas in de oorlog werd het idee van de *Generalbauinspektor* in praktijk gebracht, maar dan ook met grote voortvarendheid: zelfs op de Obersalzberg, getuige zijn telexbericht (van 27 november 1940) aan zijn hoofd Herhuisvesting Clahes, vroeg Speer zich bezorgd af of er 'bij de ontruiming van duizend jodenwoningen vorderingen waren gemaakt'.

In de in het Berlijnse Landesarchiv ter inzage liggende kroniek van de GBI wordt op 26 augustus 1941 vermeld: 'Conform Speerinstructie wordt opnieuw een actie gestart ter ontruiming van rond vijfduizend jodenwoningen. Het beschikbare apparaat wordt hiertoe vergroot opdat de jodenwoningen ondanks de overal voorkomende problemen ten gevolge van de oorlogssituatie, zo snel mogelijk opgeknapt en door *Abrißmieter* uit de dringend te ontruimen gebieden bewoond kunnen worden.'

Huis na huis kamde de Gestapo de stad uit, vergezeld van ambtenaren van Speers dienst, die alle benodigde gegevens met

Duitse nauwkeurigheid optekenden, namen en adressen van joodse huurders werden precies zo vastgelegd als die van de nieuwe arische huurders. De gewone burger kwam echter nauwelijks in aanmerking voor een nieuwe woning: het waren, zo bleek bij het bestuderen van deze dossiers, vooral SS-mensen, ambtenaren van de ministeries (en van Speers dienst) alsook ereleden van de Partij die de jodenwoningen zouden bewonen.

Op 27 oktober 1941 verscheen de Gestapo plotseling ook op de Bötzowstraße 53. Hier bewoonde de vierkoppige joodse familie Krisch een drieënhalfkamerwoning. De ouders waren bij Siemens verplicht tewerkgesteld om te solderen, de beide zoons werkten als sjouwers in de kolenhandel. Werner Krisch kan de beelden van deze avond niet vergeten: 'We hadden weliswaar horen fluisteren dat er iets zou gaan gebeuren – maar wat er toen gebeurd ís, dat hadden wij niet verwacht, dat kwam als een complete verrassing.'

De broers hadden die avond bezoek. Tegen tien uur wilden zij twee meisjes naar huis brengen. Nog op de trap kwamen twee mannen hen tegemoet. 'Zij hielden ons staande en vroegen wie wij waren. Vervolgens werd ons duidelijk gemaakt dat wij afscheid moesten nemen van de meisjes en mee moesten komen naar boven, naar de woning. Daar werd ons meegedeeld dat wij een koffer met het hoogstnoodzakelijke mochten inpakken. De rest moesten wij achterlaten. Op deze wijze werden wij ons huis uitgezet.'

Nog diezelfde avond moest de familie de sleutels afgeven. Geld, sieraden, Werner Krisch zijn fotoapparatuur – alles werd in beslag genomen. De synagoge in de Levetzowstraße diende als verzamelplaats van de uit hun huis gezette mensen. Hier doorzocht de Gestapo hun koffers. 'Alles wat zij graag wilden hebben, hebben zij eruit genomen en gehouden,' herinnert Werner Krisch zich.

In een vrachtwagen werden zij vervolgens naar station Grunewald getransporteerd. De trein bracht de familie naar het getto *Litzmannstadt* (de Poolse stad Lódz). Zijn broer en ouders heeft Werner Krisch nooit teruggezien. Hijzelf overleefde Auschwitz, Sachsenhausen en ten slotte de dodenmars naar Buchenwald.

Speer schreef over deze jaren: '[...] Ik moet het gevoel hebben gehad dat het mij persoonlijk niets aanging, als ik hoorde hoe joden, vrijmetselaars, sociaal-democraten of Jehova's getuigen door mijn omgeving als vogelvrijverklaarden behandeld werden. Ik dacht dat het genoeg was als ik er zelf niet aan deelnam.'

Het was Speers omgeving die Werner Krisch en zijn familie uit hun woning verdreef en de dood injoeg. En het klopte ook dat

Albert Speer in het trappenhuis van Bötzowstraße 53 niet gezien werd.

De 'Kroniek van *Generalbauinspektor* Albert Speer' vermeldde begin november 1941: 'Tussen 18 oktober en 2 november werden in Berlijn rond 4.500 joden geëvacueerd. Hierdoor kwamen er nog eens duizend woningen vrij, die door de *Generalbauinspektor* beschikbaar gesteld werden.'

'Bent u voor de evacuaties medeverantwoordelijk?' vroeg hoofdaanklager Jackson in Neurenberg aan Speer.

'Nee,' antwoordde Speer.

Op 28 juni 1940, drie dagen na de wapenstilstand met Frankrijk, arriveerde Hitler met Albert Speer en de beeldhouwer Arno Breker ('mijn professor') op de Parijse luchthaven Le Bourget. De man die Frankrijk verslagen had wilde de veroverde hoofdstad van de aartsvijand bezichtigen. Hitler zou hebben gezegd dat hiermee de droom van zijn leven in vervulling ging.

Niet met zijn veldheren wilde hij zijn geluk delen, maar met zijn kunstenaars. Speer en Arno Breker vergezelden Hitler toen hij de Opéra bezocht, bij Sacré-Coeur en bij de Eiffeltoren een rustpauze inlaste en Napoleon in de Dôme des Invalides het nodige respect bewees. Parijs in drieënhalf uur: van half zes tot negen uur 's ochtends.

Bij de Arc de Triomphe vertraagde de razende rit wat: zo zag het er dus uit, het bouwwerk dat Hitler en Speer van plan waren tot speelgoedformaat te reduceren. De triomfboog in Berlijn – nu kon met de bouw ervan begonnen worden. Hitler had hem al in 1925 geschetst en de tekening tien jaar later aan Speer geschonken, die deze als basis gebruikte voor het geschenk van de *Generalbauinspektor* voor Hitlers vijftigste verjaardag (op 20 april 1939): een vier meter hoge maquette voor de viering van de overwinning in een oorlog die pas vier maanden later zou beginnen!

Hitler wilde oorspronkelijk Parijs laten verwoesten. Nu moest de veroverde stad behouden blijven: om klein en erbarmelijk te lijken naast Speers nieuwe Berlijn. Nog in Parijs beval de bouwheer: 'In Berlijn moet in de kortst mogelijke tijd [...] tot uitdrukking komen wat de stad door de grootsheid van onze overwinning toekomt. In de verwerkelijking van deze thans belangrijkste bouwopdracht van het Rijk zie ik de belangrijkste bijdrage tot het definitief waarborgen van onze overwinning.' De *Generalbauinspektor*, aldus Hitlers bevel, moest hiervoor alle benodigde steun krijgen.

Speer, die later beweerde dit alles helemaal niet goed gevonden te hebben, gaat aan het werk. Hoe, dat wordt op een zeldzaam openhartige wijze beschreven in zijn 'Kroniek' van het jaar 1941: 'Op zaterdag 1 maart bezoekt de Führer de maquettezalen op de Pariser Platz. Meneer Speer toont in het bijzijn van Schelkes de nieuwe maquettes van de Große Halle en van de bouwwerken aan de Große Straße, die geschikt werden verklaard om uitgevoerd te worden.'

Terwijl de chef vervolgens in Zürs am Arlberg op skivakantie was, bestelde zijn dienst in Noorwegen en Zweden ongeveer 20 miljoen kubieke meter graniet. Midden in de oorlog! In april kwam rijksmaarschalk Göring op bezoek: 'Zeer speciale vreugde schepte hij in de maquette van zijn nieuwe kantoor (het *Reichsmarschallamt*). Voor in het grootste trappenhuis van de wereld zou Breker wat hem betrof een gedenkteken voor Speer maken.'

Over de bespreking vermeldt de Speer-Kroniek 'dat de rijksmaarschalk bij het zeer hartelijke afscheid opmerkte, welk een geluk het was dat Duitsland naast de grote Führer op hetzelfde moment een even grote bouwmeester geschonken was. Hoewel meneer Speer daarop zei dat er altijd grote bouwmeesters waren geweest, maar dat een gebrek aan bouwheren met de noodzakelijke gulheid en energie het probleem was, bleef de rijksmaarschalk bij zijn constatering.'

Op 12 mei had Speer op de Obersalzberg een bespreking met de Führer over toekomstige parades op de Große Straße. De toegangswegen waren te smal. 'Meneer Speer stelde daarop voor de parades in noord-zuidrichting te houden. Met dit voorstel verklaarde de Führer zich akkoord. Alleen het binnenmarcheren van de troepen na veldtochten zou in zuid-noordrichting door het bouwwerk T moeten geschieden.'

In augustus – sinds twee maanden woedde de veldtocht tegen Rusland – 'verklaarde meneer Speer van plan te zijn tussen station Südbahnhof en bouwwerk T ongeveer dertig zeer zware stukken geschut en op het station zelf bijzonder grote stukken te plaatsen. Ook op andere punten van de Große Straße wil hij dergelijke stukken geschut plaatsen. Ook zeer grote tanks moeten vóór belangrijke openbare gebouwen worden opgesteld.'

'Bouwwerk T' was de schuilnaam voor de triomfboog. Vanwege deze boog waren al vijfhonderd volkstuintjes verwijderd, een maatregel waarmee je je in Berlijn zeer onpopulair maakt. Bij de Berlijners, die hoe langer hoe meer onder de gevolgen van de oorlog te lijden hadden, waren de zinloze bouwwerken van de *Generalbauinspektor* buitengewoon onpopulair. Op 4 september ver-

'Dit bevalt me...' Het paleis van de Führer aan de Große Platz in Germania (elektronische simulatie naar een model van Speer).

Speer was een hypercorrecte, goed ogende gentleman. Hij was ook een man die het zeker met de huidige machthebbers op een akkoordje zou hebben gegooid. Hij was geen kruiper, maar vanwege de gemeenschappelijke talenten en interesses was zijn relatie met Hitler zeer goed. Je kunt Speer eigenlijk nauwelijks het verwijt maken dat hij als jong architect grootse plannen had. En toen kwam er een groot staatsman en die gaf hem de mogelijkheid om zich helemaal uit te leven: geld speelde geen rol.

Reinhard Spitzy, Ribbentrops adjudant

Bij Speer. Zijn nieuwe maquettes voor de reconstructie van Berlijn bekeken. Ze zijn inderdaad grandioos. Van een weergaloze monumentaliteit. Daarmee richt de Führer voor zichzelf een monument op. Ik dring daarnaast vooral ook op sociale woningbouw voor Berlijn aan. Dat zal Speer ook doen. De maquette voor de grote koepelhal is onbeschrijflijk.

Goebbels (dagboek), 1941

'In 1950 zal het klaar zijn...' Uitzicht vanaf de Große Halle op de noord-zuidas naar de triomfboog (elektronische simulatie naar een model van Speer).

Natuurlijk was het mij volkomen duidelijk dat hij de wereldheerschappij nastreefde. Wat velen tegenwoordig niet begrijpen is, dat ik destijds voor mezelf niets beters kon wensen. Dat was toch de hele zin van mijn bouwwerken. Ze zouden er grotesk hebben uitgezien als Hitler in Duitsland was blijven zitten. Mijn hele wil was erop gericht dat deze grote man de aardbol zou beheersen.

Speer, 1979

Hitlers verstandhouding met Speer was anders dan die met zijn overige medewerkers. Speer nam een speciale positie in, zoals duidelijk viel op te maken uit Hitlers opmerkingen: er was hier sprake van meer dan slechts een dienstbetrekking, veeleer een soort vriendschap of geestverwantschap. Hitler had zeer grote waardering voor Speers passie voor architectuur en deelde deze passie met hem. Op dat gebied zijn zij zeer vertrouwelijk met elkaar geworden. Speer was als enige artistiek gericht, en Hitler voelde zich toch een kunstenaar. Hitler zei altijd dat Speer de enige was met wie je over dat soort dingen echt kon praten.

Traudl Junge, Hitlers secretaresse

meldt de Speer-Kroniek: 'Meneer Speer gaf *Oberbaurat* Stephan opdracht om een manuscript voor een film over de planning van de rijkshoofdstad te maken. Speciale aandacht moet worden besteed aan de uitleg daarvan dat de nieuwe planning niet alleen in artistiek opzicht noodzakelijk is, maar ook in het algemeen belang is, en dat de gemeenschap grote voordelen zal kennen.'

In december was Speer boos, omdat Göring, onder wiens verantwoordelijkheid de Russische krijgsgevangenen werden verdeeld, geen rekening hield met de reconstructiemaatregelen van de rijkshoofdstad: 'Meneer Speer heeft ook deze kwestie opnieuw bij de Führer onder de aandacht gebracht en diens toestemming gekregen om om te beginnen 30.000 sovjetkrijgsgevangenen in het gebied van Berlijn in te zetten.'

Zo eindigde dus het jaar waarin Speer naar eigen zeggen zoveel kritiek had uitgeoefend omdat hij vreesde dat Hitler en zijn leiding de zege zouden kunnen verspelen. – Ja, als de architect toen al minister van Bewapening was geweest, zou je hieraan kunnen toevoegen. Minister van Bewapening en Munitie was echter dr. Fritz Todt, een nationaal-socialist van het eerste uur en een trouwe volgeling van Hitler. Zijn *Organisation Todt* had de *Autobahnen* en de *Westwall* aangelegd.

Maar Todt beschouwde de tweefrontenoorlog tegen Rusland en Amerika als een nationale catastrofe. Hij wist precies dat het Rijk met z'n beperkte hulpbronnen de wedloop tegen de tijd zou verliezen. Herhaaldelijk drong hij er bij Hitler op aan vrede te sluiten voordat het tij zich tegen Duitsland zou keren. Maar hij stuitte bij de opperste bevelhebber op dovemansoren.

Ook op 7 februari 1942 probeerde Todt Hitler in het Führerhoofdkwartier Wolfsschanze opnieuw van de ernst van de situatie te overtuigen. Bij het afscheid wist hij dat alle moeite vergeefs was geweest. De volgende ochtend stapte Todt in een vliegtuig naar Berlijn. Meteen na de start stortte het toestel neer. De oorzaak werd nooit opgehelderd. Waarschijnlijk heeft de wanhopige Todt zichzelf opgeblazen. Enkele dagen later benoemde Hitler Albert Speer tot opvolger van dr. Todt, in al zijn functies.

'Het succes van ons werk is doorslaggevend voor Duitslands zege. Ik heb de Führer plechtig beloofd al mijn krachten alleen op dit doel te concentreren...' Met deze pittige woorden aanvaardde Albert Speer, net 37 jaar oud, het ambt waarvoor hij naar eigen zeggen op slechts twee essentiële punten aan de vereisten voldeed: zijn organisatorische kwaliteiten en zijn onvoorwaardelijke trouw jegens Hitler.

'Het grootste gebouw van de wereld...' De driehonderd meter hoge Große Halle, gebouwd voor 180.000 mensen (elektronische simulatie naar het ontwerp van Speer).

Na 1938 mochten wij joden het vak dat wij geleerd hadden niet meer uitoefenen. Maar wij konden altijd nog in de bouw werken of elders – gewoon met onze handen verdiend wat we nodig hadden om van te leven. Wij dachten ook dat het zo erg niet kon worden; overal zijn toch arbeidskrachten nodig. Dat wij in 1941 uit onze woningen verjaagd werden kwam als een complete verrassing, zonder enige voorafgaande waarschuwing. Ons verzetten zou geen zin hebben gehad.

Werner Krisch, Berlijnse jood

Als ik aan het lot van de Berlijnse joden denk, krijg ik onvermijdelijk het gevoel gefaald te hebben en tekortgeschoten te zijn. Vaak zag ik op mijn dagelijkse rit naar mijn architectenbureau mensenmassa's op het perron van station Nikolassee staan. Ik wist dat het om de evacuatie van Berlijnse joden moest gaan. Toen ik daar voorbijreed kreeg ik een deprimerend gevoel; vermoedelijk was ik mij bewust van het feit dat zich daar iets onheilspellends afspeelde. Maar ik was aan de principes van het regime gehecht in een mate die ik tegenwoordig maar moeilijk kan verklaren. Leuzen als 'Führer beveel, wij volgen!' of 'De Führer heeft altijd gelijk' hadden een hypnotische inhoud, ook en juist voor ons in de directe omgeving van Hitler. Misschien was het ook onbewust een in slaap sussen van ons geweten, als wij ons volledig in ons werk begroeven.

Speer, 1981

Over het bewapeningswonder dat Speer zijn chef reeds bij zijn bezoek in het kader van zijn ambtsaanvaarding beloofd had, over de eigen verantwoordelijkheid van de industrie, over de productiecijfers van kanonnen, tanks, vliegtuigen en U-boten heeft Speer zich altijd en uitvoerig uitgelaten.

Zeer zwijgzaam werd Speer later bij de vraag 'wat ik weet van de vervolging, de deportatie en vernietiging van de joden'. En hij gaf zelf het antwoord: 'Of ik er iets van geweten heb of er niet van geweten heb, en hoeveel of hoe weinig ik ervan geweten heb, wordt heel onbelangrijk als ik bedenk wat ik van het verschrikkelijke had moeten weten...' Dit klinkt eerlijk en is toch alleen maar geraffineerd. Speers conclusie: 'Ik beantwoord deze vraag niet meer.' Wat Speer zich al helemaal niet afvroeg was hoe groot zijn aandeel was in al deze misdaden.

Op 30 maart 1943 bezocht Speer Mauthausen, een berucht concentratiekamp in Oostenrijk, niet ver van Linz. Simon Wiesenthal heeft hier zijn bevrijding meegemaakt. Waarom ging Speer ernaartoe? De gevangenen zwoegden en stierven vooral in een steengroeve, die zij bereikten via een lange, in de rotsen uitgehouwen smalle, steile trap des doods. De steengroeve was van de Deutsche Erd- und Steinwerke GmbH. De eigenaar van deze onderneming was de SS.

Günter Wackernagel was een 'medewerker' van dit bedrijf. De communist werd in 1937 gearresteerd en naar het concentratiekamp Sachsenhausen voor de poorten van Berlijn gedeporteerd. Direct naast het kamp werd vanaf 1939 voor de Deutsche Erd- und Steinwerke een terrein ontgonnen en daarop werden een steenfabriek en een steenbewerkingsfabriek voor de bouwwerken van de Führer gebouwd. Voor het transport naar Berlijn liet de SS haar eigen haven aanleggen.

De correspondentie en de leveringscontracten tussen de SS en de dienst van de *Generalbauinspektor* zijn bewaard gebleven en liggen in het Berliner Landesarchiv ter inzage. Eind 1941 werd in het kamp het *Arbeitskommando Speer* gevormd. 'Alle gevangenen die iets met bouwen van doen hadden waren hierin opgenomen,' vertelt Wackernagel, 'maar vooral steenhouwers. Gevangenen dienden zich vrijwillig voor dit werk aanmelden.'

Zo'n tienduizend gevangenen uit Oranienburg hoopten op deze wijze aan de ellendige toestanden te ontsnappen. Zij werden overgeplaatst naar een ander filiaal van het SS-bedrijf, het concentratiekamp Flossenbürg in Opper-Palts. Slechts kort was hun werkkracht in de steengroeve voor Speers bouwwerken in Neurenberg nodig. Al gauw moesten zij in de bergmassieven dwars door Europa met behulp van explosieven de tunnels voor Speers onderaardse fabrieken en voor Hitlers commandoposten aanleggen: 'Vijf maanden lang was het niet eens mogelijk om een bad te nemen,' herinnert gevangene 1245, Günter Wackernagel, zich. 'Van schoon ondergoed was helemaal geen sprake. Niet wij hadden luizen, de luizen hadden ons. En wij hadden epidemieën in het kamp, tyfus, vlektyfus.' Slechts 200 van de oorspronkelijk tienduizend 'vrijwilligers' overleefden het *Arbeitskommando Speer*.

Speer bezocht in Mauthausen dus een zakenpartner. Wat hij daar echter zag, was voor hem aanleiding om zijn 'beste partijgenoot Himmler' een brief te schrijven: 'Terwijl het ons voor de uitbreiding van bewapeningsfabrieken (om in de onmiddellijke behoefte van het front te kunnen voorzien) niet alleen aan ijzer en hout ontbreekt, maar ook aan arbeidskrachten, moest ik bij mijn inspectie van het concentratiekamp Mauthausen vaststellen dat de SS plannen realiseert die mij in de huidige omstandigheden meer dan overdreven lijken.'

Speer eiste van de SS dat ze aan de 'inzet van de in de concentratiekampen beschikbare arbeidskrachten op een doelmatiger wijze' gestalte gaf. Bijvoorbeeld bij de bouw van wapenfabrieken (wat dit betekent heeft gevangene Wackernagel verteld; het voorbeeld Dora/Mittelbau zal hierna ter sprake komen). Vervolgens kwam Speer tot de conclusie: 'Wij moeten daarom voor de uitbreiding van concentratiekampen een nieuwe planning realiseren om een zo groot mogelijke effectiviteit te bereiken met inzet van zo min mogelijk middelen en met het bereiken van het beste resultaat, voor de *huidige* bewapeningseisen. Dat wil zeggen dat wij onmiddellijk moeten overgaan op de allereenvoudigste bouwmethoden.' Als consequentie gelastte Speer 'een van mijn medewerkers om alle concentratiekampen ter plekke te inspecteren'.

Speers brief wekte woede bij de SS. *Obergruppenführer* [vgl. generaal – vert.] Oswald Pohl, verantwoordelijk voor de tewerkstelling van concentratiekampgevangenen, richtte een geheim schrijven aan Himmlers bureau. 'Dit is ongehoord,' raasde Pohl over Speers brief. 'Speer,' zo schreef hij berispend, 'verzwijgt dat *elk* bouwplan voor de concentratiekampen volgens de voorschriften is aangemeld en dat hij op 02-02-1943 zelf de vergunning heeft verleend.'

Speer was dus niet alleen van het bestaan van alle concentratiekampen op de hoogte, hij was er 'tot in de details' (Pohl) voor alle bouwactiviteiten verantwoordelijk! 'Het is te zot om voor te stellen in de concentratiekampen onmiddellijk op de allereenvoudigste bouwmethoden over te gaan,' vervolgt Pohl. De ss-man pleit tegenover Speer voor meer humaniteit. Hij klaagt dat zijn mensen 'voortdurend tegen epidemieën en een hoog sterftecijfer vechten, omdat de onderkomens van de gevangenen, inclusief sanitaire voorzieningen, volkomen ontoereikend zijn. Ik ben daarom verplicht er nu al op te wijzen dat de overgang op de allereenvoudigste bouwmethoden waarschijnlijk tot een tot dusver ongekend hoog sterftecijfer in de kampen zal leiden.'

Speers inspecteurs Desch en Sander waren ondertussen terug van hun rondreis langs Himmlers concentratiekampen. Hun door Speer te behandelen rapporten zijn niet bewaard gebleven. Ze brachten Speer ertoe wederom een brief aan zijn 'beste partijgenoot' te schrijven, maar ditmaal met de handgeschreven toevoeging: 'Het verheugt mij dat de inspectie van de andere concentratiekampen een zeer positief beeld opleverde.'

Alleen voor de uitbreiding van Auschwitz gaf de rijksminister bovenop de reeds toegestane middelen toestemming voor een extra levering van bouwmaterialen en waterleidingen. Als Speer later over Auschwitz schreef en sprak, dan zag hij zijn schuld liggen in de 'bewuste blindheid' en in het 'goedkeuren uit onwetendheid'.

Op 5 juni 1943, een paar dagen na Speers brief aan Himmler, organiseerden Speer en Goebbels samen een bijeenkomst voor arbeiders in de bewapeningsindustrie in het Berlijnse Sportpaleis. De gebeurtenis werd door de radio uitgezonden.

Eerst sprak Speer en bracht verslag uit over de successen van zijn totale oorlogseconomie: 'De Führer verwacht dat voor het vaderland geen offer te groot is als het erom gaat voor de frontsoldaat nieuwe wapens te smeden.' Dit zou een beslissende bijdrage aan het behalen van de definitieve zege zijn. Na hem betrad Goebbels het spreekgestoelte, Speer zat als toehoorder op de eerste rij: 'Geconfronteerd met het wereldwijde gevaar van het jodendom, is er voor sentimentaliteit geen plaats. [...] De volledige uitschakeling van het jodendom in Europa is geen kwestie van moraal, maar een kwestie van veiligheid van de staten. De jood zal altijd handelen volgens zijn aard en zijn instinct. Hij kan helemaal niet anders. Zoals de coloradokever de aardappelvelden verwoest, zelfs verwoesten moet, zo verwoest de jood de staten en volkeren. Daartegen bestaat maar één middel: radicale uitschakeling van het gevaar.'

Was het dan nog belangrijk of Speer bij Himmlers *Endlösungs*-rede in Poznan op 6 oktober 1943 aanwezig was of kort tevoren was afgereisd, zoals hij beweerde?

In zijn verslag van het bewapeningsoverleg in het Führer-hoofdkwartier op 22 augustus 1943 noteerde Speer: 'De Führer beveelt op basis van een voorstel dat alle maatregelen getroffen moeten worden om samen met de Reichsführer-SS met inschakeling van zeer veel krachten uit de concentratiekampen de bouw van geschikte productie-installaties en de productie van A4 opnieuw te bespoedigen.' Hitler beval een productie op veilige plaatsen en in een afgeschermde vorm door gebruik te maken van grotten.

Op 10 december 1943 bezocht de rijksminister van Bewapening en Munitie zijn toen belangrijkste bouwplaats: de onderaardse fabriek Dora/Mittelbau in de buurt van het stadje Nordhausen in de Harz. Sinds eind augustus werkten hier duizenden concentratiekampgevangenen aan de uitbreiding en verbouwing van een meer dan 20 kilometer lang onderaards stelsel van bunkers. Aan het eind van het jaar moesten hier de eerste 'wonderwapens' van het type V1 en V2 (destijds nog A4 genoemd) in serie gefabriceerd gaan worden.

De gevangenen moesten tijdens de bouwwerkzaamheden in de vochtige, voortdurend met stof gevulde grotten werken en leven. Alexander Samila uit Oekraïne (gevangenisnummer 28831) beschrijft hoe de toestand eind 1943 was: 'Constant werd er geboord, geschoten, opgeblazen. Het licht in de tunnel ging nooit uit. De gevangenen werden om elke kleinigheid geslagen. Als je daarbinnen probeerde te slapen, lukte dit niet omdat er iemand schreeuwde. Steeds 25 stokslagen met de gummiknuppel. Ik heb er in totaal gelukkig maar zeven gekregen.'

Ten minste 2.300 gevangenen, zo komt de bezoeker van de tegenwoordige gedenkplaats te weten, zijn in de periode tussen oktober 1943 en maart 1944 om het leven gekomen. Als de machines voor de rakettenproductie geleverd worden, komt er enige verbetering in de situatie van de inmiddels twintigduizend gevangenen: zij 'mogen' nu in barakken bij de ingang van de tunnel slapen, want in de berg is elke vierkante meter nodig voor de raketten.

Eén avond kan Leon Pilarski uit Bydgoszcz in Polen (gevangenisnummer 1245) niet vergeten: 'Wij waren al onderweg naar onze nachtdienst, toen ons bevolen werd naar de appèlplaats te gaan. Een kapel speelde daar viool. Toen verscheen de SS met dertig gevangenen, allen met dichtgeplakte monden. Voor onze ogen werden zij allemaal opgehangen.' Zij hadden bepaalde voorschriften overtreden.

Zoals alle anderen moest ook Ewald Hanstein, gevangenisnummer 74557, elke dag twaalf uur in de rakettunnel werken. 'De nazi's wilden met dit wapen de oorlog nog winnen. Daarom hebben zij elke gevangene die ze hadden, ingezet. Wie niet kon werken werd doodgeschoten, of werd weer op transport gesteld – terug naar de andere kampen. Daar zijn zij vervolgens omgekomen. En dan liet men weer andere gevangenen komen. Een buitenstaander kan zich in het geheel niet voorstellen wat zich hier allemaal heeft afgespeeld.'

Ewald Hanstein heeft drie kampen overleefd, waaronder Auschwitz. 'Voor mij was Dora het ergste kamp. Hier werden de mensen door arbeid kapotgemaakt.'

Dat Speer dit kamp persoonlijk inspecteerde wisten de onderzoekers in Neurenberg nog niet. Speer kon daarom voor de rechtbank liegen zonder dat zijn verhaal weerlegd kon worden. Het onderzoek in het kader van het 'Dora-proces', waar Speer in 1968 als getuige moest verschijnen, bracht de waarheid pas aan het licht.

In zijn *Erinnerungen*, verschenen in 1969, noemde Speer de 'omstandigheden voor deze gevangenen inderdaad barbaars'. Zijn biografe Gitta Sereny noteerde dat hij 'in zijn hele leven nog nooit zo ontsteld was geweest'. Speer had naar eigen zeggen nog diezelfde dag alles in het werk gesteld om een barakkenkamp te laten bouwen.

Documenten voor de humanitaire achtergrond van zijn daad kon Speer niet overleggen – maar er was de minister van Bewapening ongetwijfeld veel aan gelegen om deze voor hem zo belangrijke productieactiviteit niet door epidemieën (en daarmee productieverliezen) in gevaar te laten brengen. En niet in de laatste plaats liepen enige van de belangrijkste wetenschappers en ingenieurs van het Derde Rijk bij 'Dora' in en uit.

In Peenemünde op het Oostzee-eiland Usedom werden vanaf eind jaren dertig Duitse raketten getest. Speer kende het team van ontwerpers rondom Wernher von Braun al sinds 1939. De twee vonden elkaar sympathiek. In 1942 lukte het Speer om Hitlers belangstelling voor het nieuwe type wapen te wekken.

Op 7 juli 1943 liet Speer Hitler in de Wolfsschanze een kleurenfilm over de start van een V2 zien – met het gewenste resultaat: 'De Führer besluit dat de ontwikkeling en productie van de A4 [= V2] krachtig bevorderd moet worden. Hij vindt dit een maatregel

'Doorslaggevend voor de Duitse zege...' Speer als minister van Bewapening bij een leerlingenbijeenkomst in Berlijn.

De Führer verwacht van ons dat voor het vaderland geen offer te groot is als het erom gaat voor de frontsoldaat nieuwe wapens te smeden. Wij beloven onze soldaten aan het front plechtig dat wij niet alleen onze plicht blijven doen, maar ook dat wij ons uiterste best zullen doen om onze arbeidsprestatie te vergroten en dat wij maand na maand onze productie onafgebroken zullen opvoeren.

Speer, 1943

Ik denk dat hij al zeer vroeg niet meer in de overwinning geloofde, maar plichtmatig alles deed wat hij voor de overwinning kon doen. Ik denk ook dat Stalingrad voor hem het beslissende moment was waarop het hem duidelijk werd dat het tij begon te keren.

Willy Schelkes, architect bij Speer

Dora was in mijn ogen een vernietigingskamp; er werd vernietigd door arbeid. Wie niet kon werken kwam in het crematorium terecht. Wij werden afgebeuld tot we er onderdoor gingen. Er was bijvoorbeeld nauwelijks water. Soms gaven ze ons haringen. Wij hadden dan een vreselijke dorst. Er was maar één waterleiding voor de vele gevangenen, waar je meestal niet bij kon komen. Wie een plaatsje wist te veroveren en veel dronk, kreeg vervolgens dysenterie. Het eten was vaak bedorven en beschimmeld. Velen met een lage weerstand stierven. Wij werden vaak geslagen. Er was weinig hoop, en iedereen vroeg zich af: 'Wanneer ga ik dood?'

Alexander Samila, concentratiekampgevangene

die voor het verloop van de oorlog beslissend is,' noteerde de minister van Bewapening.

Oorspronkelijk stimuleerde Speer de ontwikkeling van luchtafweerraketten. Die waren klein, goedkoop en dringend nodig in de strijd tegen de steeds hoger en sneller vliegende geallieerde bommenwerpers. Maar hij wist dat Hitler alleen met aanvalswapens enthousiast te maken was. 'De Führer benadrukt,' zo staat in het archief van de minister van Bewapening van 13/14 oktober 1942, 'dat de ontwikkeling alleen zin heeft als er minstens vijfduizend projectielen voor een grootschalige inzet beschikbaar zijn.'

Speer fungeerde weliswaar als architect van de bewapening, maar zijn verstandhouding met Hitler was veranderd nu beiden zich niet meer met ontwerpen voor en maquettes van gebouwen bezighielden. De reden was duidelijk: Hitler was in de Eerste Wereldoorlog soldaat geweest, Speer altijd al een notoire burger, wat ook uit zijn hele optreden sprak. 'Hij zag er in uniform altijd uit als een burger die zich als militair verkleed had,' beschreef Hitlers secretaresse Traudl Junge hem.

En zo zag de minister midden in de totale bewapeningsoorlog nog steeds zijn medewerkers van de *Generalbauinspektion*. In hun gezelschap kon hij vrijuit spreken. Willi Schelkes herinnert zich een avondlijk gesprek bij een fles rode wijn: 'Toen hij alleen architect was, bevond hij zich op hetzelfde niveau als Hitler. Ze konden op hetzelfde niveau over een onderwerp praten, architectuur vonden zij allebei interessant. Nu was hij lid van een kabinet, en Hitler was de baas, dus kreeg Speer van hem ook bevelen waaraan hij niet gewend was. Toen klaagde hij er over dat hij nu heel anders behandeld werd dan vroeger.'

Zeker, Hitler overlaadde zijn minister van Bewapening bij elke gelegenheid met lof en waardering. Eind 1943 werd er in Hitlers omgeving gefluisterd dat Speer Hitlers opvolger wilde worden. Smakelijk wordt in de *Erinnerungen* beschreven hoe Hitler Speers 'Heil, mijn Führer!' placht te beantwoorden met 'Heil Speer!'.

Maar bij de minister van Bewapening misten de 'oud-strijders' van de Partij de echte stallucht. Zij zagen in hem slechts een eerzuchtige parvenu. Iemand die bovendien het lef had om hen op de *Gauleitertagung* op 6 oktober 1943 in Poznan openlijk te dreigen met een behandeling door Himmler als zij in hun gouwen niet binnen twee weken de totale civiele productie omzetten in bewapeningsproductie.

‘Bij de productie van koelkasten of radio’s,’ snauwde Speer de leiders van de nationaal-socialistische Staat toe, ‘gaat het om producten die tot niets anders dienen dan omkoping. Ze worden tegenwoordig aan de meest uiteenlopende kopstukken niet meer cadeau gegeven, ze worden te koop aangeboden. [...] Maar een artikel dat tegenwoordig over het algemeen niet meer te krijgen is [...] betekent voor mij in het huidige stadium een artikel dat dient tot omkoping. Ik heb Reichsführer-ss Himmler verzocht om de SD beschikbaar te stellen om uit te vinden waar de productie van dergelijke artikelen plaatsvindt...’

Toen Speer in januari 1944 drie maanden ernstig ziek werd, werd door de partijbonzen van alles geprobeerd om hem bij Hitler zwart te maken. Speer, die er vervolgens hardop over dacht om af te treden, werd door een afgezant van Hitler tot bedaren gebracht: ‘Laat Speer weten dat ik hem liefheb!’ gaf de Führer veldmaarschalk Milch als boodschap mee.

Wellicht begreep Hitler intuïtief dat het zonder de organisatorische prestaties van zijn minister niet zeer lang mogelijk was om deze krankzinnige oorlog voort te zetten. ‘Ik kan hier echt zeggen: Speer, ik wil niet de loftrompet over je steken, maar jij en Saur [Speers plaatsvervanger] hebben hier wonderen verricht, dat jij ondanks de luchtoorlog, ondanks het voortdurend kiezen voor een andere benadering, het steeds weer met jouw medewerkers mogelijk maakte om steeds weer nieuwe uitwegen te vinden!’

‘Zonder mijn werk was de oorlog misschien in 1942/’43 verloren,’ schreef Speer in zijn laatste brief aan Hitler. Hij was Hitlers minister die niet van opgeven wist.

Al in februari/maart 1943, zo gaf Speer meteen na de oorlog tegenover zijn Amerikaanse ondervragers toe, was hij van mening dat de oorlog verloren was. Toen de minister in mei 1944 Manfred von Poser als nieuwe adjudant toegewezen kreeg, stelde de werkgever hem allereerst de vraag of de oorlog nog gewonnen kon worden.

‘Ik was eerst even verbijsterd,’ beschreef Poser ons deze voor hem verrassende situatie, ‘Ik herstelde mij echter vervolgens en zei: “Ik geloof niet dat de oorlog nog te winnen is.” Hij nam dit antwoord rustig op en zei niets. Ik maakte hieruit op dat hij graag de waarheid hoorde, en dat was onze basis, die de hele tijd is blijven bestaan.’

Maar waar Speer in het laatste oorlogsjaar ook opdook – hij mobiliseerde zinloos geworden krachtsinspanningen. Hij formuleerde leuzen om tot de laatste man vol te houden, leuzen waarover hij *later* zei dat ze het gevolg waren geweest van een speciaal soort zinsverbijstering.

Vooral de wonderwapens, waarvan de productie in de lente van 1944 in 'Dora' startte, werden door Speer in de propagandastrijd geworpen. Begin juli stelde hij Hitler voor om cameraman Walter Frentz kleurenfilms van proefstarts van de V1 en de V2 te laten maken. Hitler zegde toe dit te zullen doen, maar beval meteen dat bij de openbaarmaking van het materiaal de lanceerinrichting niet herkenbaar mocht zijn – wat gelijkstond met een vertoningsverbod.

Speer kon het werk daarom alleen in besloten kring vertonen. Goebbels maakte hier deel van uit en merkte enthousiast op: 'Konden wij deze film maar in alle Duitse bioscopen laten zien, dan zou ik geen toespraken meer hoeven te houden en geen artikelen meer hoeven te schrijven...'

Maar Goebbels moest artikelen blijven schrijven – en Speer moest redevoeringen blijven houden. De manuscripten hiervan waren in de stukken die Speer na het einde van de oorlog aan de geallieerde onderzoekers overreikte, niet te vinden. Een bandopname was echter wel bewaard gebleven. Speer, die voor het gerechtshof in Neurenberg verklaarde de wonderwapenspropaganda actief bestreden te hebben, hield op 5 december 1944 (op dit tijdstip hadden de Amerikanen Aken al veroverd!) een toespraak voor spoorwegbeambten, die door de radio werd uitgezonden: 'Het is zeker dat onze vergeldingswapens V1 en V2 de hele wereld duidelijk hebben gemaakt dat de Duitse bewapeningstechniek ondanks alles een zekere voorsprong heeft. Ik kan u verzekeren dat de tegenstander zich ook op andere verrassingen van onze oorlogsvoering kan voorbereiden.'

Vervolgens begon Speer over het onderwerp dat het platgebombardeerde vaderland het meest bezighield – de machteloosheid van de Duitse luchtafweer: 'Wij hebben zeker ook hier tot dusver met veel succes gewerkt, en zoals altijd op beslissende momenten, in alle stilte. Ik kan jullie verzekeren dat wij bij de vereiste verdedigingsmiddelen nu alweer kwalitatief en getalsmatig een niveau hebben bereikt dat zich al in de eerstvolgende periode in zichtbare successen zal openbaren. [groot applaus]... Wij weten dat ons aan het eind van deze weg de zege wacht.'

Dit zei de man die al maanden vóór deze redevoering in memoranda aan Hitler herhaaldelijk schreef dat na de verwoesting

'Omschakeling naar de eenvoudigste bouwmethoden...' Minister van Bewapening Speer op bezoek in concentratiekamp Mauthausen.

Dr. Flächsner: Kwam u bij uw bezoek aan Mauthausen of bij andere gelegenheden iets te weten over de wreedheden die in dit en in andere concentratiekampen hebben plaatsgevonden?
Speer: Nee.

Speer bij het verhoor in Neurenberg, 19 juni 1946

Maar jullie hebben zonder verzet te bieden aan al die domme jodenhaat meegedaan! Ik herinner me hoe jij me in 1938 vertelde dat je Himmler ertoe aangezet had in [het concentratiekamp] Oranienburg steenbakkerijen voor de reconstructie van Berlijn op te richten, en daarbij met die absolute ongevoeligheid waarmee je morele problemen behandelde, doodleuk zei: 'Tenslotte maakten de joden al bakstenen in Egyptische gevangenschap!'

Hermann Speer aan zijn broer Albert, 1973

Hoofdzakelijk werden de mensen in treinen naar Treblinka vervoerd, maar de joden uit de naburige steden en dorpen werden er op vrachtwagens naartoe gebracht. De vrachtauto's droegen het opschrift: Expeditie Speer.

Samuel Rajzman, overlevende van het kamp Treblinka, 1946

van de Duitse raffinaderijen 'de stoffen ontbreken die nodig zijn om een moderne oorlog te kunnen blijven voeren': de Luftwaffe beschikte op dat moment nog over minder dan tien procent van de benodigde hoeveelheid kerosine!

'De zinloze voortzetting van de oorlog en de onnodige verwoestingen bemoeilijken de wederopbouw. Ontberingen en leed zijn over het Duitse volk gekomen,' stelde Speer in zijn slotwoord op 31 augustus 1946 voor het gerechtshof in Neurenberg vast. 'Het zal na dit proces Hitler als de onmiskenbare aanstichter van z'n onheil verachten en vervloeken.'

Over zijn eigen verantwoordelijkheid voor het feit dat hij Hitlers reeds lang verloren oorlog tot het bittere einde verlengd en georganiseerd had – daar sprak hij met geen woord over.

Begin augustus 1944 kwamen Hitlers beulen in het kasteel in Poznan voor het laatst bijeen voor een *Tagung der Reichs- und Gauleiter*. De Russen stonden in Oost-Pruisen, Amerikanen en Engelsen trokken op naar Parijs: in het Derde Rijk heerste *Götterdämmerung*. Himmler nam het woord: 'Wij allen hebben slechts één ambitie: dat, wanneer de wereldgeschiedenis over deze tijd rechtspreekt,... zij dan over ons en zijn [Hitlers] volgelingen zegt: Zijn paladijnen waren trouw, waren gehoorzaam, waren gelovig, waren standvastig...'

Ditmaal, en dat bestreed ook Speer niet, was hij erbij. En bij de Reichsführer-SS, zijn 'beste partijgenoot Himmler', arriveerde acht weken later een telex. Letterlijk stond er: 'U kunt erop vertrouwen dat ik u in de moeilijke tijd die ons nog te wachten staat, altijd trouw toegedaan zal blijven. Heil Hitler! Uw Speer.'

Maar Speer was toen al helemaal niet meer van plan om met de andere paladijnen roemrijk ten onder te gaan. Een artikel in het Engelse weekblad *Observer* gaf hem de moed om ondanks het gevaar tussen de klippen door te zeilen. 'In Speer,' schreef een anonieme auteur over de prominente vijand, 'zien wij de verwerkelijking van de revolutie der managers. [...] Hij had zich bij elke andere partij kunnen aansluiten als ze hem maar werk en carrièremogelijkheden bood. [...] Hij symboliseert een type dat in toenemende mate in alle oorlogvoerende staten belangrijk is: de technicus pur sang. [...] Het is hun tijd. De Hitlers en Himmlers zullen verdwijnen, maar de Speers, wat er dan ook met deze persoon in het bijzonder zal gebeuren, zullen nog lang onder ons zijn.'

Speer kende dit artikel, en voor hem was het een zeer duidelijke wenk. Nu ging hij aan de slag om de gehoopte brug naar de toekomst te slaan. Hij was nog geen veertig, bij het Duizendjarige Rijk mocht het wat hem betreft niet blijven.

De (westelijke) overwinnaars wilde Speer niet met lege handen tegemoet treden. Anders dan aan het oostfront, waar bij de terugtocht van de Wehrmacht alles verwoest werd, verhinderde de minister van Bewapening eerst in Italië, later ook in Frankrijk en België de tactiek van de verschroeide aarde. Zijn adjudant Manfred von Poser beschreef hoe gewiekst hij dat aan Hitler wist te verkopen: 'Dat was nou precies Speers sterkste punt, dat hij dat voor Hitler aannemelijk wist te maken, dat hij tegen Hitler zei dat als hij [Hitler] dat zou terugveroveren – en dit hoorde Hitler het liefst –, dat wij er dan voor moesten zorgen dat alles weer kon functioneren, en hiermee legden we de boel immers lam. En dan was Hitler het met hem eens.

Lamlegging: dit betekende vaak niet meer dan het uitdraaien van zekeringen of het verwoesten van verdeelleidingen. Een symbolische handeling, gericht aan diegenen aan de andere kant van het front.

In het eigen kamp verlangde Speer een steeds fanatieker geloof in de eindoverwinning en steeds weer laatste offers. De steden brandden, kinderen en bejaarden werden het bloedbad ingestuurd, Speer bezigde in november 1944 mooi klinkende woorden: 'Hoe moeilijk de situatie ook is en hoe hopeloos het voorlopig ook lijkt om haar ongedaan te maken – wij mogen in geen geval opgeven.'

Indrukwekkende woorden voor het front. In fases moesten zijn daden in de laatste maanden de verwoesting van de Duitse industrie voorkomen. Hij had dit op 27 februari 1945 op slot Landsberg, het verblijf van de familie Thyssen, plechtig beloofd aan een kleine groep Roer-industriëlen. Ook dit was een investering in de toekomst: Speer zag zichzelf toen al als een minister van Wederopbouw in het naoorlogse Duitsland.

Toen Hitler op 18 maart met het 'Nero-bevel' deze plannen wilde verijdelen, was Speer 'woedend, echt woedend', vertelde adjudant Von Poser ons. Hij reisde naar Hitler in Berlijn en eiste de intrekking van dit bevel om alle industriële installaties op te blazen voordat de geallieerden er zouden arriveren: 'Ik kan alleen met verstand en met overtuiging en met geloof in de toekomst verder werken als u, mijn Führer, zoals u tot dusver heeft gedaan, zich voor het behoud van onze nationale kracht verklaart.'

Speer dreigde het werk neer te leggen: insubordinatie en openlijke kritiek op Hitler – in die dagen kregen vele duizenden hiervoor de doodstraf. Speer echter werd in de rijkskanselarij ontvangen. Hij moest zijn Führer, die hem liefhad, opnieuw trouw beloven. Maar voor deze prijs liet Hitler zijn Speer tot in de laatste dagen de vrije hand.

Wat nu? Was er sprake van afscheid nemen of van zich beschikbaar stellen? Van alle raadsels die Speer oproept, is zijn reis naar Berlijn op 23 april 1945 een van de spannendste.

Dit staat vast: na Hitlers laatste verjaardag in de catacomben van de Führer-bunker verliet Speer – zoals bijna alle topfiguren uit de nazi-hiërarchie – Berlijn. Er volgde een twee dagen durende odyssee door Noord-Duitsland. Vervolgens dook de minister van Bewapening op 23 april op in Mecklenburg: luchthaven Rechlin was het testterrein van de Luftwaffe. Iedereen kende hem hier, bij talloze vliegshows had Speer als gastheer gefungeerd. De minister van Bewapening en zijn adjudant Manfred von Poser charterden een licht eenmotorig vliegtuig van het type *Fieseler Storch*.

Zij vlogen naar Berlijn en landden op de oost-westas tussen de overwinningszuil en de Brandenburger Tor. Zes jaar eerder had Speer de weg voor Hitlers parades veranderd, nu diende hij als laatste vliegveld van de omsingelde rijkshoofdstad.

'Naar mijn idee moet Speer een goede reden hebben gehad om naar Berlijn te vliegen,' vertelde Manfred von Poser ons. Als geen ander maakte hij de minister in het laatste oorlogsjaar dagelijks van nabij mee, was duizenden kilometers in de auto met hem onderweg, op het laatst direct achter het terugwijkende front. 'Ik ben van mening dat er wat achter gestoken moet hebben dat hem dermate bezighield dat hij de vlucht noodzakelijk achtte. Bijvoorbeeld dat hij zich zorgen maakte over het feit dat hij wellicht Hitlers opvolger werd. Want dit zou hem extra gecompromitteerd hebben, hetzij bij de beoordeling door de overwinnaars, hetzij bij het latere opeisen van de verantwoordelijkheid voor de wederopbouw in Duitsland, want destijds hield hij er immers nog rekening mee dat hij een dergelijke verantwoordelijkheid zou kunnen gaan dragen.'

De angst om tot opvolger benoemd te worden – dreef dat Speer terug naar de rijkskanselarij, naar de, zoals hij later zei, 'puinhoop van zijn leven'? Het avontuur had de moeite geloond: Hitler liet niet hem, Speer, maar Dönitz de verantwoordelijkheid na voor het volk dat hij in het verderf had gestort. Speers naam kwam in Hitlers testament in het geheel niet voor.

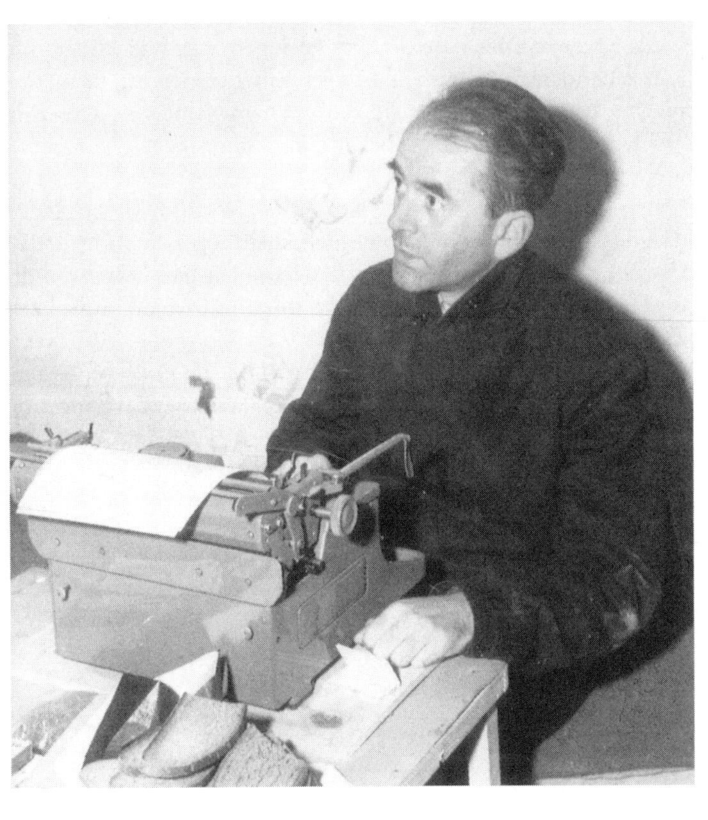

'Ik erken een gemeenschappelijke verantwoordelijkheid...' Aangeklaagde Speer in zijn cel tijdens het Neurenberger proces.

Ik was het met hem eens, voor honderd procent. Als wij niet meer in Hitler konden geloven, wat bleef ons dan nog over?

Speer over de laatste jaren met Hitler

Voorzover Hitler mij bevelen gaf en ik deze uitvoerde, draag ik hiervoor de verantwoordelijkheid, maar ik heb niet alle bevelen uitgevoerd.

Speer in Neurenberg, 1946

Aanvankelijk nam Speer de schuld op zich – of dit was om publicitaire redenen of uit daadwerkelijk berouw weet ik niet. Maar hij had dan ook nauwelijks een keus. Later echter schoof hij heel wijselijk en met een vooruitziende blik alle schuld van de wreedheden tegenover buitenlandse arbeiders, van het in slavernij brengen en vermoorden van mensen en ga zo maar door, heel behendig Sauckel [gouwleider van Thüringen – vert.] in de schoenen. Sauckel was een lompe, simpele man, aan wie iedereen een hekel had. Speer daarentegen was ontwikkeld en van goeden huize. Ik denk dat deze emoties bij de pers effect sorteerden en zeker ook de rechters niet helemaal vreemd waren.

Susanne von Paczensky, waarneemster bij het Neurenberger proces

Als Speer niet naar Berlijn was gevlogen, dan had Hitler zijn beste technocraat zeker op de lijst gezet met namen van de ministers van het post-Hitleriaanse kabinet – misschien zelfs als zijn opvolger aangewezen. Deze beker ging tenminste aan hem voorbij.

Een jaar later nam Albert Speer als enige van de hoofdaangeklaagden de 'algehele verantwoordelijkheid' op zich voor de daden van de man aan wie hij zijn ziel verkocht had. Maar van de misdaden van het regime, zo bleef hij tot aan zijn dood uitdrukkelijk verklaren, had hij niets geweten.

Het gerecht veroordeelde hem tot twintig jaar gevangenisstraf. In 1966 was hij weer een vrij man, in 1981 stierf Albert Speer in Londen.

De opvolger

Aanvallen – erop af – tot zinken brengen.

Het is ook zo'n onzin om bijvoorbeeld te zeggen dat een soldaat
of een officier apolitiek moet zijn.

Als wij de Führer niet hadden gekregen,
dan was er nu geen mens meer in Duitsland.

In vergelijking met de Führer
zijn wij met z'n allen maar zeer armzalige nullen.

De Wehrmacht moet op fanatieke wijze gehecht zijn aan de man
aan wie ze trouw gezworen heeft.

Een ieder die zich ook maar een heel klein beetje defaitistisch uit,
verzwakt het weerstandsvermogen van het volk
en moet daarom worden uitgeroeid.

Ik zou nog liever aarde vreten
dan dat mijn kleinkinderen in de joodse geest en smerigheid
worden opgevoed en vergiftigd.

Ik ben en blijf het legale staatshoofd.
Tot aan mijn dood.

Dönitz

Alleen geld verdienen als levensdoel bevredigt niet.

Dönitz, 1920

Hij werkt snel en precies. Heeft een zeer vlotte spreek- en schrijfstijl. Geestelijk zeer actief en geïnteresseerd in alle met het beroep samenhangende kwesties. Eerzuchtig als hij is en erop bedacht op te vallen en zich te doen gelden, valt het hem zwaar om iemand boven zich te verdragen en zich tot zijn eigenlijke werkterrein te beperken. De officieren van de marinestafafdeling zou hij nog meer dan tot nu toe de nodige zelfstandigheid moeten gunnen. Temperamentvol als hij is, komt hij vaak onrustig over en voor iemand van zijn leeftijd onevenwichtig. Moet ertoe gebracht worden de dingen ontspannener te benaderen en, vooral ook aan zichzelf, geen overdreven hoge eisen te stellen. Zijn vaak aan het daglicht tredende innerlijke onrust is waarschijnlijk voor een deel toe te schrijven aan zijn wisselende gezondheidstoestand (maagproblemen).

Admiraal Wilhelm Canaris in een rapport over Dönitz, 1931

Besef goed dat hij zeer lang zal duren, en wij mogen blij zijn als hij vervolgens met een schikking eindigt.

Dönitz over de komende oorlog, 1939

Ik zou graag willen zien hoe het er nu in Duitsland zou uitzien zónder het nationaal-socialisme, vol partijen, vol joden die elke gelegenheid waarnemen om kritiek uit te oefenen, schade aan te richten, verdeeldheid te zaaien. Alles hebben wij aan de Führer te danken, alles heeft het nationaal-socialisme het Duitse volk gebracht. Voor de soldaat geldt daarom maar één ding: met niets en niemand ontziende hardheid vechten voor onze Führer, voor ons nationaal-socialisme.

Dönitz, 1944

Uiterlijk over een jaar, misschien nog dit jaar zal Europa inzien dat Adolf Hitler in Europa de enige staatsman van formaat is.

Dönitz, april 1945

Alle commandanten:

1. Elke poging om bemanningsleden van tot zinken gebrachte schepen te redden, dus ook het oppikken van te water geraakte bemanningsleden en het aan boord van reddingsboten nemen, het draaien van gekapseisde reddingsboten, het verstrekken van levensmiddelen en water, zijn verboden. Redding is in strijd met de meest primitieve eisen van de oorlogsvoering na vernietiging van vijandelijke schepen en bemanningen.
2. De bevelen inzake het meenemen van kapiteins en hoofdingenieurs blijven bestaan.
3. Schipbreukelingen alleen redden als verklaringen voor boten van belang zijn.
4. Hard zijn. Eraan denken dat de vijand bij zijn bombardementen op Duitse steden vrouwen en kinderen niet ontziet.

Dönitz-bevel, 1942

Ons leven behoort de Staat toe. Onze eer ligt in de plichtsvervulling. Niemand van ons heeft recht op een privé-leven. Het gaat ons erom deze oorlog te winnen. Dit doel moeten wij met een verbeten overgave en met een keiharde vechtlust nastreven.

Dönitz, 1943

Als een soldaat het bevel krijgt om te vechten, dan maakt het geen flikker uit of hij het gevecht zinvol acht of niet.

Dönitz, 1944

Omdat capituleren toch al de vernietiging van het wezen van het Duitse volk betekent, is het ook vanuit dit oogpunt juist om door te vechten.

Dönitz, 1945

Het is jammer dat de Partij niet wordt vertegenwoordigd door een man als Dönitz, maar door Göring, die net zoveel met de Partij van doen heeft als een koe met stralingsonderzoek.

Goebbels (dagboek), 1945

Wij soldaten van de marine weten hoe wij moeten handelen. Onze militaire plicht, die wij, wat er om ons heen ook allemaal gebeurt, onverstoorbaar vervullen, doet ons pal staan als een rots van verzet, dapper, hard en trouw. Een ploert is hij die niet zo handelt, hij moet worden opgehangen met een bord om zijn nek waarop staat: 'Hier hangt een verrader die uit lage lafheid ertoe bijgedragen heeft dat Duitse vrouwen en kinderen sterven, in plaats van hen als een man te beschermen.'

Dönitz, april 1945

Het belangrijkste: wij moeten de ijverigste bewakers zijn van het mooiste en beste dat het nationaal-socialisme ons gegeven heeft, de eenheid van onze volksgemeenschap. Ondanks onze huidige totale militaire ineenstorting ziet ons volk er nu anders uit dan in 1918. Het is nog niet verscheurd. Ook al schaffen wij menige vorm van nationaal-socialisme zelf af of worden andere vormen door de tegenstander afgeschaft, dan toch moet het beste van het nationaal-socialisme, de gemeenschap van ons volk, onder alle omstandigheden gehandhaafd blijven.

Dönitz, 9 mei 1945

Ik meende dat Duitsland de juiste weg insloeg.

Dönitz over de machtsovername, 1958

8 mei 1946: in zaal 600 van het Paleis van Justitie in Neurenberg heerste een ademloze, drukkende stilte. De aangeklaagde liep naar de microfoon, nam een stramme houding aan, verklaarde vervolgens met de rustige stem van een man die plichtbesef tentoonspreidt in plaats van berouw: 'Ik heb in overeenstemming met mijn geweten gehandeld. Omdat het nu eenmaal niet anders kan, zou ik het precies zo opnieuw doen.'

Hij werd achter zijn rug om de admiraal van de duivel genoemd. Niets was beter van toepassing op Karl Dönitz, de koele overtuigingsdader. Hoe kunnen wij oordelen over iemand die goed en kwaad in zich droeg? Die de redder van meer dan twee miljoen vluchtelingen uit het oosten was? Die de nuchtere technocraat van een moorddadige oorlog was? Voor de overwinnaars stond absoluut vast wat hij vooral was: een oorlogsmisdadiger – een man die met zijn U-boten als leidinggevende een onverbiddelijke oorlogskoers voer waarvan dertigduizend geallieerde zeelieden en drie van de vier Duitse U-boot-bemanningsleden het slachtoffer werden; een man die nog op 30 april 1945 in een staat van absurde onderworpenheid Adolf Hitler telegrafisch liet weten: 'Mijn trouw aan u zal altijd onvoorwaardelijk zijn. [...] Als het lot mij dwingt om als de door u aangewezen opvolger het Derde Rijk te leiden, dan zal ik deze oorlog beëindigen zoals de unieke heldenstrijd van het Duitse volk het verlangt.'

Pas de dag daarna, op 1 mei 1945, hoorde de admiraal van Hitlers dood. Nu aanvaardde hij officieel het ambt dat hem in Neurenberg in de schijnwerpers van de mondiale belangstelling plaatste: hij was nu Hitlers opvolger – curator van het verwoeste Duizendjarige Rijk. Er resteerden hem 23 dagen om als staatshoofd te regeren. Dönitz deed als altijd wat hem bevolen was, en hij gaf blijk van een zuiver geweten, hoewel hij geweten moet hebben hoe moorddadig het regime was waarvan hij op het laatst aan het hoofd stond. Dönitz was medeweter en tevens mededader. Zichzelf zag hij echter steeds als een apolitieke soldaat. Hij zou gehoorzaam zijn plicht hebben vervuld en verder niets. Dönitz – een onderdanige dienaar?

Dit blinde geloof in autoriteit begint in zijn kinderjaren in het Berlijn van rond de eeuwwisseling. Dönitz' moeder stierf toen Karl vier jaar oud was. Vader Dönitz, een ingenieur, voedde zijn twee zoons alleen op en predikte gehoorzaamheid als het hoogste gebod. Het dienen van keizer en vaderland gold in huize Dönitz als de eerste plicht. Persoonlijk geluk verschrompelde tot een bijzaak. Al als kind en nog meer als jongere leerde Karl Dönitz wat Pruisische discipline en militaire dril betekenden. Hij gold als gesloten, maar veelzijdig; en hij deelde in het enthousiasme van de massa voor de keizerlijke vloot, het pronkstuk van een puberende natie die stond te dringen voor een plaatsje onder de zon.

In deze sfeer van onbedwingbare nationale aanmatiging nam hij het besluit om als officier de keizerlijke marine te dienen. Het door hem gewenste beroep paste bij de dweepzieke tijdgeest van een onrustig tijdperk. Officier op een van zijne majesteits slagschepen te zijn – dat garandeerde groot aanzien en was bovendien, zoals hij in zijn memoires schreef, de ideale oplossing om zijn militarisme te combineren met zijn drang naar verre landen. Op 1 april 1910 ging voor de achttienjarige Karl Dönitz de droom van het soldatenleven op het water in vervulling. Al bij de eerste lessen op de marineschool Flensburg-Mürwik verplichtten de opleiders de jonge aspirant door een eed tot de elitaire beroepsethiek van de marine: houding en onberispelijk gedrag golden evenzeer als voornaamste plicht als fatsoen en de gelofte om niets te doen wat tegen de morele principes van goed gedrag indruiste. Hier, in het massieve bakstenen gebouw van de marineschool Flensburg-Mürwik, begon Karl Dönitz' carrière. Hier zou ze ook eindigen.

Saaie theorie had hem nog nooit geïnteresseerd. Dönitz hunkerde naar actie, naar operaties in volle zee en naar de kameraadschap in de troep – een verlangen dat nog groter werd toen in de zomer van 1912 zijn vader stierf. Na de dood van zijn moeder was deze zijn enige steun. Op zoek naar een vervanger, naar een vaderlijke vriend die hem steunde en stimuleerde, ontmoette hij kapitein-luitenant-ter-zee von Loewenfeld, zijn idool en mentor. Von Loewenfeld had hem op de SMS Breslau gehaald. 'Bevalt het je hier?' vroeg hij Dönitz.

'Nee, overste, het bevalt mij hier helemaal niet. Ik had met het kruiser-smaldeel naar Oost-Azië gewild!'

De overdreven dapperheid van de jonge vaandrig beviel Loewenfeld. Hij maakte hem weliswaar uit voor ondankbaar jochie, maar dit was niet serieus. Zijn sympathie was sterker, en Dönitz' wrok verminderde sowieso snel toen de *Breslau* tegen de verwachting in koers zette naar verre zeeën. De droom van zeereizen naar vreemde landen ging eindelijk in vervulling. Dönitz had de kans om zich op volle zee waar te maken. Zijn taak als vlagofficier vervulde hij tot von Loewenfelds volste tevredenheid, en hij voltooide zijn opleiding met het predikaat 'uitstekend' – een uitzonderlijke waardering die op grond van het marinereglement alleen werd toegekend voor bovengemiddelde prestaties. Het zou niet de laatste keer zijn dat Dönitz tot de besten van zijn klas behoorde. De grootste militaire lof loopt als een rode draad door het dossier van de Pruis, die al in zijn jonge jaren, als aankomend officier in de Eerste Wereldoorlog, de reputatie verwierf buitengewoon dapper te zijn, die zijn leven riskeerde omdat hij dat als zijn vaderlandse plicht beschouwde.

Het uitbreken van de oorlog en zijn eerste vuurdoop beleefde Dönitz op de Middellandse Zee – op de Breslau, een kleine kruiser die samen met de slagkruiser Goeben onder Turks commando zou komen te staan. De schepen moesten helpen het Osmaanse rijk aan de kant van de Centralen te krijgen. Tot de zaak beslist was moest de Breslau in de haven blijven liggen. De bemanning was tot nietsdoen veroordeeld, en het was vooral Dönitz die gebukt ging onder de roemloze wachttijd, waarin alleen een bezoek van de Duitse bevelhebber van de Dardanellen-vesting, generaal Weber, een welkome afwisseling bood. Nog geen twee jaar later stond Dönitz opnieuw tegenover de veelvuldig onderscheiden monocledrager, maar deze keer niet als soldaat, maar als vrager om de hand van zijn dochter, hospitaalverpleegster Ingeborg Weber. In het jaar daarna verscheen het paar in Berlijn voor het altaar.

Zijn tweede grote liefde was een nieuw wapen: U-boten beloofden roem en hoop op de overwinning in de oorlog. Ze waren de laatste troef van het keizerrijk. Na de patstelling in de zeeslag in Skagerrak begon Berlijn een omvangrijk bouwprogramma uit te voeren om Engeland door middel van een zeeblokkade op de knieen te krijgen. In januari 1917, onmiddellijk nadat hij een cursus voor officieren van de wacht had afgesloten, nam Dönitz' snelle en schitterende U-boot-carrière een aanvang. Zijn eerste commandant op de U 39 heette kapitein-luitenant Walter Forstmann – een U-boot-grootheid en een van de succesvolste commandanten in de oorlog. Onder zijn bevel en in de benauwde engte van de stalen buizen diep onder de zeespiegel maakte Dönitz voor het eerst kennis met het gemeenschaps- en saamhorigheidsgevoel in een U-boot. Het was een ingrijpende ervaring voor de jonge officier, waarvan hij

'Wij willen allemaal onze Führer dienen...' Schout bij nacht Dönitz (1939).

Door zijn karakter en aanleg is hij een waardevolle officier van de marine, die alle bij zijn leeftijd passende functies aan zal kunnen. Bovendien is hij een algemeen geliefd en gewaardeerd kameraad, die ondanks financiële nood zijn blijmoedigheid en humor niet verliest.

Kapitein Werth in een rapport over Dönitz, 1925

Hij was een zeer charismatisch persoon. Ik merkte als kind al hoe hij invloed had op anderen. Hij maakte een diepe indruk in de persoonlijke omgang – maar als ik met hem alleen was, kon hij dat helemaal afleggen. Dan was hij opeens heel humoristisch en warm. Ik heb vaak meegemaakt hoe heel gewone soldaten honderden kilometers reisden, alleen om een blik van hem op te vangen. En mijn grootvader heeft hen – ongeacht hun positie of afkomst – als gasten ontvangen en met hen gepraat. Hij was een familiemens. Ik heb steeds weer gemerkt hoe zijn soldaten van hem hielden. Hij was meer dan een superieur voor hen, hij was voor hen een vaderfiguur.

Klaus Hessler, Dönitz' kleinzoon

nog decennia later hoog zou opgeven: 'Eén voor allen en allen voor één', luidde voortaan zijn motto. 'Wij waren één grote familie, volkomen geïsoleerd in de diepten van de zeeën. Zo is de U-boot-bemanning een door het lot verbonden gemeenschap, waarvan de schoonheid maar zelden overtroffen kan worden. Er deel van uit te maken is van de grootste waarde en een onvergetelijke ervaring.'

Toen hij drie maanden later, in februari 1918, op de UC 25 zijn eerste U-boot-commando op zich nam, voelde hij zich naar eigen zeggen machtig als een koning. Dönitz kon rekenen op de dankbaarheid van de keizer toen het hem tijdens een vermetele jacht op de vijand lukte om de Italiaanse oorlogshaven Porta Augusta binnen te dringen – een gedurfde actie die de officier het ridderkruis van de orde van het huis Hohenzollern opleverde. Hij leek het succes in pacht te hebben, kreeg met de UB 68 een nog snellere boot, maar op 4 oktober 1918, kort na middernacht, liet het geluk hem bij een aanval op een Brits konvooi in de steek. vijftig zeemijl vóór de kust van Sicilië moest de UB 68 opduiken. Een treffer dwong hem ten slotte zijn mannen te bevelen: 'Iedereen uit de boot!' In een mum van tijd zonk de boot en sleurde vier U-boot-bemanningsleden mee de diepte in. 1ste luitenant-ter-zee Karl Dönitz en de meesten van zijn kameraden werden door het Britse oorlogsschip *Snapdragon* opgepikt. De commandant begroette zijn gevangene met een handdruk en merkte laconiek op: 'Wel, kapitein, nu staan wij quitte. U heeft vannacht een stoomschip van mij naar de haaien geschoten, en nu heb ik u tot zinken gebracht.'

Eerst zat hij gevangen in kamp Fort Verdalla op Malta. De overtuigde zeeman kon het maar moeilijk verkroppen dat de oorlog voor hem zo smadelijk geëindigd was, en het was een klap in zijn gezicht toen hij in Britse kranten moest lezen over de Duitse nederlaag en de ondergang van de monarchie. Een wereld stortte ineen, niet alleen voor hem: uitgerekend muitende matrozen hadden de revolutie ontketend! In de straten van Duitse steden heersten anarchie, omwenteling, chaos, ongehoorzaamheid – een trauma voor Dönitz. 'Nog een paar weken tevoren vocht ik als soldaat,' herinnerde hij zich. 'Ik had op mijn eigen kleine plekje mijn plicht te doen en had mij niet kunnen bezighouden met de grote politieke context. Nu pas werd het mij duidelijk hoe Duitsland ervoor stond. Mijn geloof in de politieke wijsheid van de regerende mannen raakte aan het wankelen. Ik veranderde.' Hoewel het hem bij het gevangenentransport van Malta via de Middellandse Zee naar een Brits kamp bij Sheffield opviel 'wat voor on-

'Hitlerjunge Dönitz...' U-boot-commandant Dönitz in Hitlers hoofdkwartier (zomer 1942).

Zijn relatie met Hitler was gebaseerd op een bewondering die voor buitenstaanders nauwelijks te begrijpen was. Tot op het laatst heeft Dönitz hem een voortreffelijk staatsman gevonden. Daarom heeft hij zich waarschijnlijk ook nooit bij een of andere vorm van verzet aangesloten. Ik heb hem daar eens over aangesproken, toen zei hij: 'Op z'n laatst sinds de invasie was het mij duidelijk dat de oorlog niet te winnen was. Maar om hem enigszins fatsoenlijk te beëindigen, daar was een groot staatsman voor nodig – en de enige grote staatsman wijd en zijd was Adolf Hitler.'

Otto Kranzbühler, Dönitz' verdediger

Ik bezocht Dönitz in 1973 in zijn kleine woning in Aumühle nabij Hamburg. Ik wilde deze man gewoon leren kennen. Dönitz heeft inderdaad van Hitler gehouden. Eens zei hij tegen mij: 'Hitler was een demon. Maar deze demon in hem ben ik pas gaan zien toen het al te laat was.'

Sir Ludovic Kennedy, Brits marineofficier

geloofljke overmacht aan soldaten en materieel [de geallieerden] ter beschikking stond om ons te verslaan', verdedigde hij in de kring van keizergezinde kameraden in zijn barak namens *Hohenzollern* de legende van het ongeslagen leger dat van rode revolutionairen een dolkstoot in de rug had gekregen.

Dönitz wilde tegen elke prijs terug naar huis. Hij veinsde een ernstige ziekte, verbleef korte tijd in een psychiatrische kliniek en keerde in de voorzomer van 1919 weer terug naar Duitsland. 'Van belang was,' schreef hij later, 'dat je de Duitse staat, in welke vorm dan ook, als soldaat niet mocht verlaten. Dit is strijdig met het Duits-Pruisische principe om omwille van de zaak onzelfzuchtig te dienen.'

Voor de Republiek voelde de uit de oorlog teruggekeerde militair niets dan haat en afschuw. Dönitz miste de oude overheid. De nieuwe vrijheden kwamen hem onheilspellend voor. Evenals andere ontgoochelden zwoer de soldaat bij zichzelf: 'Eén november 1918 mag nooit weerkeren!'

Ooit was hij voor de keizer en zijn Rijk ten strijde getrokken. Van beide was niets gebleven. Wilhelm II verbleef in ballingschap in Nederland, Dönitz zag zich omringd door machtige vijanden: de politieke tegenstanders in het binnenland, de arbeiders- en soldatenraden voorop, hadden het land in geweld, honger en chaos gestort; het vredesverdrag ervoer hij als een schandelijk dictaat, temeer omdat de marine over slechts vijftienduizend man mocht beschikken. Hoewel Dönitz onmiddellijk na zijn gevangenneming beweerd had niets meer met zeevaart en marine te maken te willen hebben en korte tijd met de gedachte speelde een civiel beroep te kiezen, bleef hij de marine trouw. 'Alleen geld verdienen als levensdoel bevredigt niet,' schreef hij. 'Het streven van de mens moet zijn: fatsoenlijk zijn plicht te vervullen.'

Dönitz diende het vaderland, niet het systeem. Nog altijd lokte die unieke U-boot-kameraadschap hem. Dit zat er voorlopig echter niet in. Het Verdrag van Versailles had het Rijk het bezit van U-boten categorisch verboden. Amper zes kruisers, zes pantserschepen, twaalf torpedojagers en twaalf torpedoboten mocht Duitsland bezitten. Maar in deze voor Dönitz zo ontmoedigende situatie verschenen al heel gauw de eerste sprankjes hoop. Toen luitenant-terzee eerste klasse Otto Schultze hem in de zomer van 1919 vroeg of hij niet bij de marine wilde blijven dienen, stelde hij de wedervraag: 'Denkt u dat wij binnenkort weer U-boten zullen hebben?' Schultze antwoordde: 'Ik geloof dat zeker. Zoals nu zal het echt niet blijven.'

Het gesprek met zijn oude en nieuwe superieur moedigde Dönitz aan om in Kiel met voortvarendheid een nieuwe taak aan te pakken. De 1ste luitenant-ter-zee was nu verantwoordelijk voor de selectie van zeeofficieren, een sleutelpositie. Als overtuigd tegenstander van de Republiek accepteerde hij in het officierenkorps alleen trouwe monarchisten. Aan de materiële misère van de marine veranderde dit echter niets. De keizerlijke vloot, eens de trots van de natie, lag op de zeebodem van de Britse vlootbasis Scapa Flow. Om de 'eer van vaandel en natie' te redden had ze zichzelf in de zomer van 1919 tot zinken gebracht.

De nieuwe tijd beloofde voor Dönitz niets goeds. In de herfst van 1919 werd de politieke situatie in Duitsland steeds chaotischer. Het rook naar burgeroorlog. Communisten vochten voor de revolutie, vrijkorps-eenheden, zoals die van zijn mentor von Loewenfeld, schoten met toestemming van democraten op opstandelingen. Dönitz was ervan overtuigd dat Duitsland z'n grootsheid pas dan zou hervinden als met de *Systemzeit* definitief was afgerekend. Angst dreef hem: angst voor verarming, angst voor de overwinning van de linkse revolutionairen. Het onvermogen van de gehate Republiek om voor rust en orde te zorgen was voor Dönitz een legitieme reden om haar de oorlog te verklaren. 'Wij hebben de marxistische Staat afgewezen,' blikte hij in 1944 terug, 'omdat hij de weerbaarheid van het volk en alles wat voor de soldaat heilig was loochende.'

Al in maart 1920, toen tijdens de Kapp-Putsch muitende soldaten de Republiek uit de wereld wilden helpen, roken de monarchisten hun kans. Ook Dönitz, ondertussen commandant van een torpedoboot, hoopte stiekem op succes voor de vrijkorpsen. Alleen deze korpsen achtte hij ertoe in staat 'een bolsjewistische revolutie te voorkomen'. Hij werd in zijn verwachtingen teleurgesteld; de putsch mislukte, en de economische situatie verslechterde verder – ook voor de familie Dönitz, die intussen drie kindermondjes te voeden had. Veel tijd trok de ambitieuze officier niet voor zijn vrouw en kinderen uit. Dönitz was met andere dingen bezig. Hij wilde carrière maken. Vanaf juni 1920 was hij weer bevelhebber en leerde als kapitein-luitenant bij tactische vlootoefeningen de technieken van het opsporen, contact houden en verrassen. Later zou hij het 'roedeltactiek' noemen en hij zag zichzelf als de bedenker ervan.

Zijn carrière verliep voorspoedig. In maart 1923 werd hij in Berlijn adviseur van de marine voor 'politieke en organisatorische aspecten van de defensieafdeling' (AI), de vanwege het Verdrag van Versailles gecamoufleerde marinestaf. Hij zette zich meer dan vier jaar in voor de belangen van de marine en overtuigde met vurige ijver niet-militairen van wat volgens hem militaire noodzakelijkheden waren. Dönitz bewees een behendig onderhandelaar te zijn, en zijn chef zwaaide hem uitbundige lof toe: 'In het overleg met andere ministeries en overheidsorganen is hij bedreven en weet dankzij zijn zakelijke en persoonlijke manier van onderhandelen het beste voor zijn afdeling eruit te halen.'

Maar vanachter zijn bureau verlangde hij alweer snel naar een schip. Weerzien met het verleden: als navigatieofficier op de kruiser Nymphe ontmoette Dönitz opnieuw zijn oude begunstiger von Loewenfeld, die zijn ideologische vorming voltooide. Dönitz omarmde de dogma's van zijn reactionaire en radicale boezemvriend, voerde in de vriendenkring lastercampagnes tegen bolsjewisten en tegen joden. De economische problemen van het Rijk, die zich in de situatie van zijn gezin weerspiegelden, wakkerden zijn haat alleen maar meer aan.

Deze crises werden gebruikt door een man die als stemmenvanger door het land trok en plechtig beloofde de sterke man te zijn die orde zou scheppen en aan de chaos een eind zou maken. De beloften van de verleider Adolf Hitler misten ook bij de marinestafofficier Karl Dönitz hun uitwerking niet. Deze man beloofde waar hij zo vurig naar verlangde: een sterk Duitsland en het vooruitzicht op een marine van een grote mogendheid. Hitler was voor Dönitz de gepersonifieerde hoop. Na de oorlog schreef hij: 'Ik meende dat Duitsland de juiste weg insloeg.' Vooral omdat deze weg hem professionele voordelen in het vooruitzicht stelde. Hitlers slinkse verovering van de macht was voor Dönitz een welkom nieuw begin voor de natie. Eindelijk iemand die spijkers met koppen sloeg.

Terwijl Hitler in het Rijk de macht naar zich toetrok, zat Dönitz op de grote vaart. Dankzij de door de rijkspresident toegekende Hindenburg-reisbeurs kon hij vijf maanden lang door 'het wonderland India' en Zuidoost-Azië reizen. Thuis in het Rijk zorgden de SA en de SS ondertussen voor orde door middel van terreur. Dönitz genoot van de schoonheden van exotische culturen en van de 'harmonie van het sprookjesland', die de reizende zeeman niettemin deed piekeren over de vraag 'of de Balinezen innerlijk niet evenveel fatsoen en beschaving van het hart hebben als de Europeanen'.

Toen hij op het schip richting het vaderland stapte, hielden zijn gedachten zich alweer met Duitsland en het ruimtegebrek bezig – Dönitz was op weg naar het Derde Rijk, naar het politieke systeem van zijn verlangens, waarin de langverbeide sterke man aan het hoofd op het punt stond ook maritieme hoop te vervullen. Hitler gaf toestemming voor de uitbreiding van de vloot, en al in de herfst van 1933 werd Dönitz als 'officier met voortreffelijke intellectuele kwaliteiten en dito karaktereigenschappen, gezonde ambitie en onmiskenbare *Führereigenschaften*', aldus een beoordeling van november 1933, tot kapitein-luitenant-ter-zee bevorderd. Hij wist allang: loyaliteit aan de Führer was lonend. De moord op SA-chef Röhm en andere politiek ongewenste personen verontschuldigde Dönitz decennia later als een handeling van de Staat uit noodweer. De marine onderwierp zich zonder enig voorbehoud aan het nieuwe staatshoofd. Zoals alle soldaten legde de ambitieuze zeeman de eed op Hitler persoonlijk af. Dönitz beloofde onvoorwaardelijke gehoorzaamheid. Tot aan Hitlers dood voelde hij zich door deze belofte gebonden.

Dönitz – een carrière. Hitlers machtsovername gaf de beslissende zet. Als commandant van de kruiser Emden zou hij zijn *Führereigenschaften* ook op buitenlandse tochten bewijzen. Op 2 november 1934, kort voordat de Emden het anker lichtte, werd Dönitz aan Hitler voorgesteld. De dictator was onder de indruk van de strenge houding van de ambitieuze marineofficier; en ook Dönitz was ondersteboven van het optreden van zijn opperste bevelhebber. De voorstelling die hij zich gemaakt had werd bevestigd. Daags daarna zong hij voor matrozen enthousiast een loflied op Hitler: 'Wij allen zullen onze bewonderde Führer dienen!'

Terwijl de Emden verscheidene maanden over de zeeën rond Afrika kruiste, brachten Hitlers diplomaten het tot dan onvoorstelbare tot stand: na moeizame onderhandelingen lag op 18 juni 1935 het Duits-Britse vlootverdrag op tafel. Het Rijk verplichtte zich haar bewapening maximaal 35% van het totaal van de Britse marine te versterken en bij de U-boten een krachtsverhouding van voorlopig 45 op 100 te eerbiedigen.

Later zou Duitsland de bewapening van z'n marine tot honderd procent mogen opvoeren. Groot-Brittannië dacht zich deze concessie te kunnen veroorloven. ASDIC Engelands sonarapparatuur voor akoestische onderwaterplaatsbepaling of opsporing van vijandelijke onderzeeboten, beloofde bescherming tegen Duitse U-boten.

Met de in het verdrag vastgelegde garantie aangaande de bouw van Duitse U-boten begon voor Dönitz een nieuwe levensfase. Hitler, die Dönitz' deskundigheid waardeerde, benoemde hem

'De Führer laat ons de weg en ons doel zien...' Dönitz met stafofficieren in zijn hoofdkwartier (1943).

Dönitz was een zeer beheerst iemand, zeer beslist in zijn optreden. Wij hadden de indruk dat hij veel nadacht, maar vervolgens ook zeer snel handelde. Hij verstond de kunst om mensen met heel eenvoudige argumenten te overtuigen. Maar hij liet zich ook overtuigen: in 1943 liet hij alle marineofficieren bij zich komen en vroeg of het nog zin had om door te vechten. Hij wilde ieders mening horen – eerst van de jongste, het laatst van de hoogste in rang. Als wij toen gezegd zouden hebben: 'Het heeft geen zin meer', dan was de oorlog voorbij geweest. Maar zover waren wij toen nog niet.

Hans-Rudolf Rösing, bevelhebber van de U-boten-West

Hij was in elk opzicht de keizerlijke marineofficier – met alles wat daarbij hoorde. Hij was voor honderd procent patriot: hij beschouwde zich als een dienaar van zijn volk en zijn vaderland.

Otto Kretschmer, U-boot-commandant

tot 'Führer van de U-boten' (FdU) – met de order om op stel en sprong de U-boot-vloot weer op te bouwen. IJverig en vastbesloten begon Dönitz aan zijn nieuwe taak. Argwanend constateerde de FdU dat Hitler voor grote slagschepen nog enthousiaster kon worden dan voor U-boten. Oceaanreuzen als het slagschip de *Bismarck* beschouwde Dönitz als verouderd en kwetsbaar. Onverdroten wees hij op de voordelen van zijn boten. 'De U-boot,' zo doceerde hij, 'is in zeer belangrijke mate een aanvalswapen. Haar grote actieradius maakt haar geschikt voor operaties in verre, vijandelijke zeegebieden.' Alleen U-boten, hield Dönitz vol, waren in staat om Groot-Brittannië, de vijand van gisteren en morgen, van het levensbelangrijke handelsverkeer over zee af te snijden en uit te hongeren. Maar Dönitz praatte tegen dovemansoren. Hij stond hij in het tweede gelid.

In het begin beschikte hij over welgeteld elf U-boten. Maar hij wist de jonge matrozen enthousiast te maken. Zij moesten zich een elite binnen de marine voelen. 'Onzelfzuchtige bereidheid om je in te zetten' liet hij de commandanten en manschappen instampen en: 'Geen angst voor ASDIC!' De sonar van de *Royal Navy* zou danig overschat worden. De Britse konvooien wilde hij met zijn roedeltactiek de baas worden. 'Als wolven' moesten de boten de vijandelijke konvooien aanvallen, overeenkomstig het parool 'Aanvallen – tot zinken brengen!' Van de door radioplaatsbepaling en de vijandelijke luchtmacht veroorzaakte gevaren was hij zich daarbij wel degelijk bewust, en ook voor de marinestaf bleven de risico's van deze tactiek niet verborgen. Zijn concept werd afgewezen. Marinechef Erich Raeder bleef sceptisch tegenover de U-boten staan, maar Dönitz beschouwde zijn tactiek nog steeds als de *via regia* in een oorlog tegen Engeland.

De oorlog kwam ondertussen steeds dichterbij. De internationale politieke situatie veranderde bliksemsnel. De *Anschluß* van Oostenrijk en de afgedwongen 'oplossing van de Sudeten-kwestie' noopten Londen en Parijs ertoe de handen ineen te slaan, terwijl Hitler de Duitse bewapeningsspiraal continu opschroefde. Raeders marineleiding vocht voor de bouw van slagschepen en kruisers. Het 'Z-plan' van januari 1939 betekende zoveel als een oorlogsverklaring aan de zeemogendheid Engeland. Hitler keurde de intensivering van de bouw van fregatten goed, terwijl de U-boten nog altijd een ondergeschikte rol speelden. Maar Dönitz was ervan overtuigd dat het grote ogenblik van zijn boten al snel zou aanbreken. Raeders linieschepen, zo verwachtte hij, zouden te zwaar op de bewapeningsbegroting en de grondstofreserves drukken. U-boten waren veel sneller en goedkoper te bouwen. Op lange termijn, zo berekende hij, moest hij succes hebben.

Dönitz werkte verder aan zijn U-boot-strategie alsof Raeders divergerende zeeoorlogsconcept helemaal niet bestond. Begin 1939 vatte hij in zijn boek *Die U-Boot-Waffe* samen hoe volgens hem U-boten samen met de overige vlootonderdelen een handelsoorlog tegen Engeland moesten voeren. Hoewel Raeder sussend opmerkte dat de oorlog in 1939 niet te verwachten was, werkte Dönitz onder hoogspanning aan zijn theoretische en praktische militaire oefeningen. Voor een oorlog eiste hij driehonderd U-boten. Maar toen de *Schleswig-Holstein* op 1 september 1939 op de Westerplatte de oorlog begon, beschikte Dönitz over slechts 56 boten. 'Mijn God! Dus weer oorlog tegen Engeland,' stamelde hij. 'Hij verliet het vertrek,' herinnerde stafofficier Victor Oehrn zich, 'en kwam na een halfuur terug: een veranderde D[önitz]. "Wij kennen onze tegenstander. Wij hebben nu de wapens en een leiding die deze tegenstander het hoofd kan bieden. De oorlog zal zeer lang duren. Maar als iedereen zijn plicht doet zullen wij winnen. Ga nu aan het werk." '

Dönitz was ontzet over het uitbreken van de oorlog, maar niet uit vredelievendheid, maar uit bezorgdheid over de superieure Engelse marine. Met een handdruk nam hij afscheid van elke commandant die ten strijde trok. Het oorlogsdagboek sprak over een zeer optimistische stemming onder de bemanningen. Maar dit was rooskleuriger voorgesteld dan het in werkelijkheid was. U-boot-bemanningslid Otto Kretschmer, later de succesvolste U-boot-commandant, herinnerde zich hoe de mannen in de boten vreesden dat de vijand hen er elk ogenblik van langs zou geven.

Toch begonnen Dönitz U-boten al op de eerste dag van de oorlog agressief jacht te maken op de vijand. Hitler hoopte nog altijd met Engeland zaken te kunnen doen, maar de derde oorlogsdag deed een torpedo het laatste restje hoop op overeenstemming nog op het laatste ogenblik teniet. De commandant van de *U 30*, Julius Lemp, bracht zonder voorafgaande waarschuwing het Britse passagiersschip *Athenia* tot zinken. Lemp meende een hulpkruiser voor zijn torpedobuis te hebben; 112 mensen kwamen om. De beelden van de slachtoffers die het overleefd hadden gingen de wereld rond en wakkerden de haat jegens Dönitz' mannen aan. De Duitse propaganda deed de rest. 'De *Athenia* moet bij vergissing door een Engels oorlogsschip tot zinken zijn gebracht of door een drijvende mijn van Engelse herkomst zijn getroffen,' hoonde

Joseph Goebbels; en ook Dönitz droeg bij aan de verdoezelingsmanoeuvre. Toen de *U 30* aan het eind van de maand in de thuishaven terugkeerde, nam de FdU de commandant en de bemanning onder handen. Allen moesten zweren over de aanval op de *Athenia* het stilzwijgen te bewaren. Bovendien liet Dönitz de desbetreffende aantekeningen uit het oorlogsdagboek van de *U 30* verwijderen.

Van het begin af eiste Dönitz dat het 'prijsrecht' genegeerd werd. De U-boot-oorlog had voor hem alleen kans van slagen als zijn 'wolven' handelsschepen zonder voorafgaande waarschuwing tot zinken konden brengen. Maar Hitler wilde om politieke redenen het 'prijsrecht' niet laten varen. Het werd stap voor stap uitgehold en in 1940 definitief overboord geworpen. Maar niet alleen volkenrechtelijke bepalingen baarden Dönitz kopzorgen. Onvermoeid eiste hij wat men hem niet wilde en niet kon geven: meer U-boten. Hitler vond de zeeoorlog nog altijd maar bijzaak. De U-boot-bewapening kwam maar moeizaam op gang; per maand liepen welgeteld twee U-boten van de helling. Dönitz, zienderogen gefrustreerd, zocht naar een gelegenheid om de slagvaardigheid van zijn wapen te bewijzen. Er moest onverwachts een stout stuk worden geleverd.

Op 14 oktober 1939 was het eindelijk zover. Terwijl hij jacht maakte op de vijand, drong kapitein-luitenant Günther Prien met de *U 47* ongemerkt het Heilige der Heiligen van de *Royal Navy* binnen, de zwaarbeveiligde ligplaats van de *homefleet* in de door de Orkney-eilanden omgeven binnenzee Scapa Flow, en bracht het slagschip *Royal Oak* benevens de bemanning tot zinken – een duivelse daad, waarover Hitler, zoals Dönitz schreef, 'buiten zichzelf van vreugde' was. In Berlijn werd zeeheld Prien gehuldigd zoals anders alleen de Führer. De dictator zelf ontving de commandant en zijn *crew*. Een golf van vast vertrouwen in de overwinning overspoelde het land. De slag van Scapa Flow maakt Dönitz in Engeland van de ene dag op de andere beroemd. 'Vanaf nu stond hij voortdurend met vette koppen in de krant,' herinnerde Ludovic Kennedy zich, torpedojager-commandant in de *Royal Navy*. 'Hij werd zo bekend als Göring of Goebbels. Karl Dönitz behoorde tot de beroemdste mannen in de oorlog.' En premier Winston Churchill bekende na de oorlog: 'Het enige wat ik constant vreesde, waren de Dönitz-boten.'

Priens huzarenstuk was vooral een psychologisch succes. Strategisch bekeken ging het om weinig, maar het idee dat Hitler de strijd tegen Engeland nu met meer vertrouwen tegemoet zag, was overdonderend. Dönitz werd tot *Befehlshaber der Unterseeboote*

(BdU) benoemd. Het prestige van de U-boot nam aanzienlijk toe; het was nu vooral marinechef Raeder die steeds nadrukkelijker aandrong op het voeren van de onbeperkte duikbootoorlog. Dönitz sloot zich hierbij aan. Begin december 1939 vaardigde hij bevel 154 uit: 'Geen mensen redden en meenemen. Reddingsboten van het schip negeren. Weersomstandigheden en nabijheid van land zijn van geen belang. Alleen bekommerd zijn om de eigen boot en om het streven zo snel mogelijk het volgende succes te behalen! Wij moeten hard zijn in deze oorlog. De tegenstander is de oorlog begonnen om ons te vernietigen, het gaat dus om niets anders.'

Het oorlogsmaterieel vertoonde echter enorme gebreken. Torpedoweigeringen waren bijna aan de orde van de dag. 'Ten minste dertig procent van alle gelanceerde torpedo's,' vertrouwde hij op 30 oktober 1939 zijn oorlogsdagboek toe, 'zijn blindgangers. [...] Het vertrouwen van de commandanten in hun torpedowapen moet tanende zijn. Hun aanvals- en vechtlust zal er op den duur onder te lijden hebben. Het verhelpen van de oorzaken van weigeringen is op het ogenblik het urgentste probleem van het U-boot-wapen.' Het probleem verergerde en ontwikkelde zich tot een complete torpedocrisis, die tot de eerste catastrofe voor het U-boot-wapen leidde. Tijdens de overval op Noorwegen en Denemarken weigerden alle torpedo's bij 36 aanvallen op oorlogsschepen. Dönitz riep zijn boten terug om de 'palingen' grondig te laten onderzoeken. Het resultaat ervoer ook hij als totaal ontmoedigend: 'Ik geloof niet,' klaagde hij op 15 mei 1940, 'dat ooit in de oorlogsgeschiedenis soldaten met zulke onbruikbare wapens op de vijand afgestuurd hoefden te worden.'

Wat voor Hitler vooral telde waren overwinningen te land. Met Frankrijks nederlaag lag de weg open naar de havens aan de Atlantische kust. Hiervan had Dönitz lang gedroomd. Eindelijk had hij vrij toegang tot de wereldzeeën. In het Bretonse Lorient liet hij een commandopost bouwen, het zogenoemde 'sardinekasteeltje', de strategische centrale in de slag om de Atlantische Oceaan. Langs de kust werden gigantische bunkers gebouwd. Plafonds van zeven meter dik moesten de boten tegen de bommen van de *Royal Air Force* beschermen. Het waren burchten van staal en beton, plomp en triest. Alleen de bunkers van Lorient kostten al meer dan vierhonderd miljoen rijksmark.

Nauwelijks was de crisis overwonnen, of de volgende ronde in de handelsoorlog tegen Engeland begon. Op de Britse konvooiroutes volgde slag na slag. Engeland moest worden uitgehongerd, en Dönitz kon voor het eerst met succes de roedeltactiek toepassen. Net als de wolven vielen verscheidene U-boten tegelijk aan. Op 15 augustus 1940 had Duitsland de onbeperkte duikbootoorlog aangezegd, twee dagen later de totale blokkade van het Britse eiland. De slag om de Atlantische Oceaan naderde zijn eerste hoogtepunt – een wreed duel, niet alleen met wapens, ook met woorden. 'Duitse U-boten maken jacht op de vijand,' schepte het bioscoopjournaal op. 'Hun parool luidt: Aanvallen – tot zinken brengen!'

Aanvankelijk bleek de roedeltactiek buitengewoon succesvol te zijn. Het Britse ASDIC-systeem bleek inefficiënt tegen de opgedoken aanvallende boten. Tot eind 1941 brachten Duitse U-boten bijna vierenhalf miljoen ton vijandelijke scheepsruimte tot zinken. Meer dan tienduizend Britse zeelieden waren gesneuveld – gestikt in de olie van hun zinkende schepen, in de woestijn van water omgekomen van de dorst, kort voor de redding verbrand. Met zijn strategische kwaliteiten dwong Dönitz ook bij de tegenstander respect af. 'Hij was een zeer bekwaam iemand,' oordeelde de Britse afluisterspecialist sir Harry Hinsley. 'Dönitz was zo bekwaam dat ik aan de signalen precies kon aflezen wanneer Dönitz zelf het bevel voerde over de boten. Hij was werkelijk verbazend energiek en bekwaam. Hij was de Rommel van de zeeoorlog.'

Om de troep in een goed humeur te houden, bedacht de bevelhebber van alles. Dönitz regelde treinen om zeelieden voor verlof naar huis te brengen, en voor zeer zegerijke bemanningen organiseerde hij feesten in in beslag genomen kastelen en villa's, de zogenoemde 'U-Boot-Weiden'. Dönitz spande zich in voor een goed contact met de bemanningen. Voorzover hij er tijd voor had, stond hij bij elk binnen- en uitlopen op de kade en liet het zich ook niet ontgaan om met zijn U-boot-bemanningsleden op een succesvolle jacht op de vijand te klinken. 'Zelfs de laagste man op de boten, de stoker of de gewone soldaat, was hem zeer dierbaar,' verzekerde U-boot-commandant Horst von Schroeter. Bijna elke matroos kreeg Dönitz ten minste eenmaal te zien. Zo gaf hij zijn mensen het gevoel dat hij hun zorgen en noden kende, dat ze allemaal in hetzelfde schuitje zaten. Soms gaf Dönitz daarbij ook staaltjes van zijn droge humor ten beste. '"Ik moet met jullie samen zijn, met jullie praten, jullie in de ogen kijken. Wie dit niet gelooft, krijgt er met de knuppel van langs." Waarbij hij zijn maarschalksstaf hief,' herinnerde kapitein-ter-zee Hans Rudolf Rösing zich, bevelhebber van de U-boten-West.

Zonder twijfel was Dönitz bij zijn troep niet alleen zeer gezien; hij was echt populair. 'Leeuw' of 'oom Karl' noemden ze hem.

'Geen angst voor ASDIC...' U-boot-commandant Dönitz begroet ergens aan de Atlantische kust een Japanse U-boot-officier (1944).

Het verlangen van de Engelsen om geen bloed meer te vergieten en de oorlog zo snel mogelijk te beëindigen opdat de totale wereldsituatie niet verder in zijn nadeel verandert, is groot. Des te meer kunnen wij van een opleving van de tonnageoorlog, nog afgezien van het tot zinken brengen van de schepen, ook psychologisch veel verwachten. Deze verschillende meningen, deze verschillende stromingen in Engeland laten echter duidelijk zien waar onze kracht ligt, namelijk in de enorm sterke en gesloten eenheid van ons volk.

Dönitz, 1942

Churchill heeft eens gezegd: 'Het enige waarvoor ik echt bang ben zijn Dönitz' U-boten.' Churchill had hiermee helemaal gelijk, en Dönitz deelde deze mening: 'De duikbootoorlog was de beslissende oorlog.'

Sir Harry Hinsley, Brits decoderingsspecialist

Volgens geluiden in de Britse pers gelooft Engeland blijkbaar dat het vanwege de plaatsbepalingsmogelijkheid tegen het U-boot-gevaar opgewassen is. Het moet ons doel zijn om Engeland onder alle omstandigheden in dit geloof te laten. De voor plaatsbepaling veilige U-boot en ook de samenwerking van verscheidene U-boten op één konvooi moeten Engeland zo mogelijk verrassen.

Dönitz, 1938

'U-boten, U-boten, U-boten...' Dönitz met minister van Bewapening Speer (1943).

De marine bewapenen, dat kan ik niet alleen, dat kan alleen gedaan worden met hem die over de Europese productie beslist: minister Speer. Wij hebben de productie in handen gegeven van de verantwoordelijke minister Speer, die nu tegenover de Führer en het Duitse volk ervoor verantwoordelijk is dat onze nieuwe vaartuigen op tijd klaar zijn.

Dönitz over de samenwerking met Speer, 1943

Dönitz en ik hadden het eens – misschien in de herfst van 1943 – na een bezoek aan het Führer-hoofdkwartier over deze hypnotische kracht. Beiden stelden wij tot onze verrassing vast dat wij om dezelfde reden slechts om de paar weken naar het Führer-hoofdkwartier gingen: om onze innerlijke onafhankelijkheid te behouden. Omdat wij beiden ervan overtuigd waren dat wij niet meer vrij konden werken als wij, zoals Keitel bijvoorbeeld, voortdurend bij hem in de buurt waren. Wij hadden destijds medelijden met Keitel, die zo volkomen onder zijn invloed stond dat hij nog slechts een willoos instrument was.

Speer tijdens het Neurenberger proces

Maar wederzijds vertrouwen betekende voor deze plichtsgetrouwe Pruis ook dat je van iedereen het uiterste mocht vergen. 'Dönitz gaf maar zelden een bevel,' aldus zijn stafofficier Eberhard Godt. 'Hij overtuigde je, en omdat alles wat hij wilde zeer zorgvuldig overdacht was, overtuigde hij echt. Hij zocht de discussie met iedereen die een mening had. Zonder op rang en stand te letten. Wie geen mening had, liet hij al gauw links liggen. Hij provoceerde zijn gesprekspartner om tegenargumenten te horen. Pas dan nam hij een beslissing.' Maar ondanks alle discussies – zijn bevelen bleven tot op het laatst onverbiddelijk en werden steeds vaker een doodvonnis voor de bemanningen, die in een hel leefden, terwijl ze in het onbegrensde en tijdloze universum van hun boten weken- en maandenlang jacht maakten op de vijand. Achter twintig millimeter dunne stalen wanden zaten vijftig man opeengepakt als sardientjes in een blik, gevangen in de beklemmende atmosfeer van een maritieme mijn, waarin de gedachte dat je elk moment te gronde gericht kon worden, een macabere dubbelzinnigheid kreeg. In de enorme diepten van de Atlantische Oceaan waren de bemanningen met huid en haar overgeleverd aan de bevelen van hun admiraal, die over mensen net zo gevoelloos sprak als over torpedo's of tonnages. Voor Dönitz bleven zijn mannen ondanks alle bezweringen van kameraadschap vooral materiaal dat als een machine moest functioneren: soepel en zonder te klagen.

De mannen die zijn onbarmhartige bevelen moesten opvolgen waren piepjong, de officieren begin twintig. Net als hun bevelhebber moesten zij de Engelsen haten. Maar geen van de mannen in de U-boten had ooit een vijand gezien. De vijand – dat waren masttoppen aan de horizon, die de commandant door zijn periscoop scherp in de gaten hield. De vijand – dat waren dieptebommen en het griezelige kloppen van het echolood van de tegenstander. De vijand – dat waren onafgebroken luchtaanvallen waartegen geen kruid gewassen leek. Steeds weer eiste Dönitz van de opperbevelhebber van de Luftwaffe, Hermann Göring, hulp vanuit de lucht. Maar de rijksmaarschalk, die zelf zwaar onder vuur lag, weigerde deze te geven.

Vanaf de zomer van 1943 liepen de Duitse U-boten steeds vaker in de val, gelokaliseerd door de geallieerden – een raadsel voor de Duitse legerleiding, die het kennelijk ontgaan was dat ze op 8 mei 1941 meer dan alleen de U-boot van *Athenia*-schutter Julius Lemp verloren had. Een Britse torpedojager had de *U 110* gedwongen op te duiken en geënterd. In de romp van de boot vonden de Britten een machine die voor het verloop van de oorlog doorslaggevend was: 'Enigma', de sleutel tot de geheime Duitse marinecode, was nu in geallieerde handen. Deze machine vertelde de Britse decoderingsspecialisten in Bletchley Park, de staatsschool voor code en geheimschrift in de buurt van Londen, alles wat de bevelhebber zijn commandanten via de radio meedeelde.

Dönitz had geen idee van dit lek dat de slag om de Atlantische Oceaan zou beslissen. De vijand luisterde mee! En niemand die het wist. Toen de vijand steeds vaker aan de 'grijze wolven' ontsnapte – zelfs toen een boot het konvooi van de tegenstander al gezien had –, vermoedde Dönitz verraad en liet zijn gehele staf onderzoeken – zonder resultaat. Op het laatst bleven alleen nog hij en zijn stafchef Eberhard Godt als mogelijke verraders over. 'Zal ik u doorlichten?' vroeg hij Godt. 'Of wilt u mij doorlichten?'

'Wij hoopten dat zij zouden geloven dat het aan onze superieure radartechniek lag,' vertelde sir Harry Hinsley. 'Wij sterkten de Duitsers in hun veronderstelling dat wij een soort wonderradar ontwikkeld hadden waarmee wij hun U-boten zelfs van een afstand van 100 mijl konden zien. In werkelijkheid vonden zij steeds een andere verklaring, omdat zij ervan uitgingen dat niemand hun signalen kon ontcijferen.' Tot aan het bittere einde bleef Dönitz op de waterdichtheid van de Duitse 'Enigma'-codering vertrouwen, omdat radiospecialisten hem steunden in het waanidee dat de kans op decodering hooguit een academische was. Pas in de jaren zeventig, toen Dönitz 83 jaar oud was, kwam de waarheid over het 'ongrijpbare, gevaarlijke, dreigende' aan het licht. De Britten hadden de gedecodeerde radioberichten de hoogste geheimhoudingsgraad, 'ultra', gegeven. De strijd van de Duitse U-boten was daarmee al beslist. Dönitz' boten werden geconfronteerd met een tegenstander die over een modern plaatsbepalingssysteem beschikte, qua aantallen oorlogsschepen en vliegtuigen overduidelijk superieur was en dankzij 'Enigma' wist wat de Duitse U-boot-leiding van plan was.

Voorbij was de tijd van de schitterende overwinningen. Steeds minder kwamen Dönitz' U-boten geallieerde konvooien op het spoor. Meldingen van succes werden steeds schaarser. Bovendien hadden de VS op 11 december 1941 verklaard aan de oorlog deel te nemen, wat de stemming bij de BdU nog meer verbeterde. Dönitz verklaarde de Amerikaanse kustwateren tot jachtterrein. Duitse U-boten vóór New York! De 'Operatie Paukenslag' begon op 12 januari 1942. Het torpederen van de schepen voor de oostkust van de VS werd voor de U-boot-bemanningsleden een waar 'hazenschieten'. Tot juli 1942 brachten zij 500 schepen met bemanning tot zinken. De Amerikaanse marine had hier op dat moment niets tegen in te brengen. Op de gedenkdag voor de doden van de Eerste en Tweede Wereldoorlog in 1942 werd Dönitz tot admiraal bevorderd.

De aanvankelijke successen konden echter niet worden gecontinueerd, want in de loop van 1942 verbeterde de afweer van de US-Navy en dwong de Duitse U-boten steeds verder buitengaats. Dönitz was ontevreden, zijn mensen bereikten niet wat zij moesten bereiken. Nu werd naast de schepen het tot zinken brengen van zoveel mogelijk bemanningsleden weer belangrijker. In het begin van het jaar had Hitler tegenover de Japanse ambassadeur Hiroshi Oshima benadrukt: 'Wij vechten voor ons bestaan en houden er daarom geen humanitaire gezichtspunten op na.' De opperste bevelhebber weigerde schipbreukelingen van de vijand te redden, en ook Dönitz doodde aan de kaartentafel. In mei legde hij in een lezing het accent op de verbeterde torpedo-ontstekingen, die 'het grote voordeel hebben dat door het zeer snelle zinken van het getorpedeerde schip de bemanning zich niet meer kan redden.' De oorlog verhardde steeds meer, en daardoor verhardde ook Dönitz. Elke eerbiediging van de militair zedelijke geboden in het gevecht, die hij in de herfst van 1939 in een memorandum nog zelf geëist had, schoot er nu bij in. Een mooi voorbeeld hiervan is het geval *Laconia*. Toen de *U 156* medio september 1942 het Britse troepentransportschip tot zinken had gebracht, ontdekte commandant Werner Hartenstein dat zich aan boord van de *Laconia* ook krijgsgevangenen uit bondgenootschappelijke landen bevonden. Met vier geheel volle reddingsboten op sleeptouw voer de Duitse U-boot onder de Rode-Kruisvlag en werd toch door geallieerde bommenwerpers aangevallen. Het redden van schipbreukelingen moest worden gestaakt.

Dönitz reageerde: op 17 september 1942 kregen alle U-bootcommandanten het beruchte '*Laconia*-bevel'. Hierin verbood de chef van de U-boten nadrukkelijk de redding van vijandelijke schipbreukelingen. 'Redding,' zo luidde de motivering, 'is in strijd met de meest primitieve eisen van de oorlogsvoering na vernietiging van vijandelijke schepen en bemanningen.' Alleen kapiteins en bepaalde, uitgeselecteerde schipbreukelingen mochten nog worden opgepikt: menselijkheid was insubordinatie geworden. In de getuigenbank van Neurenberg rechtvaardigde hij het '*Laconia*-bevel' met de plicht om zijn bemanningen te beschermen. Hulpverlening had volgens hem beslist de dood betekend. Kort na het *Laconia*-incident spoorde Dönitz zijn bemanningen

'*Wij zijn allemaal zielige onbenullen...' Dönitz (tussen Hitler en Mussolini) na de aanslag op Hitler in de Wolfsburcht.*

Waarschijnlijk denken zij dat daar alleen maar brave burgers zitten die de huidige Staat ongewenst acht, zonder te weten dat de kampbevolking voor 99% uit misdadigers bestaat die gemiddeld vijf jaar tuchthuis hebben, die de vroegere Staat vrij heeft laten rondlopen – tot aan hun volgende moord, zedenmisdrijf of zware gewelddaad, en voor hun arrestatie kunnen wij tegenwoordig niet dankbaar genoeg zijn omdat wij daaraan de veiligheid van onze gezinnen en ons gehele openbare leven te danken hebben.

Dönitz over het plan van de samenzweerders van 20 juli 1944 om alle concentratiekampen te openen

Wij wisten allemaal dat er concentratiekampen waren. Daarin werden nu eenmaal communisten opgesloten die dan in fabrieken moesten werken. Maar dat zij systematisch werden uitgeroeid, dat wist althans bij de marine niemand. Ook Dönitz niet. Hij was niet iemand die loog.

Reinhard Hardegen, U-boot-commandant

In veel gesprekken heeft hij tegenover mij altijd ontkend van de concentratiekampen geweten te hebben. Het is natuurlijk de vraag wat hij had moeten of had kunnen weten. Hij wist waarschijnlijk meer dan de meeste gewone burgers.

Klaus Hessler, Dönitz' kleinzoon

aan om reddingsschepen die konvooien van de tegenstander begeleidden, tot zinken te brengen. Met het oog op de gewenste vernietiging van de bemanningen van schepen zou dit van groot belang zijn. In die zin peperde hij zijn mannen ook in: 'Hard zijn. Eraan denken dat de vijand bij zijn bombardementen op Duitse steden vrouwen en kinderen niet ontziet.'

Dönitz gaf weliswaar geen direct bevel om te doden, maar zijn mannen konden zich ertoe verplicht voelen. Hij gelastte het moorden niet uitdrukkelijk, maar hij schiep een moorddadig klimaat waarin onmenselijkheid gedijde. Voor zijn carrière waren vooral deze twijfelachtige kwaliteiten nuttig. Zijn prestige werd sowieso groter naarmate het U-boot-wapen in de zeeoorlog belangrijker werd. Toen Hitler, die ondertussen op bijna alle fronten in het defensief was, nauwelijks een generaal meer vertrouwde, bond hij de admiraal nog meer aan zich en benoemde hem op 30 januari 1943 tot opperbevelhebber van de marine. Nu behoorde Dönitz tot de kring van Hitlers naaste vertrouwelingen. Hij was opgeschoven naar het eerste gelid en een belangrijke machtsfactor geworden in de groep van Hitlers beulen. Tot aan de ineenstorting zou hij niet meer van de zijde van zijn Führer wijken.

Met het opperbevel over de marine had Dönitz, zonder erop gerekend te hebben, de hoogste wijding ontvangen. Nu hij bevorderd was tot chef van een zelfstandig onderdeel van de Wehrmacht, was zijn pretentie dat hij slechts een apolitieke soldaat was, een illusie geworden. De Wehrmacht was voor het karretje van een politieke ideologie gespannen. Als bevelhebber van een krijgsmachtonderdeel kon Dönitz zich echter niet afzijdig houden, zelfs al zou hij dit gewild hebben. Met zijn bevordering was echter ook een cruciale beslissing in de zeeoorlog gevallen: Raeder, Dönitz' ambtsvoorganger, had de bouw en inzet van linieschepen bevorderd. De opperbevelhebber van de Vloot echter verleende prioriteit aan U-boten als een klein en snel wapen.

Dönitz was nu baas in eigen huis. Zijn credo werd het maxime van de marine. 'Ons leven behoort de Staat toe. Onze eer ligt in onze plichtsvervulling en in onze bereidheid om ons in te zetten. Niemand van ons heeft recht op een privé-leven. Het gaat erom de oorlog te winnen. Dit doel moeten wij met een verbeten overgave en met een keiharde vechtlust nastreven.' Zijn horizon moest noodzakelijk verder reiken dan het U-boot-wapen. Alle acties van de marine moesten gecoördineerd worden, en al snel bleek op wat voor een ongunstig tijdstip hij tot chef van de marineleiding benoemd was. Eigenlijk kon hij de nederlaag telkens alleen nog maar uitstellen. Duitsland had in alle windstreken het initiatief verloren: de fronten in het oosten en zuiden werden danig in het nauw gebracht, aan het thuisfront losten geallieerde bommenwerpers steeds vaker hun dodelijke lading boven Duitse steden, maar Dönitz geloofde nog steeds, zoals hij in zijn eerste order schreef, dat de oorlog gewonnen kon worden.

Zijn recepten tegen de vijandelijke overmacht bleven even simpel als fantasieloos: trefwoorden als 'fanatisme' en 'meedogenloosheid' behoorden nu tot zijn standaardvocabulaire. Peilen of er vredeskansen waren noemde hij zinloos; alleen al de gedachte aan capitulatie was in zijn ogen misdadig. Dönitz verbond zijn lot onvoorwaardelijk aan Hitler. Vanuit Koralle, zijn hoofdkwartier in de bossen van Berlijn, onderhield hij nauw contact met de dictator. Had Dönitz zijn gebieder tot dusver pas negenmaal persoonlijk ontmoet, na zijn benoeming tot opperbevelhebber bracht hij hem in totaal 119 bezoeken. Het volk had al een nieuwe bijnaam paraat: *Hitlerjunge Dönitz*. Een van Dönitz' biografen wist de sterke band tussen Hitler en Dönitz raak te karakteriseren met *Juniorpartnerschaft*: Hitler, de baas, en Dönitz, de helper – een bedrijf op basis van wederkerigheid. Hitler had een betrouwbaar iemand gevonden die plaatsvervangend aan zijn verplichtingen voldeed en Dönitz het schouderklopje van iemand die zijn voorbeeld was. Zoals bij alle paladijnen had ook bij Dönitz het geloof in Hitler irreële trekken. 'De enorme kracht die de Führer uitstraalt, zijn rotsvaste vertrouwen, zijn vooruitziende blik [...] heeft in deze dagen zeer duidelijk gemaakt,' schreef hij in augustus 1943 na een ontmoeting met Hitler, 'dat wij met z'n allen in vergelijking met de Führer maar zeer armzalige nullen zijn, dat onze kennis, onze kijk op de dingen vanuit ons beperkte wereldje broddelwerk is. Iedereen die gelooft het beter te kunnen dan de Führer, is dom.'

Zelf beschermd door enorme betonnen muren, joeg hij vanuit zijn hoofdkwartier Koralle zijn onbeschermde U-boten een slag in die allang verloren was. Want nu vertoonden de nieuwe Britse radarapparaten hun dodelijke werking: in mei 1943 verloor Dönitz in één klap 41 boten – tweeduizend U-boot-mannen stierven, onder wie Dönitz' zoon Peter. De Duitse boten hadden, nadat eerder al Enigma in handen van de vijand was gevallen, nauwelijks nog een kans om behouden in de thuishavens terug te keren. Het tij in de slag om de Atlantische Oceaan was gekeerd.

In deze fase was één gewonnen konvooislag al voldoende om in de Goebbeliaanse propaganda hymnisch tot held verheven te worden. Op 6 april 1943 kreeg Dönitz de *Eichenlaub zum Ritterkreuz*-orde, maar dat de U-boten de ondergang tegemoet voeren kon hij niet voorkomen. Het Westen stuurde steeds meer bommenwerpers ter ondersteuning, en toen het luchtruim boven de Atlantische Oceaan zich sloot, was op deze wereldzee geen enkele plek meer veilig. Als de U-boten niet op tijd onderdoken, voeren ze hun ondergang tegemoet. Maand na maand brachten geallieerde duikbootjagers tientallen Duitse boten tot zinken.

Dönitz kreeg zijn eerste twijfels. 'Ik ben bang,' schreef hij in zijn oorlogsdagboek, 'dat de duikbootoorlog een fiasco wordt als het ons niet lukt om het surplus dat de tegenstander inmiddels heeft tot zinken te brengen.' Pas nu werd er naar Dönitz geluisterd. Albert Speer, Hitlers nieuwe minister van Bewapening, gaf absolute voorrang aan de bouw van U-boten. Dönitz stelde zijn hoop op nieuwe typen U-boten, op elektrische boten, die sneller en langer konden duiken. Zulke wonderboten deden hem tot op het laatst op een ommekeer hopen. In werkelijkheid was zijn roedeltactiek door de technische superioriteit van de tegenstander allang achterhaald. Toen de verliezen volkomen ondraaglijk werden, onderbrak Dönitz op 24 mei 1943 – tijdelijk – de slag in de Atlantische Oceaan. Zijn vader had hem geleerd: 'Maak af wat je begonnen bent.'

Al in de herfst moesten de U-boten in de Atlantische Oceaan weer gaan jagen op de vijand, wat gelijkstond met zelfmoord. 'Het Duitse volk voelt allang,' schreef hij aan zijn officieren, 'dat ons wapen het krachtigste en beslissendste is, en dat de afloop van de oorlog afhangt van het slagen of mislukken van de slag om de Atlantische Oceaan.' De gevaarlijkste tegenstanders van 'zijn' U-boten, de geallieerde bommenwerpers, kon Dönitz echter geen tegenstand te bieden. Maar wat zijn voorganger Raeder in jaren niet voor elkaar had gekregen, lukte Dönitz wel. Hij dwong zijn tegenstribbelende rivaal Göring om met de marine één lijn te trekken – een vergeefse overwinning. Voor een gemeenschappelijke bestrijding van konvooien was het al te laat. Göring was in de marine allang het voorwerp van bijtende spot geworden. De chef van de Luftwaffe werd doodgraver van het Rijk genoemd.

Alle nederlagen ten spijt bleef Dönitz onafgebroken ambitieuze plannen bedenken. Nog altijd sprak hij van de zege die zijn boten zouden behalen. Met een onverbiddelijk fanatisme joeg hij zijn bemanningen onbarmhartige konvooislagen in en bleef maar beweren zich nauw met zijn mannen verbonden te voelen. Boven alle bezweringen van kameraadschap stond echter steeds zijn onvoorwaardelijke loyaliteit aan Hitler. Op hem had de officier een eed afgelegd; hem ontrouw te worden was uit de boze. 'Het komt er gewoonweg op aan met alle hardheid vol te houden,' merkte hij in de nazomer van 1943 in een lezing laconiek op.

Hardheid was de markantste karaktereigenschap van Karl Dönitz. Hardheid werd hem in zijn opleiding als deugd gepredikt; hardheid toonde hij bij de moordpartij op Röhm en andere politieke tegenstanders; tot hardheid verplichtte hij ook zijn mensen. Strategisch onhoudbare situaties bestonden voor hem niet. Hoe meer de toestand aan de fronten zich toespitste, des te meer ontpopte Dönitz zich als de apostel die het volhouden predikte, die als een gebedsmolen zijn favoriete parool herhaalde, namelijk dat het er alleen nog maar om ging deze ene periode van ontberingen te doorstaan. Nog in april 1945 zou Dönitz zich tegen een voortijdige capitulatie uitspreken, want 'onverwachte politieke wendingen en andere gebeurtenissen zouden in de oorlog, zoals de geschiedenis leert, ook bijna hopeloze situaties nog kunnen veranderen'. Hardheid als doel op zichzelf, privé zowel als professioneel: het nieuws van de dood van zijn broer in augustus 1943 nam hij uiterlijk onbewogen voor kennisgeving aan.

Met een meedogenloze hardheid propageerde Dönitz de totale oorlog. Kritiek en gekanker brandmerkte hij op 9 september 1943 zelfs in een eigen decreet. 'De Führer,' zo schreef hij, 'heeft door de nationaal-socialistische wereldbeschouwing de vaste grondslag voor de eenheid van het Duitse volk gelegd. Het is in deze fase van de oorlog ons aller taak om deze kostbare eenheid door hardheid, geduld en standvastigheid, door te vechten, te werken en te zwijgen te waarborgen.' Tegenspraak vond Dönitz weerzinwekkend. Kritiek was verraad. Over de terreur aan het front en in het vaderland moest het stilzwijgen worden bewaard. Wie klaagde moest wegens ondermijning van de weerbaarheid onverbiddelijk door de krijgsraad ter verantwoording worden geroepen. Waarom dit decreet? Dönitz wilde geruchten over de gruweldaden van de Wehrmacht en de SS tegengaan. Dat moordacties tegen joden, Polen, krijgsgevangenen in het oosten aan de orde van de dag waren, moet ook Dönitz hebben geweten. De chef van de marineleiding had een te hoge positie in de nationaal-socialistische hiërarchie om onwetend te kunnen blijven. 'De blik op het water' gericht, zo werd Dönitz' leven vaak stereotiep beschreven. Veel dichter bij de waarheid komt wat admiraal Hans Voß over Dönitz te vertellen had. Stafofficieren zouden de opperbevelhebber van de Vloot meermaals hebben aangemoedigd om bij Hitler tegen de misdaden in het oosten te protesteren. 'Dönitz antwoordde ons: "Ik kijk wel uit om mijn goede verstandhouding met de Führer op het spel te zetten."'

Dat Dönitz van het geheime project van de moord op de joden ten minste afwist, daar wijst een dienstreis in de herfst van 1943 naar Poznan op. Voor de bijeengekomen gouwleiders en hoge functionarissen hield ook Dönitz een referaat, voordat Heinrich Himmler, de *Reichsführer*-SS, als belangrijkste spreker het woord nam. Himmler sprak van 'een nooit te schrijven roemvolle bladzijde in onze geschiedenis', een geheim dat alle aanwezigen in hun graf moesten meenemen. Hij jammerde dat het een verschrikkelijk karwei was, en ten slotte zei hij onverholen waar het om ging: de uitroeiing van de joden. Letterlijk zei Himmler: 'U vindt het allemaal vanzelfsprekend dat er in uw gouw geen joden meer zijn. Alle Duitsers, enkele uitzonderingen daargelaten, zien ook duidelijk in dat wij deze oorlog, waarin systematisch gebombardeerd wordt, dat wij de druk van het vierde en wellicht ook van het komende, vijfde en zesde oorlogsjaar niet hadden kunnen weerstaan als deze pest ons volkslichaam nog steeds zou teisteren.' Onder de toehoorders heerste een gevoel van beklemming. 'We zaten zwijgend aan tafel, vermeden elkaars blik,' herinnerde rijksjeugdleider Baldur von Schirach zich. En Dönitz? Na de oorlog beweerde hij nadrukkelijk Himmlers betoog niet gehoord te hebben dat hij voortijdig had moeten vertrekken. Marinekameraden dekten hun meerdere en zeiden Dönitz nog diezelfde avond in Berlijn gezien te hebben. De waarheid of een leugen om hem te redden? Definitieve bewijzen ontbreken.

Inderdaad had de opperbevelhebber van de marine zijn blik vooral op het water gericht, waar de situatie zich dagelijks toespitste. Het was hem ook duidelijk geworden dat voortaan elke boot het effect van de gehele vijandelijke afweer moest dragen. Eens te meer klaagde hij over de gebrekkige samenwerking met Görings Luftwaffe, en eens te meer drong hij er ook bij Hitler op aan om nog meer U-boten in te zetten en de luchtverkenning boven de Atlantische Oceaan te versterken. Dönitz verdedigde zijn eisen hardnekkig, en hierdoor werd hij in de kring van de Führer, die zich bij voorkeur met jaknikkers omgaf, een zeldzame verschijning. De chef van de marineleiding formuleerde zijn standpunt met een niet mis te verstane nadruk en maakte duidelijk, als ervaren officier zelf in zijn ressort te willen beslissen. Anders dan

'Een rots van verzet...' Dönitz met Keitel en Göring op de Gedenkdag van de Helden, maart 1945, in Berlijn.

In het begin was ik enthousiast over Dönitz, omdat ik dacht dat hij een man van principes was. Ik zag in hem een admiraal die zich baseerde op Moltke: een streng, maar trouw en vooral bekwaam admiraal. Maar toen is hij een verschrikkelijke nazi geworden. Ik zag al gauw dat hij een bekrompen man van een miserabele beschaving was. Op het laatst beschouwde ik hem slechts nog als een bode van de dood van de ergste soort – als een Partijbons zoals je je die niet erger kan voorstellen. Dönitz was in alle opzichten iemand bij Hitlers genade.

Lothar-Günther Buchheim [Duits oorlogsfotograaf – vert.]

Dönitz en Göring: wat een verschil! Beiden hebben bij hun onderdelen met tegenspoed te kampen gehad. Göring heeft erin berust en is eraan te gronde gegaan. Dönitz heeft hem overwonnen.

Goebbels (dagboek), 1945

andere paladijnen schrok Dönitz er ook niet voor terug om Hitler jobstijdingen mede te delen. 'In een stafbespreking moest hij eens iets negatiefs melden,' herinnerde U-boot-commandant Von Schroeter zich. 'Hitler hoorde dit in alle rust aan en zei toen tegen zijn omgeving: "Ik wou dat iedereen mij zo correct informeerde."'

Op een man als Dönitz kon Hitler bouwen. Genadeloos eiste de chef van de marineleiding van zijn troep om tot en met de ondergang door te vechten. Iemand als Dönitz was aan Hitler verwant – twee mannen die in dezelfde pas liepen. 'Het is dus noodzakelijk,' verlangde Dönitz eind 1943 van zijn vlagofficieren, 'dat de soldaat met zijn volledig verstandelijke vermogen, zijn psychische kracht en met zijn wilskracht achter de vervulde plicht staat. En daar hoort zijn overtuiging bij, zijn wereldbeschouwing.' Gespierde taal alleen was niet voldoende om het verminderde effect van de wapens te compenseren. Dönitz verviel in een blinde dadendrang. De *Scharnhorst*, het laatste intacte linieschip van het Rijk, gaf hij het bevel om in de noordelijke Atlantische Oceaan een geallieerd konvooi aan te vallen – een zelfmoordopdracht die tot mislukking gedoemd was.

Dönitz had bij Hitler een ereschuld te vereffenen. Eigenlijk wilde de dictator de linieschepen het liefst tot schroot verwerken, wat Dönitz verkeerd vond. Op 26 februari 1943 overtuigde de 'juniorpartner' de opperste bevelhebber in het Führer-hoofdkwartier ervan schepen als de *Scharnhorst* en de *Tirpitz* niet te slopen, maar te blijven gebruiken. 'We zullen zien wie er gelijk heeft,' zou Hitler volgens marineadjudant Jesko von Puttkamer gezegd hebben. 'Ik geef hem zes maanden om te bewijzen dat de linieschepen nog steeds ergens voor deugen.'

Met Kerstmis 1943 deed zich eindelijk de gelegenheid voor om, zoals het in het oorlogsdagboek stond, 'een belangrijke bijdrage te leveren om de gespannen situatie aan het oostfront te ontlasten'. Noch ongunstige weerberichten noch negatieve adviezen van het marineopperbevel-Noord deden Dönitz ervan afzien de kapitein van de *Scharnhorst* een noodlottig bevel te geven. De stemming aan boord was op dat moment nog vredig. De bemanning vierde kerst. 'We hadden versierde dennenbomen, kleine geschenken en de post van thuis werd verdeeld,' herinnerde scheepswerktuigkundige Herbert Reimann zich. 'Maar er hing een bepaalde sfeer, alsof de mensen voelden dat er iets zou gaan gebeuren. Er heerste een merkwaardige onrust.' Toen, op eerste kerstdag, gebeurde het volgende, waarvoor alleen Dönitz de verantwoording droeg: geallieerde torpedo's troffen de romp van de *Scharnhorst*. Tweeduizend zeelieden stierven, slechts 36 overleefden de aanval. Een van hen was Herbert Reimann, die de dramatische laatste uren op de *Scharnhorst* nooit heeft kunnen vergeten. 'Alles verliep heel rustig, maar ik hoorde het driewerf hoera dat talrijke matrozen in het water uitbrachten op het schip, en meteen daarop het lied *Auf einem Seemannsgrab, da blühen keine Rosen*.'

Over de ondergang van de *Scharnhorst* was Dönitz weliswaar 'buitengewoon ontsteld', zoals zijn adjudant, luitenant-ter-zee eerste klasse Jan-Heinrich Hansen-Nootbar, constateerde, maar eigen fouten wilde hij niet toegeven. In plaats daarvan probeerde hij Hitler te doen geloven dat vlootvoogd admiraal Erich Bey de schuldige was, want deze zou de kracht van de tegenstander verkeerd hebben ingeschat en ondanks de nabijheid van het konvooi de gunstige gelegenheid niet hebben benut. Dönitz had zijn zondebok gevonden. Hitlers beul hield koers: 'Een moeilijk jaar ligt achter ons,' schreef hij in zijn nieuwjaarsbevel van 1944 aan de marine. 'Het heeft ons Duitsers hardgemaakt zoals nog geen generatie voor ons. Wat het lot in het komende jaar ook van ons mag eisen, wij zullen het doorstaan, eensgezind in de wil, onwankelbaar in de trouw, fanatiek in het geloof in onze overwinning. [...] De Führer toont ons de weg en het doel. Wij volgen hem met goed en bloed op de weg naar een grootse Duitse toekomst.' Is dit de taal van een apolitieke soldaat?

Hoe wanhopiger de oorlogssituatie werd, des te vaster verbond Dönitz zichzelf en zijn mannen aan Hitler. Tegenover ingehouden klagen en mopperen, zoals op een bijeenkomst van vlagofficieren in februari 1944, stelde hij krachtige beloften. Natuurlijk zou Duitsland winnen, als eerst de nieuwe U-boten maar werden ingezet. Tot het zover was, zouden fanatisme, geloof en gehoorzaamheid helpen. 'Hij die hiertegen zondigt, en daarmee ook tegen zijn volk, zal ik persoonlijk kapotmaken,' zei hij met een krakende stem. Aankomende officieren moesten in de nationaal-socialistische geest worden opgevoed, want: 'De officier is de exponent van de staat: de kletspraat dat de officier apolitiek zou zijn is klinkklare onzin.' Dönitz – een apolitieke soldaat?

Hitlers volgeling was al snel gewend aan zijn nieuwe propagandarol. Zijn redevoeringen stroomden over van ideologie, en hij greep elke gelegenheid aan om zijn Führer zijn diensten als betrouwbare vazal aan te bieden. Hitler sloeg het met welgevallen gade. Omdat hij ervoor terugdeinsde om in het openbaar te verschijnen en te spreken, gaf hij Dönitz opdracht om in zijn plaats de traditionele toespraak op de gedenkdag voor de doden van de Eerste en Tweede Wereldoorlog van 1944 te houden. De spreker maakte gretig gebruik van het arsenaal van propagandaleuzen. In deze door de vijand opgedrongen oorlog, zo ging de chef van de marineleiding tekeer, ging het 'om het voortbestaan of om de uitroeiing van ons volk. Hoe zou het met ons Duitse volk gaan als de Führer niet tien jaar geleden de Wehrmacht had opgericht, die als enige in staat is om de stormaanval van onze vijanden op Europa af te weren?' vroeg hij, om meteen zelf het antwoord te geven: 'De vloed van bolsjewisten [...] zou ons volk hebben uitgeroeid en de Europese beschaving hebben weggespoeld.' Alsof hij Hitler nog wilde overtreffen beschimpte Dönitz het 'oplossende gif van het jodendom'. Leugen en vervalsing, hetze en cynisme – Dönitz profileerde zich als een beul die tot alles bereid leek. Hitler en Dönitz, dat was een verbond tegen de rede.

Gebeurtenissen of omstandigheden die zijn geloof in het genie van de Führer aan het wankelen konden brengen, schoof hij aan de kant. Hij sloot zijn ogen voor de realiteit van de naderende nederlaag en rook de grote kans voor zijn U-boten om zich te bewijzen tijdens een geallieerde invasie in het westen. 'Elk vijandelijk vaartuig dat wordt gebruikt voor de landing,' beval hij zijn commandanten op 11 april 1944, 'is een doelwit dat de volledige inzet van de U-boot vereist. Het moet worden aangevallen, ook op het gevaar af zelf ten onder te gaan.' Het bevel droeg als ondubbelzinnig opschrift 'Meedogenloze aanval' – een lippendienst aan Hitler. De werkelijkheid was echter anders. Tijdens de invasie offerde Dönitz zijn boten geenszins op.

Naar buiten toe speelde Dönitz graag de harde man. Wat er in hem omging liet hij maar zelden merken. Toen hij op de avond van 14 mei 1944 van de dood van zijn tweede zoon Klaus hoorde, ging hij aan het bed van zijn dochter Ursula zitten. 'Wij hebben daar hand in hand gezeten en geen woord gezegd. De dood van zijn zonen heeft hem diep getroffen.' Er kwam geen enkele jammerklacht over zijn lippen. Zijn zonen, zei Dönitz na de oorlog tegen zijn kleinzoon Klaus Hessler, waren de heldendood gestorven terwijl zij hun plicht vervulden. Alle slagen van het noodlot ten spijt – Dönitz bleef dienen alsof er niets gebeurd was. Bijna leek het erop dat hij in de hardheid jegens zichzelf en anderen steun gevonden had.

Toen ten slotte op 6 juni 1944 noch 'zijn' U-boten noch zijn torpedojagers en motortorpedoboten de invasie van de geallieerde troepen konden verhinderen, was Dönitz toch op de een of ande-

'Aanvallen – erop af – tot zinken brengen...' Dönitz op bezoek op een Duitse boot op een vooruitgeschoven positie (januari 1945).

Zo moet de eenheid van onze marine in deze oorlog bewaard blijven. Dit is de beste bijdrage die wij kunnen leveren om de huidige crisis te keren. Nooit is een situatie zo dat ze niet door een heroïsche houding verbeterd kan worden. Zeker is dat elke tegenovergestelde houding ontbinding en daarmee chaos en een onuitwisbare schande betekent.

Dönitz, 1945

Wat maakt Dönitz toch een fantastische, imponerende indruk. Zoals de Führer tegen mij zei, is hij de beste man van zijn krijgsmachtonderdeel. Je hoeft maar te kijken naar de zonder uitzondering bevredigende resultaten die hij met de marine geboekt heeft.

Goebbels (dagboek), 1945

Dönitz eiste zeer veel van ons jongelui. Maar hij toonde ook veel begrip als wij bijvoorbeeld een fout maakten. Op de een of andere manier kreeg hij het voor elkaar om mannen om zich heen te verzamelen die allemaal zeer op elkaar leken. Wie zich niet goed aanpaste, lag er al snel weer uit. Vooral met zijn U-boot-bemanningsleden had hij een unieke verstandhouding. Ik hoorde hem eens zeggen: 'Ik moet met jullie samen zijn, steeds weer met jullie praten, jullie in de ogen kijken.' Tegen de soldaten van andere eenheden kon hij nooit zo hartelijk zijn.

Hans-Rudolf Rösing, bevelhebber van de U-boten-West

re manier opgelucht dat er eindelijk duidelijkheid heerste: 'Het Tweede Front is er.' Andere officieren spanden zich in om aan het uitzichtloze moorden aan de fronten een einde te maken, terwijl Dönitz, nadat op 20 juli 1944 de aanslag op Hitler mislukt was, opnieuw een mogelijkheid zag om zijn onvoorwaardelijke trouw aan de Führer te bewijzen. 'Soldaten van de marine,' proclameerde hij nog diezelfde avond, 'de laaghartige moordaanslag op de Führer vervult eenieder van ons met heilige toorn en verbitterde woede jegens onze misdadige vijanden en hun beulsknechten.' Hitlers redding noemde hij het werk van de voorzienigheid en 'opnieuw een bevestiging van de rechtvaardigheid van onze strijd'. De conclusie was kenmerkend voor zijn fanatisme: 'Wij zullen ons alleen maar dichter om de Führer scharen, wij zullen alleen maar harder vechten, net zolang tot wij gewonnen hebben.' Niemand moest aan zijn loyaliteit kunnen twijfelen. Nog op de dag van de aanslag stelde hij voor de marine de Hitlergroet verplicht.

Pas decennia later liet Dönitz zien vagelijk tot inzicht gekomen te zijn. 'Je had geen idee van de feiten die de verzetsmensen kenden en hen tot handelen bewogen,' schreef hij na zijn gevangenschap in Spandau, om in één adem het misdadige plan om alle concentratiekampen te openen, met verachting te bespotten. 'Waarschijnlijk denken zij dat daar alleen maar brave burgers zitten die de huidige Staat ongewenst acht, zonder te weten dat de kampbevolking voor 99 procent uit misdadigers bestaat die gemiddeld vijf jaar tuchthuis hebben, die de vroegere Staat vrij heeft laten rondlopen, tot aan hun volgende moord, zedenmisdrijf of zware gewelddaad, en voor hun arrestatie kunnen wij tegenwoordig niet dankbaar genoeg zijn omdat wij daaraan de veiligheid van onze gezinnen en ons gehele openbare leven te danken hebben.' Terwijl de gevolgen van zijn bewapeningseisen voor Dönitz niet verborgen gebleven kunnen zijn. Hij wist dat de concentratiekampgevangenen slachtoffers en geen daders van duizendvoudige doodslag waren. Het kon hem niet schelen dat zij onder onmenselijke omstandigheden dwangarbeid op de U-boot-werven moesten verrichten. 'Ik zou nog liever aarde vreten,' zei hij op 15 februari 1944 voor een gehoor van vlagofficieren, 'dan dat mijn kleinkinderen in de joodse geest en smerigheid worden opgevoed en vergiftigd en dat de zuiverheid van de huidige kunst, cultuur en het huidige onderwijs [...] weer in joodse handen zou komen.' Lange tijd ontbrak deze redevoering in de dossiers. Pas in de jaren vijftig dook het enige afschrift ervan op. Tegen de pogroms in de

Reichskristallnacht van 8 op 9 november 1938 had hij nog mondeling bij zijn superieur geprotesteerd. Zes jaar later maakte hij van zijn jodenhaat geen geheim. Alleen al enige opmerkelijke presentjes aan zijn U-boot-commandanten ontmaskerden hem als medeweter. Adolf Clasen, luitenant-ter-zee, zag met eigen ogen een zeemanskist met honderden horloges. 'Op het teruggeklapte deksel stond op een plaatje: *Geschenk des BdU für seine U-Bootfahrer*. Wij voelden ons beklemd, akelig, omdat wij deze horloges niet konden thuisbrengen. Wij hadden instinctief het gevoel dat deze berg horloges iets te maken moest hebben met rechteloosheid en geweld.'

Dönitz dreef het cynisme op de spits met zijn eis dat men op een fanatieke wijze moest kunnen sterven. Wie dit niet wilde moest verdwijnen. Iedere soldaat moest volgens hem op zijn plek met een niets en niemand ontziende hardheid zijn taken vervullen [...] en fanatiek achter de nationaal-socialistische Staat staan. Het leger moest 'fanatiek gehecht zijn aan de man aan wie het trouw gezworen had, want anders lijdt zo'n leger schipbreuk. [..] Aan wie moeten wij ons dan met hart en ziel overgeven? Door het ontbreken ervan, hebben delen van de Generale Staf gefaald,' hield hij de mannen van de 20ste juli voor. Hij stelde naar waarheid vast: 'Zij waren niet met hart en ziel aan de Führer gehecht.' Nog jaren later beweerde hij dat deze van haat vervulde rede bedoeld was om de integratie te bevorderen. Hij had naar eigen zeggen slechts duidelijk willen maken 'dat het noodzakelijk was dat het volk als één man achter het staatsbestuur stond'.

Dönitz was onvoorwaardelijk trouw aan Hitler, ook al leek de situatie nog zo uitzichtloos. Toen minister van Bewapening Albert Speer Dönitz in februari 1945 op de hopeloosheid van de algehele oorlogssituatie wees en hem opriep het initiatief te nemen, beet hij terug: 'Ik vertegenwoordig hier alleen de marine, de rest is niet mijn zaak. De Führer zal wel weten wat hij doet.'

Voor materiaal en grondstoffen vocht Dönitz nog toen er allang niets meer te verdelen was. Tegenover de opperste bevelhebber werd hij niet moe om overdreven optimistische voorspellingen en beloften te doen. Zelfs toen de rijkshoofdstad al onder het trommelvuur van het Rode Leger lag, fantaseerde Dönitz over een mogelijke kentering in de U-boot-oorlog 'als wij de havens van Biskaje nog in ons bezit hadden'. Een dergelijke geflatteerde voorstelling was helemaal naar Hitlers smaak. Verbeten klampten beiden, Hitler en Dönitz, zich vast aan elke strohalm die redding beloofde.

In maart 1945 besloot Hitler, chronisch wantrouwig tegen generaals, om voortaan alleen nog maar marineofficieren als vestingcommandanten in het westen in te zetten 'omdat al veel vestingen, maar nog geen enkel schip verloren is gegaan zonder dat er tot het bittere einde gevochten is'. Toen in het westen de soldaten al massaal deserteerden, streden Dönitz' mannen onverzettelijk voor een verloren zaak. De opperbevelhebber van de Vloot joeg zijn mannen genadeloos de dood in – van de veelvuldig bezworen kameraadschap was niets te merken. Met bevelen als zweepslagen hitste hij U-boten, motortorpedoboten en zogenoemde *Kleinkampfmittel* op tegen de geallieerden. Alleen al in de lente van 1945 stierven bijna vijfduizend Duitse U-boot-mannen.

Omdat nu ook de laatste brandstofreserves opraakten, stuurde Dönitz zijn zeelieden de landoorlog in. Marine-infanteriedivisies moesten het front versterken, maar de wanhopige pogingen eindigden in een bloedbad. 'Wij soldaten van de marine weten hoe wij moeten handelen,' predikte Dönitz nog begin april 1945. 'Onze militaire plicht, die wij, wat er om ons heen ook allemaal gebeurt, onverstoorbaar vervullen, doet ons pal staan als een rots van verzet, dapper, hard en trouw.'

Maar weinigen vertrouwde Hitler in de eindfase zo als de trouwe Dönitz. Overal bespeurde de dictator verraad. Hij hekelde Görings onbekwaamheid, Himmlers bereidheid tot vrede, Keitels falen. Maar de chef van de marineleiding sprak hij zelfs in de grootste razernij correct met 'mijnheer de admiraal' aan. Dönitz betuigde dank met holle beloftes van trouw. 'Uiterlijk over een jaar, misschien nog dit jaar zal Europa inzien dat Adolf Hitler in Europa de enige politicus van formaat is,' schepte hij medio april op. 'Al dat negatieve gepieker is onvruchtbaar en onjuist. Dit kan niet anders, want het is uit zwakte voortgekomen en lafheid en zwakte maken dom en blind.' Deze *Nibelungen*-trouw aan de Führer betekende het doodvonnis voor veel van zijn mannen. Eén november 1918, zo had ook hij gezworen, mocht nooit weerkeren. Met dit in gedachten, beval hij: 'De eer van onze vlag is ons heilig. Niemand die erover peinst zijn schip over te dragen. Liever eervol ten onder gaan.' Zelfs moorden van Duitsers op Duitsers hadden in deze apocalyps zijn volledige instemming. Toen hem ter ore kwam dat in een Australisch gevangenenkamp de kampoudste communistische kameraden had laten doodschieten, beloofde hij, de verantwoordelijke met alle middelen te steunen, zoals Hitler hem, Karl Dönitz, gesteund had.

'De Führer in Berlijn bevrijden...' Dönitz voor marine-soldaten (1945).

Dönitz heeft steeds weer bewezen hoe snel hij zich op nieuwe situaties kon instellen, en vervolgens heeft hij meteen een heldere conceptie ontwikkeld van dat wat de nieuwe situatie vereiste.

Horst von Schroeter, U-boot-commandant

Dönitz was zeer onder de indruk van Hitlers persoonlijkheid – hij vertrouwde hem volledig. Toch zei hij: 'Ik ben verantwoordelijk voor de marine. Op dat terrein hoeft niemand mij iets te vertellen, ook Hitler niet.' Zijn militaire competentie was boven alle twijfel verheven. Bovendien had hij een heldere, voor iedereen duidelijke stijl van leidinggeven.

Hans-Rudolf Rösing, bevelhebber van de U-boten-West

Hij was een goede organisator, een goede commandant. Maar alleen om zijn mannen de dood in te jagen. Dat mogen we nooit vergeten. Dönitz was een oorlogsmisdadiger, dat staat buiten kijf. Hij had alleen veel geluk – en een zeer goede verdediger.

Lothar-Günther Buchheim

Hier en daar wordt voorgesteld om naast de leiding over de marine ook nog de leiding over de Luftwaffe aan Dönitz over te dragen. Dönitz zou geen slechte kandidaat zijn; in elk geval zou hij de tamelijk desolate Luftwaffe weer een nieuw moreel geven, wat naar mijn mening over het algemeen de voorwaarde voor nieuwe successen is.

Goebbels (dagboek), 1945

Terwijl Stalins troepen onstuitbaar de rijkskanselarij naderden, stuurde Hitler Dönitz naar het noorden van het uiteengevallen Rijk. Op 19 april 1945 verliet de opperbevelhebber van de Vloot zijn hoofdkwartier Koralle en verhuisde naar Plön in Holstein. Hier moest Dönitz op post blijven, hier werkte de marinestaf al sinds maart in een veilige commandopost. Maar eerst bracht Dönitz nog een kort bezoek aan de bunker onder de rijkskanselarij. Op 20 april 1945, de laatste verjaardag van de Führer, had Hitler, de 'door het lot geplaagde, gebroken man', zoals Dönitz-adjudant Walter Lüdde-Neurath hem beschreef, een kort gesprek met de opperbevelhebber van de Vloot. Vervolgens nam Dönitz afscheid, om op weg te gaan naar zijn nieuwe commandopost. Hitler rekende erop dat het zuiden van het in tweeën gedeelde Duitsland vanuit de Alpen gecommandeerd zou worden. Dönitz zou het noorden verdedigen. De volgende dag zagen de heer en zijn beul elkaar voor het laatst. Dönitz verliet Berlijn.

Iedereen die Hitlers plaatsvervanger in het noorden influisterde dat hij in het westen door onderhandelingen tot een afzonderlijke vrede moest zien te komen, werd door hem terechtgewezen. Het opperbevel lag immers in Hitlers handen, en deze bleef vasthouden aan de oorlog. Bovendien was Dönitz zich er terdege van bewust dat de geallieerden alleen de volledige onderwerping van Duitsland zouden accepteren. Zijn mening was: 'Omdat capituleren toch al de vernietiging van het wezen van het Duitse volk betekent, is het ook vanuit dit oogpunt juist om door te vechten.'

Pas toen Dönitz op 27 april uit het oorlogsdagboek van het opperbevel van de Wehrmacht opmaakte dat het einde van de slag om de rijkshoofdstad zo goed als daar was, zag ook hij in dat er niets meer te winnen viel. Aan zijn Nibelungen-trouw deed dit geen afbreuk. Desnoods zou hij door zelfmoord bewijzen dat de marine niet opnieuw een dolkstoot zou toebrengen. En hij durfde zelfs te beweren dat alleen een eervolle dood van de bevelhebber elke smet op de vlag kon voorkomen.

Het liep anders. Op 30 april 1945 ontving hij om 19.30 uur het waarschijnlijk belangrijkste telegram uit zijn carrière. De afzender: rijkskanselarij Berlijn, Martin Bormann. De inhoud: verrassend nieuws. 'In plaats van de voormalige rijksmaarschalk Göring benoemt de Führer u, mijnheer de opperbevelhebber van de Vloot, tot zijn opvolger,' telegrafeerde Hitlers secretaris, zonder gewag te maken van de zelfmoord van de Führer. En verder: 'Om het Duitse volk een uit achtenswaardige mannen samengestelde regering te geven, die voldoet aan de verplichting om de oorlog met alle middelen voort te zetten, benoem ik als Führer van de natie de volgende leden van het kabinet: rijkspresident Dönitz, [...]'

Dönitz wist niet dat Hitler niet meer leefde. Onderdanig liet hij naar Berlijn telegraferen: 'Mijn Führer, mijn trouw aan u zal absoluut zijn. Ik zal daarom alles in het werk blijven stellen om u in Berlijn te ontzetten.' Onmiddellijk deed hij zijn belofte gestand en joeg hij jonge marinesoldaten de omsingelde hoofdstad in om Hitler te bevrijden. De meesten moesten deze waanzinnige actie met de dood bekopen. Wat Dönitz als een heldenplicht beschouwde, zagen de betrokkenen als een levensgevaarlijke opdracht. 'Wij wisten immers waar het front was,' beschreef Gerhard Jakob, een van de matrozen, de algemene stemming. 'Daar viel niets meer te winnen. Je vroeg je af waarom wij als marinesoldaten nu nog naar Berlijn moesten. Maar bevel is bevel, en toen wij hoorden dat het van Dönitz kwam, hebben wij het uitgevoerd. Dat was heilig voor ons.'

Op 1 mei kreeg Dönitz zekerheid: Hitler was dood. Nu was hij de opvolger, en hij stond voor zijn laatste vuurproef. De admiraal bleef trouw aan zichzelf en bleef doen wat hij steeds had gedaan – met lofzangen op de dode tiran, die een schitterende heldendood gestorven zou zijn. Geen woord over zelfmoord. Nog diezelfde dag vernam de bevolking dat 'de Führer mij als zijn opvolger heeft aangewezen'. Hiermee was hij zeker van de loyaliteit van de overgebleven Hitler-getrouwen. De SS, de soldaten en de gouwleiders beet hij toe: 'De door jullie op de Führer afgelegde eed van trouw is vanaf nu van toepassing op mij als de door de Führer benoemde opvolger.' Toen Britse tanks Holstein binnenvielen, verplaatste Dönitz het Duitse hoofdkwartier van Plön naar de marineschool Flensburg-Mürwik, de plek waar alles ooit begonnen was.

Nauwgezet begon Dönitz aan de afwikkeling van het Duizendjarige Rijk, dat in puin lag en net zo verwoest was als het leven van zijn inwoners. 'Alle militaire en politieke maatregelen staan in dienst van het behoud van het volkseigen,' schreef hij in zijn dagboek. Zijn duidelijk uitgesproken doel was het nu om 'in die delen van het westen waar door pacificatie het wezen van het volk niet vernietigd zal worden, zo snel mogelijk tot een gedeeltelijk staken van de strijd te komen'. Dönitz wilde in het oosten doorvechten om zoveel mogelijk Duitsers uit Russische gevangenschap te houden. Meer dan duizend schepen, van viskotters tot oceaanreuzen, moesten de vluchtelingen over de Oostzee evacueren. 'Het is mijn eerste taak om te voorkomen dat Duitse mensen door de oprukkende bolsjewistische vijand vernietigd worden.' – 'Alleen hierom,' zo stond in de dagorder van 1 mei 1945, 'duurt de militaire strijd voort.' – 'Wie garandeert,' vroeg hij zijn adjudant Lüdde-Neurath, 'dat er over honderd jaar nog een Duits volk bestaat? Dat niet hele lagen ervan vernietigd en verplant zijn, dat niet door systematische aantasting en overwoekering een internationaal proletarisch mengsel ontstaat dat de benaming "Duits" niet meer verdient?'

De westelijke mogendheden, wist Dönitz, behandelden krijgsgevangenen volgens internationale richtlijnen. Zijn opvolger als opperbevelhebber van de marine, luitenant-admiraal Hans Georg von Friedeburg, gaf hij daarom het bevel om de gedeeltelijke capitulatie in Nederland, Denemarken en Noordwest-Duitsland te accepteren en zo tijd te winnen. Op de Lüneburger Heide ging veldmaarschalk Montgomery op Dönitz' tactiek in en accepteerde een gedeeltelijke capitulatie. Dönitz' berekening klopte: meer dan twee miljoen vluchtelingen bereikten ten slotte het westen. Maar terwijl hij sommigen redde, sprak hij recht over anderen. In de nacht van 5 op 6 mei werden op de rede van Sonderburg elf jonge matrozen wegens 'militaire rebellie' standrechtelijk geëxecuteerd, omdat zij hun officieren opgesloten hadden en naar huis waren gegaan. Nog op 5 mei 1945 spraken Duitse militaire rechtbanken doodvonnissen uit tegen Letse hulpsoldaten. De verantwoordelijkheid hiervoor droeg Karl Dönitz.

Na de oorlog noemde Dönitz de strategie om de capitulatie ten gunste van de redding van vluchtelingen uit te stellen, de eigenlijke 'bedoeling van de opdracht van de Führer'. Hitler was er volgens hem niet toe gekomen de gevechtshandelingen te staken, en daarom maakte zijn heldendood in Berlijn het mogelijk om een dergelijke stap te zetten: nauwelijks zwegen de wapens of Dönitz wrochtte de absurde legende van een vredelievende Hitler.

Op 4 mei 1945, om 15.14 uur, kregen de U-boot-commandanten het bevel om de wapens neer te leggen. 'Mijn U-boot-mannen!' schreef Dönitz. 'Zes jaar U-boot-oorlog liggen achter ons, jullie hebben gevochten als leeuwen. [...] U-boot-mannen! Ongebroken en onbesmet leggen jullie na een weergaloze heldenstrijd de wapens neer. Wij gedenken met eerbied onze gevallen kameraden, die hun trouw aan Führer en vaderland met de dood hebben bezegeld. [...] Leve Duitsland. Jullie opperbevelhebber van de Vloot.' In de nacht van 4 op 5 mei vernietigden vele bemanningen hun boten. Dönitz had dit uitdrukkelijk verboden. De commandanten echter, herinnerde Graf Schwerin von Krosigk zich, lid

'Op weg om onszelf belachelijk te maken...' Dönitz als opvolger van Hitler (mei 1945).

Onze Führer, Adolf Hitler, is gevallen. Diepbedroefd en met grote eerbied buigt het Duitse volk het hoofd. Al vroeg zag hij het verschrikkelijke gevaar van het bolsjewisme, en aan deze strijd heeft hij zijn leven gewijd. Aan het eind van deze strijd, die de zijne was, en aan het eind van zijn consequente, rechte levensweg staat zijn heldendood in de hoofdstad van het Duitse Rijk. Zijn leven stelde hij geheel en al in dienst van Duitsland. Zijn inzet in de strijd tegen de bolsjewistische stormvloed beoogde bovendien het voortbestaan van Europa en dat van de gehele beschaafde wereld. De Führer heeft mij tot zijn opvolger benoemd. In het besef van deze verantwoordelijkheid neem ik op dit buitengewoon belangrijke ogenblik de leiding over het Duitse volk op mij.

Dönitz' radiotoespraak, 1 mei 1945

van het kabinet-Dönitz, 'dachten zo aan de ware wens van hun admiraal te voldoen'.

De strijd was ten einde. Nu ging het erom sporen uit te wissen. Veel ss-officieren doken onder in de marine. Ook de voormalige kampcommandant van Auschwitz, Rudolf Höß, werd gedekt. Minder genade liet Dönitz gelden bij kameraden die van desertie verdacht werden. Toen Asmus Jepsen, kapitein-luitenant-ter-zee, van de wapenstilstand hoorde, begaf hij zich eigenmachtig op weg naar huis. Dönitz liet onrecht voor genade gelden. De salvo's van de executie waren ook in zijn ambtsvertrek te horen. Hij kon er naar eigen zeggen toch geen dubbele moraal op nahouden.

De curator hield koers. Hij werd niet geleid door inzicht, maar alleen door het dwingende gevoel dat hij zijn plicht moest blijven doen. Hij beschouwde zich als 'de bewaker van het mooiste en beste wat het nationaal-socialisme ons gegeven heeft'. En bijna leek het alsof het Derde Rijk voor hem nog lang niet verleden tijd was, maar de basis voor een stralende toekomst. Het belangrijkste vond hij nog steeds de 'hechte eenheid van onze volksgemeenschap'. Die wilde Dönitz per se behouden. Geen woord van berouw, droefheid of medeleven uit zijn mond is opgetekend. Verhalen over concentratiekampen noemde hij 'in hoge mate overdreven en propaganda'. Later had hij het over individuele daders, die voor een Duitse rechtbank zouden moeten verschijnen, maar voor de overlevenden van de concentratiekamphel had hij nog jaren later slechts woorden vol haat: 'Concentratiekampgevangenen, die voor het grootste deel bestaan uit misdadigers en deserteurs, moeten onvermijdelijk in de kleren worden gestoken door de goede mensen, die door de algemene armoede zelf niets hebben; en deze asociale elementen regeren nu de straat.' Dönitz was nog steeds niet wijzer geworden.

De tweede akte van de ondergang speelde zich af in Reims. Generaal Alfred Jodl had van Dönitz het bevel gekregen om de onvoorwaardelijke overgave aan alle fronten te verhinderen en de geallieerden aan het lijntje te houden. Dönitz plan was: in het westen capituleren – in het oosten weerstand blijven bieden. Ditmaal speelden de overwinnaars het spel echter niet mee. Jodl had geen keus: na overleg met Dönitz moest hij de totale capitulatie aan alle fronten accepteren. Nog één keer richtte Dönitz zich via de radio tot de bevolking: 'Duitse mannen en vrouwen! De fundamenten waarop het Duitse Rijk rustte zijn gebarsten. Wij hebben een moeilijke weg voor ons. Ik wil op deze weg vol doorns

'Vandaag stierf het Derde Rijk...' Dönitz tijdens zijn arrestatie op 23 mei 1945.

Die nacht sprongen wij uit het raam en gingen er over de akkers vandoor. Wij wilden de opperbevelhebber van de Vloot zijn oorlog alleen laten beëindigen. Wij kwamen door dorpen waar deserteurs aan de bomen hingen. De boeren waarschuwden ons voor de *Jagdkommandos* van de marine: 'Die zijn erger dan de ss, ze schieten jullie zomaar overhoop.'

Heinrich Jaenicke, U-boot-matroos, over het einde van de oorlog in 1945

Dönitz was een ijskoude, die echter als de hoogste officier in rang niet de moed kon opbrengen om Hitler zijn mening te geven.

Hans Lautenbach, officier van gezondheid

niet bij jullie achterblijven. Gebiedt de plicht mij om in functie te blijven, dan zal ik proberen jullie te helpen voorzover ik kan. Gebiedt de plicht mij te gaan, dan zal ook deze stap een dienst aan volk en Rijk zijn.' Ondertussen capituleerden Dönitz' laatste U-boten in de Engelse hoofdstad.

Hij probeerde zoveel en zo goed mogelijk zijn plicht te vervullen. Aan Duitslands politieke systeem wilde hij niets veranderen. Met hartstocht agiteerde hij tegen de waanzin van de partijen. Democratie bleef hem vreemd. Nog altijd droomde hij van de *völkische* staat, en het was geen verrassing dat zijn kabinet barstte van de overtuigd nationaal-socialisten. In de klaslokalen van de marineschool Mürwik speelde een machteloos gezelschap 'regerinkje'. Het was een absurd laatste stukje staatstheater.

Dagelijks, om tien uur precies, opende Dönitz de kabinetsvergaderingen. Albert Speer, nu minister van Productie, herinnerde zich later de klucht die de staatschef als regeringsactiviteit beschouwde: 'We schreven zinloze necrologieën, probeerden onze onbelangrijkheid te compenseren met schijnhandelingen. Wij waren hard op weg onszelf belachelijk te maken. Beter gezegd: wij maakten onszelf al belachelijk.' De westelijke geallieerden straften Dönitz door hem opzettelijk te negeren. Churchill zag in de curator in het gunstigste geval het stokje waarmee je de mierenhoop Duitsland kon dirigeren. Meer dan het beëindigen van de oorlog stonden de overwinnaars de staatsman in Flensburg niet toe.

Pas op 23 mei 1945 maakten zij een eind aan de nachtmerrie. Twee weken na de capitulatie moesten Hitlers epigonen definitief aftreden. 'Handen omhoog' en 'broek naar beneden' brulden Britse soldaten toen zij de marineschool bestormden. Na een pijnlijk nauwkeurige fouillering werden rond driehonderd kabinetsleden, stafofficieren en bestuursambtenaren voor het oog van de draaiende camera's van het bioscoopjournaal afgevoerd. Dönitz nam zijn arrestatie kalm op. 'De admiraal gedroeg zich zeer waardig,' stelde een Brits officier vast. De *New York Times* commentarieerde: 'Vandaag stierf het Derde Rijk.'

Een Amerikaans legervliegtuig bracht Dönitz naar het Luxemburgse Monheim, waar hij in 'Kamp Vuilnisbak', zoals de Amerikanen het interneringskamp noemden, vijftig andere beulen van Hitler aantrof. Dönitz wist wat hem te wachten stond. De geallieerden waren vastbesloten om de verantwoordelijken voor de misdaden van het nationaal-socialistische regime voor een tribunaal te brengen.

In de herfst van 1945 was het zover. Het proces vond plaats in Neurenberg, eens het symbool van en het podium voor de nationaal-socialistische presentatie. Dönitz in burger was 'met de beste wil van de wereld niet te onderscheiden van een verkoper in een kruidenierswinkel', zoals een Amerikaanse reporter noteerde. Bij de zitting bleek algauw dat de admiraal het proces als de 'voortzetting van de oorlog met andere middelen' beschouwde. Hij deed zich openlijk voor als een slachtoffer van een rechtspraak van overwinnaars. Voor hem leed het geen twijfel dat in de la van de rechters de doodvonnissen tegen alle aangeklaagden al klaarlagen.

'Hoe kan men mij ervan beschuldigen zulke dingen te weten?' protesteerde hij op de tweede zittingsdag, toen de aanklagers een film over de gruwelijkheden in de concentratiekampen hadden vertoond. 'Men vraagt mij waarom ik niet naar Himmler ben gegaan om mij over de concentratiekampen te informeren. Maar dat is toch dwaas! Hij zou mij eruit gegooid hebben, zoals ook ik hem eruit gegooid zou hebben als hij was gekomen om de marine te onderzoeken! Wat had ik in godsnaam met deze zaken te maken? Alleen door toeval ben ik op zo'n hoge positie beland, en met de Partij had ik nooit ofte nimmer iets te maken.'

Vanaf het begin van het proces speelde Dönitz het onschuldige lam. 'Geen enkel punt van deze aanklacht is ook maar enigszins op mij van toepassing – typisch Amerikaanse humor,' schreef hij als commentaar op de akte van beschuldiging, die uit drie hoofdpunten bestond: 1. Samenzwering tot het voeren van een aanvalsoorlog, 2. Voeren van een aanvalsoorlog, 3. Oorlogsmisdaden'. Misdaden tegen de menselijkheid werden in het geval Dönitz niet opgenomen, want veel van de documenten die tegenwoordig bezwarend voor hem zijn, waren de rechtbank gewoonweg niet bekend. Zo gezien had Dönitz inderdaad geluk. Van zijn na de aanslag op Hitler voor de vlagofficieren gehouden, van haat vervulde redevoering waren de rechters niet op de hoogte, en zo wisten zij evenmin dat de aangeklaagde nog liever 'aarde' zou 'vreten' dan dat zijn kleinkinderen in de 'joodse geest en smerigheid worden opgevoed en vergiftigd'. Zo bleef Dönitz het gewichtigste punt van de aanklacht bespaard, en bovendien bleek dat Hitlers opvolger ook geluk had met zijn verdediger. Met *Flottenrichter* [jurist met de rang van kapitein – vert.] Otto Kranzbühler stond hem een bekwaam verdediger ter zijde, die bovendien volkomen van de onschuld van zijn cliënt overtuigd was. 'De strategie was er heel duidelijk op gericht,' verklaarde Kranzbühler later, 'Dönitz

'Door jou elf jaar verloren...' Dönitz na zijn arrestatie met Speer en Jodl op 23 mei 1945.

Door jou heb ik deze elf jaar verloren. Jij bent overal de schuld van! Dat men mij als een ordinaire misdadiger veroordeeld heeft. Wat had ik met de politiek te maken? Als jij er niet geweest was, was Hitler nooit op het idee gekomen om mij staatshoofd te maken. Al mijn mannen hebben weer een commando. Maar kijk naar mij! Als een misdadiger. Mijn carrière is verwoest.

Dönitz tot Speer in Spandau, 1956

Jij en de anderen hier, jullie hebben de mond vol gehad van eer. Elk tweede woord van jou of Schirach is waardigheid, houding. Miljoenen mensenlevens heeft deze oorlog gekost. Nog eens miljoenen zijn door die misdadigers in de kampen vermoord. Wij allen hier maakten deel uit van het regime. Maar jouw tien jaar hier verontrusten je meer dan die vijftig miljoen doden. En je laatste woorden hier in Spandau luiden – je carrière!

Speer tot Dönitz in Spandau, 1956

De kleine slappeling! Het kleine onschuldige lam – hij had helemaal niets met de Partij te maken! Mijn God, als hij het met het nationaal-socialisme niet eens geweest zou zijn, dan had hij zich geen minuut langer gehandhaafd.

Göring over Dönitz tijdens het Neurenberger proces

alleen verantwoordelijkheid te laten dragen voor zijn militaire commandogebied en te bewijzen dat hij niets anders had gedaan dan dat wat onder de toenmalige zeeoorlogsrechtelijke principes was toegestaan.'

Op 8 mei 1946, de eerste (jaarlijkse) herdenkingsdag van de capitulatie, riep het Militair Gerechtshof Dönitz voor het eerst op om te getuigen. Op de vraag wanneer hij met zijn politieke activiteiten begonnen was, antwoordde Dönitz tartend: 'Op 1 mei 1945 – niet eerder!' De naar eigen zeggen zo 'apolitieke soldaat' hield vol enkel de bevelen van zijn meerderen opgevolgd te hebben, en inderdaad bleek het nu voor hem lonend te zijn dat hij bij zijn U-boot-mannen steeds de korpsgeest er ingepompt had. Behalve de kroongetuige van de Britse aanklagers, Karl-Heinz Möhle, tot aan het einde van de oorlog chef van de 5de U-boot-flottielje in Kiel, kon geen enkele getuige zich enig crimineel bevel van de aangeklaagde herinneren. Zelfs commandant Eck, die later wegens oorlogsmisdaden terechtgesteld werd, zweeg hardnekkig ten gunste van Dönitz, zelfs toen hij oog in oog stond met het executiepeloton. Dönitz behoorde, aldus militair historicus professor Michael Salewski, tot de zeer weinige veldheren die ook in de nederlaag, een totale en bloedige nederlaag, het vertrouwen behielden van hen die hij een wisse dood had ingejaagd.

Voerde hij een aanvalsoorlog? Alleen zijn legeronderdeel had hem naar eigen zeggen geïnteresseerd. Hitler zou niets van hem geëist hebben wat met het zeeoorlogsrecht in strijd zou zijn geweest. 'Daarom ben ik ervan overtuigd dat ik de marine in elk opzicht tot de laatste man zuiver gehouden heb, tot aan het eind.' Toen de aanklagers ten slotte probeerden het criminele karakter van zijn U-boot-oorlogsvoering te bewijzen, ging Dönitz over tot de tegenaanval: Aanvallen op neutrale schepen die door radiomeldingen combattanten van de oorlogsschepen waren geworden, zouden ook door de vijand op overeenkomstige wijze behandeld zijn. Uitgerekend de bevelhebber van de US-Navy, admiraal Chester Nimitz, bevestigde dit. Schriftelijk liet hij in het verslag opnemen, onmiddellijk na het uitbreken van de oorlog in de Grote Oceaan in december 1941 de 'onbeperkte U-boot-oorlog' bevolen te hebben. Ook Amerikaanse U-boten hadden volgens hem schipbreukelingen uit vijandelijke landen slechts in uitzonderlijke gevallen hulp verleend. Heel even was Dönitz buiten zichzelf van vreugde. 'Dit is een buitengewoon fantastisch document!' juichte hij de volgende dag bij het middagmaal.

Verder bood zijn optreden binnen en buiten de rechtszaal weinig verrassends. Zijn opruiende redevoeringen probeerde hij te rechtvaardigen met de zogenaamde noodzaak van een versterking van het moreel van de bevolking en van dat van de troep. Van berouw was absoluut geen sprake. Van de dwangarbeid op de U-boot-werven beweerde Dönitz niets geweten te hebben. Maar hij had toch om twaalfduizend concentratiekampgevangenen gevraagd, hield de Britse aanklager sir Maxwell Fyve hem voor. Dit verzoek, antwoordde Dönitz, was gedaan met de duidelijke reden dat dit werk vanwege de uitstekende maaltijden die erbij verstrekt werden, heel graag gedaan werd.

Wat hij in zijn toespraak op de gedenkdag voor de doden van de Eerste en Tweede Wereldoorlog in maart 1944 met 'verspreiding van het gif van het jodendom' bedoeld had, wilde Fyve weten.

'Ik kon mij voorstellen dat het voor de bevolking in de steden heel moeilijk moest zijn om onder de zware bombardementen stand te houden als men een dergelijke invloed toeliet.'

'Wat bedoelde u met "uitbreiding van het jodendom"?'

'Het betekent dat het een ondermijnend effect zou kunnen hebben op het volhardingsvermogen van het volk, en in deze strijd van ons vaderland om leven en dood was ik als soldaat vooral in dit opzicht erg bezorgd.'

Waarom hij als opperbevelhebber 600.000 à 700.000 man had geïndoctrineerd, vervolgde Fyve, dat joden een zich verspreidend gif waren.

'Uit deze uitspraak [...] blijkt dat ik destijds van mening was dat de standvastigheid, de kracht van het volk om vol te houden, bij de samenstelling die het toen nu eenmaal had, beter gehandhaafd kon worden dan wanneer er joodse elementen in de natie gezeten zouden hebben.'

'Wilt u hier beweren dat u niets geweten heeft van de maatregelen en van het plan om de joden uit te roeien?'

'Ja, natuurlijk beweer ik dat. Ik heb er niets van geweten, en als er destijds een dergelijke uitlating gedaan is, dan vormt dit nog geen bewijs dat ik van enigerlei moord op joden een vermoeden zou hebben gehad. Dat was in 1944. [...] Geen van mijn mannen heeft er ooit over gepeinsd om geweld tegen joden te gebruiken, en niemand mag dit uit deze uitspraak concluderen.'

Het waren de woorden van iemand die niet voor rede vatbaar is. Alleen bij de medeaangeklaagden stuitte een dergelijke stijfhoofdigheid op sympathie. 'Ah, nu voel ik mij fantastisch, voor het eerst in drie weken,' riep Göring uit. 'Nu horen we eindelijk eens een fatsoenlijke Duitse soldaat. Dit geeft mij nieuwe kracht. Nu ben ik bereid om weer naar een beetje verraad te luisteren.' Göring doelde op Speer.

Het was te verwachten dat het slotpleidooi van Dönitz overliep van eigengereidheid. In feite verkondigde hij dat hij zich niets te verwijten had. Zoals dat helemaal bij de 'apolitieke soldaat' past, klonken zijn slotwoorden als een nuchter militair rapport: 'Mijn leven was gewijd aan mijn werk en stond daarmee in dienst van het Duitse volk. Als laatste opperbevelhebber van de Duitse marine en als laatste staatshoofd draag ik tegenover het Duitse volk de verantwoordelijkheid voor alles wat ik heb gedaan en nagelaten.'

Na een kwellende wachttijd van een maand werd het vonnis over Hitlers curator uitgesproken. 'Uit het voorliggende materiaal blijkt niet,' zette de rechter uiteen, 'dat hij medeweter of deelnemer was bij de samenzwering tot het voeren van een aanvalsoorlog.' In de genadeloze Duitse U-boot-oorlog zag het Militair Gerechtshof geen strafbaar feit, maar het veroordeelde wel zijn uitdrukkelijke verbod om, zoals in het geval *Laconia*, aan schipbreukelingen hulp te verlenen. 'De bevelen waren zonder twijfel dubbelzinnig en verdienen de scherpste kritiek.'

Op het vonnis – tien jaar cel – reageerde Dönitz verontwaardigd. Hij smeet zijn koptelefoon van zich, balde de vuisten en stapte woedend de rechtszaal uit. Terwijl de rechtbank zijn zaak nog relatief mild beoordeeld had. Afgezien van drie vrijspraken, behoorde Dönitz' strafmaat tot de laagste. Mede hierdoor was het vonnis niet onomstreden. De Britse en de Russische rechter hadden Dönitz' kop geëist, terwijl de Amerikaanse rechter Biddle voor vrijspraak gepleit had. Pas na een moeizame strijd werd het gerechtshof het eens over een gezamenlijke uitspraak. Tien jaar cel – dat beschouwden veel proceswaarnemers als een ondeugdelijk compromis, maar voor advocaat Kranzbühler was het een vonnis ondanks 'bewezen onschuld'. Ook Dönitz weigerde er genoegen mee te nemen. 'Ik zal het vonnis nooit als rechtvaardig en internationaal verstandig erkennen.'

Twee weken na de gerechtelijke uitspraak van Neurenberg betraden Dönitz en zes andere van de belangrijkste oorlogsmisdadigers hun cellen in de militaire gevangenis Berlijn-Spandau. 'Hij droeg een paars gevangenispak met een twee erop,' herinnerde Dönitz' kleinzoon Klaus Hessler zich. De volgorde van binnenkomst leverde het toekomstige gevangenisnummer op. Hitlers opvolger werd heel toepasselijk gevangene 'nummer twee'.

'Ik zou het precies zo overdoen...' Dönitz in zijn cel tijdens het proces van Neurenberg.

Ik geloof tot op de dag van vandaag dat mijn grootvader zijn relatie met Hitler niet verwerkt heeft. Dat wat hij geschreven heeft, keerde zich ten slotte tegen het Führer-principe, tegen een totalitaire Führer. Maar er is niets waaruit ik kan opmaken dat hij zijn relatie met Hitler verwerkt heeft.

Klaus Hessler, Dönitz' kleinzoon

Zijn leven was gegrondvest op de deugden van het ten onrechte zo veelgesmade keizerlijke zeeofficierskorps: eerzaamheid, opofferingsgezindheid ten opzichte van de taak, vaderlandsliefde en onwankelbare trouw aan het staatsbestuur.

Uit: Schout-bij-nacht Eduard Wegeners lijkrede voor Dönitz, 1981

Daar was het, het woord dat alles verontschuldigt. De luidsprekers schalden het over het uitgestrekte kerkhof: trouw, de grote Duitse leugen, het generaal pardon voor alle blindheid, lafheid, onverantwoordelijkheid.

Heinrich Jaenicke, U-boot-matroos, over Dönitz' begrafenis

Zijn detentie ervoer hij als een nederlaag. Zoals elke gevangene moest ook de voormalige chef van de marineleiding dagelijks een opgegeven hoeveelheid werk verrichten. In zijn vrije tijd las 'nummer twee' boeken in grote hoeveelheden. Werken van de filosoof Schopenhauer bijvoorbeeld of over de geheimen van de ornithologie. Bezoek ontving hij zelden, veelvuldig contact met zijn familie was verboden. Klaus Hessler, die zijn grootvader in Spandau voor het eerst bewust meemaakte, herinnerde zich, ondanks de strenge controles en korte bezoektijden, 'een warme sfeer': 'Tralies scheidden ons, en je mocht je niet bewegen. Toen vroeg hij of ik op mijn stoel wilde gaan staan, zodat hij kon zien hoe groot ik was.'

Ongeduldig wachtte Dönitz op het ogenblik waarop de gevangenispoort voor hem weer open zou gaan. In alle ernst ging hij ervan uit als militair wederom vaste voet te kunnen krijgen. Met de jaren zou men, zo dacht hij, alles wel vergeten, en tenslotte waren daar ook nog zijn aanhangers en kameraden die, terwijl hij in de gevangenis zat, ijverig de legende van de 'fatsoenlijke officier' wrochtten – een etiket dat advocaat Kranzbühler zijn cliënt al in Neurenberg opgeplakt had. Dönitz hield vol, steeds slechts zijn plicht gedaan te hebben, en tot aan zijn vrijlating beklaagde hij zijn lot. Medegevangene Albert Speer, met wie hij tot aan het einde van de oorlog nauw had samengewerkt en die hij in zijn 'kabinet' had opgenomen, zou hij op 30 september 1956 vóór zijn ontslag hebben toegesnauwd: 'Door jou heb ik deze elf jaar verloren. Jij bent overal de schuld van! Dat men mij als een ordinaire misdadiger veroordeeld heeft. Wat had ik met de politiek te maken? Als jij er niet geweest was, was Hitler nooit op het idee gekomen om mij staatshoofd te maken. Al mijn mannen hebben weer een commando. Maar kijk naar mij! Als een misdadiger. Mijn carrière is verwoest.'

Naar eigen zeggen antwoordde Speer: 'Jij en de anderen hier, jullie hebben de mond vol gehad van eer. Elk tweede woord van jou of Schirach is waardigheid, houding. Miljoenen mensenlevens heeft deze oorlog gekost. Nog eens miljoenen zijn door die misdadigers in de kampen vermoord. Wij allen hier maakten deel uit van het regime. Maar jouw tien jaar hier verontrusten je meer dan die vijftig miljoen doden. En je laatste woorden hier in Spandau luiden – je carrière!' *Se non è vero, è ben trovato* [Als het niet waar is, is het knap verzonnen – vert.].

Op de kop af tien jaar zat Dönitz in geallieerde gevangenschap. Op 1 oktober 1956, toen de gevangenisklok middernacht sloeg, stond hij voor het laatst tegenover de Russische gevangenisdirecteur. 'Hier tekenen, nummer twee.' De gevangene gehoorzaamde. 'Hiermee zit het erop, admiraal Dönitz.'

Weer op vrije voeten, ging Dönitz meteen aan de slag om voor zichzelf een monument voor het nageslacht op te richten. Wat zijn sympathisanten allemaal geprobeerd hadden om het imago van de 'ten onrechte veroordeelde' op te krikken, zette hij nu voort. Dönitz schreef zijn memoires – het bedrieglijke zelfportret van een 'apolitieke soldaat'. Alleen al de titel, *Zehn jahre und zwanzig Tage*, maakte duidelijk wat de auteur beoogde. Nog eenmaal zong hij het liedje van de gehoorzame soldaat die met politiek en ideologie niets van plan was geweest. 'Zijn boek is het product van een denkarbeid die bij mij steeds zeer kleurloos, zeer saai, zeer uitgesponnen overkwam,' oordeelde Dönitz' kleinzoon over de memoires van zijn grootvader. 'Ik denk dat hij onder zijn relatie met Hitler nooit een streep heeft weten te zetten, dat hij haar nooit echt verwerkt heeft.' Nooit heeft het verleden hem losgelaten. Het prettigst voelde de grijsaard zich onder oude kameraden, die hem nog altijd eerbiedig met 'admiraal' aanspraken.

Na de dood van zijn vrouw Ingeborg leefde Dönitz teruggetrokken in zijn huis in Aumühle in het Sachsenwald bij Hamburg. Maar hij werd niet vergeten. Strijdmakkers hielpen waar zij maar konden. De politieke opvolger van de misdadiger Hitler mocht niet klagen, en toch verwondert het een beetje dat Dönitz op hoge leeftijd aan het democratische naoorlogse Duitsland enige, zij het weinige, positieve kanten kon ontdekken en onder de vlag van de Bondsrepubliek ten grave gedragen wilde worden. Wat de nieuwe tijd hem echter onthield was het idool van een sterke man, een autoriteit aan wie hij zich volledig kon onderwerpen. Daarvoor zocht Dönitz steun in het geloof. 'Christus,' vertrouwde hij de voorganger van zijn gemeente toe, 'is de enige aan wie ik mij uiteindelijk kan vasthouden.'

Op kerstavond van het jaar 1980 stierf Karl Dönitz in zijn woning in Aumühle aan ouderdom. Kort voor zijn dood zei hij: 'Mijn positie zou heel anders zijn als ik niet als de politieke opvolger van Hitler zou gelden. Maar niemand vraagt zich tegenwoordig af: Wat zou er zijn gebeurd als bijvoorbeeld Himmler in mijn plaats de laatste dagen van het Rijk bepaald had? Ik heb destijds in een chaotische tijd alles gedaan wat menselijkerwijs gesproken mogelijk was.'

Bijna klonk het alsof Dönitz zijn in Neurenberg gedane uitspraak zou herhalen: 'Omdat het nu eenmaal niet anders kan, zou ik het precies zo opnieuw doen.'

Literatuur

Algemeen

Broszat, Martin: Der Staat Hitlers, München 1989.
Broszat, Martin/Frei, Norbert (red.): Das Dritte Reich im Überblick. Chronik, Ereignisse, Zusammenhänge, München 1989.
dtv-dokumente: Das Urteil von Nürnberg 1946, München 1961.
Fest, Joachim C.: Das Gesicht des Dritten Reiches. Profile einer totalitären Herrschaft, München 1963.
Hagen, Walter: Die geheime Front. Organisation, Personen und Aktionen des deutschen Geheimdienstes, Stuttgart 1952.
Herbert, Ulrich: Best. Biografische Studien über Radikalismus, Weltanschauung und Vernunft 1903-1989, Bonn 1996.
Müller, Rolf-Dieter/Ueberschär, Gerd: Kriegsende 1945. Die Zerstörung des Dritten Reichs, Frankfurt a. M. 1994.
Peuschel, Harald: Die Männer um Hitler. Braune Biografien: Martin Bormann, Joseph Goebbels, Hermann Göring, Reinhard Heydrich, Heinrich Himmler u.a., Düsseldorf 1982.
Poliakov, Léon/Wulf, Josef: Das Dritte Reich und seine Diener, Wiesbaden 1989.
Sereny, Gitta: Das Ringen mit der Wahrheit: Albert Speer und das deutsche Trauma, München 1995.
Smelser, Ronald/Zitelmann, Rainer (red.): Die braune Elite, Darmstadt 1989.
Wendt, Bernd-Jürgen: Großdeutschland. Außenpolitik und Kriegsvorbereitungen des Hitler-Regimes, München 1987.

Betreffende Joseph Goebbels

Bärsch, Claus-Ekkehard: Erlösung und Vernichtung. Dr. phil. Joseph Goebbels. Zur Psyche und Ideologie eines jungen Nationalsozialisten 1923-1927, [...]
Boelcke, Willi A. (red.): Kriegspropaganda 1939-1941. Geheime Ministerkonferenzen im Reichspropagandaministerium, Stuttgart 1966.
Boelcke, Willi A. (red.): Wollt ihr den totalen Krieg? Die geheimen Goebbels-Konferenzen 1939-1943, Stuttgart 1967.
Bramstedt, Ernest K.: Goebbels und die nationalsozialistische Propaganda 1925-1945, Frankfurt 1971.
Goebbels Reden 1932-1939, geredigeerd door Helmut Heiber, München 1971.
Goebbels Reden 1939-1945, geredigeerd door Helmut Heiber, München 1972.
Heiber, Helmut: Joseph Goebbels, Berlin 1962.
Irving, David: Goebbels, Mastermind of the Third Reich, London 1996.
Reuth, Ralf Georg: Goebbels, München, Zürich 1990.

Die Tagebücher von Joseph Goebbels. Sämtliche Fragmente, geredigeerd door Elke Fröhlich in opdracht van het Institut für Zeitgeschichte en in samenwerking met het Bundesarchiv, Teil I, Aufzeichnungen 1924-1941, München, New York 1987.
Die Tagebücher von Joseph Goebbels. Sämtliche Fragmente, geredigeerd door Elke Fröhlich in opdracht van het Institut für Zeitgeschichte en met steun van het Russische staatsarchief, Teil II, Diktate 1941-1945, München, New Providence, London, Paris 1995.

Betreffende Hermann Göring

Bewlay, Charles: Hermann Göring, Göttingen 1956.
Bross, Werner: Gespräche mit Hermann Göring während des Nürnberger Prozesses, Flensburg, Hamburg 1950.
Dahlerus, Birger: Der letzte Versuch, München 1973.
Fontander, Björn: Göring och Sverige, Stockholm 1984.
Gellermann, Günther W.:... und lauschten für Hitler. Geheime Reichssache: Die Abhörzentrale des Dritten Reiches, Bonn 1991.
Gilbert, Gustave M.: Nuremberg Diary, New York 1947.
Gritzbach, Erich: Hermann Göring. Werk und Mensch, München 1940.
Hoyt, Edwin P.: Göring's War, London 1990.
Kube, Alfred: Pour le mérite und Hakenkreuz. Hermann Göring im Dritten Reich, München 1987[2].
Irving, David: Göring, München, Hamburg 1987.
Manvell, Roger: Der Reichsmarschall. Aufstieg und Fall des Hermann Göring, Rastatt 1987.
Martens, Stefan: Hermann Göring. Erster Paladin des Führers und Zweiter Mann im Reich, Paderborn 1985.
Mosley, Leonard: Göring. Eine Biographie, München 1975.
Overy, Richard J.: Hermann Göring. Machtgier und Eitelkeit, München 1990.
Swearingen, Ben E.: The Mystery of Hermann Göring's Suicide, London 1990.

Betreffende Heinrich Himmler

Ackermann, Josef: Heinrich Himmler als Ideologe, Göttingen/Zürich 1970.
Artzt, Heinz: Mörder in Uniform. Organisationen, die zu Vollstreckern nationalsozialistischer Verbrechen wurden, München 1979.
Bernadotte af Wisborg, Folke Greve: Das Ende – meine Verhandlungen in Deutschland im Frühjahr 45 und ihre politische Folgen, Zürich/New York 1945.
Besgen, Achim: Der Stille Befehl. Medizinalrat Kersten, Himmler und das Dritte Reich, München 1960.
Black, Peter: Ernst Kaltenbrunner – Vasall Himmlers: Eine SS-Karriere, Paderborn 1991.
Breitmann, Richard: Der Architekt der Endlösung. Himmler und die Vernichtung der europäischen Juden, Paderborn 1996.
Buchheim, Hans/Broszat, Martin/Jacobsen, Hans-Adolf/Krausnick, Helmut: Anatomie des SS-Staates, München 1979.
Delarue, Jacques: Geschichte der Gestapo, Düsseldorf 1964.

Doescher, Hans-Jürgen: Das Auswärtige Amt im Dritten Reich. Diplomatie im Schatten der Endlösung, Berlin 1987.
Fraenkel, Heinrich/Mannroll, Roger: Heinrich Himmler – Kleinbürger und Massenmörder, Berlin, Frankfurt/Main 1965.
Georg, Enno: Die wirtschaftlichen Unternehmungen der ss, Stuttgart 1963.
Heiber, Helmut (red.): Reichsführer!... Briefe an und von Himmler, Stuttgart 1968.
Höhne, Heinz: Der Orden unter dem Totenkopf. Die Geschichte der ss, München 1979.
Koch, Peter-Ferdinand (red.): Himmlers Graue Eminenz – Oswald Pohl und das Wirtschaftsverwaltungshauptamt der ss, Hamburg 1988.
Petersen, Gita (red.): Walter Schellenberg. Die Memoiren des letzten Geheimdienstchefs unter Hitler, Wiesbaden, München 1979.
Ritter, Franz: Heinrich Himmler und die Liebe zum Swing. Erinnerungen und Dokumente, Leipzig 1994.
Schenck, Ernst-Günther: Sterben ohne Würde. Das Ende von Benito Mussolini, Heinrich Himmler und Adolf Hitler, München 1995.
Smith, Bradley F./Peterson, Agnes (red.): Heinrich Himmler. Geheimreden 1933-1945 und andere Ansprachen, Frankfurt/Main, Berlin, Wien 1974.
Smith, Bradley F.: Heinrich Himmler 1900-1926. Sein Weg in den deutschen Faschismus, München 1979.
Tuchel, Johannes: Konzentrationslager, Organisationsgeschichte und Funktion der 'Inspektion der Konzentrationslager' 1934-1938, Boppard a. Rhein 1991.
Tuchel, Johannes: Zentrale des Terrors. Prinz-Albrecht-Straße 8. Das Hauptquartier der Gestapo, Berlin 1987.
Walendy, Udo: Lügen um Heinrich Himmler, Vlotho 1992.
Wasser, Bruno: Himmlers Raumplanung im Osten. Der Generalplan Ost in Polen 1940-1944, Basel 1994.
Wegener, Bernd: Hitlers Politische Soldaten: Die Waffen-ss 1933-1945, Paderborn 1982.
Wulf, Joseph: Das Dritte Reich und seine Mörder. Heinrich Himmler – Eine biographische Studie, Berlin-Grunewald 1960.
Wyks, Alan: Reichsführer ss Himmler, Rastatt 1982.

Betreffende Rudolf Heß

Bird, Eugene: The loneliest man in the world, London 1974.
Douglas-Hamilton, James: Motive for a mission, London 1971.
Douglas-Hamilton, James: The Truth about Rudolf Heß, Edinburgh 1993.
Gilbhard, Hermann: Die Thule Gesellschaft. Vom okkulten Mummenschanz zum Hakenkreuz, München 1994.
Heß, Ilse: Antwort aus Zelle Sieben. Briefwechsel mit den Spandauer Gefangenen, Leoni 1967.
Heß, Ilse: Heß, ein Schicksal in Briefen, Leoni 1984.
Heß, Wolf-Rüdiger: Mein Vater Rudolf Heß. Englandflug und Gefangenschaft, München, Wien 1984.
Heß, Wolf-Rüdiger: Mord an Rudolf Heß? Der geheimnisvolle Tod meines Vaters in Spandau, Leoni 1989.
Irving, David: Rudolf Heß – ein gescheiterter Friedensbote? Die Wahrheit über die unbekannten Jahre 1941-1945, Graz 1987.

Kempner, Robert: Das Dritte Reich im Kreuzverhör. Aus den unveröffentlichten Vernehmungsprotokollen des Anklägers Robert M. W. Kempner, München 1969.
Lang, Jochen von: Der Sekretär. Martin Bormann: Der Mann, der Hitler beherrschte, Stuttgart 1977.
Leasor, James: Der utopische Friede. Der Englandflug von Rudolf Heß, Bergisch Gladbach 1979.
Longerich, Peter: Hitlers Stellvertreter, München e.a. 1992.
Mommsen, Hans: Beamtentum im Dritten Reich, Stuttgart 1966.
Padfield, Peter: Heß. The Führers Disciple, London 1991.
Schlie, Ulrich: Kein Friede mit Deutschland. Die geheimen Gespräche im Zweiten Weltkrieg 1939-1941, Berlin 1994.
Schwärzwäller, Wulf: Rudolf Heß. Der Mann in Spandau, Wien e.a. 1974.
Seidl, Alfred: Der Fall Rudolf Heß. Dokumentation des Verteidigers, München 1984.
Seidl, Alfred: Der verweigerte Friede. Deutschlands Parlamentär Rudolf Heß muß schweigen, München 1985.
Tissier, Tony Le: Farewell to Spandau, Leatherhead 1994.

Betreffende Speer

Arndt, Karl/Koch, Georg F./Larsson, Lars O.: Albert Speer – Architektur. Arbeiten 1933-1942, Frankfurt a. M., Berlin 1995.
Herding, Klaus/Mittig, Hans E.: NS-Kunstgewerbe. Albert Speers Berliner Straßenlaternen, Gießen 1975.
Reichardt, Hans J./Schäche, Wolfgang: Von Berlin nach Germania. Über die Zerstörung der Reichshauptstadt durch Albert Speers Neugestaltungen, Berlin 1984.
Reichelt, Peter A.: Albert Speer – Die Wiederaufbauplanung deutscher Städte. Eine Dokumentation, Mannheim 1988.
Reichelt, Peter A.: Albert Speer. Der Generalbauinspektor von Berlin. Die Durchführungsstelle – Entmietung, Wohnraumbeschaffung und Judenbehandlung in Berlin – Eine Chronik, Mannheim 1986.
Speer, Albert: Erinnerungen, Frankfurt a. M., Berlin 1993.
Speer, Albert: Spandauer Tagebücher, Frankfurt a. M., Berlin 1994.
Hoffmann, Hilmer/Juckel, Lothar/Krüger, Horst e.a.: Stadtgestalt Frankfurt. Speers Beiträge 1964-1994, Stuttgart 1995.
Sereny, Gitta: Das Ringen mit der Wahrheit: Albert Speer und das deutsche Trauma, München 1995.
Schmidt, Matthias: Albert Speer: Das Ende eines Mythos. Speers wahre Rolle im Dritten Reich, Bern, München 1982.
Stark, Ulrike: Architekten – Albert Speer und Speerplan, Stuttgart 1993.

Betreffende Karl Dönitz

Bird, Keith W.: Karl Dönitz. Der 'unbesiegte' Admiral. – In: Die Militärelite des Dritten Reiches, geredigeerd door Ronald Smelser en Enrico Syring, Berlin 1995.
Dönitz, Karl: Zehn Jahre und zwanzig Tage. Erinnerungen 1935-1945, Koblenz 1985[9].

Dönitz, Karl: Mein wechselvolles Leben, Göttingen 1968.
Dönitz, Karl: 40 Fragen an Karl Dönitz, München 1980[1].
Dülfer, Jost: Die Reichs- und Kriegsmarine 1918-1939. – In: Handbuch zur deutschen Militärgeschichte. Deel 4, geredigeerd door het Militärgeschichtliches Forschungsamt, Koblenz 1977.
Hartwig, Dieter: Karl Dönitz – Versuch einer kritischen Würdigung (= Deutsches Schiffahrts-Archiv, Heft 12), Hamburg 1989.
Jäckel, Eberhard: Der Machtantritt Hitlers. Versuch einer geschichtlichen Klärung. – In: 1933. Wie die Republik der Diktatur erlag, geredigeerd door Volker Rittberger, Stuttgart, Berlin, Köln, Mainz 1983.
Lüdde-Neurath, Walter: Regierung Dönitz. Die letzten Tage des Dritten Reiches, Göttingen 1964.
Padfield, Peter: Des Teufels Admiral, Berlin, Frankfurt a. M., Wien 1984.
Salewski, Michael: Die deutsche Seekriegsleitung 1935-1945. 3 delen: deel I: 1935-1941, Frankfurt a. M. 1970, deel II: 1942-1945, München 1975, deel III: Denkschriften und Lagebetrachtungen 1938-1944, Frankfurt a. M. 1973.
Sandhofer, Gert (red.): Dokumente zum militärischen Werdegang des Großadmirals Dönitz (= Militärgeschichtliche Mitteilungen 1/1967).
Smith, Bradley F.: Der Jahrhundertprozeß. Die Motive der Richter von Nürnberg. Anatomie einer Urteilsfindung, Frankfurt a. M. 1977.
Steinert, Marlies: Die 23 Tage der Regierung Dönitz, Düsseldorf, Wien 1967.

Personenregister

Vetgedrukte paginanummers verwijzen naar tekstgedeelten die primair over de genoemde persoon gaan, *cursieve* paginanummers verwijzen naar afbeeldingen.

Bronvermelding foto's

Ulstein Bilderdienst: 51, 95, 103, 111, 115, 123, 135, 151, 161, 174, 223, 229
Süddeutscher Verlag: 37, 50, 69, 79 (l), 82, 83, 143, 143 (b), 147, 155, 167, 184, 185, 201 (l), 205, 211, 217, 228, 233, 261, 265, 279, 283, 295, 297, 302, 308, 309, 313, 319, 323, 327, 333
Archiv für Kunst und Geschichte: 143 (o), 191, 193
Stadtarchiv Mönchengladbach: 33
Keystone: 43, 119, 331, 340
Bundesarchiv: 45, 99, 201 (r), 336
National Archives: 59, 63, 175, 181
Library of Congress: 79 (r), 89, 94
Bildarchiv Preussischer Kulturbesitz: 160, 165, 287
Deutsche Presse-Agentur: 239
NEXT EDIT: 249, 257, 270, 271, 273
ZDF-Archiv: 126/127

De houder van het copyright op de foto op pag. 243 kon tot op heden niet worden achterhaald. Hem wordt verzocht zich in verbinding te stellen met de uitgever.